U0839885

主编 郑电波

中篇小说系列（一九七七年至二〇一二年） **第二十五卷**

中國鄉土小說名作大系

平凹题

中原出版传媒集团
大地传媒

中原农民出版社

图书在版编目(CIP)数据

中国乡土小说名作大系. 第25卷 / 郑电波主编. —郑州：中原出版传媒集团，中原农民出版社，2014. 12
ISBN 978-7-5542-0999-8

Ⅰ. ①中… Ⅱ. ①郑… Ⅲ. ①中篇小说-小说集-中国-当代 Ⅳ. ①I247

中国版本图书馆CIP数据核字(2014)第278563号

中国乡土小说名作大系

出版人 刘宏伟
总编审 汪大凯

总策划 刘宏伟
策划编辑 郑电波
责任编辑 郑电波 高燕燕
责任校对 尹春霞
装帧设计 吴丹青
装帧制作 董 雪
封面题字 贾平凹
插 图 董 钺

出版发行 中原出版传媒集团 中原农民出版社
地 址 河南省郑州市经五路66号 **邮 编** 450002
网 址 http://www.zynm.com **电 话** 0371-65751257
邮购热线 0371-65724566 **传 真** 0371-65751257
承印单位 河南省瑞光印务股份有限公司

开 本 787mm×1092mm 1/16
印 张 24
字 数 463千字
版 次 2014年12月第1版 **印 次** 2014年12月第1次印刷

书 号 ISBN 978-7-5542-0999-8 **定 价** 98.00元

《中国乡土小说名作大系》
编辑工作委员会

凡 例

本大系全套共36卷，精选了1977年至2012年在中国国内公开发表、出版的乡土小说作品中的短、中篇名作。其中前6卷为短篇小说，后30卷（7卷—36卷）为中篇小说。其中包括荣获全国大奖的乡土短、中篇小说；被小说选刊选载且极具影响力的作品；在当时受到社会广泛关注、在读者记忆中留下深刻印象的优秀作品。

本套书的选编原则上是以发表、出版的时间顺序排列的，每卷从作品的品质考量前后有所微调，但大的格局不变。

上世纪整个80年代，是中篇乡土小说创作的黄金时段，名作灿若群星，该大系收录此时段的作品较多。短篇小说系列每卷分上、中、下三部分，而中篇小说系列不作界分。

每卷的字数大致相当。由于上世纪80年代及90年代初，一般中篇小说的篇幅比后来的较长，因此每卷的篇数较少，这也是全套各卷选篇数目不均的原因。

卷首语

三十多年来，中国农村发生了翻天覆地的变化，而中国农村题材小说的创作，正是对应了这段历史。它们是如此的丰富、瑰丽、饱满和激越，如此的斑驳陆离色彩纷呈。它们是心史，是一次不曾间歇的歌哭相随——过人的敏感，欣悦和忧郁，惊愕与绝望，大喜过望以及突如其来的沮丧，肤浅的赞许和陡峭的情感——这一切情愫一切境遇的全面记录和生动描摹。

张　炜

2013 年春

卷首语

中原农民出版社出版《中国乡土小说名作大系》，是当今文化界一个大事件。

中国现代文学过去多少年取得的成就主要是乡土小说。

现在我们国家的改革进入到了城乡一体化阶段，农民进城，小城镇的人到县上，县上的人到省城，省城的人到北京上海等大城市，中国社会已是迁徙的社会。我估计将来再过一两代人，乡土小说类型慢慢就要消退了，肯定不会再成为中国文学的主流了。但是，消亡我觉得是不可能的，因为大量的农村还在，更重要的是中国农村文明的思维还在，只要土地在，思维在，农耕的思维观念在，不管在哪儿，就是你在美国，到月球上去，你还是中国的，中国式的，写中国人的文学就不会消失，因此乡土小说也不会真的消失。

在中国，你想真正了解这个社会，获得一些更深层的东西，就去看一看乡土小说。乡土小说就好像馆藏一样，那里有丰富的宝藏。现在它已经不出现在街头了，就像庙堂或者说茶室一样，有闲时可以去坐一坐，静一静，慢慢品味它。

贾平凹

2014年春

前 言

中国是一个乡土性很强的大国，诚如社会学家费孝通所说，中国是一个“乡土中国”。

乡土，几乎是每个中国人的精神家园。

在新时期文学中，乡土文学堪称最敏感的文化神经。新时期当代文化思潮的演进变化，许多是从乡土小说中透露出重要信息的。应该说，从中国乡土小说中可以读懂当代中国。

农民在我国的文学中，历来处于一个突出而显赫的地位。农民的社会地位不高，而文学地位不低。这是由中国作家的乡土情结、生活阅历、审美情趣及价值取向所决定的。在文学对民族文化心理的反思中，农民作为民族文化心理的主要载体，自然成为小说家关注和表现的对象，故乡土小说天然地在新时期小说中，有着举足轻重的地位。

改革开放的三十多年，这是一个伟大的时代，一个中国前所未有的大变革时代。农村生活的改变，农民心气的勃发，新一代农民在精神、意识、思想上的吐故纳新，新与旧在现实生活中的冲突与较量，以及对于腐败现实的理性批判，随后成为乡土小说在一个时期里反复吟唱的主旋律。作家成了这个时期乡村广大农民理想的抒发者和愿景诉求的代言人。农民在内心理想的感召下奋发向前，作家与之击鼓前行。

改革开放以来的文学，我们称之为新时期文学。新时期文学有三个相互联系的阶段：“伤痕文学”、“反思文学”和“改革文学”。许多作品系统地反映了农村农民生活命运的变化，社会的深层变革，抒写了自己的社会理想。有些作家把思想的锋芒指向乡土文化与农耕文明，以自己的眼光与理性来发现和表现乡土中国的浑重、复杂与嬗变。当然，也有不少作家在作品中多有对自身命运的描述和情感宣泄。

新时期文学初期，印象深、乡土味儿较浓的有何士光的短篇小说《乡场上》，高晓生的《陈奂生上城》《李顺大造屋》，张炜的《一潭清水》，贾平凹的《黑氏》，铁凝的《哦，香雪》，邵振国的《麦客》，张石山的《镢柄韩山宝》，王润滋的《内当家》，史铁生的《我的遥远的清平湾》，田中禾的《五月》，乔典运的《满票》等。中篇小说有郑义的《老井》，路遥的《人生》，张贤亮的《绿化树》，张一弓的《犯人李铜钟的故事》，叶蔚林的《在没航标的河流上》，莫言的《红高粱》，张炜的《秋天的愤怒》，映泉的《桃花湾的娘儿们》，王安忆的《小鲍庄》等等。

新时期文学的早期，是一个激动人心的时期，是一个重建希望的时代，人的内心如同枯木逢春，激情被时代精神所鼓舞并迅速地再度燃烧起来。人们在思想解放运动的昭示下又一次看到了未来的希望，并热情地期许这一切尽快变成现实。深怀理想主义文化信念的作家，无论用什么样的创作方法，骨子里都潜伏着浓重的浪漫主义基因，时代气氛使这浪漫潜滋暗长。那个时代的作家极少悲观，历经再多的苦难也不能告别乐观。作家几乎对未来用承诺的方式描绘着生活，读者的期待使写出好作品的作家一夜成名，自发阅读小说的人超过以往任何时代。人们最大的自由就是对美好的向往，人们在想象的话语中得到满足。

时间在飞驰，中国的变革在加深、加快。二十世纪九十年代引发的经济热潮、商业大潮席卷而来，文学受到很大冲击，一些作家纷纷下海弃文经商，文学创作受到了影响。然而乡土小说的创作，因与政治思潮、商品大潮都有一定程度的疏离，也由于作家的坚守，似乎并没有出现中断或萎缩的情形，无论是中、短篇小说还是长篇小说，都在坚守中有所拓展，且成就了乡土小说创作的特有景观，其作家创作形成了楚文化群落、吴越文化群落、齐鲁文化群落、燕赵文化群落、秦晋文化群落、中原文化群落、东北文化群落、巴蜀滇黔文化群落等，乡土小说内容丰富，五彩斑斓。

九十年代的乡土小说不再是单色的，而是多色的，很耐人寻味。如陈源斌的《万家诉讼》，李佩甫的《无边无际的早晨》，关仁山的《九月还乡》，余华的《活着》，迟子建的《雾月牛栏》，张宇的《乡村情感》，韩少功的《马桥人物》，杨争光的《公羊串门》，赵德发的《通腿儿》等等。

这一时期的长篇小说数量不太多，但质量很高，作家开始向家族、人生命运深处思考，审察人性、反思历史、反观传统，因此作品更显得有分量。长篇小说取得了重大成就。先有张炜的《古船》初现端倪，继有陈忠实的《白鹿原》，莫言的《丰乳肥臀》，阿来的《尘埃落定》的联袂冲刺，掀起长篇小说创作的第二个新高潮，是继八十年代古华的《芙蓉镇》，路遥的《平凡的世界》，贾平凹的《浮躁》之后第二个创作高峰。

新世纪阶段比之于前二十年文学文化领域，因面临着商业文化、传媒文化与信息科技的多重冲击，更由于人们价值观的变化，乡土小说读者的减少，作家浪漫情怀的式微，总体来说乡土小说创作出现了下滑和萎缩的趋势。然而，乡土小说并未到这部乐曲的尾声，不少乡土作家还在这片"土地"上耕耘，他们的笔墨自由而灵动，多元的叙事与多元化的观念已出现，令人感到振奋的是长篇小说的进一步繁荣，乡土长篇小说的创作出现了新的景观。贾平凹的《秦腔》，蒋子龙的《农民帝国》，孙慧芬的《歇马山庄》，铁凝的《笨花》，张炜的《你在高原》，刘震云的《一句顶一万句》，莫言的《蛙》等，其中有的作品的水平，已达到乡土长篇小说的新高。这是由于一些乡土小说作家一直在创作的深刻思考之中，他们甘于寂寞，其思考已抵达生活、社会、历史、人生甚至哲学的深处。

中国乡土小说可以说是新时期文学的精华与支撑，几乎所有的小说名篇都与"乡土"血脉相连，这不但有广泛的共识，也是不争的事实，它们占据了文学、文化、出版价值的制高点。

它是我们这个时代特有的文学形态，具有深厚的人文价值，就中国乡土小说而言，可以说达到了中国文学史上"前无古人"的思想和艺术高度，而且由于我们社会的深度变革，农耕文明的逐渐瓦解，这种形式的文学必将终结，因此可以说，它不仅是空前的，也是绝后的，它的辉煌如同唐诗宋词在中国文学史上的辉煌一样。

乡土小说植根于中华民族精神深处汲取营养，又表现并滋润着民族精神和意识，形成了新时期的文化景观。它不但被中国有识之士充分肯定和赞许，同时也被世界看重。"越是民族的，越是世界的"，莫言获诺贝尔文学奖，就是一个有力的证明。

多年来，从鲁迅到沈从文，中国作家无不有着共同的诺贝尔文学梦，可是直到去年，莫言才为中国作家实现了这个梦想。我认为，莫言获诺贝尔奖，不是他一个人的胜利，而是一大群中国乡土小说作家的胜利。这片热土，造就了这一批作家；这个时代的气候，滋润了这一批作家的成长。如张炜、贾平凹、陈忠实等一批作家，其文学创作的实绩和水平，也大都进入了这个层面。我们为中国乡土作家的成功而鼓掌，为中国乡土小说的辉煌而欢呼。

这是一套乡土小说的精选本，我们这套书重在推出改革开放35年(1977—2012)来中国乡土小说的精华部分，它们绝大部分是获奖名篇或被小说选刊选载、被评论家和广大读者所关注、极具影响力的作品。这些作品是时代的一面镜子，较深刻地反映了一个时期的社会现实。

本套书重时代感，所选作品的排序按照原作初次发表的时间先后顺延。选篇首重乡土气息、时代精神和文学价值，以作品品质为标杆(作家名气、地位作第二位考虑)以期展示35年中国农村变革、农民精神嬗变的文明进程，使内涵巨大的乡土小说所构成的文字画卷，具有以文学纪录时代史诗般的价值。

虽然过去也有一两家出版社出版过一些乡土小说选集版本，但大多是以作家为标杆选择篇目，规模小，不全面；而这套书以整个大改革时代为着眼点，登高望远，选篇宏观铺陈，将散失于长达35年间奇珍般的乡土小说，用一根乡土彩线串系在一起，这是对乡土小说的寻找与抢救，也是在打造我们中国人共同的心灵家园。

由于书的印张所限，有不少影响大、水平高的乡土小说未能选入，对此我们深感遗憾。我们希望这套书的出版，不但能让热爱乡土小说的读者喜欢，而且能让更多的农民兄弟读到。让农民了解农民，了解农村的变化，关心自身命运，关心社会变革，这是我们的初衷。

郑电波

2013年初春

目　录

活着——余　华　001
九月还乡——关仁山　059
泱泱水——尤凤伟　092
一曲未了——阙迪伟　128
碎瓦——赵本夫　150
走出困局——葛安荣　174
美满姻缘——孙少山　202
激流勇退——常庚西　229
欣逢佳节——和军校　272
割草的小梅——叶蔚林　309
穷乡——何　申　336

活　着

余　华

我比现在年轻十岁的时候，获得了一个游手好闲的职业——去乡间收集民间歌谣。那一年的整个夏天，我如同一只乱飞的麻雀，游荡在知了和阳光充斥的村舍田野。我喜欢喝农民那种带有苦味的茶水，他们的茶桶就放在田埂的树下，我毫无顾忌地拿起漆满茶垢的茶碗舀水喝，还把自己的水壶灌满，与田里的男人说上几句废话，在姑娘因我而起的窃窃私笑里扬长而去。我曾经和一位守着瓜田的老人聊了整整一个下午，这是我有生以来瓜吃得最多的一次，当我站起来告辞时，突然发现自己像个孕妇一样步履艰难了。然后我与一位当上了祖母的女人坐在门槛上，她编着草鞋为我唱了一支《十月怀胎》。我最喜欢的是傍晚来到时，坐在农民的屋前，看着他们将提上的井水泼在地上，压住蒸腾的尘土，夕阳的光芒在树梢上微微摇晃。拿一把他们递过来的扇子，尝尝他们和盐一样咸的咸菜，看看某位年轻女人，听几个老人讲述遥远的传说。

那个夏天我还差一点谈情说爱，我遇到了一位赏心悦目的农村女孩，她黝黑的脸蛋至今还在我眼前闪闪发光。我见到她时，她卷起裤管坐在河边的青草上，摆弄着一根竹竿在照看一群肥硕的鸭子。这个十六七岁的女孩，羞怯地与我共同度过了一个炎热的下午，她每次露出笑容时都要深深地低下头去，我看着她偷偷放下卷起的裤管，又怎样将自己的光脚丫子藏到草丛里去。那个下午我信口开河，向她兜售如何带她外出游玩的计划，这个女孩又惊又喜。我当初情绪激昂，说这些也是真心实意。我只是感到和她在一起身心愉快，也不去考虑以后会是怎样。可是后来，当她三个强壮如牛的哥哥走过来时，我才吓了一跳，我感到应该和这位可爱的女孩永别了，否则我就会不得不娶她为妻。

我就是这么一副模样：头戴宽边草帽，脚上穿着拖鞋，一条毛巾挂在身后的皮带上，让它像尾巴似的拍打着我的屁股。我张大嘴巴打着哈欠，散漫地走在田间小道上。我的拖鞋吧嗒吧嗒，把那些小道弄得尘土飞扬，仿佛是车轮滚滚而过时的情景。

有一天午后，我走到了一棵有着茂盛树叶的树下，摘下草帽，从身后取过手巾擦起脸上的汗水。我的眼睛四处张望了一会儿，那时候棉花已被收起，有几个包着头巾的女人在田里将棉秆拔出来，她们不时扭动着屁股摔去根须上的泥巴。我的身后是一口在阳光下泛黄的池塘，我就靠着树干面对池塘坐了下来，翻弄起自己的背包，在几本同时出来的书籍面前，我犹豫不决。一封信的滑出，导致了书籍全都回到背包里去。那是我出发收到的父亲来信，父亲的信只有两句话，他这样写——

收到你的来信，我和你母亲高兴了整整一天。不过那时候我和你母亲都还年轻，容易激动。

父亲善意的讽刺，使我重读时感到十分愉快。我已有一年多没有给家里去信了，读了这封信后，我依然觉得没有什么事值得写信告诉他们。我将信放入背包，并且迅速忘记他们。我感到自己要睡觉了，就在青草上躺下来，把草帽盖住脸，枕着背包在树荫里闭上了眼睛。

在进入睡眠的路途上，我看到了夜晚的时候，我的父母坐在床上被窝里，床头柜上摆着一台老式收音机，上面罩着竹叶图案的丝织纱布。我的父母用一种谈论收音机的语调谈论着我，他们的脸上保留着淡淡的微笑，这情景使我离开了睡眠，我睁开眼睛，感受到阳光如何穿过叶缝和草帽的间隙照亮了我。

这位比现在年轻十岁的我，躺在树叶和草丛中间，睡了有两个小时。其间有几只蚂蚁爬到了我的腿上，我沉睡中的手依然准确地将它们弹走。后来仿佛是来到了水边，一位老人撑着竹筏在远处响亮地吆喝。我从睡梦里挣脱而出，吆喝声在现实里清晰地传来，我起身后看到近旁田里一个老人正在开导一头老牛。

犁田的老牛或许已经深感疲倦，它低头伫立在那里，后面赤裸着脊背扶犁的老人，对老牛消极的态度似乎不满，我听到他嗓音响亮地对牛说道：

“做牛耕田，做狗看家，做和尚化缘，做鸡报晓，做女人织布，哪头牛不耕田？这可是自古就有的道理，走呀，走呀。”

疲倦的老牛听到老人的吆喝后，仿佛知错般地抬起了头，拉着犁往前走去。

我看到老人的脊背和牛背一样黝黑，两个进入垂暮的生命将那块古板的田地耕得哗哗翻动，犹如水面上掀起的波浪。随后，我听到老人粗哑却令人感动的嗓音，他唱起了旧日的歌谣，先是咿呀啦呀唱出长长的引子，接着出现了两句歌词——

皇帝叫我做女婿，
路远迢迢我不去。

因为路途遥远，不愿去做皇帝的女婿。老人的自鸣得意让我失声而笑。可能是牛放慢了脚步，老人又吆喝起来："二喜、有庆不要偷懒；家珍、凤霞耕得好；苦根也行啊。"

一头牛竟会有这么多名字？我好奇地走到田边，问走近的老人："这牛究竟有多少名字？"

老人扶住犁站下来，他将我上下打量了一番后问："你是城里人吧？"

"是的。"我点点头。

老人得意起来："我一眼就看出来了。"

我说："这牛有多少名字？"

老人回答："这牛叫福贵，就一个名字。"

"可你刚才叫了几个名字。"

"噢——"老人高兴地笑了起来，他神秘地向我招招手，当我凑过去时，他欲说又止，他看到牛正抬着头，就训斥它："你别偷听，把头低下。"

牛果然低下了头，这时老人悄声对我说："我怕它知道只有自己在耕田，就多叫出几个名字去骗它，它听到还有别的牛也在耕田，就不会不高兴，耕田也就起劲啦。"

老人黝黑的脸在阳光里笑得十分生动，脸上的皱纹欢乐地游动着，里面镶满了泥土，就如布满田间的小道。

四十年前，我爹常在这里走来走去，那时候我们家境还没有败落，我们徐家有一百多亩地，从这里一直到那边工厂的烟囱，都是我家的。我爹和我，是远近闻名的阔老爷和阔少爷，我们走路时鞋子的声响，都像是铜钱碰来撞去的。我女人家珍，是城里米行老板的女儿，她也是有钱人家出生的。有钱人嫁给有钱人，就是把钱堆起来，钱在钱上面哗哗地流，这样的声音我有四十年没有听到了。

我是我们徐家的败家子，用我爹的话说，我是他的孽子。我念过几年私塾，穿长衫的私塾先生叫我念一段书时，是我最高兴的。我站起来，拿着本线装的《千字文》，对私塾先生说："好好听着，爹给你念一段。"

年过花甲的私塾先生对我爹说："你家少爷长大了准能当个二流子。"

我从小就不可救药，这是我爹的话，私塾先生说我是朽木不可雕也。现在想想他们都说对了，当初我可不这么想，我想我有钱呵，又是我爹仅有的一个儿子。

上私塾时我从来不走路，都是我家一个雇工背着我去，放学时他已经恭恭敬敬地弯腰蹲在那里了，我骑上后拍拍雇工的脑袋，说一声："长根，跑呀。"

雇工长根就跑起来，我在上面一颠一颠的，像是一只在树梢上的麻雀。我说声："飞呀。"

他就一步一跳，做出一副飞的样子。

我长大以后就喜欢往城里跑，常常是十天半月不回家，我穿着白色的丝绸衣衫，头发抹得光滑透亮，往镜子前一站，我看到自己满脑袋的黑油漆，一副有钱人的样子。

起初我爱往妓院钻，听那些风骚的女人整夜叽叽喳喳和哼哼哈哈，那些声音听上去像是在给我挠痒痒。后来我就更喜欢赌博了，逛妓院只是轻松轻松，赌博可就完全不一样了，我是又痛快又紧张。特别是那个紧张，有一股叫我说不出来的舒坦。以前我是过一天是一天，整天有气无力，每天早晨醒来犯愁的就是这一天该怎么打发。我爹常常唉声叹气，训斥我没有光耀祖宗。我心想光耀祖宗关我屁事，我对自己说：凭什么让我放着好端端的日子不过，去想光耀祖宗这些累人的事。再说我爹年轻时也和我一样，我家祖上有两百多亩地，到他手上一折腾就剩一百多亩了。我对爹说："你别犯愁啦，我儿子会光耀祖宗的。"

总该给下一辈留点好事吧。我娘听了这话吃吃一笑，她偷偷告诉我：我爹年轻时也这么对我爷爷说过。我心想就是嘛，他自己干不了的事硬要我来干，我怎么会答应？那时候我儿子有庆还没出来，我女儿凤霞刚好四岁。家珍怀着有庆自然有些难看，我嫌弃她，对她说："你呀，风一吹肚子就要大上一圈。"

家珍从不顶撞我，听了这糟蹋她的话，她心里不乐意也只是轻轻说一句："又不是风吹大的。"

自从我赌博上以后，我倒还真想光耀祖宗了，想把我爹弄掉的一百多亩地挣回来。那些日子爹问我在城里鬼混些什么，我对他说："现在不鬼混啦，我在做生意。"

他问："做什么生意？"

我说："做铜钱买卖。"

他一听就火了，他年轻时也这么回答过我爷爷。他知道我是在赌博，脱下布鞋就朝我打来，我左躲右藏，心想他打几下就该完了吧。可我这个平常只有咳嗽才有力气的爹，竟然越打越凶了。我又不是一只苍蝇，让他这么拍来拍去。我一把捏住他的手，说道："爹，你他娘的算了吧。老子看在你把我弄出来的分上让让你，你他娘的就算了吧。"

我捏住爹的右手，他又用左手脱下右脚的布鞋，还想打我。我又捏住他的左手，这样他就动弹不得了，他气得哆嗦了半天，才喊出一声："孽子。"

我说："去你娘的。"

双手一推，他就跌坐到墙角里去了。

我年轻时吃喝嫖赌，什么浪荡的事都干过。我常去的那家妓院是单名，叫青楼。里面有个胖胖的妓女很招我喜爱，她走路时两片大屁股就像挂在楼前的两只灯笼，晃来晃去。她躺到床上一动一动时，压在上面的我就跟睡在船上，在河水里摇呀摇呀。我经常让她背着我去逛街，我骑在她身上像是骑在一匹马上。

我的丈人，米行的陈老板，穿着黑色的绸衫站在柜台后面。我每次从那里经过时，都要揪住妓女的头发，让她停下，脱帽向丈人致礼："近来无恙？"

我丈人当时的脸就和松花蛋一样，我呢，哈哈笑着过去了。后来我爹说我丈人几次都让我气病了，我对爹说："别哄我啦，你是我爹都没气成病。他自己生病凭什么往我身上推？"

他怕我，我倒是知道的。此后我骑在妓女身上经过他的店门时，我丈人身手极快，像只耗子呼的一下窜到里屋去了。他不敢见我，可当女婿的路过丈人店门总该有个礼吧。我就大声嚷嚷着向逃窜的丈人请安。

我女人家珍当然知道我在城里这些花花绿绿的事，家珍是个好女人，我这辈子能娶上这么一个贤惠的女人，是我前世做狗吠叫了一辈子换来的。家珍对我从来都是逆来顺受，我在外面胡闹，她只是在心里打鼓，从不说我什么，和我娘一样。

我在城里闹腾得实在过分，家珍心里当然有一团乱麻，乱糟糟的不能安分。有一天我从城里回到家中，刚刚坐下，家珍就笑盈盈地端出四样菜，摆在我面前，又给我斟满了酒，自己在我身旁坐下来侍候我吃喝。她笑盈盈的样子让我觉得奇怪，不知道她遇上了什么好事，我左思右想也想不出这天是什么日子。我问她，她不说，就是笑盈盈地看着我。

那四样菜都是蔬菜，家珍做得各不相同，可吃到下面都是一块差不多大小的猪肉。起先我没怎么在意，吃到最后一碗菜，底下又是一块猪肉。我一愣，随后我就嘿嘿笑了起来。我明白了家珍的意思，她是在开导我：女人看上去各不一样，到下面都是一样的。我对家珍说道："这道理我也知道。"

道理我也知道，看到上面长得不一样的女人，我心里想的就是不一样，这实在是没办法的事。

家珍就是这样一个女人，心里对我不满，脸上不让我看出来，弄些转弯抹角的点子来敲打我。我偏偏是软硬不吃，我爹的布鞋和家珍的菜都管不住我的腿，我就是爱往城里跑，爱往妓院钻。还是我娘知道我们男人心里想什么，她对家珍说："男人都是馋嘴的猫。"

我娘说这话不只是为我开脱，还揭了我爹的老底。我爹坐在椅子里，一听这话眼睛就眯成了两条门缝，嘿嘿笑了一下。我爹年轻时也不检点，他是老了干不动了才老实起来。

我赌博时也在青楼，常玩的是麻将、牌九和骰子。我每赌必输，越输我越想把我爹年轻时输掉的一百多亩地赢回来。刚开始输了我当场给钱，没钱就去偷我娘和家珍的首饰，连我女儿凤霞的金项圈也偷了去。后来我干脆赊账，债主们都知道我的家境，让我赊账。自从赊账以后，我就不知道自己输了有多少，债主也不提醒我，暗地里天天都在算计着我家那一百多亩地。

我最后一次赌博时，家珍来了，那时候天都快黑了。这是家珍后来告诉我的，我当初根本不知道天是亮着还是要黑了。家珍凸了个大肚子找来了，那一年我女儿凤霞有四岁了，我儿子有庆也在他娘肚子里长了六个多月。家珍找到了我，一声不吭地跪在我面前，起先我没看到她，那天我手气特别好，掷出的骰子十有八九是我要的点数。坐在对面叫龙二的人，是出名的赌徒，他最会玩的就是掷骰子，场内的人都叫他骰子师傅，可他也栽到我手里了。他嘴里叼着烟卷，眼睛眯缝着像是什么事都没有，两条瘦胳膊把钱推过来时却哆嗦个没完。我想龙二你也该惨一次了，人都是一样的，手伸进别人口袋里掏钱时那个眉开眼笑，轮到自己给钱了一个个都跟哭丧一样。我正高兴着，有人扯了扯我的衣服，低头一看是自己的女人。看到家珍跪着我就火了，心想我儿子还没出来就跪着了，这太不吉利。我就对家珍说："起来，起来，你他娘的给我起来。"

家珍还真听话，立刻站了起来。我说："你来干什么？还不快给我回去。"

说完我就不管她了，看着龙二将骰子捧在手心里跟拜佛似的摇了几下，他一掷出脸色就难看了，我一看自己又胜了，就对龙二说："龙二，你去洗洗手吧。"

龙二手软了嘴还硬着，他脑袋歪了歪说道："你把嘴巴抹干净了再说话。"

家珍又扯了扯我的衣服，我一看，她又跪到地上了。家珍细声细气地说："你跟我回去。"

要我跟着一个女人回去？家珍这不是存心出我的丑？我气得血都乱流了，我看看龙二，龙二冷冷地笑了一下，我对家珍吼道："你给我滚回去。"家珍还是说："你跟我回去。"

我给了她两巴掌，家珍的脑袋像是拨浪鼓那样摇晃了几下。挨了我的打，她还是跪在那里，说："你不回去，我就不站起来。"

现在想起来叫我心疼啊，我年轻时真是个乌龟王八蛋。这么好的女人，我对她又打又踢。我怎么打她，她就是跪着不起来，打到最后连我自己都觉得没趣了，家珍头发披散眼泪汪汪地捂着脸。我就从胜来的钱里抓出一把，给了旁边站着的两个人，让他们把家珍拖出去，我对他们说："拖得越远越好。"

家珍被拖出去时，双手紧紧捂着凸起的肚子，那里面有我的儿子啊。家珍没喊没叫，被拖到了大街上，那两个人扔开她以后，她就扶着墙壁站起来。那时候天完全黑了，她一个人慢慢往回走。后来我问她，她那时是不是恨死我了，她摇摇头说："没有。"

我的女人抹着眼泪走到她爹米行门口时，站了很长时间，她看到她爹的脑袋被煤油灯的亮光印在墙上，她知道他是在清点账目。她站在那里呜呜哭一会儿，就走开了。她没有进去，走了十多里夜路回到了我家。她一个孤身女人，又怀着六个多月的有庆，一路上到处都是狗吠，下过一场大雨的路又坑坑洼洼。

早上几年的时候，家珍还是一个女学生。那时城里有夜校了。家珍穿着月白色的旗袍，提着一盏小煤油灯，和几个女伴去上学。我是在拐弯处看到她，她一扭一扭地走过来，我眼睛看得都不会动了，家珍那时候长得可真漂亮，我一看到她就在心里想，我要她做我的女人。

那天我回家后马上对我娘说："快去找个媒人，我要把城里米行陈老板的女儿娶过来。"

家珍那天晚上走后，我就开始倒霉了，连着输了好几把，眼看桌上小山坡一样堆起的钱，像洗脚水倒了出去。龙二那张脸看上去烂了一样嘻嘻笑起来。那次我一直赌到天亮，赌得我头晕眼花，胃里直往嘴上冒臭气。最后一把我压上了平生最大的赌注，用唾沫洗了洗手，抓起骰子就掷了出去。心想千秋功业全在此一掷了，还好，点数还挺大的。

轮到龙二时，龙二将骰子放在七点上，这小子伸出手掌使劲一拍，喊了一声："七点。"

抓起一掷，那颗骰子果然是七点。我一看脑袋里嗡的一下，这次输惨了。继而一想反正可以赊账，日后总有机会胜回来，便宽了宽心，站起来对龙二说："先记上吧。"

龙二摆摆手让我坐下，他说："不能再让你赊账了，你把你家一百多亩地全输光了。再赊账，你拿什么来还？"

我听后吓出了一身冷汗，连声说："不会，不会。"

龙二和另两个债主就拿出账簿，一五一十给我算起来，龙二拍拍我凑过去的脑袋，对我说："福贵，看清楚了吗？这可都是你签字画押的。"

我才知道半年前就欠上他们了，半年下来我把祖辈留下的家产全输光了。算到一半，我对龙二说："别算了。"

我重新站起来，像只瘟鸡似的走出了青楼，那时候天完全亮了，我就站在街上，都不知道该往哪里走。有一个提着豆腐的熟人看到我后响亮地喊了一声："早啊，徐家少爷。"

他的喊声吓了我一跳，我呆呆地看着他。他笑眯眯地说："瞧你这样子，都成药渣了。"

他还以为我是被那些女人给折腾的，他不知道我破产了，我和一个雇工一样穷了。我苦笑着看他走远，心想还是别在这里站着，就走动起来。这次路过丈人的米行时，我哪还敢去向他请安，我把脑袋缩了缩赶紧走过去。我听到老丈人在里面咳嗽，接着呸的一声吐了一口痰在地上。

我想接下去怎么办呢？拿根裤带吊死算啦，其实我根本不想死，只是找个法子与自己赌气。我想想那一屁股债又不会和我一起吊死，就对自己说："算啦，别死了。"

这债是要让我爹去还了，一想到爹，我心里一阵发麻，这下他还不把我给揍死？我边走边想，怎么想都是死路一条了，还是回家去吧。被我爹揍死，总比在外面像野狗一样吊死强。

就那么一会儿工夫，我瘦了整整一圈，自己还不知道，回到家里时，我娘一看到我就惊叫起来，她看着我的脸问："你是福贵吗？"

我没有和她说话，推门走到了自己屋里，正在梳头的家珍看到我也吃了一惊，她张嘴看着我。一想到她昨晚来劝我回家，我却对她又打又踢，我就扑通一声跪在她面前，对她说："家珍，我完蛋啦。"

说完我就呜呜地哭了起来，家珍慌忙来扶我，她怀着有庆哪能把我扶起来？她就叫我娘。两个女人一起把我抬到床上，我躺到床上就口吐白沫，一副要死的样子，可把她们吓坏了，又是捶肩又是摇我的脑袋，我伸手把她们推开，对她们说："我把家产输光啦。"

我娘听了这话先是一愣，她使劲看了看我，我那副模样叫她一屁股坐到了地上，她抹着眼泪说："上梁不正下梁歪啊。"

我娘到那时还在心疼我，她没怪我，倒是去怪我爹。

家珍也哭了，她一边替我捶背一边说："只要你以后不赌就好了。"

我输了个精光，以后就是想赌也没本钱了。我听到爹在那边屋子里骂骂咧咧的，他还不知道自己是穷光蛋了，他嫌两个女人的哭声吵他。听到我爹的声音，我娘就不哭了，她站起来走出去，家珍也跟了出去。我知道她们到我爹屋子里去了，不一会儿我就听到爹在那边喊叫起来："孽子。"

这时我四岁的女儿凤霞推门进来，又摇摇晃晃地把门关上。凤霞尖声细气地对我说："爹，你快躲起来，爷爷要来揍你了。"

我一动不动地看着她，凤霞就跑过来拉我的手，拉不动我她就哭了。看着凤霞哭，我心里就跟刀割一样。凤霞这么小的年纪就知道护着她爹，就是看着这孩子，我也该千刀万剐。

我听到爹气冲冲地走来了，他喊着："孽子，我要剐了你，阉了你，剁烂了你这乌龟王八蛋。"

我想爹你就进来吧，你就把我剁烂了吧。可我爹走到门口，身体一晃就摔到地上气昏过去了。我娘和家珍叫叫嚷嚷地把他扶起来，扶到他自己的床上。过了一会儿，我听到爹在那边像是吹唢呐般地哭上了。

我爹在床上一躺就是三天，第一天他呜呜地哭，后来他不哭了，开始叹息，一声声地传到我这里，我听到他哀声说着："报应呵，这是报应。"

第三天，我爹在自己屋里接待客人，他响亮地咳嗽着，一旦说话时声音又低得听不到。到了晚上的时候，我娘走过来对我说，爹叫我过去。我从床上起来，心想这下非完蛋不可，我爹在床上歇了三天，他有力气来宰我了，起码也把我揍个半死不活。我对自己说，任凭爹怎么揍我，我也不要还手。我向爹走去时一点力气都没有，身体软绵绵，两条腿像是假的。我进了他的房间，站在我娘身后，偷偷看着他躺在床上的模样，他睁圆了眼睛看着我，白胡须一抖一抖，他对我娘说："你出去吧。"

我娘从我身旁走了出去，她一走我心里是一阵发虚，说不定他马上就会从床上蹦起来和我拼命。他躺着没有动，胸前的被子都滑出去挂在地上了。

"福贵呵。"爹叫了一声，他拍拍床沿说，"你坐下。"

我心里咚咚跳着在他身旁坐下来，他摸到了我的手，他的手和冰一样，一直冷到我心里。爹轻声说："福贵啊，赌债也是债，自古以来没有不还债的道理。我把一百多亩地，还有这房子都抵押出去了，明天他们就会送铜钱来。我老了，挑不动担子了，你就自己挑着钱去还债吧。"

爹说完后又长叹一声，听完他的话，我眼睛里酸溜溜的，我知道他不会和我拼命了，可他说的话就像是一把钝刀子在割我的脖子，脖子掉不下来，倒是疼得死去活来。爹拍拍我的手说："你去睡吧。"

第二天一早，我刚起床就看到四个人进了我家院子，走在头里的是个穿绸衣的有钱人，他朝身后穿粗布衣服的三个挑夫摆摆手说："放下吧。"

三个挑夫放下担子撩起衣角擦脸时，那有钱人看着我喊的却是我爹："徐老爷，你要的货来了。"

我爹拿着地契和房契连连咳嗽着走出来，他把房地契递过去，向那人哈哈腰说："辛苦啦。"

那人指着三担铜钱，对我爹说："都在这里了，你数数吧。"

我爹全没有了有钱人的派头，他像个穷人一样恭敬地说："不用，不用，进屋喝口茶吧。"

那人说："不必了。"

说完，他看看我，问我爹："这位是少爷吧？"

我爹连连点头，他朝我嘻嘻一笑，说道："送货时采些南瓜叶子盖在上面，可别让人抢了。"

这天开始，我就挑着铜钱走十多里路进城去还债，铜钱上盖着的南瓜叶是我娘和家珍去采的。龙二见我挑着担子来了，亲热地喊了一声："来啦，徐家少爷。"

他揭开瓜叶时皱皱眉，对我说："你这不是自找苦吃，换些银元多省事。"

我把最后一担铜钱挑去后，他就不再叫我少爷，他点点头说："福贵，就放这里吧。"

倒是另一个债主亲热些，他拍拍我的肩说："福贵，去喝一壶。"

龙二听后忙说："对，对，喝一壶，我来请客。"

我摇摇头，心想还是回家吧。一天下来，我的绸衣也磨破了，肩上的皮肉渗出了血。我一个人往家里走去，走走哭哭，哭哭又走走。想想自己才挑了一天的钱就累得人都要散架了，祖辈挣下这些钱不知要累死多少人。到这时我才知道爹为什么不要银元偏要铜钱，他就是要我知道这个道理，要我知道钱来得千难万难。这么一想，我都走不动路了，在道旁蹲下来哭得腰里直抽搐。那时我家的老雇工，就是小时候背我去私塾的长根，背着个破包裹走过来。他在我家干了几十年，现在也要离开了。他很小就死了爹娘，是我爷爷带回家来的，以后也一直没娶女人。他和我一样眼泪汪汪，赤着皮肉裂开的脚走过来，看到我蹲在路边，他叫了一声："少爷。"

我对他喊："别叫我少爷，叫我畜生。"

他摇摇头说："要饭的皇帝也是皇帝，你没钱了也还是少爷。"

一听这话我的眼泪又下来了，他也在我身旁蹲下来，捂着脸呜呜地哭上了。我们在一起哭了一阵后，我对他说："天快黑了，长根你回家去吧。"

长根站了起来，一步一步地走开去，我听到他嗡嗡地说："我哪还有什么家呀。"

长根走后，我也站起来往家走，我到家的时候天已经黑了。家里原先的雇工和女佣都已经走了，我娘和家珍在灶间一个烧火一个做饭，我爹还在床上躺着，只有凤霞还和往常一样高兴，她还不知道从此以后就要受苦受穷了。她蹦蹦跳跳走过来，扑到我腿上问我："为什么他们说我不是小姐了？"

我摸摸她的小脸蛋，一句话也说不出来，好在她没再往下问，她用指甲刮起了我裤子上的泥巴，高兴地对我说："我在给你洗裤子呢。"

到了吃饭的时候，我娘走到爹的屋门口问他："给你把饭端进来吧？"

我爹说："我出来吃。"

我爹三根指头执着一盏煤油灯从屋里走出来，灯光在他脸上一闪一闪，那张脸半明半暗，他弓着背咳嗽连连。爹坐下后问我："债还清了？"

我低着头说："还清了。"

我爹说："这就好，这就好。"

他看到了我的肩膀，又说："肩膀也磨破了。"

我没有作声，偷偷看看我娘和家珍，她们两个都泪汪汪地看着我的肩膀。爹慢吞吞地吃起了饭，才吃了几口就将筷子往桌上一放，把碗一推，他不吃了。过一会儿，爹说道："从前，我们徐家的老祖宗不过是养了一只小鸡，鸡养大后变成了鹅，鹅养大了变成了羊，再把羊养大，羊就变成牛了。我们徐家就是这样发起来的。"

爹的声音里咝咝的，他顿了顿又说："到了我手里，徐家的牛变成了羊，羊又变成了鹅。传到你这里，鹅变成了鸡，现在是连鸡也没啦。"

爹说到这里嘿嘿笑了起来，笑着笑着就哭了。他向我伸出两根指头："徐家出了两个败家子啊。"

没出两天，龙二来了。龙二的模样变了，他嘴里镶了两颗金牙，咧着大嘴巴嘻嘻笑着。他买去了我们抵押出去的房产和地产，他是来看看自己的财产。龙二用脚踢踢墙基，又将耳朵贴在墙上，伸出巴掌拍拍，连声说："结实，结实。"

龙二又到田里去转了一圈，回来后向我和爹作揖说道："看着那绿油油的地，心里可真踏实。"

龙二一到，我们就要从几代居住的屋子里搬出去了，搬到茅棚里去住。搬走的那天，我爹双手背在身后，在几个房间里踱来踱去，末了对我娘说："我还以为会死在这屋子里。"

说完，我爹拍拍绸衣上的尘土，伸了伸脖子就往外走。他还没有跨出门槛就一头栽在地上。天黑之前，我爹死了。他是我们徐家最后一个死在这屋里的人。

我爹死后，我娘和家珍都不敢怎么大声哭，她们怕我想不开，也跟着爹一起去了。有时我不小心碰着了什么，她们两人就会吓一跳。看到我没像爹那样摔倒在地，她们才放心地问我："没事吧？"

那些天我像是染上了瘟疫一样浑身无力，整日坐在茅屋前的地上，一会儿眼泪汪汪，一会儿又唉声叹气。我娘走过来对我说："人只要活得高兴，穷也不怕。"

她是在宽慰我，她还以为我是被穷折腾成这样的，其实我心里想着的是我死去的爹。我爹死在我手里了，我娘和家珍，还有凤霞却要跟着我活受罪。

我爹死后第三天，我丈人来了，他雇了四人抬的轿子，在那条路上气冲冲地走来。当时我正在田里干活，一看到我丈人那两条乱蹬的腿，就知道他是来接家珍回去的。他让轿夫将轿子停在我家茅屋前，右手提着长衫走了进去。我先是听到他怒气冲冲的声音，接着是家珍哭了，我娘的声音没听到。没多久，家珍挺着大肚子走了出来，她站在轿子旁看看我。我丈人对她说了几句话，她就上轿了。我娘可怜巴巴地站在一旁，什么话也没说，当轿子抬起来走时，我娘扭着小脚一直跟到村口，在那里站了很久，我丈人手提长衫，走得和轿子一样快。他们走后，我娘抹抹眼泪转回身来。

这时凤霞跑了过来，她睁大眼睛对我说："爹，我娘坐上轿子啦。"

凤霞高兴的样子叫我看了难受，我对她说："凤霞，你过来。"

凤霞走到我身边，我摸着她的脸说："凤霞，你可不要忘记我是你爹。"

凤霞听了这话格格笑起来，她说："你也不要忘记我是凤霞。"

家珍走后，我娘时常坐在一边偷偷抹眼泪，我本想找几句话去宽慰宽慰她，一看到她那副样子，就什么话也说不出来了。倒是她时常对我说："家珍是你的女人，不是别人的，谁也抢不走。"

龙二成了这里的地主，我就向他去租田地。龙二坐在我家客厅的太师椅子里，张着镶金牙的嘴，笑眯眯地问我："你要几亩？"

我说："租五亩吧。"

"五亩？"他眉毛往上吊了吊，问，"你这身体能行吗？"

我说："练练就行了。"

他想一想说："我们是老相识了，我给你五亩好田。"

龙二还是讲点交情的，他真给了我五亩好田。我一个人种五亩田，看得见的时候我都在田里干活，凤霞每天都坐在田埂上陪我。她采了些野花往脑袋上插，不停地问我她像什么。农忙的时候，我娘也下田帮我干一些活。

龙二常常穿着丝绸衣衫，右手拿着茶壶在田埂上走来走去，神气得很。他总是咧嘴笑着，当他骂看不顺眼的佃户时也咧着嘴，我起先还以为他对人亲热，慢慢地就知道他是要别人都看到他的金牙。

有一次我正割着稻子，凤霞跟在后面捡稻穗，龙二一摇一摆走了过来，对我说："福贵，我戒赌啦，免得日后也落到你这种地步。"

我向龙二哈哈腰，恭敬地说："是，龙老爷。"

龙二指指凤霞，问道："这是你的崽子吗？"

我又哈哈腰，说一声："是，龙老爷。"

我看到凤霞站在那里，手里拿着稻穗，直愣愣地盯着龙二看，就赶紧对她说："凤霞，快向龙老爷行礼。"

凤霞也学我的样子向龙二哈哈腰，说道："是，龙老爷。"

我时常惦记着家珍，还有她肚子里的孩子。家珍走后三个月，托人捎来了一个口信，说是生啦，生了个儿子出来，我丈人给取了个名字叫有庆。我娘悄悄问捎话的人：

"有庆姓什么呢？"

那人说："姓徐呀。"

那时我在田里，我娘扭着小脚急匆匆地跑来告诉我，她话没说完，就擦起了眼泪。随后一遍遍地说要进城去看看孙子，过了几天她也没动身，我也不好问。按我们这里的习俗，家珍是被她娘家的人硬给接走的，也应该由她娘家的人送回来。我娘对我说："有庆姓了徐，家珍也就马上要回来了。"

她又说："家珍现在身体虚，还是待在城里好。家珍要好好补一补。"

家珍是在有庆半岁的时候回来的。她来的时候没有坐轿子，她将有庆放在身后的一个包裹里，走了十多里路回来。有庆闭着眼睛，小脑袋靠在他娘肩膀上一摇一摇回来认我这个爹了。

家珍穿着水红的旗袍，漂漂亮亮地回来了。她走到我家茅棚门口，没有一下子走进去，站在门口笑盈盈地看着我娘。

我娘在屋里坐着编草鞋，她抬起头来后看到一个漂亮的女人站在门口。家珍的身体挡住了光线，我娘没有认出来是家珍，也没有看到她身后的有庆。我娘问她："是谁家的小姐，你找谁呀？"

家珍听后格格笑了起来，说道："是我，我是家珍。"

当时我和凤霞在田里，凤霞坐在田埂上数着我插秧。我听到有个声音喊我，声音像我娘，也有些不像，我问凤霞："谁在喊？"

凤霞转过身去看一看说："是奶奶。"

我直起身体，看到我娘站在茅棚门口弯着腰在使劲喊我，穿水红旗袍的家珍抱着有庆站在一旁。凤霞一看到她娘，撒腿跑了过去。我在水田里站着，看着我娘弯腰叫我的模样，她太使劲了，两只手撑在腿上，免得上面的身体掉到地上。凤霞跑得太快，我五岁的女儿在田埂上摇来晃去。凤霞扑到了家珍腿上。抱着有庆的家珍蹲下去和凤霞抱在一起。我这时才走上田埂，我娘还在喊，越走近她们，我脑袋里越是晕晕乎乎的。我一直走到家珍面前，对她笑了笑。家珍站起来，眼睛定定地看了我一阵。那时我已不是穿绸衣的福贵了，我穿着破烂的粗布衣裳，满身都是泥。家珍看到我这副样子，一低头轻轻抽泣起来。

家珍一回来，这个家就全了，我干活时也有了个帮手。我开始心疼自己的女人了，这是家珍告诉我的，我自己倒是不觉得。我常对家珍说："你到田埂上去歇会儿吧。"

家珍是城里小姐出身，细皮嫩肉的，看着她干粗活，我自然心疼。家珍听到我让她去歇一下，就高兴地笑起来，她说："我不累。"

我娘说得对，只要人活得高兴，就不怕穷。家珍脱掉了旗袍，也和我一样穿上粗布衣服。她整天累得喘不过气来，还总是笑盈盈的。凤霞是个好孩子，我们从砖瓦的房屋搬到茅棚里去住，她照样高高兴兴，吃起粗粮来也不往外吐。弟弟回来以后她就更高兴了，再不到田边来陪我，就一心想着去抱弟弟。有庆苦呵，他姐姐还过了四五年好日子，有庆才在城里待了半年，就到我身边来受苦了，我觉得最对不起的就是儿子。

这样的日子过了一年后，我娘病了，开始只是头晕，我娘说看着我们时糊里糊涂的。我也没怎么在意，想想她年纪大了，眼睛自然看不清。后来有一天，我娘在烧火时突然头一歪，靠在墙上像是睡着了。等我和家珍从田里回来，她还那么靠着。家珍叫她，她也不答应，伸手推推她，她就顺着墙滑了下去。家珍吓得大声叫我，我走到灶间时，她又醒了过来，定定地看了我们一阵，我们问她，她也不答应，又过了一阵，她闻到焦煳的味道，知道饭煮煳了，才开口说道："哎呀，我怎么睡着了。"

我娘慌里慌张地想站起来，她站到一半腿一松，身体又掉到地上。我赶紧把她抱到床上，她没完没了地说自己睡着了，她怕我们不相信。家珍把我拉到一旁，说："你去城里请个郎中来。"

请郎中可是要花钱的，我站着没有动。家珍从褥子底下拿出了两块银元，是用手帕包着的。看看银元我有些心疼，那可是家珍从城里带来的，只剩下这两块了。我娘的身体更叫我担心，我就拿过银元。家珍把手帕叠得整整齐齐重新塞到褥子底下，给我拿出了一身干净衣服，让我换上。我对家珍说："我走了。"

家珍没说话，跟着我走到门口，我走了几步回过头去看看她。她往后理了理头发向我点点头。自从家珍回来以后，我还是第一次离开她。我穿着虽然破烂可是干干净净的衣服，脚上是我娘编的新草鞋，要进城去了。凤霞坐在门口的地上，怀里抱着睡着的有庆，她看到我穿得很干净，就问："爹，你不是下田吧？"

我走得很快，不到半个时辰就走到城里。我已有一年多没去城里了，进城时心里有些发虚，我就想想家珍，这么一想也不怕会碰到什么熟人了。我穿的是破烂一点，可家珍对我和从前一样好。城里几个郎中的医术我都知道，哪个收钱黑，哪个收钱公道我也知道。我想了想，还是去找住在绸店隔壁的林郎中，这个老头是我丈人的朋友，看在家珍的分上他也会少收些钱。

我路过县太爷府上时，看到一个穿绸衣的小孩正踮着脚，使劲想抓住敲门的铜环。那孩子的年纪就和我凤霞差不多大，我想这可能是县太爷的公子，就走上去对他说："我来帮你敲。"

小孩高兴地点点头，我就扣住铜环使劲敲了几下，里面有人答应："来啦。"

这时小孩对我说："我们快跑吧。"

我还没明白过来，小孩贴着墙壁溜走了。门打开后，一个仆人打扮的男人一看到我穿的衣服，什么话没说就伸手推了我一把。我没料到他会这样，身体一晃就从台阶上跌了下去。我从地上爬起来，本来我想算了，可这家伙又走下来踢了我一脚，还说："要饭也不看看这是什么地方。"

我的火一下子上来了，我骂道："老子就是啃你家祖坟里的烂骨头，也不会向你要饭。"

他扑上来就打，我脸上挨了一拳，他也挨了一脚。我们两个就在街上扭打起来。这小子黑得很，看看一下子打不赢我，就瞅着我的裤裆抬脚。我呢，好几次踢在他屁股上。我们两个都不会打架，打了一阵听到有人在后面喊："难看死啦，这两个畜生打架打得难看死啦。"

我们停住手脚，往后一看，一队穿黄衣服的国民党大兵站在那里，十来门大炮都由马车拉着。刚才喊叫的那个人腰里别着一把手枪，是个当官的。那仆人真是灵活，一看到当官的就马上点头哈腰："长官，嘿嘿，长官。"

长官向我们两个挥挥手说："两头蠢驴，打架都不会，给我去拉大炮。"

我一听这话头皮阵阵发麻，他是拉我的壮丁。那仆人也急了，走上前去说："长官，我是本县县太爷家里的。"

长官说："县太爷的公子更应该为党国出力嘛。"

"不，不。"仆人吓得连声说，"我不是公子，打死我也不敢。排长，我是县太爷的仆人。"

"操你娘。"长官大骂道，"老子是连长。"

"是，是，连长，我是县太爷的仆人。"

那仆人怎么说都没用，反把连长说烦了，连长伸手给他一巴掌："少他娘的说废话，去拉大炮。"他看到了我，"还有你。"

我只好走上去，拉住一匹马的缰绳，跟着他们往前走。我想，到时候找个机会再逃跑吧。那仆人还在前面向连长求情，走了一段路后，连长竟然答应了，他说：

“行，行，你回去吧，你小子烦死我了。”

仆人高兴坏了，他像是要跪下来给连长叩头，可又没有下跪，只是在连长面前不停地搓着手。连长说：“还不滚蛋。”

仆人说：“滚、滚，我这就滚。”

仆人说着转身就走，这时候连长从腰里抽出手枪来，把胳膊端平了，闭上一只眼睛向走去的仆人瞄准。仆人走出了十多步回过头来看看，这一看把他吓得傻站在那里一动不动，像只夜里的麻雀一样让连长瞄准。连长这时对他说：“走呀，走呀。”

仆人扑通一下跪在地上，连哭带喊：“连长，连长，连长。”

连长向他开了一枪，没有打中，打在他身旁，飞起的小石子划破了他的手，手倒是出血了。连长握着手枪向他挥动着说：“站起来，站起来。”

他站了起来，连长又说：“走呀，走呀。”

他伤心地哭了，结结巴巴地说：“连长，我拉大炮吧。”

连长又端起胳膊，第二次向他瞄准，嘴里说着：“走呀，走呀。”

仆人这时才突然明白似的，一转身就疯跑起来。连长打出第二枪时，他刚好拐进了一条胡同。连长看看自己的手枪，骂了一声：“他娘的，老子闭错了一只眼睛。”

连长转过身来，看到了站在后面的我，就提着手枪走过来，把枪口顶着我的胸膛，对我说：“你也回去吧。”

我的两条腿拼命哆嗦，心想他这次就是两只眼睛全闭错，也会一枪把我送上西天。我连声说：“我拉大炮，我拉大炮。”

我右手拉着缰绳，左手捏住口袋里家珍给我的两块银元。走出城里时，看到田地里与我家相像的茅棚，我低下头哭了。

我跟着这支往北去的炮队，越走越远，一个多月后我们走到了安徽。开始的几天我一心想逃跑，当时想逃跑的不只是我一个人，每过两天，连里就会少掉一两张熟悉的脸，我就问一个叫老全的老兵，老全说：“谁也逃不掉。”

老全抗战时就被拉了壮丁，开拔到江西他逃了出来，没几天又被去福建的部队拉了去。当兵六年多，没跟日本人打过仗，光跟共产党的游击队打仗。这中间他逃跑了七次，都被别的部队拉了去。最后一次他离家只有一百多里路了，结果撞上了这一支炮队。老全说他不想再跑了，他说：“我逃腻了。”

我们渡过长江以后就穿上了棉袄。一过长江，我想逃跑的心也死了，离家越远我也就越没有胆量逃跑。我们连里有十来个都是十五六岁的孩子，有一个叫春生的娃娃兵，是江苏人，他老向我打听往北去是不是打仗，我就说是的。其实我也不知道，我想当上了兵就逃不了要打仗。春生和我最亲热，他总是挨着我，拉着我的胳膊问我：“我们会不会被打死？”

我说：“我不知道。”

说这话时我自己心里也是一阵阵难受。过了长江以后,我们开始听到枪炮声,起先是远远传来,我们又走了两天,枪炮声越来越响。那时我们来到了一个村庄,村里别说是人了,连畜牲都见不着。连长命令我们架起大炮,我知道这下是真要打仗了。有人走过去问连长:“连长,这是什么地方?”

连长说:“你问我,我他娘的去问谁?”

连长都不知道我们到了什么地方,村里的人跑了个精光,我望望四周,除了光秃秃的树是什么也看不到。过了两天,穿黄衣服的大兵越来越多,他们在周围走过去一队,又走过来一队,有些部队就在我们旁边扎下了。又过了两天,我们一炮还未打,连长对我们说:“我们被包围了。”

被包围的不只是我们一个连,有十来万人的国军全被包围在方圆只有二十来里路的地方里。满地都是黄衣服,像是赶庙会一样。这时候老全神了,他坐在坑道上的土墩上吸着烟,看着那些来来去去的黄皮大衣,不时和中间某个人打声招呼,他认识的人实在是多。老全走南闯北,在七支部队里混过,他嘻嘻哈哈地和几个旧相识说着脏话,互相打听几个人名,我听他们不是说死了,就是说前两天还见过。老全后来告诉我,这些人当初都和他一起逃跑过。

“你瞧,”老全说,“谁也没跑成。”

刚开始我们只是被包围住,解放军没有立刻来打我们,我们也不怎么害怕,连长也不怕,他说蒋委员长会派坦克来救我们出去的。后来前面的枪炮声越来越响,我们也不是很害怕,只是一个个都闲着没事可干,连长没有命令我们开炮。有个老兵想想前面的弟兄流血送命,我们老闲着也不是个办法,他就去问连长:“我们是不是也打几炮?”

连长那时候躲在坑道里赌钱,他气冲冲地反问:“往哪里打?”

连长说得也对,几炮打出去要是打在国军兄弟头上,前面的国军一气之下杀回来收拾我们,这可不是闹着玩的。连长命令我们都在坑道里待着,爱干什么就干什么,就是别出去打炮。

被包围以后,我们的粮食和弹药全靠空投。飞机在上面一出现,下面的国军就跟蚂蚁似的密密麻麻地拥来拥去地抢大米。飞机一走,国军就分成一伙一伙向房屋和光秃秃的树木扑去,又拆房屋又砍树,这哪还像是打仗,乱糟糟的响声差不多都要盖住前沿的枪炮声了。才半天工夫,眼睛望得到的房屋树木全没了,到处都是一条条煮米饭的炊烟,在空中扭来扭去。

那时候最多的就是子弹了,往哪里躺都硌得身体疼。没出一天,远近的房屋全拆光了,树也砍光了。满地的国军提着刺刀去割枯草,那情形真像是农忙时在割稻子,有些人满头大汗地刨着树根。到了这种时候,抢米的人就少了,我们去扛了三袋大米回来,铺在坑道里当睡觉的床,这样躺着就不怕子弹硌得身体难受了。

等到再也没有什么可当柴煮饭时,蒋委员长还没有把我们救出去。好在飞机不再往下投大米，改成投烧饼，成包的烧饼一落地，弟兄们像畜生一样扑上去乱抢，叠得一层又一层，跟我娘纳出的鞋底一样，他们嗷嗷乱叫着和野狼没什么两样。

老全说："我们分开去抢。"

这种时候只能分开去抢，才能多抢些烧饼回来。我们爬出坑道，自己选了个方向走去。当时子弹在很近的地方飞来飞去了，常有一些流弹窜过来。有一次我走着走着，身边一个人突然摔倒，我还以为他是饿昏了，扭头一看他半个脑袋没了，吓得我腿一软也差点摔倒。抢烧饼比抢大米还难，按说国军每天都在拼命地死人，可当飞机从天那边飞过来时，人全从地里冒了出来，光秃秃的地上像是突然长出了一排排草，跟着飞机跑，烧饼一扔下，人才散开去，各自冲向看好的降落伞。烧饼包得也不结实，一落地就散了，几十上百个人往一个地方扑，有些人还没挨着地就撞昏过去了。我抢一次烧饼就跟被人吊起来用皮带打了一顿似的全身疼，到头来也只是抢到了几张烧饼。回到坑道里，老全已经坐在那里了，他脸上青一块紫一块的，他抢到的饼也不比我多。老全当了八年兵，心地还是很善良，他把自己的饼往我的上面一放，说等春生回来一起吃。我们两个就蹲在坑道里，露出脑袋张望春生。

过了一会儿，我们看到春生怀里抱着一堆胶鞋猫着腰跑来了，这孩子高兴得满脸通红，他一翻身滚了进来，指着满地的胶鞋问我们："多不多？"

老全望望我，问春生："这能吃吗？"

春生说："可以煮米饭啊。"

我们一想还真对，看看春生脸上一点伤都没有，老全对我说："这小子比谁都精。"

后来我们就不去抢烧饼了，用上了春生的办法。抢烧饼的人叠得一层层时，我们就去扒他们脚上的胶鞋，拿回来烧火，反正大米有的是，这样还免去了皮肉受苦。我们三个人扑在坑道上，看着那些光脚在冬天里一走一跳的人，嘿嘿笑个不停。

前沿的枪炮声越来越紧，也不分白天和晚上。我们待在坑道里也听惯了，经常有炮弹在不远处爆炸，我们连的大炮都被打烂了，这些大炮一炮都没放，这样我们更加没事可干。那么一些日子下来，春生也不怎么害怕了，到那时候怕也没有用。枪炮声越来越近，我们总觉得还远着呢。最难受的就是天越来越冷，睡上几分钟就要冻醒一次。炮弹在外面爆炸时常震得我们耳朵嗡嗡乱叫，春生怎么说也只是个孩子，他迷迷糊糊睡着时，一颗炮弹飞到近处一炸，把他身体都弹了起来，他被吵醒后怒气冲冲地站到坑道上，对前面的枪炮声大喊："你们他娘的轻一点，吵得老子都睡不着。"

我赶紧把他拉下来，当时子弹已在坑道上面飞来飞去了。

国军的阵地一天比一天小，我们就不敢随便爬出坑道，除非饿极了才出去找吃的。每天都有几千伤号被抬下来，我们连的阵地在后方，成了伤号的天下。有那么几天，我和老全、春生扑在坑道上，露出三个脑袋，看那些抬担架的将缺胳膊断腿的伤号抬过来。隔上不多时间，就过来一长串担架，抬担架的都猫着腰，跑到我们近前找一块空地，喊一、二、三，喊到三时将担架一翻，倒垃圾似的将伤号扔到地上就不管了，伤号疼得嗷嗷乱叫，哭天喊地的叫声是一长串一长串响过来。老全看着那些抬担架的离去，骂了一声："这些畜生。"

伤号越来越多，只要前面枪炮声还在响，就有担架往这里来，喊着一、二、三把伤号往地上扔。地上的伤号起先是一堆一堆，没多久就连成了一片，在那里疼得嗷嗷直叫，那叫喊我一辈子都忘不了，我和春生看得心里一阵阵冒寒气，连老全都直皱眉。我想这仗怎么打呀。

天一黑，又下起了雪。有一长段时间没有枪炮声，我们就听着躺在坑道外面几千没死的伤号呜呜的声音，像是在哭，又像是在笑，那是疼得受不了的声音，我这辈子就再没听到过这么怕人的声音了。一大片一大片，就像潮水从我们身上涌过去。雪花落下来，天太黑，我们看不见雪花，只是觉得身体又冷又湿。手上软绵绵的一片，慢慢地化了，没多久又积上了厚厚一层雪花。

我们三个人紧挨着睡在一起，又饿又冷，那时候飞机也来得少了，都很难找到吃的东西。谁也不会再去盼蒋委员长来救我们了，接下去是死是活谁也不知道。春生推推我问："福贵，你睡着了吗？"

我说："没有。"

他又推推老全，老全没说话。春生的鼻子抽了两下，对我说："这下活不成了。"

我听了这话鼻子里也酸溜溜的，老全这时说话了，他两条胳膊伸了伸说："别说这丧气话。"

他身体坐起来，又说："老子大小也打过几十次仗了，每次我都对自己说：老子死也要活着。子弹从我身上什么地方都擦过，就是没伤着我。春生，只要想着自己不死，就死不了。"

接下去我们谁也不说话，都想着自己的心事。我是一遍遍想着自己的家，想想凤霞抱着有庆坐在门口，想想我娘和家珍。想着想着心里像是被堵住了，都透不过气来，像被人捂住了嘴和鼻子一样。

到了后半夜，坑道外面伤号的呜咽渐渐小了下去，我想他们大部分都睡着了吧。只有不多的几个人还在呜呜地响，那声音一段一段的，飘来飘去，听上去像是在说话，你问一句，他答一声，声音凄凉得都不像是活人发出来的。那么过了一阵后，只剩下一个声音在呜咽了，声音低得像蚊虫在叫，轻轻地在我脸上飞来飞去，听着听着已不像是在呻吟，倒像是在唱什么小调。周围静得什么声响都没有，只有这样一个声音，长久地在那里转来转去。我听得眼泪都流了出来，脸上的雪化了后，流进脖子像是冷风吹了进来。

天亮时，什么声音也没有了，我们露出脑袋一看，昨天还在喊叫的几千伤号全死了，横七竖八地躺在那里，一动不动，上面盖了一层薄薄的雪花。我们这些躲在坑道里还活着的人呆呆看了半晌，谁都没说话。连老全这样不知见过多少死人的老兵也傻看了很久，末了他叹息一声，摇摇头对我们说："惨啊。"

说着，老全爬出了坑道，走到这一大片死人中间，翻翻这个，拨拨那个，老全弓着背，在死人中间跨来跨去，时而蹲下去用手给某一个擦擦脸。这时枪炮声又响了起来，一些子弹朝这里飞来。我和春生一下子回过魂来了，赶紧向老全叫："你快回来。"

老全没答理我们，继续看来看去。过了一会儿，他站住了，来回张望了几下，才朝我们走来。走近了他向我和春生伸出四根指头，摇着头说："有四个，我认识。"

话刚说完，老全突然向我们睁圆了眼睛，他的两条腿僵住似的站在那里，随后身体往下一掉跪在了那里。我们不知道他为什么这样，只看到有子弹飞来，就拼命叫："老全，你快点。"

喊了几下后，老全还是那么一副样子，我才想完了，老全出事了。我赶紧爬出坑道，向老全跑去，跑到跟前一看，老全背脊上一摊血，我眼睛一黑，哇哇地喊春生。等春生跑过来后，我们两人把老全抬回到坑道，子弹在我们身旁时时"呼"的一下擦过去。

我们让老全躺下，我用手顶住他背脊上那摊血，那地方又湿又烫，血还在流，从我指缝流出去。老全眼睛慢吞吞地眨了一下，像是看了一会儿我们，随后嘴巴动了动，声音沙沙地问我们："这是什么地方？"

我和春生抬头向周围望望，我们怎么会知道这是什么地方？只好重新去看老全，老全将眼睛紧紧闭了一下，接着慢慢睁开，越睁越大，他的嘴歪了歪，像是在苦笑，我们听到他沙哑地说："老子连死在什么地方都不知道。"

老全说完这话，过了没多久就死了。老全死后脑袋歪到了一旁，我和春生知道他已经死了，互相看了半晌，春生先哭了，春生一哭我也忍不住哭了。

后来，我们看到了连长，他换上了老百姓的衣服，腰里绑满了钞票，提着个包裹向西走去。我们知道他是要逃命了，衣服里面绑着的钞票让他走路时像个一扭一扭的胖老太婆。有个娃娃兵向他喊："连长，蒋委员长还救不救我们？"

连长回过头来说："蠢蛋，这种时候你娘也不会来救你了，还是自己救自己吧。"

一个老兵向他打了一枪，没打中。连长一听到子弹朝他飞去，全没有了过去的威风，撒开两条腿就疯跑起来，好几个人都端起枪来打他，连长哇哇叫着跳来跳去在雪地里逃远了。

枪炮声响到了我们鼻子底下，我们都看得见前面开枪的人影了，在硝烟里一个一个摇摇晃晃地倒下去。我算计着自己活不到中午，到不了中午就该轮到我去死了。一个月来在枪炮里混下来后，我倒不怎么怕死，只是觉得自己这么死得不明不白实在是冤，我娘和家珍都不知道我死在何处。

我看看春生，他的一只手还搁在老全身上，愁眉苦脸地也在看着我。我们吃了几天生米，春生的脸都吃肿了。他伸出舌头舔舔嘴唇，对我说："我想吃烧饼。"

到这时候死活已经不重要了，死之前能吃上烧饼也就能够知足了。春生站了起来，我也没叫他小心子弹，他看了看说："兴许外面还有饼，我去找找。"

春生爬出了坑道，我没拦他，反正到不了中午我们都得死，他要是真吃到烧饼那就太好了。我看着他有气无力地从尸体上跨过去，这孩子走了几步还回过头来对我说："你别走开，我找着了饼就回来。"

他垂着双手，低着头进入了前面的浓烟。那个时候空气里满是焦煳和硝烟味，吸到嗓子眼里觉得有一颗一颗小石子似的东西。

中午没到的时候，坑道里还活着的人全被俘虏了。当端着枪的解放军冲上来时，有个老兵让我们举起双手，他紧张得脸都青了，叫嚷着要我们别碰身边的枪，他怕到时候连他也跟着倒霉。有个比春生大不了多少的解放军将黑洞洞的枪口对准我，我心一横，想这次是真要死了。可他没有开枪，对我叫嚷着什么，我一听是要我爬出去，我心里一下子咚咚乱跳了，我又有活的盼头了。我爬出坑道后，他对我说："把手放下吧。"

我放下了手，悬着的心也放下了。我们一排二十多个俘虏由他一人押着向南走去，走不多远就汇入到一队更大的俘虏里。到处都是一柱柱冲天的浓烟，向着同一个地方弯过去。地上坑坑洼洼，满是尸体，烧黑了的军车还在噼噼啪啪。我们走了一段后，二十多个挑着大白馒头的解放军从北横着向我们走来，馒头热气腾腾，看得我口水直流。押我们的一个长官说："你们自己排好队。"

没想到他们是给我们送吃的来了，要是春生在该有多好，我往远处看看，都不知道这孩子是死是活。我们自动排出了二十多个队形，一个挨着一个每人领了两个馒头，我从没听到过这么一大片吃东西的声音，比几百头猪吃东西时还响。大家都吃得太快，有些人拼命咳嗽，咳嗽声一声比一声高，我身旁的一个咳得比谁都响，他捂着腰疼得眼泪横流。更多的人是噎住了，都抬着脑袋对着天空直瞪眼，身体一动不动。

第二天早晨，我们被集合到一块空地上，整整齐齐地坐在地上。前面是两张桌子，一个长官模样的人对我们说话，他先是讲了一通解放全中国的道理，最后宣布愿意参加解放军的继续坐着，想回家的就站出来，去领回家的盘缠。

一听可以回家，我的心扑扑乱跳，可我看到那个长官腰里别一支手枪又害怕了，我想哪有这样的好事。很多人都坐着没动，也有一些人走出去，还真的走到那桌子前去领了盘缠，那个长官一直看着他们，他们领了钱以后还领了通行证，接着就上路了。我的心也提到嗓子眼了，那个长官肯定会拔出手枪来毙他们，就跟我们连长一样。可他们走得很远以后，长官也没有掏出手枪。这下我紧张了，我知道解放军是真的愿意放我们回家。这一仗打下来我知道什么叫打仗了，我对自己说再也不能打仗了，我要回家。我就站起来，一直走到那位长官面前，扑通跪下后就哇哇哭起来，我原本想说我要回家，可话到嘴边又变了，我一遍遍叫着："连长，连长，连长——"

别的什么话也说不出来，那位长官把我扶起来，问我要说什么。我还是叫他连长，还是哭。旁边一个解放军对我说："他是团长。"

他这一说把我吓住了，心想糟了。可听到坐着的俘虏哄地笑起来，又看到团长笑着问我："你要说什么？"

我才放下心来，对团长说："我要回家。"

解放军让我回家，还给了盘缠。我一路急匆匆往南走，饿了就用解放军给的盘缠买个烧饼吃下去，困了就找个平整一点的地方睡一觉。我太想家了，一想到今生今世还能和我娘和家珍，和我一双儿女团聚，我又是哭又是笑，疯疯癫癫地往南跑。

我走到长江边时，南面还没有解放，解放军在准备渡江了。我过不去，在那里耽搁了几个月。我就到处找活干，免得饿死。我知道解放军缺摇船的，我以前有钱时觉得好玩，学过摇船。好几次我都想参加解放军，替他们摇船摇过长江去。想想解放军对我好，我要报恩。可我实在是怕打仗，怕见不到家里人。为了家珍她们，我对自己说："我就不报恩了，我记得解放军的好。"

我是跟在往南打去的解放军屁股后面回到家里的，算算时间，我离家都快两年了。走的时候是深秋，回来是初秋。我满身泥土走上了家乡的路，后来我看到了自己的村庄，一点都没有变，我一眼就看到了，我急匆匆往前走。看到我家先前的砖瓦房，又看到了现在的茅棚，我一看到茅棚忍不住跑了起来。

离村口不远的地方，一个七八岁的女孩，带着个三岁的男孩在割草。我一看到那个穿得破破烂烂的女孩就认了出来，那是我的凤霞。凤霞拉着有庆的手，有庆走路还磕磕绊绊。我就向凤霞和有庆喊："凤霞，有庆。"

凤霞像是没有听到，倒是有庆转回身来看我，他被凤霞拉着还在走，脑袋朝我这里歪。我又喊："凤霞，有庆。"

这时有庆拉住了他姐姐，凤霞向我转了过来，我跑到跟前，蹲下去问凤霞："凤霞，还认识我吗？"

凤霞张大眼睛看了我一阵，嘴巴动了动没有声音。我对凤霞说："我是你爹啊。"

凤霞笑了起来，她的嘴巴一张一张，可是什么声音都没有。当时我就觉得有些不对劲，只是我没往细里想。我知道凤霞认出我来了，她张着嘴向我笑，她的门牙都掉了。我伸手去摸她的脸，她的眼睛亮了亮，就把脸往我手上贴。我又去看有庆，有庆自然认不出我，他害怕地贴在姐姐身上，我去拉他，他就躲着我，我对他说："儿子啊，我是你爹。"

有庆干脆躲到了姐姐身后，推着凤霞说："我们快走呀。"

这时有一个女人向我们这里跑来，哇哇叫着我的名字，我认出来是家珍，家珍跑得跌跌撞撞，跑到跟前喊了一声："福贵。"就坐在地上大声哭起来，我对家珍说："哭什么，哭什么。"

这么一说，我也呜呜地哭了。

我总算回到了家里，看到家珍和一双儿女都活得好好的，我的心也放下了。她们拥着我往家里走去，一走近自家的茅棚，我就连连喊："娘，娘。"

喊着我就跑了起来，跑到茅棚里一看，没见到我娘，当时我眼睛就黑了一下，折回来问家珍："我娘呢？"

家珍什么也不说，就是泪汪汪地看着我，我也知道娘到什么地方去了，我站在门口低着头抹起了眼泪。

我离家两个月多一点，我娘就死了。家珍告诉我，我娘死前一遍一遍对家珍说："福贵不会是去赌钱的。"

家珍去城里打听过我不知多少次，竟会没人告诉她我被抓了壮丁。我娘才这么说，可怜她死的时候，还不知道我在什么地方。我的凤霞也可怜，一年前她发了一次高烧后就再不会说话了。家珍哭着告诉我这些时，凤霞就坐在我对面，她知道我们是在说她，就轻轻对着我笑，看到她笑，我心里就跟针扎一样。有庆也认我这个爹了，只是他仍有些怕我，我一抱他，他就拼命去看姐姐。随便怎么说，我都回到家里了。头天晚上我怎么都睡不着，我和家珍，还有两个孩子挤在一起，听着风吹动屋顶的茅草，看着外面亮晶晶的月光，我心里是又踏实又暖和，我一会儿就要去摸摸家珍，摸摸两个孩子，我一遍遍对自己说："我回家了。"

我回来的时候，村里开始搞土地改革了，我分到了五亩地，就是原先租龙二的那五亩。龙二是倒大霉了，他做了地主，神气了不到三年，一解放他就完蛋了。共产党没收了他的田产，分给了从前的佃户。他还死不认账，去吓唬那些佃户，也有不买账的，他就动手去打人家。龙二也是自找倒霉，人民政府把他提了去，说他是恶霸地主。被送到城里大牢里，龙二还是不识时务，那张嘴比石头都硬，最后就给毙掉了。

枪毙龙二那天我也去看了。龙二死到临头才泄了气，听说他从城里被押出来时眼泪汪汪，流着口水对一个熟人说："做梦也想不到我会被毙掉。"

龙二也太糊涂了，他以为自己被关几天就会放出来，根本不相信会被枪毙。那是在下午，枪决龙二就在我们的一个邻村，事先有人挖好了坑。那天附近好几个村里的人都来看了，龙二被五花大绑地押了过来，他差不多是被拖过来的，嘴巴半张着呼哧呼哧直喘气。龙二从我身边走过时看了我一眼，我觉得他没认出我来，可走了几步他硬是回过头来，哭着鼻子对我喊道："福贵，我是替你去死啊。"

一听他这么说，我慌了，想想还是离开吧，别看他怎么死了。我从人堆里挤出去，一个人往外走，走了十来步就听到"砰"的一枪，我想龙二彻底完蛋了，可紧接着又是"砰"的一枪，下面又打了三枪，总共是五枪。我想是不是还有别的人也给毙掉，回去的路上我问同村的一个人："毙了几个？"

他说："就毙了龙二。"

龙二真是倒霉透了，他竟挨了五枪，哪怕他有五条命也全报销了。

毙掉龙二后，我往家里走去时脖子上一阵阵冒冷气，我是越想越险，要不是当初我爹和我是两个败家子，没准被毙掉的就是我了。我摸摸自己的脸，又摸摸自己的胳膊，都好好的，我想想自己是该死却没死，我从战场上捡了一条命回来，到了家龙二又成了我的替死鬼，我家的祖坟埋对了地方，我对自己说："这下可要好好活了。"

我回到家里时，家珍正在给我纳鞋底，她看到我的脸色吓了一跳，以为我病了。我把自己想的告诉她，她吓得脸蛋白一阵青一阵，嘴里咝咝地说："真险啊。"

后来我就想开了，觉得也用不着自己吓唬自己，这都是命。常言道，大难不死必有后福。我想我的后半截该会越来越好了。我这么对家珍说了，家珍用牙咬断了线，看着我说："我也不想要什么福分，只求每年都能给你做一双新鞋。"

我知道家珍的话，我的女人是在求我们从今以后再不分开。看着她老了许多的脸，我心里一阵酸疼。家珍说得对，只要一家人天天在一起，也就不在乎什么福分了。

老人的讲述到这里中断，我发现我们都坐在阳光下了，阳光的移动使树荫悄悄离开我们，转到了另一边。老人身体动了几下才站起来，他拍了拍膝盖对我说："我全身都是越来越硬，只有一个地方越来越软。"

我听后不由得高声笑起来，朝他拉下去的裤裆看看，那里沾了几根青草。他也嘿嘿笑了一下，很高兴我明白他的意思。然后他转过身去喊那头牛："福贵。"

那头牛已经从水里出来了，正在啃吃着池塘旁的青草，牛站在两棵柳树下面，牛背上的柳枝失去了垂直的姿态，出现了纷乱的弯曲，在牛的脊背上刷动，一些树叶慢吞吞地掉落下去。老人又叫了一声："福贵。"

牛的屁股像是一块大石头慢慢移进水里，随后牛脑袋从柳枝里钻了出来，两只圆滚滚的眼睛朝我们缓缓移来。老人对牛说："家珍他们早在干活啦，你也歇够了。我知道你还没吃饱，谁让你在水里待这么久？"

老人牵着牛到了水田里，给牛套上犁的工夫，他对我说："牛老了也和人老了一样，饿了还得先歇一下，才吃得下去东西。"

我重新在树荫里坐了下来，将背包垫在腰后，靠着树干，用草帽扇着风。老牛的肚皮耷拉下来，长长一条，它耕地时肚皮犹如一只大水袋一样摇来晃去。我又注意到老人耷拉下去的裤裆，他的裤裆也在晃动，很像牛的肚皮。

那天我一直在树荫里坐到夕阳西下，我没有离开是因为老人的讲述还没有结束。那个夏季我在阳光与尘土里东游西荡，我听到了各种歌谣与传说，与此同时我也看到许多别的事情。我曾经遇到一个像福贵那样的老人，鼻青眼肿地坐在田埂上，我问他是谁打的？他响亮地告诉我是他的儿子，当我进一步问为什么打他时，他支支吾吾说不清楚了，我就立刻知道他准是对儿媳干了偷鸡摸狗的勾当。还有一个晚上我打着手电赶夜路时，在一口池塘旁照到了两段赤裸的身体，一段压在另一段上面，我照着的时候两段身体纹丝不动，只是有一只手在大腿上轻轻搔痒，我赶紧熄灭电筒离去。在农忙的一个中午，我走进一家敞开大门的房屋去找水喝，结果一个穿着短裤的男人神色慌张地把我引到井旁，殷勤地替我打上来一桶水，随后又像耗子一样窜进了屋里。这样的事我屡见不鲜，差不多和我听到的歌谣一样多，于是当我望着到处都充满绿色的土地时，我进一步明白了庄稼为何长得如此旺盛。

那天下午我一直看着耕田的福贵，我当初就知道他会令我难忘。那时候四周的田地里庄稼人的说话声飘来飘去，最为热烈的是不远处的田埂上，两个身强力壮的男人都举着茶水桶在比赛喝水，旁边一群年轻人又喊又叫，他们的兴奋是他们处在局外人的位置上。福贵这边显得要冷清多了，在他身旁的水田里，两个扎着头巾的女人正在插秧，她们谈论着一个我完全陌生的男人，这个男人似乎是一个体格强壮有力的人，他可能是村里挣钱最多的男人，从她们的话里我知道他常在城里干搬运的活。一个女人直起了腰，用手背捶了捶，我听到她说："他挣的钱一半用在自己女人身上，一半用在别人的女人身上。"

这时候福贵扶着犁走到她们近旁，他插进去说："做人不能忘记四条，话不要说错，床不要睡错，门槛不要踏错，口袋不要摸错。"

福贵扶着犁过去后，又扭过去脑袋说："他呀，忘记了第二条，睡错了床。"

那两个女人嘻嘻一笑，我就看到福贵一脸的得意，他向牛大声吆喝了一下，看到我也在笑，他对我说："这都是做人的道理。"

后来，我们又一起坐在了树荫里，我请他继续讲述自己，他有些感激地看看我，仿佛是我正在为他做些什么，他因为自己的身世受到别人重视，显示出了喜悦之情。

从什么地方说起呢？我回家后的日子苦是苦，过得还算安稳。凤霞和有庆一天一天大起来，我呢，一天比一天老了。我自己还没觉着，家珍也没觉着，我只是觉得力气远不如从前。到了有一天，我挑着一担菜进城去卖，路过原先绸店那地方，一个熟人见到我就叫了："福贵，你头发白啦。"

其实我和他也只是半年没见着，他这么一叫，我才觉得自己是老了许多。回到家里，我把家珍看了又看，看得她不知出了什么事，低头看看自己，又看看背后，才问："你看什么呀。"

我笑着告诉她："你的头发也白了。"

那一年凤霞十七岁了，凤霞长成了女人的模样，要不是她又聋又哑，提亲的也该找上门来了。村里人都说凤霞长得好，凤霞长得和家珍年轻时差不多。有庆也有十二岁了，有庆在城里念小学。

当初送不送有庆去念书，我和家珍着实犹豫了一阵，没有钱啊。凤霞那时才十二岁，虽说也能帮我干点田里活，帮家珍干些家里活，可总还是要靠我们养活。我就和家珍商量是不是把凤霞送给别人算了，好省下些钱供有庆念书。别看凤霞听不到，不会说，她可聪明呢，我和家珍一说起把凤霞送人的事，凤霞马上就会扭过头来看我们，两只眼睛一眨一眨，看得我和家珍心都酸了，几天不再提起那事。

眼看着有庆上学的年纪越来越近，这事不能不办了。我就托村里人出去时顺便打听打听，有没有人家愿意领养一个十二岁的女孩。我对家珍说："要是碰上一户好人家，凤霞就会比现在过得好。"

家珍连连点头，又去擦了擦眼泪，做娘的心肠总是要软一些。我劝家珍想开点，凤霞命苦，这辈子看来是要苦到底了。有庆可不能苦一辈子，要让他念书，念书才会有个出息的日子。总不能让两个孩子都被苦捆住，总得有一个日后过得好一些。

村里出去打听的人回来说凤霞大了一点，要是减掉一半岁数，要的人家就多了。这么一说，我们也就死心了。谁知过了一个来月，有两户人家捎信来要我们的凤霞，一户是领凤霞去做女儿，另一户是让凤霞去侍候两个老人。我和家珍都觉得那户没有儿女的人家好，把凤霞当女儿，总会多疼爱她一些。就传口信让他们来看看。他们来了，见了凤霞夫妻两个都挺喜欢。一知道凤霞不会说话，他们就改变了主意，那个男的说："长得倒是挺干净的，只是……"

他没往下说，客客气气地回去了。我和家珍只好让另一户人家来领凤霞，那户倒是不在乎凤霞会不会说话，他们说只要勤快就行。

凤霞被领走那天，我扛着锄头准备下地时，她马上就提上篮子和镰刀跟上了我。几年来我在田里干活，凤霞就在旁边割草，已经习惯了。那天我看到她跟着，就推推她，让她回去。她睁圆了眼睛看我，我放了锄头，把她拉回到屋里，从她手里拿过镰刀和篮子，扔到了角落里。她还是睁圆眼睛看着我，她不知道我们把她送给别人了。当家珍给她换上一件水红颜色的衣服时，她不再看我，低着头让家珍给她穿上衣服，那是家珍用过去的旗袍改做的。家珍给她扣纽扣时，她眼泪一颗一颗滴在自己腿上。凤霞知道自己要走了。我拿起锄头走出去，走到门口我对家珍说："我下地了，领凤霞的人来，让他带走就是，别来见我。"

我到了田里，挥着锄头干活时，总觉得劲使不到点子上。我是心里发虚啊，往四周看看，看不到凤霞在那里割草，觉得心都空了。想想以后干活时再见不到凤霞，我难受得一点力气都没有。这当儿我看到凤霞站在田埂上，身旁一个五十来岁的男人拉着她的手。凤霞的眼泪在脸上哗哗地流，她哭得身体一抖一抖，凤霞哭起来一点声音也没有，她时不时抬起胳膊擦眼睛，我知道她这样做是为了看清楚她爹。那个男人对我笑了笑，说道："你放心吧，我会对她好的。"

说完他拉了拉凤霞，凤霞就跟着他走了。凤霞手被拉着走去时，身体一直朝我这边歪着，她一直在看着我。凤霞走着走着，我就看不到她的眼睛了，再过了一会儿，她擦眼睛抬起的胳膊也看不到了。这时我实在忍不住，歪了歪头眼泪掉了下来。家珍走过来时，我埋怨她："叫你别让他们过来，你偏要让他们过来见我。"

家珍说："是凤霞自己走过来看你的。"

凤霞走后，有庆不干了。起先凤霞被人领走时，有庆瞪着眼睛还不知道出了什么事，直到凤霞走远了，看不见了，他才挠着头发一步一步往回走。我看着他朝我这里张望几下，就是不过来问我。他在家珍肚子里时我就打过他，他看到我怕。

吃午饭时，桌子旁没有了凤霞，有庆吃了两口就不吃了，眼睛对着我和家珍转来转去，家珍对他说："快吃。"

他摇摇小脑袋，问他娘："姐姐呢？"

家珍一听这话头便低下了，她说："你快吃。"

这小家伙干脆把筷子一放，对他娘叫道："姐姐什么时候回来？"

凤霞一走，我心里本来就乱糟糟的，看到有庆这样子，一拍桌子说："凤霞不回来啦。"

有庆吓得身体抖了一下，看看我没再发火，他嘴巴歪了两下，低着脑袋说："我要姐姐。"

家珍就告诉他，我们把凤霞送给别人家了，为了省下些钱供他上学。听到把凤霞送给了别人，有庆嘴一张哇地哭了，边哭边喊："我不上学，我要姐姐。"

我没理他，心想他要哭就让他哭吧，谁知他又叫了："我不上学。"

把我心都叫乱了，我对他喊："你哭个屁。"

有庆给吓住了，身体往后缩缩，看到我低头重新吃饭，他就离开凳子，走到墙角，突然又喊了一声："我要姐姐。"

我知道这次非揍他不可了，从门后拿出扫帚走过去，对他说："转过去。"

有庆看看家珍，乖乖地转了过去，两只手扶在墙上，我说："脱掉裤子。"

有庆脑袋扭过来，看看家珍，脱下了裤子后又转过脸来看家珍，看到他娘没过来拦我，他慌了，我举起扫帚时，他怯生生地说："爹，别打我好吗？"

他这么说，我心也就软了。有庆也没有错，他是凤霞带大的，他对姐姐亲，想姐姐。我拍拍他的脑袋，说："快去吃饭吧。"

过了两个月，有庆上学的日子到了。凤霞被领走时穿了一件好衣服，有庆上学了还是穿得破破烂烂，家珍做娘的心里怪难受的，她蹲在有庆跟前，替他这儿拉拉，那儿拍拍，对我说："都没件好衣服。"

谁想到有庆又说："我不上学。"

都过去了两个月，我以为他早忘了凤霞的事，到了上学这一天，他又这么叫了。

这次我没有发火，好言好语告诉他，凤霞就是为他上学才送给别人的，他只有好好念书才对得起姐姐。有庆倔劲上来了，他抬起脑袋冲我说："我就是不上学。"

我说："你屁股又痒啦。"

他干脆一转身，脚使劲往地上蹬着走进了里屋，进了屋后喊："你打死我，我也不上学。"

我想这孩子是要我揍他，就提着扫帚进去，家珍拉住我，求我说："你轻点，你别真揍他。"

我一进屋，有庆已经趴在床上了，裤子褪到大腿下面，露着两片小屁股，他是在等着我去揍他。他这样子反倒让我下不了手，我就先用话吓唬他："现在说上学还来得及。"

他尖声喊："我要姐姐。"

我朝他屁股上揍了一下，他抱住脑袋说："不疼。"

我又揍了一下，问他："疼不疼？"

他还是说："不疼。"

这孩子是逼我使劲揍他，真把我气坏了。我就使劲往他屁股上揍，这下他受不了，哇哇地哭，我也不管，还是使劲揍。有庆总还小，过了一会儿，他实在疼得挺不住，求我了："爹，别打了。我上学。"

有庆是个好孩子。他上学第一天中午回来后，一看到我就哆嗦一下。我还以为他是早晨被我打怕了，就亲热地问他学校好不好，他低着头轻轻嗯了一下。吃饭的时候，他老是抬起头来看着我，一副害怕的样子，让我心里很不是滋味，想想早晨我出手也太重了。到饭快吃完的时候，有庆叫了我一声："爹。"

他说："老师要我自己来告诉你们，老师批评我了，说我坐在凳子上动来动去，不好好念书。"

我一听火便上来了，凤霞都送给了别人，他还不好好念书。我把碗往桌上一拍，他先哭了，哭着对我说："爹，你别打我，我屁股疼得坐不下去。"

我赶紧把他裤子剥下来一看，有庆的屁股上青一块紫一块，那是早晨揍的。这样怎么让他在凳子上坐下去？看着儿子那副哆嗦的样子，我鼻子一酸，眼睛也湿了。

凤霞让别人领去才几个月，她就跑了回来。凤霞回来时夜深了，我和家珍在床上，听到有人在外面敲门，先是很轻地敲一下，过了一会儿又敲了两下。我想是谁呀，这么晚了。爬起来去开门，一开门看到是凤霞，都忘了她听不到，赶紧叫："凤霞，快进来。"

我这么一叫，家珍一下子从床上下来，没穿鞋就往门口跑。我把凤霞拉进来，家珍就把她抱过去呜呜地哭了，我推推她，让她别这样。

凤霞的头发和衣服都被露水沾湿了，我们把她拉到床上坐下，她一只手扯住我的袖管，一只手拉住家珍的衣服，身体一抖一抖哭得都哽住了。家珍想去拿条毛巾给她擦擦头发，她拉住家珍的衣服就是不肯松开，家珍只得用手去替她擦头发。过了很久，她才止住哭，抓住我们的手也松开了。我把她两只手拿起来看了又看，想看看那户人家是不是让凤霞做牛做马地干活，看了很久也看不出个究竟来，凤霞手上厚厚的茧在家里就有了。我又看她的脸，脸上也没有什么伤痕，这才稍稍有些放心。

凤霞头发干了后，家珍替她脱了衣服，让她和有庆睡一头。凤霞躺下后，睁眼看着睡着的有庆好一会儿，偷偷笑了一下，才把眼睛闭上。有庆翻了个身，把手搁在了凤霞的嘴上，像是打他姐姐巴掌似的。凤霞睡着后像只小猫，又乖又安静，一动不动。

有庆早晨醒来一看到他姐姐，使劲搓眼睛，搓了眼睛看看还是凤霞，衣服不穿就从床上跳下来，张着个嘴一声声喊："姐姐，姐姐。"

这孩子一早晨嘻嘻笑个不停。家珍让他快点吃饭，还要上学去。他就笑不出来了，偷偷看了我一眼，低声问家珍："今天不上学好吗？"

我说："不行。"

他不敢再说什么，当他背着书包出门时狠狠蹬了几脚，随即怕我发火，飞快地跑了起来。有庆走后，我让家珍拿身干净衣服出来，准备送凤霞回去，一转身看到凤霞提着篮子和镰刀站在门口等着我了，凤霞哀求地看着我，叫我实在不忍心送她回去，我看看家珍，家珍看着我的眼睛也像是在求我，我对她说："让凤霞再待一天吧。"

我是吃过晚饭送凤霞回去的，凤霞没有哭，她可怜巴巴地看看她娘，看看她弟弟，拉着我的袖管跟我走了。有庆在后面又哭又闹，反正凤霞听不到，我没理睬他。

那一路走得真是叫我心里难受，我不让自己去看凤霞，一直往前走，走着走着天黑了，风飕飕地吹在我脸上，又灌到脖子里去。凤霞双手捏住我的袖管，一点声音也没有。天黑后，路上的石子绊着凤霞了，走上一段凤霞的身体就摇一下，我蹲下去把她两只脚揉一揉，凤霞两只小手搁在我脖子上，她的手很冷，一动不动。后面的路我便背着凤霞，到了城里，看看离那户人家近了，我就在一只路灯下把凤霞放下来，把她看了又看，凤霞是个好孩子，到了那种时候也没哭，只是睁大眼睛看我，我伸手去摸她的脸，她也伸过手来摸我的脸。她的手在我脸上一摸，我再也不愿意送她回那户人家去了。背起凤霞就往回走，凤霞的小胳膊勾住我的脖子，走了一段她突然紧紧抱住了我，她知道我是带她回家了。

回到家里，家珍看到我们怔住了，我说："就是全家都饿死，也不送凤霞回去。"

家珍轻轻笑了，笑着笑着眼泪掉了出来。

有庆念了两年书，到了十岁光景，就不能经常玩了。那时是人民公社了，凤霞十五岁也跟着我们一起下田，记工分时给她按半个劳动力算，凤霞已经可以自己养活自己了。家里养着的两只羊,全靠有庆割草去喂它们。每天天蒙蒙亮时,家珍就把有庆叫醒,这孩子把镰刀扔在篮子里,一只手提着,一只手搓着眼睛跌跌撞撞走出屋门去割草,那样子怪可怜的,孩子在这个年纪是最睡不醒的,可有什么办法呢?没有有庆去割草,两只羊就得饿死。到了有庆提着一篮草回来,上学也快迟到了,急忙往嘴里塞一碗饭,边嚼边往城里跑。中午跑回家又得割草,喂了羊再自己吃饭,上学自然又来不及了。有庆十来岁的时候,一天两次来去就得跑五十多里路。

有庆这么跑,鞋当然坏得快。家珍是城里有钱人家出生,觉得有庆是上学的孩子了,不能再光着脚丫,给他做了一双布鞋。我倒觉得上学只要把书念好就行,穿不穿鞋有什么关系。有庆穿上鞋才两个月,我看到家珍又在纳鞋底,问她是给谁做鞋,她说是给有庆。

田里的活已把家珍累得说话都没力气了,有庆非得把他娘累死。我把有庆穿了两个月的鞋拿起来一看,这哪还是鞋,鞋底磨穿了不说,一只鞋连鞋帮都掉了。等有庆提着满满一篮草回来时,我把鞋扔过去,揪住他的耳朵让他看看:“你这是穿的?还是啃的?”

有庆摸着被揪疼的耳朵,咧了咧嘴,想哭又不敢哭。我警告他:“你再这样穿鞋,我就把你的脚砍掉。”

其实是我没道理,家里的两只羊全靠有庆喂它们,这孩子在家干这么重的活,耽误了上学时间总是跑着去,中午放学想早点回来割草,又跑着回来。不说羊粪肥田这事,就是每年剪了羊毛去卖了的钱,也不知道能给有庆做多少双鞋。我这么一说以后,有庆上学就光着脚丫跑去,到了学校再穿上鞋。有一次都下雪了,他还是光着脚丫在雪地里吧嗒吧嗒往学校跑,让我这个做爹的看得好心疼,我叫住他:“你手里拿着什么?”

这孩子站在雪地里看着手里的鞋,可能是糊涂了,都不知道说什么。我说:“那是鞋,不是手套,你给我穿上。”

他这才穿上了鞋,缩着脑袋等我下面的话,我向他挥挥手:“你走吧。”

有庆转身往城里跑,跑了没多远,我看到他又脱下了鞋。这孩子让我一点办法都没有。

没想到有庆这么跑来跑去,到头来还跑出点名堂来了。城里学校开运动会那天,我进城去卖菜,卖完了正要回家,看到街旁站着很多人,一打听知道是那些学生在比赛跑步,要在城里跑上十圈。

当时城里有初中了,那一年有庆也读到了四年级。城里是第一次开运动会,念初中的孩子和念小学的孩子都在一起跑。我把空担子在街旁放下,想看看有庆是不是也在里面跑。过了一会儿,我看到一伙和有庆差不多大的孩子,一个个摇头晃脑跑过来,有两个低着脑袋跌跌撞撞,看那样子是跑不动了。他们跑过去后,我才看到有庆,这小家伙光着脚丫,两只鞋拿在手里,呼哧呼哧跑来了,他只有一个人跑来。看到他跑在后面，我想这孩子真是没出息，把我的脸都丢光了。可身旁的人都在为他叫好，我就糊涂了。正糊涂着，看到几个初中学生跑了过来，这一来我更糊涂了，心想这跑步是怎么跑的。我问旁边一个人："怎么年纪大的跑不过年纪小的？"

那人说："刚才跑过去的小孩把别人都甩掉几圈了。"

我一听，他不是在说有庆吗？当时那个高兴啊，是说不出来的高兴。就是比有庆大四五岁的孩子，也被有庆甩掉了一圈。我亲眼看着自己的儿子，光着脚丫，鞋子拿在手里，满脸通红第一个跑完了十圈。这孩子跑完以后，反倒不呼哧呼哧喘气了，像是一点事情都没有，抬起一只脚在裤子上擦擦，穿上布鞋后又抬起另一只脚。接着就双手背到身后，神气活现地站在那里看着比他大多了的孩子跑来。

我心里高兴，朝他喊了一声："有庆。"

挑着空担子走过去时我大模大样，我想让旁人知道我是他爹。有庆一看到我，马上不自在起来，赶紧把背在身后的手拿到前面来，我拍拍他的脑袋，大声说："好儿子啊，你给爹争气啦。"

有庆听到我嗓门那么大，急忙四处看看，像是不愿意让人家知道我是他爹。这时有个大胖子叫他："徐有庆。"

有庆一转身就往那里走，这孩子对我就是不亲。他走了几步又回过头来说："是老师叫我。"

我知道他是怕我回家后找他算账，就对他挥挥手："去吧，去吧。"

那个大胖子手特别大，他按住有庆的脑袋，我就看不到儿子的头，儿子肩膀上像是长出了一只手掌。他们两个人亲亲热热地走到一家小店前，我看着大胖子给有庆买了一把糖，有庆双手捧着放进口袋，一只手就再没从口袋里出来。走回来时有庆脸都涨红了，那是高兴的。

那天晚上我问他那个大胖子是谁，他说："是体育老师。"

我说了他一句："他倒是像你爹。"

有庆把大胖子给他的糖全放在床上，先是分出了三堆，看了又看后，从另两堆里各拿出两颗放进自己这一堆，又看了一会儿，再从自己这堆拿出两颗放到另两堆里。我知道他要把一堆给凤霞，一堆给家珍，自己留着一堆，就是没有我的。谁知他又把三堆糖弄到一起，分出了四堆，他就这么分来分去，到最后还是只有三堆。

过了几天，有庆把体育老师带到家里来了，大胖子把有庆夸了又夸，说他长大了能当个运动员，出去和外国人比赛跑步。有庆坐在门槛上，兴奋得脸上都出汗了。当着体育老师的面我不好说什么，他走后，我就把有庆叫过来，有庆还以为我会夸他，看着我的眼睛都亮闪闪的，我对他说："你给我，给你娘你姐姐争了口气，我很高兴。可我从没听说过跑步也能挣饭吃，送你去学校，是要你好好念书，不是让你去学跑步，跑步还用学？鸡都会跑。"

有庆脑袋马上就垂下了,他走到墙角拿起篮子和镰刀,我问他:“记住我的话了吗?”

他走到门口,背对着我点点头,就走了出去。

凤霞十七岁那年,家珍病了。家珍得了没力气的病,起先我还以为她是年纪大了,才这样的。那天村里挑羊粪去肥田,家珍走着走着腿一软坐在了地上,村里人见了都笑,说是:“福贵夜里干狠了。”

家珍自己也笑了,她站起来试着再挑,那两条腿就哆嗦,抖得裤子像是被风吹的那样乱动起来。我想她是累了,就说:“你歇一会儿吧。”

刚说完,家珍又坐到了地上,担子里的羊粪泼出来盖住了她的腿。家珍的脸一下子红了,她对我说:“我也不知道是怎么了。”

我以为家珍只要睡上一觉,第二天就会有力气的。谁想到以后的几天家珍再也挑不动担子了,她只能干些田里的轻活。好在凤霞也长大了,凤霞在女人里面算是力气大的,她每天挣的工分都超过了家珍。就那么几天,家珍挣的工分比先前少掉一半,可把她心疼坏了,到了夜里她几次偷问我:“福贵,我还能养活自己吗?”

我说:“你别想这事了,年纪大了都这样。”

那么过了半年,家珍的病越来越重,就是站上一会儿腿都抖得厉害。我是看着她脸上的肉少下去,她常说:“人软得不行了。”

我才觉得家珍是得了什么病,要送她到城里医院去看看。我让凤霞也去,家珍走上十来步便要摔倒,我年纪大了,背着她来去走二十多里路也不行,只能和凤霞轮流着背她。

起先家珍的两条胳膊还勾住我的脖子,走了没多远,她的胳膊就松开了,在我胸口上荡来荡去,看上去袖管里像是没胳膊,看得我心都酸了。

走进了城里,我没力气了,就让凤霞替我。凤霞力气比我都大,背着她娘走起路来咚咚响,家珍到了凤霞背上,突然笑了,宽慰地说:“凤霞也长大了。”

家珍说完这话眼睛一红,又说:“凤霞要是不得那场病就好了。”

我说:“都多少年的事了,还提它干什么?”

城里医生说家珍得了软骨病,说这种病谁也治不了,让我们把家珍背回家,能给她吃得好一点就吃得好一点,家珍的病可能会越来越重,也可能就这样了。回来的路上是凤霞背着家珍,我走在边上心里是七上八下,家珍得了谁也治不了的病,我是越想越怕,这辈子这么快就到了这里,看着家珍瘦得都没肉的脸,我想她嫁给我后就没过上一天好日子。

家珍反倒有些高兴,她脸贴在凤霞背脊上,轻声说:“治不了才好呢,哪有钱治病?”

让医生说中了,家珍的病越来越重,到后来走路都走不了两步,只能整天躺在床上。家珍不甘心,干不了田里活,她还想干家里的活。她扶着墙到这里擦擦,又到那里扫扫，有一天她摔倒后就再也爬不起来，等我和凤霞收工回到家里，她还躺在地上，额头都磕破了。我把她抱到床上，她的身体就跟一块死肉一样。凤霞拿了块毛巾给她擦掉脸上的血，我说："你以后别再下地了。"

家珍知道自己错了，轻声说："福贵，我不知道会爬不起来。"

家珍算是硬的，到了那种时候也不叫一声苦。她下不了地，就让我把所有的破烂衣服全放到她床边，她说："有活干心里踏实。"

她拆拆缝缝给凤霞和有庆都做了件衣服，两个孩子穿上后看起来还很新。后来我才知道她把自己的衣服全拆了，她看到我生气就笑了笑，说道："衣服不穿坏起来快。我是不会穿它们了，可不能跟着我糟蹋了。"

家珍说也给我做一件，谁知我的衣服没做完，家珍连针都拿不起了。那时候凤霞和有庆睡着了，家珍还在油灯下给我缝衣服，她累得脸上都是汗，我几次劝她快睡，她都喘着气摇头，说是快了。结果针掉了下去，她的手哆嗦着去拿针，拿了几次都没拿起来，我捡起递给她，她才捏住又掉了下去。家珍眼泪流了出来，这是她病了以后第一次哭，她伤心是再也干不了活了，她说："我是个废人了，还有什么指望？"

我用袖管给她擦眼泪，她瘦得脸上的骨头都突了出来。我宽慰她，说凤霞已经大了，挣的工分比她过去还多，用不着再为钱操心了，家珍说："有庆还小啊。"

这天晚上，家珍的眼泪流个不停，她几次嘱咐我："我死后不要用麻袋包我，麻袋上都是死结，我到了阴间解不开，拿一块干净的布就行了，埋掉前替我洗洗身子。"

她又说："凤霞大了，要是能给她找到婆家我死也闭眼了。有庆还小，有些事他不懂，你也不要常去揍他，吓唬吓唬就行了。"

她是在交代后事，我听了心里酸一阵苦一阵，我对她说：

"按理说我是早就该死了，打仗时死了那么多人，偏偏我没死，就是天天在心里念叨着要活着回来见你们。你就舍得扔下我们？"

我的话对家珍还是有用的，第二天早晨我醒来时，看到家珍正在看我，她轻声说："福贵，我不想死，我想每天都能看到你们。"

家珍天天在床上躺着，比下田干活还累，身体都活动不了。我就在黄昏时背着她到村里去走走，村里人见了家珍，都亲热地问长问短，家珍心里也舒畅多了，她贴着我耳朵问："他们不会笑话我们吧？"

我说："我背着自己的女人有什么好笑话的？"

家珍开始喜欢提一些过去的事，到了一处，她就要说起凤霞，说起有庆从前的事，说着说着就笑。来到了村口，家珍说起那天我回来的事，家珍在田里干活，听到有个人大声叫凤霞、叫有庆，抬头一看，看到了我，起先还不敢认。家珍说到这里笑着哭了，泪水滴在我脖子上，她说："你回来就什么都好了。"

家珍病倒后，少了一个挣工分的，日子自然苦了许多。凤霞更累了，田里的活一点没少干，先前是家珍的家务活也交给了她，好在凤霞年纪轻，一天累到晚，睡上一觉就又有力气有精神了。有庆的活也重了，他不能只管两只羊，家里的自留地也要他帮着干一些。有庆十三岁那年，就是家珍针线活也做不动后，有天傍晚我收工回来，在自留地里锄草的有庆叫了我一声，我走过去，这孩子手摸着锄头柄，低着头说："我学会了很多字。"

我说："好啊。"

他抬头看了我一眼又说："这些字够我用一辈子了。"

我想这孩子口气真大，也没在意他是什么意思，我随口说："你还得好好学。"

他这才说出真话来，他说："我不想念书了。"

我一听脸就沉下了，说："不行。"

其实让有庆退学，我也是想过的，我打消这个念头是为了家珍，有庆不念书，家珍也活不长。家珍知道是家里太穷才不让有庆念书的，她会觉得是自己拖累了有庆，我对有庆说："你不好好念书，我就宰了你。"

说过这话后，我有些后悔，有庆还不是为了家里才不想念书的？这孩子十三岁就这么懂事了，让我又高兴又难受，想想以后再不能随便打骂他了。这天我进城卖菜，卖完了我花五分钱给有庆买了五颗糖，这是我这个做爹的第一次给儿子买东西，我觉得该疼爱疼爱有庆了。

我挑着空担子走进学校，学校里只有两排房子，孩子在里面咿呀咿呀地念书。我挨个教室去看有庆。有庆在最边上的教室，一个女老师站在黑板前讲着什么。我站在一个窗口看到了有庆，一看到有庆我气就上来了，这孩子不好好念书，正用什么东西往前面一个孩子头上扔。为了他念书，凤霞都送给过别人，家珍病成这样也没让他退学，他嘻嘻哈哈跑到课堂上来玩了。当时我气得什么都顾不上了，把担子一放，冲进教室对准有庆的脸就是一巴掌。有庆挨了一巴掌才看到我，他吓得脸都白了，我说："你气死我啦。"

我大声一吼，有庆的身体就哆嗦一下，我又给了他一巴掌，有庆缩着身体完全吓傻了。这时那个女老师走过来气冲冲问我："你是什么人？这是学校，不是乡下。"我说："我是他爹。"我正在气头上，嗓门很大。那个女老师火也跟着上来，她尖着嗓子说："你出去，你哪像是爹，我看你像法西斯，像国民党。"

法西斯我不知道，国民党我就知道了。我知道她是在骂我，难怪有庆不好好念书，他摊上了一个骂人的老师。我说："你才是国民党，我见过国民党，就像你这么骂人。"

那个女老师嘴巴张了张，没说话倒哭上了。旁边教室的老师过来把我拉了出去，他们在外面把我围住，几张嘴同时对我说话，我是一句都没听清。后来大胖子体育老师过来了，他认识我，问我为什么打有庆，我一五一十地告诉他，他就对别的老师说："让他回去吧。"

我挑着担子走时，看到所有教室的窗口都挤满了小脑袋，在看我的热闹。这下我可把自己儿子得罪了，有庆最伤心的不是我揍他，是当着那么多老师和同学出丑。我回到家里气还没消，坐在床边对家珍说了，家珍听完后轻声埋怨我："你呀，你这样让有庆在学校里怎么做人？"

我听后觉得自己确实有些过火，丢了自己的脸不说，还丢了我儿子的脸。这天中午有庆放学回家，我叫了他一声，他理都不理我，拿起篮子和镰刀就要出去，家珍叫了他一声，他就站住了，家珍让他走过去。有庆走到他娘床边一站，脖子就一抽一抽了，随后扑在家珍胳膊上哭了，哭得那个伤心啊。

后来的一个多月里，有庆死活不理我，我让他干什么他马上干什么，就是不和我说话。这孩子也不做错事，让我发脾气都找不到地方。

想想也是自己过分，我儿子的心叫我给伤透了。好在有庆还小，又过了一阵子，他在屋里进出脖子没那么直了。虽然我和他说话，他还是没答理，脸上的模样我还是看得出来的，他不那么记仇了，有时还偷偷看我。我知道他，那么久不和我说话，是不好意思突然开口。我呢，也不急，是我的儿子总是要开口叫我的。

那一天我剪了羊毛进城去卖，刚好中午有庆也要上学。这孩子知道我要进城，磨磨蹭蹭地等着我先走。我想我就先走吧，要不有庆就会迟到，我快走到城里时，听到后面有跑来的脚步声音，回头一看是有庆。这孩子都念五年级了，还是赤脚跑着。有庆看到我在前面，就停住脚，蹲在路边装着在地上看什么。我想你别装了，叫了他一声："有庆。"

有庆嗯地答应了一声，这可是两个月来他第一次答应我。他一答应马上脸红了，站在那里身体摇来摆去的，我笑着说："有庆，你过来。"

他低着脑袋走过来，我和他一起往城里走。我告诉他今年的羊毛长得好，能卖好价钱，他听了嗯了一下。我又说家里两只羊全靠他养着，他还是嗯了一下。我就去捏住他的肩膀，有庆的肩膀又瘦又小，我一捏住不知为何就心疼起来，我说："有庆，你也慢慢长大了，爹以后不会再揍你了，就是揍你也不会让别人看到。"

说完我低头看看有庆，这孩子一脸的伤心，他又想起那件事了。这也难怪，那次我让儿子丢尽了脸。

走到离学校不远的地方，我摸摸有庆的头，对他说："你先去，爹走另一条道。"

我知道有庆和我一起走到学校门口会不自在的，就往另一端走去，走了十来步我回头看看，有庆正藏在一棵树后露出脑袋看我，我一回身他赶紧缩到树后。我笑了笑继续走，走着走着我忍不住又回头去看儿子，有庆还躲在树后，这孩子上学都要迟到了，我叫他："有庆。"

有庆站了出来，低着头还不好意思看我，我说："你上学要迟到了。"

他这才慢吞吞地向学校走去，当时我心里暖和和的，知道有庆不恨他爹了。毕竟是儿子,儿子和爹的关系就是和别人不一样。我想着日后该把有庆当大人看了,不能再随便打骂。那天我心里高兴,自从家珍病后我还是第一次这么高兴,卖了羊毛快步往家走去时一点不累,我想着田里的活在叫唤我呢。

就在这天下午,有庆他们学校的校长,那是县长的女人,在医院里生孩子时出了很多血,一只脚都跨到阴间去了。学校的老师马上把五年级的学生集合到操场上,让他们去医院献血,那些孩子一听是给校长献血,一个个高兴得像是要过节了,一些男孩当场卷起了袖管。他们一走出校门,我的有庆就脱下鞋子,拿在手里就往医院跑,有四五个男孩也跟着他跑去。我儿子第一个跑到医院,等别的学生全走到后,有庆排在第一位,他还得意地对老师说:“我是第一个到的。”

结果老师一把把他拖出来,把我儿子训斥了一通,说他不遵守纪律。有庆只得站在一旁,看着别的孩子挨个去验血,验血验了十多个没一个血对上校长的血。有庆看着看着有些急了,他怕自己会被轮到最后一个,到那时可能就献不了血了。他走到老师跟前,怯生生地说:“老师,我知道错了。”

老师嗯了一下,没再理他,他又等了两个进去验血,这时产房里出来一个戴口罩的医生,对着验血的男人喊:“血呢? 血呢?”验血的男人说:“血型都不对。”医生喊:“快送进来。病人心跳都快没啦。”

有庆再次走到老师跟前,问老师:“是不是轮到我了?”

老师看了看有庆,挥挥手说:“进去吧。”

验到有庆血型才对上了,我儿子高兴得脸都涨红了,他跑到门口对外面的人叫道:“要抽我的血啦。”

抽一点血就抽一点,医院里的人为了救县长女人的命,一抽上我儿子的血就不停了。抽着抽着有庆的脸就白了,他还硬挺着不说,后来连嘴唇也白了,他才哆嗦着说:“我头晕。”

抽血的人对他说:“抽血都头晕。”

那时候有庆已经不行了,可出来个医生说血还不够用。抽血的是个乌龟王八蛋,把我儿子的血差不多都抽干了。有庆嘴唇都青了,他还不住手,等到有庆脑袋一歪摔在地上,那人才慌了,去叫来医生,医生蹲到地上拿听筒听了听说:“心跳都没有了。”

医生也没怎么当回事,只是骂了一声抽血的:“你真是胡闹。”

就跑进产房去救县长的女人了。

那天傍晚收工前,邻村的一个孩子,是有庆的同学急匆匆跑过来,他一跑到我们跟前就扯着嗓子喊:“哪个是徐有庆的爹?”

我一听心就乱跳,正担心着有庆会不会出事,那孩子又喊:“哪个是他娘?”

我赶紧说:“我是有庆的爹。”

孩子看看我,擦着鼻子说:“对,是你,你到我们教室来过。”

我心都要跳出来了，他这才说："徐有庆快死啦，在医院里。"

我眼前马上黑了一下，我问那孩子："你说什么？"

他说："你快去医院，徐有庆要死啦！"

我扔下锄头就往城里跑，心里乱成一团。想想中午分开时有庆还好好的，现在说他快要死了。我脑袋里嗡嗡乱叫着跑到城里医院，见到第一个医生我就拦住他，问他："我儿子呢？"

医生看看我，笑着说："我怎么知道你儿子？"

我听后一怔，心想是不是弄错了，要是弄错可就太好了。我说："他们说我儿子快死了，要我到医院来。"

准备走开的医生站住脚看着我问："你儿子叫什么名字？"

我说："叫有庆。"

他伸手指指走道尽头的房间说："你到那里去问问。"

我赶紧跑到那间屋子，一个医生坐在里面正写些什么，我心里咚咚跳着走过去问："医生，我儿子还活着吗？"

医生抬起头来看了我很久，才问："你是说徐有庆？"

我急忙点点头，医生又问："你有几个儿子？"

我的腿马上就软了，站在那里哆嗦起来，我说："我只有一个儿子，求你行行好，救活他吧。"

医生点点头，表示知道了，可他又说："你为什么只生一个儿子？"

这叫我怎么回答呢？我急了，问他："我儿子还活着吗？"

他摇摇头说："死了。"

我一下子就看不到医生了，脑袋里黑乎乎一片，只有眼泪哗哗地掉出来，我问医生："我儿子在哪里？"

有庆一个人躺在一间小屋子里，那张床是用砖头搭成的。我进去时天还没黑，看到有庆的小身体躺在上面，又瘦又小，身上穿的是家珍最后给他做的衣服。我儿子闭着眼睛，嘴巴也闭得很紧。我有庆有庆叫了好几声，有庆一动不动，我就知道他真死了，一把抱住了儿子，有庆的身体都硬了。中午他还躲在树后面偷偷看他爹，到了晚上他就硬了。我怎么想都是想不通，这怎么也应该是两个人，我看看有庆，摸摸他的瘦肩膀，又真是我的儿子。我哭了又哭，都不知道有庆的体育老师也来了。他看到有庆也哭了，一遍遍对我说："想不到，想不到。"

体育老师在我边上坐下，我们两个人对着哭，我摸摸有庆的脸，他也摸摸。过了很久，我才突然想起来，自己还不知道儿子是怎么死的。我问体育老师，这才知道有庆是抽血被抽死的。当时我就想杀人了，我把儿子一放就冲了出去，冲到病房看到一个医生就抓住他，也不管他是谁，对准他的脸就是一拳，医生摔到地上乱叫起来，我朝他吼道："你杀了我儿子。"

吼完抬脚去踢他，有人抱住了我，回头一看是体育老师，我就说："你放开我。"体育老师说："你不要乱来。"我说："我要杀了他。"体育老师抱住我，我脱不开身，就哭着求他："我知道你对有庆好，你就放开我吧。"

体育老师还是死死抱住我，我只好用胳膊肘拼命撞他，他也不松开。让那个医生爬起来跑走了，很多人围了过来，我看到里面有两个是医生，我对体育老师说："求你放开我。"

体育老师力气大，抱住我我就动不了，我用胳膊肘撞他，他也不怕疼，一遍遍说："你不要乱来。"

这时有个穿中山服的男人走了过来，他让体育老师放开我，问我："你是徐有庆同学的父亲？"

我没理他，体育老师一放开我，我就朝一个医生扑过去，那医生一转身就逃。我听到有人叫穿中山服的男人县长，我一想原来他就是县长，就是他的女人夺了我儿子的命，我抬脚就朝县长肚子上蹬了一脚，县长哼了一声坐在了地上。体育老师又抱住了我，对我喊："那是刘县长。"

我说："我要杀的就是县长。"

抬起脚再去蹬，县长突然问我："你是不是福贵？"

我说："我今天非宰了你。"

县长站起来，对我叫道："福贵，我是春生。"

他这么一叫，我就傻了。我朝他看了半晌，越看越像，就说："你真是春生。"

春生走上前来也把我看了又看，他说："你是福贵。"

看到春生我怒气消了很多，我哭着对他说："春生你长高长胖了。"

春生眼睛也红了，说道："福贵，我还以为你死了。"

我摇摇头说："没死。"

春生又说："我还以为你和老全一样死了。"

一说到老全，我们两个都呜呜地哭上了，哭了一阵我问春生：

"你找到烧饼了吗？"

春生擦擦眼睛说："没有，你还记得？我走过去就被俘虏了。"

我问他："你吃到馒头了吗？"

他说："吃到了。"

我说："我也吃到了。"

说着我们两个人都笑了，笑着笑着我想起了死去的儿子，我抹着眼睛又哭了，春生的手在我肩上摸着，我说："春生，我儿子死了，我只有一个儿子。"

春生叹口气说："怎么会是你的儿子？"

我想到有庆还一个人躺在那间小屋子里，心里疼得受不了，我对春生说："我要去看儿子了。"

我也不想再杀什么人了，谁料到春生会突然冒出来。我走了几步回过头去对春生说："春生，你欠了我一条命，你下辈子再还给我吧。"

那天晚上我抱着有庆往家走，走走停停，停停走走，抱累了就把儿子放到背脊上，一放到背脊上心里就发慌，又把他重新抱到了面前，我不能不看着儿子。眼看着走到了村口，我就越走越难，想想怎么去对家珍说呢？有庆一死，家珍也活不长，家珍已经病成这样了。我在村口的田埂上坐下来，把有庆放在腿上，一看儿子我就忍不住哭，哭了一阵又想家珍怎么办？想来想去还是先瞒着家珍好。我把有庆放在田埂上，回到家里偷偷拿了把锄头，再抱起有庆走到我娘和我爹的坟前，挖了一个坑。

要埋有庆了，我又舍不得。我坐在爹娘的坟前，把儿子抱着不肯松手，我让他的脸贴在我脖子上，有庆的脸像是冻坏了，冷冰冰地压在我脖子上。夜里的风把头顶的树叶吹得哗啦哗啦响，有庆的身体也被露水打湿了。我一遍遍想着他中午还躲在树后看我，我对死去的儿子说："有庆，我知道你是在心里和爹亲。"

想到有庆再不会说话，再不会拿着鞋子跑去，我心里是一阵阵绞痛，痛得我都哭不出来。我那么坐着，眼看着天要亮了。不埋不行了，我就脱下衣服，把袖管撕下来蒙住他的脸，用衣服把他包上，放到了坑里。我对爹娘的坟说："有庆要来了，你们待他好一点，他活着时我对他不好，你们就替我多疼疼他。"

有庆躺在坑里，越看越小，不像是活了十三年死了，倒像是家珍才把他生出来。我用手把土盖上去，把小石子都拣出来，我怕石子硌得他身体疼。埋掉了有庆，天蒙蒙亮了，我慢慢往家里走，走几步就要回头看看，走到家门口一想到再也看不到儿子，忍不住哭出了声音，又怕家珍听到，就捂住嘴巴蹲下来，蹲了很久，都听到出工的吆喝声了，才站起来走进屋去。凤霞站在门旁睁圆了眼睛看我，她还不知道弟弟死了。邻村那个孩子来报信时，她也在，可她听不到。家珍在床上叫了我一声，我走过去对她说："有庆出事了，在医院里躺着呢。"

家珍像是信了我的话，她问我："出了什么事？"

我说："我也说不清楚，有庆上课时突然昏倒了，被送到医院，医生说这种病治起来要有些日子。"

家珍的脸伤心起来，泪水从眼角淌出，她说："是累的，是我拖累有庆的。"

我说："不是，累也不会累成这样。"

家珍看了看我又说："你眼睛都肿了。"

我点点头："是啊，一夜没睡。"

说完我赶紧走出门去，有庆才被埋到土里，尸骨未寒啊，再和家珍说下去我就稳不住自己了。

接下去的日子，白天我在田里干活，到了晚上我对家珍说进城去看看有庆好些了没有。我慢慢往城里走，走到天黑了，再走回来，到有庆坟前坐下。夜里黑乎乎的，风吹在我脸上，我和死去的儿子说说话，声音飘来飘去都不像是我的。坐到半夜我才回到家中，起先的几天，家珍都是睁着眼睛等我回来，问我有庆好些了吗？我就随便编些话去骗她。过了几天我回去时，家珍已经睡着了，她闭着眼睛躺在那里。我也知道老这么骗下去不是办法，可我只能这样，骗一天是一天，只要家珍觉得有庆还活着就好。

有天晚上我离开有庆的坟，回到家里在家珍身旁躺下来后，睡着的家珍突然说："福贵，我的日子不长了。"

我心里一沉，去摸她的脸，脸上都是泪，家珍又说："你要照看好凤霞，我最不放心的就是她了。"

家珍都没提有庆，我当时心里马上乱了，想说些宽慰她的话也说不出来。

第二天傍晚，我还和往常一样对家珍说进城去看有庆，家珍让我别去了，她要我背着她去村里走走。我让凤霞把她娘抱起来，抱到我背脊上。家珍的身体越来越轻，瘦得身上全是骨头了。一出家门，家珍就说："我想到村西去看看。"

那地方埋着有庆，我嘴里说好，腿脚怎么也不肯往那地方走，走着走着走到了东边村口，家珍这时轻声说："福贵，你别骗我了，我知道有庆死了。"

她这么一说，我站在那里动不了，腿也开始发软。我的脖子上越来越湿，我知道那是家珍的眼泪，家珍说："让我去看看有庆吧。"

我知道骗不下去了，就背着家珍往村西走，家珍低声告诉我："我夜夜听着你从村西走过来，我就知道有庆死了。"

走到了有庆坟前，家珍要我把她放下去，她扑在了有庆坟上，眼泪哗哗地流，两只手在坟上像是要摸有庆，可她一点力气都没有，只有几根指头稍稍动着。我看着家珍这副样子，心里难受得要被堵住了，我真不该把有庆偷偷埋掉，让家珍最后一眼都没见着。

家珍一直扑到天黑，我怕夜露伤着她，硬把她背到身后，家珍就让我再背她到村口去看看，到了村口，我的衣领都湿透了，家珍哭着说："有庆不会在这路上跑来了。"

我看着那条弯曲着通向城里的小路，听不到我儿子赤脚跑来的声音，月光照在路上，像是撒满了盐。

过了两天，家珍也死了。家珍死去的那个晚上，说要侧身躺着，要看着我。我把她身体侧过来，让她脸对着我，家珍叫我别熄灯。我女人那晚上把我看了又看，对我说："福贵，你对我真是好。"

说完她笑了笑，闭上了眼睛。过了一会儿，家珍又睁开眼睛问我："凤霞睡得好吗？"

我起身看看凤霞，对她说："凤霞睡着了。"

家珍又闭上了眼睛，我捏着她的手，以为她睡着了。没过多久，家珍的手慢慢凉了，我赶紧去摸她的身体，身体也凉了。

家珍死后，我打了两桶井水烧热了给她洗身子，凤霞就坐在一旁，把脸贴在家珍身上哭，我几次把她扶开，她马上又过来了，我想就让她多贴一会儿吧，以后她再也见不着家珍了。家珍瘦得身上只剩下一张皮，她的模样比有庆还可怜。

家珍死后，家里只剩下我和凤霞了。凤霞那时才知道她弟弟也死了，最初的几天，凤霞活也不干，饭也不吃，就是呆呆地站在家珍和有庆坟前，我把她拉回到家里，没多久她又去了。直到我病倒后，凤霞才回到了原先的样子，她忙里忙外服侍我。过了几天我看看凤霞实在是太累，就拖着个病身体下田去干活，村里人见了我都吃了一惊，说："福贵，你头发全白了。"

我笑笑说："以前就白了。"

他们说："以前还有一半是黑的呢，就这么几天你的头发全白了。"

就那么几天，我老了许多，我从前的力气再也没有回来，干活时腰也酸了背也疼了，干得猛一些身上到处淌虚汗。有时想想自己也快去了，我一点也不难受，人到了那一步都得去，不过是早几天晚几天。可一看到凤霞，我实在是放心不下，凤霞又聋又哑，她一个人在这世上怎么办呢？

家珍和有庆死后，春生来过两次。春生不叫春生了，他叫刘解放。别人见了春生都叫他刘县长，我还是叫他春生。春生第一次来时还带来他两岁的儿子，春生的儿子吃得白白胖胖，春生让他叫我一声大伯，那小家伙看了我半天就是不肯开口，我就对春生说："算啦，别让他叫了。"

春生告诉我，他被俘虏后就当上了解放军，一直打到福建，后来又到朝鲜去打仗。春生命大，打来打去都没被打死。朝鲜的仗打完了，他转业到邻近一个县，有庆死的那年他才来到我们县。春生走的时候，我送他到村口，我对春生说："你以后别来了，别带这孩子来，一见到他，我心里就难受，就想起我的有庆。"

春生后来还是来了一次，那时候城里在闹"文化大革命"，春生来时都深更半夜，我和凤霞已经睡了，敲门把我敲醒，我打开门借着月光一看是春生，春生的脸都被打肿了，春生说："福贵，你出来一下。"

春生的模样让我吓了一跳，赶紧披上衣服走出去，春生走在前面，我在后面问他："到底出了什么事？"

春生也不答话，他一直走到这口池塘旁边，站在了这里，才回过头来说："福贵，我是来和你告别的。"

我问："你要去哪里？"

他咬着牙齿狠狠地说："我不想活了。"

我吃了一惊，急忙拉住春生的胳膊说："春生，你别糊涂，你还有女人和儿子呢。"

一听这话，春生哭了，他说："福贵，我每天都被他们吊起打。"

说着他把手伸过来："你摸摸我的手。"

我一摸，那手像是煮熟了一样，烫得吓人，我问他："疼不疼？"

他摇摇头："不觉得了。"

我把他肩膀往下按，说道："春生，你先坐下。"

我对他说："你千万别糊涂，死人都想活过来，你一个大活人可不能去死。"

我又说："你的命是爹娘给的，你不要命了也得先去问问他们。"

春生抹了抹眼泪说："我爹娘早死了。"

我说："那你更该好好活着，你想想，你走南闯北打了那么多仗，你活下来容易吗？"

那天我和春生说了很多话，到天快亮了，春生像是有些想通，他站起来说要走了，我送他到村口，他说："福贵，你站住吧。"

我就站住了，看着春生走去，春生都被打瘸了，他低着头走得很吃力。我又放心不下，对他喊："春生，你要答应我别死。"

春生走了几步回过头来说："我答应你。"

春生后来还是没有答应我，一个多月后，我听说城里刘县长投井死了。一个人命再大，要是自己想死，那就怎么也活不了。

春生死后又是好几年，凤霞还是守在我身旁，一转眼她都到三十五岁了。我觉得身体是越来越累，一辈子也算是经历了不少事，人也该熟了，就跟梨那样熟透了该从树上掉下来。可我放心不下凤霞，她和别人不一样，她老了谁会管她？

凤霞说起来又聋又哑，她也是女人，不会不知道男婚女嫁的事。村里每年都有嫁出去娶进来的，敲锣打鼓热闹一阵，到那时候凤霞握着锄头总要看得发呆，村里几个年轻人就对凤霞指指点点，笑话她。

村里王家三儿子娶亲时，都说新娘漂亮。那天新娘被迎进村里来时，穿着大红绣花的棉袄，吃吃笑个不停。我在田里看去，新娘整个儿是个红人了，那脸蛋红扑扑特别顺眼。旁边一群年轻人嘻嘻哈哈肯定说了些难听的话，新娘低头笑着。女人到了出嫁的时候，是什么都看着舒服，什么都听着高兴。

在田里干活的凤霞，一看到这种场景，又看呆了，两只眼睛连眨都没眨，锄头抱在怀里，一动不动。我站在一旁看得心里难受，心想她要看就让她多看看吧。凤霞命苦，她只有这么一点看看别人出嫁的福分。谁知道凤霞看着看着竟然走了上去，走到新娘旁边，哧哧笑着和她一起走过去。这下可把那几个年轻人笑坏了，我的凤霞赤脚穿着满是补丁的衣服，和新娘走在一起，新娘穿得又整齐又鲜艳，长得也好，和我凤霞一比，凤霞寒碜得实在是可怜。凤霞脸上没有脂粉，也红扑扑和新娘一样，她一直扭头看着新娘。

村里几个年轻人又笑又叫，说："凤霞想男人啦。"

这么说说我也就听进去了，谁知没一会儿工夫难听的话就出来了，有个人对新娘说:“凤霞看中你的床了。”

凤霞在旁边一走,新娘笑不出来了,她是嫌弃凤霞。这时有人对新郎说:“你小子太合算了,一娶娶一双,下面铺一个,上面盖一个。”

新郎听后嘿嘿地笑,新娘受不住了,也不管自己新出嫁该害羞一些,脖子一直就对新郎喊:“你笑个屁。”

我实在是看不下去,走上田埂对他们说:“做人不能这样,要欺负人也不能欺负凤霞,你们就欺负我吧。”

说完我拉住凤霞就往家里走,凤霞是聪明人,一看到我的脸色,就知道刚才出了什么事,她低着头跟我往家走,走到家门口时眼泪掉了下来。

后来我怎么想都要给她找个男人,我是要死在她前面了,我死后有凤霞收作,凤霞老这样下去,死后连个收作的人都没有。可是又有谁愿意娶她呢?村里一些人还觉得我是想霸着凤霞,好让她服侍我一辈子,说是家珍要还活着的话,凤霞早就嫁出去了。我想想他们说得也不是不对,我这个做爹的没做好,凤霞三十五岁了还没找到婆家。我挨家挨户去求村里人,请他们四处去打听打听,有没有要凤霞的人家,他们问我:“你舍得凤霞走?”

我说:“哪怕是缺胳膊断腿的男人,只要他想娶凤霞我都给。”

说完这话自己心里先疼上了,凤霞哪点比不上别人,就是不会说话。事到如今我也只好这样了。

出去打听的人回来说,城里有个叫万二喜的男人要凤霞,那人说:“万二喜比凤霞还小两岁,又是城里人,是搬运工,挣钱很多。”

我一听条件这么好,不相信,觉得他是在和我闹着玩,我说:“你别哄我这个老头了。”

那人说:“没哄你,万二喜是个偏头,脑袋靠着肩膀,怎么也起不来。”

他这样说我就信了,赶紧说:“你快让他来看看凤霞吧。”

没出三天,万二喜来了,真是个偏头,他看我时把左边肩膀翘起来,又把肩膀向凤霞翘翘,凤霞一看到他这副模样,咧着嘴笑了。

万二喜穿着中山服,干干净净的,若不是脑袋靠着肩膀,那模样还真像是城里来的干部。他拿着一瓶酒和一块花布,往桌上一放,就翘着肩膀在屋里转一圈,他是在看我的屋子。我请他坐下,让凤霞也别下地,坐在床上,我对他说:“让你破费了,其实我有几十年没喝酒了。”

万二喜听后嗯了一下,也不说话,翘着个肩膀在屋里看来看去,看得我心里七上八下,我说:“穷是穷一点,好在我还养了一头猪一只羊,你要是娶凤霞,我就把猪羊卖了办嫁妆。”

他听后还是嗯了一下,我都不知道他心里想什么。坐了一会儿,他站起来说是要走了,我想这门亲事算是完了。他都没怎么看凤霞,老看我的破烂屋子。走到屋外，我问他："聘礼不带走了？"

他又嗯了一声，翘着肩膀看看屋顶的茅草，点了点头后走了。

万二喜一走，村里有人来问我："成了吗？"

我摇摇头："太穷了，我家太穷了。"

第二天上午，我在耕田时，有人说："那边是谁呀？"

我抬起头来，看到五六个人在那条路上摇摇摆摆地走来，还拉了一辆板车，只有走在最前面那人没有摇摆，他偏着脑袋走得飞快。远远一看我就知道是万二喜来了，我是一点也想不到他会来。

万二喜见了我说："屋顶的茅草该换了，我拉了车石灰粉粉墙。"

我往那板车一望，有石灰有两把刷墙的扫帚，还有一块很大的猪肉，万二喜手里提着两瓶白酒。

那时候我才知道万二喜东张西望不是嫌我家穷，他连我屋前的草垛子都看到眼里去了。屋顶的茅草我早就想换了，只是等着农闲时到来好请村里人帮忙。

万二喜带了五个人来，肉也买了，酒也备了，想得周到。当下他们把草垛子分散了，扎成一小捆一小捆，万二喜和另一个人爬到屋顶，下面留着四个，替我翻屋顶的茅草。我看一眼就知道他带来的都是干惯这活的人，手脚都麻利，下面的用竹竿挑着往上扔，万二喜和另一个人在上面铺。别看万二喜脑袋靠着肩膀，干活一点都不碍事，茅草扔上去他先用脚踢一下，再伸手接住。有这本领的人，在我们村里是一个都找不出来。

没到中午，屋顶的活就干完了。我给他们烧了一桶茶水，把桌子和凳子都搬到了屋外，凤霞给他们倒茶水，跑前跑后忙个不停，她也高兴，看到家里突然来了这么多干活的人，凤霞笑开的嘴就没合上。万二喜从屋顶上下来，我说："二喜，歇一会儿。"

万二喜用袖管擦擦脸上的汗说："不累。"

说完又翘起肩膀往四处看，看到左边一块菜地问我："这是我家的地吗？"

我说："是啊。"

他就进屋拿了把菜刀，下到地里割了几棵新鲜的菜，又拿进屋去。不一会儿，他在里面切肉了，我去拦他，让他把这活留给凤霞，他还是用袖管擦着汗说："不累。"

我拦不住他，只好让凤霞去帮他烧火，自己在外面陪着万二喜带来的人说话，中间几次我走进去看看，看到他们两个人像是两口子，一个烧火，一个做饭炒菜。两个人你看看我，我看看你，看过后都咧着嘴笑了。我心里也就踏实了。

吃过了午饭，万二喜他们用石灰粉墙，我家的土墙到了第二天石灰一干，变成白晃晃一片，像是城里的砖瓦房子。粉完了墙天还早着，我对万二喜说："吃了晚饭再走吧。"他说："不吃了。"说着肩膀向凤霞翘了翘，我知道他是在看凤霞。他低声问我："爹，我什么时候把凤霞娶过去？"

一听这话，一听他叫我爹，我欢喜得眼泪都下来了，我说："你想什么时候就什么时候。"

接着我又轻声说："二喜，不是我想让你破费，实在是凤霞命苦，你娶凤霞那天多叫些人来，热闹热闹，也好叫村里人看看。"二喜说："爹，知道了。"那天晚上凤霞摸着二喜送来的花布，看看笑笑，笑笑看看。有时抬起头来看到我正看着她，心里一慌脸就红了。凤霞知道自己要出嫁了，我看得出她喜欢二喜，我高兴啊，想想家珍也可以安心了，什么时候我腿一伸到家珍那里，再用不着操心凤霞一个人在世上怎么过了。

我把一头猪一只羊卖了，带着凤霞到城里给她做了两身新衣服，给她添置了两床新被子，买了脸盆什么的。凡是村里别人家女儿有的，凤霞都有，我不能委屈凤霞了。

二喜来娶凤霞那天，锣鼓很远就闹过来了，村里人全挤到村口去看。二喜带来了二十多个城里人，全穿中山服，要不是二喜胸口戴了朵大红花，那样子像是什么大干部下来了呢。最显眼的是中间有一辆披红戴绿的板车，车上一把椅子也红红绿绿。一走进村里，二喜就拆了两条大前门香烟，见到男人就往他们手里塞，嘴里连连说："多谢，多谢。"

村里别人家娶亲嫁女时，抽的最好的香烟也不过是飞马牌，二喜将大前门一盒一盒送人，那气派把谁家都比下去了。跟在二喜身后那二十来人也卖力，锣鼓敲得震天响，还扯着嗓子喊，他们的口袋都鼓鼓的，见到村里年轻的姑娘和孩子，就把口袋里的糖果往她们身上扔。这样大手大脚把我都看呆了，心想扔掉的都是钱呵。

后来过了好多年，村里别的姑娘出嫁时，她们还都会说凤霞出嫁时最气派。凤霞那天穿上新衣服从屋里出来时漂亮极了，连我这个做爹的都想不到她会这么漂亮，二喜带来的城里人都说："这偏头真有艳福啊。"

从来没有那么多人一起看着凤霞，凤霞的脸跟番茄一样，她把头埋在胸前都不知道该怎么办，二喜拉着她的手走到板车旁，凤霞看看车上的椅子还是不知道该干什么。个头比凤霞矮的二喜把凤霞抱到了车上，看的人哄地笑起来，凤霞也哧哧笑了。二喜对我说："爹，我把凤霞娶走啦。"

说着二喜自己拉起板车就走，板车一动，低头笑着的凤霞急忙扭过头来，焦急地看来看去。我知道她是在看我，就招招手。凤霞一看到我，眼泪哗哗流了出来，她扭着身体哭着看我。我一下子想起凤霞十三岁那年，被人领走时也是这么哭着看我的，我一伤心眼泪也出来了，可想想这次不一样，这次凤霞是出嫁，我就笑了。

二喜是实心眼，他拉着板车走时，还老回过头去看看他的新娘，一看到凤霞扭着身体对我哭，他就不走了，站在那里也把身体扭着。凤霞是越哭越伤心，肩膀也一抖一抖了，让我这个做爹的心里一抽一抽，我对二喜喊："二喜，凤霞是你的女人了，你还不快拉走？”

凤霞嫁到了城里，我就丢了魂，一闲下来忍不住东看西找的，好像凤霞是在屋里躲起来似的。想到凤霞是泼出去的水了，我只得坐下来，坐又坐不住，就跑到村口去张望，我也知道凤霞不会回来，可那么朝远处看看，心里会踏实一些。

按规矩凤霞得一个月以后回来，我也要一个月以后才能去看她。谁知才过了五天，傍晚时村里有人过来说：

“福贵，你到村口去看看，像是偏头来了。”

我跑到村口一看，还真是二喜，翘着左边的肩膀，手里提着一包糕点，凤霞走在他旁边，两个人手拉着手，笑眯眯地走来。村里人见了都笑，那年月可是见不到男女手拉着手的，我对他们说：“二喜是城里人，城里人就是洋气。”

凤霞成了二喜的女人，我就三天两头往城里跑，跟年轻时一样了，只是去的地方不一样。去的时候，我就在自留地里割上几棵新鲜的菜，放在篮子里提着，村里见了便问：“又去看凤霞？”

我点点头：“是啊。”

他们说：“你老这么去，那偏头女婿不赶你走？”

我说：“才不会呢。”

二喜家的邻居都喜欢凤霞，我一去，他们就夸她，说她又勤快又聪明。扫地时连别人家的屋前也扫，一扫就扫半条街，邻居看到凤霞汗都出来了，走过去拍拍她，让她别扫了，她这才笑眯眯地回到自己屋里。

凤霞以前没学过织毛衣，我们家穷，谁也没穿过毛衣。凤霞看到邻居的女人坐在门前织毛衣，手穿来插去的，心里喜欢她就搬着凳子坐到跟前看，一看就看半天，人都看呆了。邻居家的女人看着凤霞这么喜欢，便手把手教她。这么一教可把她们吓一跳，凤霞一学就会，才三四天，凤霞织毛衣和她们一样快了。她们见了我就说：“要是凤霞不聋不哑有多好。”

她们也在心里可怜凤霞。后来只要屋里的活一忙完，凤霞便坐到门前替她们织毛衣。整条街的女人里就数凤霞毛衣织得最密最紧，这下可好了，她们都把毛线送过来，让凤霞替她们织。凤霞累是累了一些，可她心里高兴。毛衣织成了给人家，她们向她翘翘大拇指，凤霞张着嘴就要笑半天。

我一进城，邻居家的女人就过来挨个告诉我，凤霞这儿好，那儿好，我听到的全是好话，听得我眼睛都红了，我说：“城里人就是好，在村里是难得才听到说我凤霞好。”

看到大家都这么喜欢凤霞，二喜又疼爱她，我心里高兴啊。回到村里，我见人便说凤霞在城里怎么好，怎么招人喜爱。村里有些人听了还不高兴，对我说：“福贵，你是老昏了头，城里人心眼坏着呢，凤霞整天给别人家干活还不累死。”我说：“话可不能这么说。”他们说：“凤霞替她们织毛衣，她们也得送点东西给凤霞，送了吗?”

村里人心眼就是小,尽想些捡便宜的事。城里的女人可不是他们说的那么坏,我有两次听到她们对二喜说:“二喜,你去买两斤毛线来,也该让凤霞有件毛衣。”

二喜听后笑笑,没作声。二喜是实在人,娶凤霞时他依了我的话,钱花多了,欠下了债。到了私下里,他悄悄对我说:“爹,我还了债就给凤霞买毛线。”

这样的日子过了几个月,田里活一忙,我不能常常去城里,好在是人民公社,村里人一起干活,我用不着焦急。凤霞来住过两天,替我做饭烧水,我把她赶了回去。我是用手一推一推把她推出村口的,村里有人见了嘻嘻笑,说没见过像我这样的爹。我听了也嘻嘻笑,心想村里谁家的女儿也没像凤霞对人这么好,我说:“凤霞只有一个人,服侍了我,就服侍不了我的偏头女婿了。”

凤霞被我赶回城里,过了没几天又回来了,这次连偏头女婿也来了。两个人在远处拉着手走来,我很远就看到了他们,不用看二喜的偏脑袋,就看拉着手我也知道是谁了。二喜提着一瓶黄酒,咧着嘴笑个不停。凤霞手里挎着个小竹篮子,也像二喜一样笑。我想是什么好事,这么高兴。

到了家里,二喜拉拉我的袖管说:“爹,凤霞有啦。”

凤霞有孩子了,我嘴一咧也笑了。我们三个人笑了半晌,二喜才想起手里的黄酒,便去拿了三只碗来,凤霞从竹篮里端出一碗豆子。二喜给我倒满了酒,又去给凤霞倒,凤霞捏住酒瓶连连摇头,二喜说:“今天你也喝。”

凤霞像是听懂了二喜的话,不再摇头。我们端起了碗,凤霞喝了一口皱皱眉,看到我们都在看她,她抿着嘴笑了。我和二喜都是一口把酒喝干,一碗酒下肚,二喜眼泪掉了出来,他说:“爹,凤霞,我是做梦也想不到会有今天。”

我眼泪也下来了,我说:“我也想不到,先前最怕的就是我死了凤霞怎么办,你娶了凤霞我心就定了,有了孩子更好了,凤霞以后死了也有人收作。”

凤霞看到我们两个哭,眼睛也红了,二喜又说:“要是我爹娘还活着就好了,我娘死的时候捏住我的手不肯放。”

我便想起了家珍和有庆,说:“家珍死时放心不下的就是凤霞,还有有庆,他是他姐姐抱大的,他们都看不到今天了。”

我和二喜越哭越伤心,凤霞也是眼泪汪汪。哭了一阵,二喜又笑了,他指指那碗豆子说:“爹,你吃这豆子,是凤霞做的。”

我说:“我吃,我吃。”

说着我也笑了,我马上就会有外孙了。我们哭哭笑笑一直到傍晚,二喜和凤霞才回去。

凤霞有了孩子,二喜便更疼爱她。那时候是夏天了。屋里蚊子多,又没有蚊帐,天一黑二喜就躺到床上去喂蚊子,让凤霞在外面街上坐着乘凉,等把屋里的蚊子喂饱,不再咬人了,才让凤霞进去睡。有几次凤霞进去看他,他就焦急了,一把把凤霞抱了出来。这都是二喜家的邻居告诉我的，她们对二喜说："你去买顶蚊帐嘛。"

二喜还是笑笑不作声，瞅空儿才对我说："债不还清，我心里不踏实。"

看着二喜身上被蚊子咬得到处都是红点，我也心疼，我说："你别这样了。"

二喜说："我一个人，蚊子多咬几口捡不了什么便宜，凤霞可是两个人啊。"

凤霞是在冬天里生孩子的，那天雪下得很大，窗外面什么都看不清楚。凤霞进了产房一夜都没出来，我和二喜在外面越等越怕，一有医生出来，就上去问，知道还在生，便有些放心。到天快亮时，二喜说："爹，你先去睡吧。"

我摇摇头说："心悬着睡不着。"

二喜劝我："两个人不能绑在一起，凤霞生完了孩子还得有人照应。"

我想想二喜说得也对，就说："二喜，你先去睡。"

两个人推来推去，谁也没睡。到天完全亮了，凤霞还没出来，我们又怕了，比凤霞晚进去的女人都生完孩子出来了。我和二喜哪还坐得住，凑到门口去听里面的声音，听到有女人在叫唤，我们才放心，二喜说："苦了凤霞了。"

过了一会儿，我觉得不对，凤霞是哑巴，不会叫唤的，这么对二喜说，二喜的脸一下子白了，他跑到产房门口拼命喊："凤霞，凤霞。"

里面出来个医生也朝二喜喊："你叫什么，出去。"

二喜呜呜地哭了，他说："我女人怎么还没出来？"

旁边有人对我们说："生孩子有快的，也有慢的。"

我看看二喜，二喜看看我，想想可能是这样，就坐下来再等着，心里还是咚咚乱跳。没多久，出来一个医生问我们："要大的，还是要小的？"

她这么一问，把我们问傻了，她又说："喂，问你们呢？"

二喜扑通跪在了她面前，哭着喊："医生，救救凤霞，我要凤霞。"

二喜在地上哇哇地哭，我把他扶起来，劝他别这样，这样伤身体，我说："只要凤霞没事就好了，俗话说留得青山在，不怕没柴烧。"

二喜呜呜地说："我儿子没了。"

我也没了外孙，我脑袋一低也呜呜地哭了。到了中午，里面有医生出来说："生啦，是儿子。"

二喜一听急了，跳起来叫道："我没要小的。"

医生说："大的也没事。"

凤霞也没事，我眼前就晕晕乎乎了，年纪一大，身体折腾不起啊。二喜高兴坏了，他坐在我边上身体抖着，那是笑得太厉害了。我对二喜说："现在心放下了，能睡觉了，过会儿再来替你。"

谁料到我一走凤霞就出事了，我走了才几分钟，好几个医生跑进了产房，还拖着氧气瓶。凤霞生下了孩子后大出血，天黑前断了气。我的一双儿女都是生孩子死的，有庆死是别人生孩子，凤霞死在自己生孩子上。

那天雪下得特别大，凤霞死后躺到了那间小屋里，我去看她一见到那间屋子就走不进去了，十多年前有庆也是死在这里的。我站在雪里听着二喜在里面一遍遍叫着凤霞，心里痛得蹲在了地上。雪花飘着落下来，我看不清那屋子的门，只听到二喜在里面又哭又喊，我就叫二喜，叫了好几声，二喜才在里面答应一声，他走到门口，对我说："我要大的，他们给了我小的。"

我说："我们回家吧，这家医院和我们前世有仇，有庆死在这里，凤霞也死在这里。二喜，我们回家吧。"

二喜听了我的话，把凤霞背在身后，我们三个人往家去。那时候天黑了，街上全是雪，人都见不到，西北风呼呼吹来，雪花打在我们脸上，像是沙子一样。二喜哭得声音都哑了，走上一段他说："爹，我走不动了。"

我让他把凤霞给我，他不肯，又走了几步他蹲了下去，说："爹，我腰疼得不行了。"

那是哭的，把腰哭痛了。回到了家里，二喜把凤霞放在床上，自己坐在床沿上盯着凤霞看，二喜的身体都缩成一团了。我不用看他，就是去看他和凤霞在墙上的影子，也让我难受得看不下去。那两个影子又黑又大，一个躺着，一个像是跪着，都是一动不动，只有二喜的眼泪在动，让我看到一颗一颗大黑点在两个人影中间滑着。我就跑到灶间，去烧些水，让二喜喝了暖暖身体，等我烧开了水端过去时，灯熄了，二喜和凤霞睡了。

凤霞和家珍、有庆埋在一起。那天雪停住了，西北风也就刮得更凶了，呼呼直响，差不多盖住了树叶的响声。埋了凤霞，我和二喜抱着锄头铲子站在那里，风把我们两个人吹得都快站不住了。满地都是雪，在阳光下面白晃晃刺得眼睛疼，只有凤霞的坟上没有雪，看着这湿漉漉的泥土，我和二喜谁也抬不动脚走开。二喜指指紧挨着的一块空地说："爹，我死了埋在这里。"

我叹了口气对二喜说：

"这块就留给我吧，我怎么也会死在你前面的。"

埋掉了凤霞，孩子也可以从医院里抱出来了。二喜抱着他儿子走了十多里路来见我，对我说："爹，你给取个名字。"

那时候雪还没有化掉，我看看村西凤霞的坟，站得虽说远，我还是一眼看清了，凤霞的坟上没有雪，看上去黑乎乎的一小块。我说："这孩子生下来就没有娘，就叫他苦根吧。"

二喜花钱请人做了个背篼，苦根便整天在他爹背脊上了，二喜干活时也就更累，还得背着苦根。苦根饿了，二喜去找正在奶孩子的女人，递上一毛钱轻声说："求你喂他几口。"

二喜不像别人家孩子的爹，是看着孩子长大，二喜觉得苦根背在身上又沉了一些，他就知道苦根又大了一些。做爹的心里自然高兴，他对我说："苦根又沉了。"

我进城去看他们，常看到二喜拉着板车，汗淋淋地在街上走，苦根在他的背篼里小脑袋吊在外面一摇一摇的。我看二喜太累，劝他把苦根给我，带到乡下去。二喜不答应，他说："爹，我离不了苦根。"

好在苦根很快大起来，苦根能走路了，二喜也轻松了一些，他装卸时让苦根在一旁玩；拉起板车就把苦根放到车上。苦根大一些后也就知道我是谁了，他常听到二喜叫我爹，便记住了。我每次进城去看他们，坐在板车里的苦根一看到我，马上尖声叫起来，他朝二喜喊："爹，你爹来了。"

可能是凤霞不会说话欠的，苦根这孩子从小便能说会道。还在他爹背篼里时，就会骂人了，生气时小嘴巴噼噼啪啪，脸蛋涨得通红，谁也不知道他在说些什么，只看到唾沫从他嘴里飞出来，只有二喜知道，二喜告诉我："他在骂人呢。"

苦根会走路会说几句话后，就更精了，一看到别的孩子手里有什么好玩的，嘻嘻笑着拼命招手，说："来，来，来。"

别的孩子走到他跟前，他伸手便要去抢人家手里的东西，人家不给他，他就翻脸，气冲冲地赶人家走，说："走，走，走。"

没了凤霞，二喜是再也没有回过魂来，他本来说话不多，凤霞一死，他话就更少了，人家说什么，他嗯一下算是也说了，只有见到我才多说几句。苦根成了我们的命根子，他越往大里长，便越像凤霞，越是像凤霞，也就越让我们看了心里难受。二喜有时看着看着眼泪就掉了出来，我这个做丈人的便劝他："凤霞死了有些日子了，能忘就忘掉吧。"

那年苦根四岁了，这孩子坐在凳子上摇晃着两条腿，正使劲在听我们说话，眼睛睁得很圆。二喜歪着脑袋想些什么，过了一会儿才说："我只有这点想想凤霞的福分。"

后来我就要回村里去，二喜也要去干活了，我们一起走了出去。一到外面，二喜就贴着墙走起来，歪着脑袋走得飞快，像是怕人认出他来似的，苦根被他拉着，走得跌跌撞撞，身体都斜了。我也不好说他，我知道二喜是没有了凤霞才这样的。邻居家的人见了便朝二喜喊："你走慢点，苦根要跌倒啦。"

二喜嗯了一下，还是飞快地往前走。苦根被他爹拉着，身体歪来歪去，眼睛却骨碌骨碌地转来转去。到了转弯的地方，我对二喜说："二喜，我回去啦。"

二喜这才站住，翘了翘肩膀看我，我对苦根说："苦根，我回去啦。"苦根朝我挥挥手尖声说："你走吧。"谁知道二喜就在那天死了。我走了几步回头去看他们，二喜贴着墙拉着苦根穿过了一堆人，我就看不到他们了。这是我最后看到的二喜，死后的二喜已经不成人样了。

二喜是被两排水泥板夹死的。干搬运这活，一不小心就磕破碰伤，可丢了命的只有二喜，徐家的人命都苦。那天二喜他们几个人往板车上装水泥板，二喜站在一排水泥板前面，吊车吊起四块水泥板，不知出了什么差错，竟然往二喜那边去了，谁都没看到二喜在里面，只听到他突然大喊了一声："苦根。"

二喜的伙伴告诉我，那一声把他们全吓住了，想不到二喜竟有这么大的声音，像是把胸膛都喊破了。他们看到二喜时，我的偏头女婿已经死了，身体贴在那一排水泥板上，除了脚和脑袋，身上全给挤扁了，连一根完整的骨头都找不到，血肉跟糨糊似的粘在水泥板上。他们说二喜死的时候脖子突然伸直了，嘴巴张得很大，那是在喊他的儿子。

苦根就在不远处的池塘旁，往水里扔石子，他听到爹临死前的喊叫，便扭过头去叫："叫我干什么？"

他等了一会儿，没听到爹继续喊他，便又扔起了石子。直到二喜被送到医院里，知道二喜死了，才有人去叫苦根："苦根，你爹死啦。"

苦根不知道死究竟是什么，他回头答应了一声："知道啦。"

就再没理睬人家，继续往水里扔石子。

那时候我早就回到家里了，和二喜一起干活的人跑来告诉我："二喜快死啦，在医院里，你快去。"

我一听二喜出事了被送到医院里，马上就哭了，我对那人喊："快把二喜抬出去，不能去医院。"

那人呆呆看着我，以为我疯了，我说："二喜一进那家医院，命就难保了。"

有庆、凤霞都死在那家医院里，没想到二喜到头来也死在了那里。你想想，我这辈子三次看到那间躺死人的小屋子，里面三次躺过我的亲人。我老了，受不住这些。去领二喜时，我一见那屋子，就摔在了地上。我是和二喜一样被抬出那家医院的。

二喜死后，我便把苦根带到村里来住了。离开城里那天，我把二喜屋里的用具给了那里的邻居，自己挑了几样轻便的带回来。我拉着苦根走时，天快黑了，邻居家的人都走过来送我，送到街口，他们说："以后多回来看看。"

有几个女的还哭了，她们摸着苦根说："这孩子真是苦命。"

苦根不喜欢她们把眼泪掉到他脸上，拉着我的手一个劲地催我："走呀，快走呀。"

那时候天冷了，我拉着苦根在街上走，冷风呼呼地往脖子里灌，越走心里越冷，想想从前热热闹闹一家人，到现在只剩下一老一少，我心里苦得连叹息都没有了。可看看苦根，我又宽慰了，从前是没有苦根的，有了他比什么都强，香火还会往下传，这日子还得好好过下去。

走到一家面条店的地方，苦根突然响亮地喊了一声："我不吃面条。"

我想着自己心里的事，没留意他的话，走到了门口，苦根又喊了："我不吃面条。"

喊完他拉住我的手不走了，我才知道他想吃面条。这孩子没爹没娘了，想吃面条总该给他吃一碗。我带他进去坐下，花了九分钱买了一小碗面，看着他哧溜哧溜地吃了下去，他吃得满头大汗，出来时舌头还在嘴唇上舔着，对我说："明天再来吃好吗？"

我点点头说："好。"

走了没多远，到了一家糖果店前，苦根又拉住了我，他仰着脑袋认真地说："本来我还想吃糖，吃过了面条，我就不吃了。"

我知道他是在变个法子想让我给他买糖，我手摸到口袋里，摸到个两分的，想了想后就去摸个五分的出来，给苦根买了五颗糖。

苦根到了家说是脚痛得厉害，他走了那么多路，走累了。我让他在床上躺下，自己去烧些热水，让他烫烫脚。烧好了水出来时，苦根睡着了，这孩子把两只脚架在墙上，睡得呼呼的。看着他这副样子，我笑了，脚疼了架在墙上舒服，苦根这么小就会自己照顾自己了。随即心里一酸，他还不知道再也见不着自己的爹了。

这天晚上我睡着后，总觉着心里闷得发慌，醒来才知道苦根的小屁股全压在我胸口上了，我把他的屁股移过去。过了没多久，我刚要入睡时，苦根的屁股一动一动又移到我胸口，我伸手一摸，才知道他尿床了，下面湿了一大块，难怪他要把屁股往我胸口上压。我想就让他压着吧。

第二天，这孩子想爹了。我在田里干活，他坐在田埂上玩，玩着玩着突然问我："是你送我回去，还是爹来领我？"

村里人见了他这模样，都摇着头说他可怜，有一个人对他说："你不回去了。"

他摇了摇脑袋，认真地说："要回去的。"

到了傍晚，苦根看到他爹还没有来，有些急了，小嘴巴翻上翻下把话说得飞快，我是一句也没听懂，我想着他可能是在骂人了，末了，他抬起脑袋说："算啦，不来接就不来接，我是小孩认不得路，你送我回去。"

我说："你爹不会来接你，我也不能送你回去，你爹死了。"

他说："我知道他死了，天都黑了还不来领我。"

我是那天晚上躺在被窝里告诉他死是怎么回事，我说人死了就要被埋掉，活着的人就再也见不到他了。这孩子先是害怕地哆嗦，随后想到再也见不到二喜，他呜呜地哭了，小脸蛋贴在我脖子上，热乎乎的眼泪在我胸口流，哭着哭着他睡着了。

过了两天，我想该让他看看爹的坟了，就拉着他走到村西，告诉他，哪个坟是他外婆的，哪个是他娘的，还有他舅舅的。我还没说二喜的坟，苦根伸手指指他爹的坟哭了，他说："这是我爹的。"

后来，村里包产到户了，日子过起来更难了。我分到了一亩地，便没法像从前那样混在村里人中间干活了，累了还能偷个懒。现在田里的活是不停地叫唤我，我不去干，就谁也不会去替我。

年纪一大，人就不行了，腰是天天都疼，眼睛也花了。从前挑一担菜进城，一口气便到了城里，如今是走走歇歇，歇歇走走，天亮前两个小时我就得动身，要不去晚了菜会卖不出去，我是笨鸟先飞。这下苦了苦根，这孩子总是睡得最香的时候，被我一把拖起来，两只手抓住后面的筐，跟着我半开半闭着眼睛往城里走。苦根是个好孩子，到他完全醒了，看我挑着担子太沉，老是停住歇一会儿，他就从两只筐里拿出两颗菜抱在胸前，走到我前面，还时时回过头来问我："轻些了吗？"

我心里高兴啊，就说："轻多啦。"

说起来苦根才五岁，他已经是我的好帮手了。我走到哪里.他就跟到哪里，和我一起干活，他连稻子都割了。我花钱请城里的铁匠给他打了一把小镰刀，这孩子高兴坏了，睡觉都想抱着镰刀，我不让，他就说放到床下面。早晨醒来第一件事便是去摸床下的镰刀。我告诉他镰刀越使越锋利，人越勤快就越有力气，这孩子眨着眼睛看了我很久，突然说："镰刀越快，我力气也就越大啦。"

苦根总还是小，割稻子自然比我慢得多，他一看到我割得快，便不高兴了，朝我叫："福贵，你慢点。"

村里人叫我福贵，他也这么叫，也不叫我外公。我指指自己割下的稻子说："这是苦根割的。"

他便高兴地笑起来，也指指自己割下的稻子说："这是福贵割的。"

苦根年纪小，也就累得快，他时时跑到田埂上躺下睡一会儿，对我说："福贵，镰刀不快啦。"

他是说自己没力气了。

这样的日子苦是苦，累也是累，心里可是高兴的，有了苦根，人活着就有劲头。看着苦根一天一天大起来，我这个做外公的也一天比一天放心。到了傍晚，我们两个人就坐在门槛上，看着太阳掉下去，田野上红红一片闪亮着，听着村里人吆喝的声音，家里养着的两只母鸡在我们面前走来走去。苦根和我亲热，两个人坐在一起，总是有说不完的话。看着两只母鸡，我常想起我爹在世时说的话，便一遍一遍去对苦根说："这两只鸡养大了变成鹅，鹅养大了变成羊，羊大了又变成牛。我们啊，也就越来越有钱啦。"

苦根听后咯咯直笑，这几句话他全记住了，每次他从鸡窝里掏出鸡蛋来时，总要唱着说这几句话。

鸡蛋多了，我们就拿到城里去卖。我对苦根说："钱积够了我们就去买牛，你就能骑到牛背上去玩了。"

苦根一听眼睛马上亮了，他说："鸡就变成牛啦。"

从那时以后，苦根天天盼着买牛这天的来到，每天早晨他睁开眼睛便要问我："福贵，今天买牛吗？"

有时去城里卖了鸡蛋，我觉得苦根可怜，想给他买几颗糖吃吃，苦根就会说：

"买一颗就行了，我们还要买牛呢。"

一转眼苦根到了六岁，这孩子力气也大多了。这一年到了摘棉花的时候，村里的广播说第二天有大雨，我急坏了，我种的一亩棉花已经熟了，要是雨一淋那就全完蛋。一清早我就把苦根拉到棉花地里，告诉他今天要摘完，苦根仰着脑袋说："福贵，我头晕。"

我说："快摘吧，摘完了你就去玩。"

苦根便摘起了棉花，摘了一阵他跑到田埂上躺下，我叫他，叫他别再躺着，苦根说："我头晕。"

我想就让他躺一会儿吧，可苦根一躺下便不起来了，我有些生气，就说："苦根，棉花今天不摘完，牛也买不成啦。"

苦根这才站起来，对我说："我头晕得厉害。"

我们一直干到中午，看看大半亩棉花摘了下来，我放心了许多，就拉着苦根回家去吃饭，一拉苦根的手，我心里一怔，赶紧去摸他的额头，苦根的额头烫得吓人。我才知道他是真病了，我真是老糊涂了，还逼着他干活。回到家里，我就让苦根躺下。村里人说生姜能治百病，我就给他熬了一碗姜汤，可是家里没有糖，想往里面撒些盐，又觉得太委屈苦根了，便到村里人家那里去要了点糖，我说："过些日子买了糖，我再还给你们。"

那家人说："算啦，福贵。"

让苦根吃了姜汤，我又给他熬了一碗粥，看着他喝下去。我自己也吃了饭，吃完了我还得马上下地，我对苦根说："你睡上一觉会好的。"

走出了屋门，我越想越心疼，便去摘了半锅新鲜的豆子，回去给苦根煮熟了，里面放上盐。把凳子搬到床前，半锅豆子放在凳上，叫苦根吃。看到有豆子吃，苦根笑了，我走出去时听到他说："福贵，你怎么不吃啊？"

我是傍晚才回到屋里的，棉花一摘完，我累得人架子都要散了。从田里到家才一小段路，走到门口我的腿便哆嗦了。我进了屋叫："苦根，苦根。"

苦根没答应，我以为他是睡着了，到床前一看，苦根歪在床上，嘴半张着能看到里面有两颗还没嚼烂的豆子。一看那嘴，我脑袋里嗡嗡乱响了，苦根的嘴唇都青了。我使劲摇他，使劲叫他，他的身体晃来晃去，就是不答应我。我慌了，在床上坐下来想了又想，想到苦根会不会是死了，这么一想我忍不住哭了起来。我再去摇他，他还是不答应，我想他可能真是死了。我就走到屋外，看到村里一个年轻人，对他说："求你去看看苦根，他像是死了。"

那年轻人看了我半晌，随后拔脚便往我屋里跑。他也把苦根摇了又摇，又将耳朵贴到苦根胸口听了很久，才说："听不到心跳。"

村里很多人都来了，我求他们都去看看苦根，他们都去摇摇，听听，完了对我说："死了。"

苦根是吃豆子撑死的，这孩子不是嘴馋，是我们家太穷，村里谁家的孩子都过得比苦根好，就是豆子，苦根也是难得才能吃上。我是老昏了头，给苦根煮了这么多豆子，我老得又笨又蠢，害死了苦根。

苦根死后，我只能一个人过了，我总想着自己日子也不长了，谁知一过又过了这些年。我还是老样子，腰还是常常疼，眼睛还是花，我耳朵倒是很灵，村里人说话，我不看也能知道是谁在说。我是有时候想想伤心，有时候想想又很踏实，家里人全是我送的葬，全是我亲手埋的，到了有一天我腿一伸，也不用担心谁了。我也想通了，轮到自己死时，安安心心死就是。不用盼着收尸的人，村里肯定会有人来埋我的，要不我人一臭，那气味谁也受不了。我不会让别人白白埋我的，我在枕头底下压了十元钱，这十元钱我饿死也不会去动它的，村里人都知道这十元钱是给替我收尸的那个人，他们也都知道我死后是要和家珍他们埋在一起的。

苦根死后第二年，我买牛的钱凑够了，看看自己还得活几年，我觉得牛还是要买的。牛是半个人，它能替我干活，闲下来时我也有个伴，心里闷了就和它说说话。牵着它去水边吃草，就跟拉着个孩子似的。

买牛那天，我把钱揣在怀里走着去新丰，那里有个很大的牛市场。路过邻近一个村里时，看到晒场上围着一群人，走过去看看，就看到了这头牛。它趴在地上，歪着脑袋吧嗒吧嗒掉眼泪，旁边一个赤膊男人蹲在地上霍霍地磨着牛刀，围着的人在说牛刀从什么地方刺进去最好。我看到这头老牛哭得那么伤心，心里怪难受的。想想做牛真是可怜，累死累活替人干了一辈子，老了，力气小了，就要被人宰了吃掉。

我不忍心看它被宰掉，便离开晒场继续往新丰去。走着走着心里总放不下这头牛，它知道自己要死了，脑袋底下都有一摊眼泪了。我越走心里越是定不下来，后来一想，干脆把它买下来。我赶紧往回走，走到晒场那里，他们已经绑住了牛脚，我挤上去对那个磨刀的男人说："行行好，把这牛卖给我吧。"

赤膊男人手指试着刀锋，看了我一会儿才问："你说什么？"

我说："我要买这牛。"

他咧开嘴嘻嘻笑了，旁边的也哄地笑起来。我从怀里抽出钱放到他手里说："你数一数。"

赤膊男人像是傻了，把我看了又看后问："你当真要买？"

我蹲下去解了牛脚上的绳子，拍拍牛脑袋，这牛还真聪明，知道自己不死了，一下子站了起来，也不掉眼泪。我拉住缰绳对那个男人说："你数数钱。"

那人把钱举到眼前像是看看有多厚，他说："不数了，你拉走吧。"

我便拉着牛走去，他们在后面乱哄哄地笑，我听到那个男人说："今天合算，今天合算。"

牛是通人性的，我拉着它往回走时，它知道是我救了它的命，身体老往我身上靠，亲热得很，我对它说："你呀，先别这么高兴，我拉你回去是要你干活的，不是把你当爹来养着的。"

我拉着牛回到村里，村里人全围上来看热闹，他们都说我老糊涂了，买了这么一头老牛回来，有个人说："福贵，我看它年纪比你爹还大。"

会看牛的告诉我，说它最多只能活两三年，我想两三年足够了，我自己恐怕还活不到这么久。谁知道我们都活到了今天，村里人又惊又奇，就是前两天，还有人说我们是——"两个老不死"。牛到了家，也是我家里的成员了，该给它取个名字，想来想去还是觉得叫它福贵好。定下来叫它福贵，我左看右看都觉得它像我，心里美滋滋的，后来村里人也开始说我们两个很像，我嘿嘿笑，心想我早就知道它像我了。

福贵是好样的，有时候嘛，也要偷偷懒，可人也常常偷懒，就不要说是牛了。我知道什么时候该让它干活，什么时候该让它歇一歇，只要我累了，我知道它也累了，就让它歇一会儿，我歇得来精神了，那它也该干活了。

老人说着站了起来，拍拍屁股上的尘土，向池塘旁的老牛喊了一声，那牛就走过来，走到老人身旁低下了头。老人把犁扛到肩上，拉着牛的缰绳慢慢走去。

两个福贵的脚上都沾满了烂泥，走去时都微微晃动着身体。我听到老人对牛说："今天有庆、二喜耕了一亩，家珍、凤霞耕了也有七八分田，苦根还小都耕了半亩。你嘛，耕了多少我就不说了，说出来你会觉得我是要羞你。话还得说回来，你年纪大了，能耕这么些田也是尽心尽力了。"

老人和牛渐渐远去，我听到老人粗哑的令人感动的嗓音在远处传来，他的歌声在空旷的傍晚像风一样飘扬，老人唱道——

少年去游荡，
中年想掘藏，
老年做和尚。

炊烟在农舍的屋顶袅袅升起，在霞光四射的空中分散后消隐了。女人吆喝孩子的声音此起彼伏，一个男人挑着粪桶从我跟前走过，扁担吱呀吱呀一路响了过去。慢慢地，田野趋向了宁静，四周出现了模糊，霞光逐渐退去。我知道黄昏正在转瞬即逝，黑夜从天而降了。我看到广阔的土地袒露着结实的胸膛，那是召唤的姿态，就像女人召唤她们的儿女，土地召唤着黑夜来临。

（原载《收获》1992 年第 6 期）

余 华

1960年出生，山东高唐人。1991年毕业于北京师范大学中文系研究生班，硕士。历任浙江海盐县武原卫生院干部，浙江海盐县文化馆职员，嘉兴市文联创作员。1984年开始发表作品。1997年加入中国作家协会。著有《余华作品集》，长篇小说《活着》《许三观卖血记》《在细雨中呼喊》，随笔集《我能否相信自己》，另外发表中短篇小说《世事如烟》《现实一种》《十八岁出门远行》《偶然事件》《河边的错误》等数十篇。《活着》(意大利文版本)获1998年意大利格林扎纳·卡佛文学奖。

九月还乡

关仁山

九月的平原，为啥没有多少田园的味道？

最后的一架铁桥，兀立在田野，将这里的秋野劈开了。土地的肠胃蠕动着，于这里盘了个死结。铁路改线，铁桥废弃多年，老旧斑驳，有的地方早已歪斜了。也许在雨天里，有什么鸟儿停在上面，欢欢快快啼啭。如果秋阳从周围的青纱帐里升起来，土地和庄稼都是滚烫的，铁桥能投下一片暗影，供那些里做活的人们歇凉。长长的没有故事的秋天，晚庄稼还要在秋风里拔一节儿，而光棍汉杨双根却恼恨秋天，严格说来，他更加恼恨的是铁桥下的秋天。杨双根将锅里的剩饭剩菜都吃光了，然后牵着那头老牛到田里，将牛拴在铁桥下的铁架上，牛悠闲地吃草，他却拽出唢呐摇头晃脑地吹起来。田野很安静，棒子地里除了秋虫，再也没有别的杂响了。还有老牛许久才有的一声吆喊。

三尺远的地方就是棒子地。玉米胡子挑在唢呐嘴儿上。杨双根躺在草地上，愣是将唢呐吹成了哭调，与这丰收的年景儿极不协调。他的嘴巴鼓成了紫球，眉头也拧得苦，一边吹一边望桥下的庄稼。其实这并不是秋叶飘落时的田园，而是他家承包的责任田。他和父亲作为售粮大户的荣耀哪里去了？远处能听到唢呐声的人，都以为杨双根饱吹风光，遥遥召唤。

父亲杨大疙瘩坐在田头吸烟。他默默地听着唢呐声，看着青纱帐和远处的日头。只有他知道儿子心里恓惶。双根的唢呐不是吹给年景儿的，而是吹给九月的。四年前，双根心中的九月在桥底下丢失了。后来他才知道，九月和她的姐妹们到城里打工去了。四年前的入秋，九月到棒子地里看他，将她那处女身子献给了双根。在铁桥下的草滩上，九月的血洇湿了秋草。九月说咱们太穷，俺到外头挣些钱回来，俺娘和弟弟就托付给你啦！双根眼见着九月从羊肠子一样的田埂消失了，像梦一样虚幻。后来，地实在种不下去了，杨双根父子也去城里打工。杨大疙瘩明白，双根是奔九月去的，可是没有找到九月。第二年村长兆田硬是去城里将他们爷俩拉回村种田。

每年仲秋九月，杨大疙瘩都看见儿子躲在桥下吹唢呐。玉米林子比房屋还高，使老人看不见那铁桥。但他看见桥西头秋阳下的脊背。男人女人的腰们朝棉田深深弯下去。四顾茫茫，都是无限耀眼的白棉花呀。他时常看到一些鸟儿从棒子地飞到棉田那边去。棒子地是杨家的，棉田也是杨家的。让老人始料不及的是他们竟然雇用了城里人。城里破产企业的工人情愿到乡下打工。那些男女穿得洋里八怪的，又使荒弃的小村活泛起来。杨大疙瘩掐算着，花上几万元购置塑料薄膜，一入冬就该搞冬季大棚菜了。他没想到自己老了老了还露一回脸，美得不知是吃几两高粱米的了。这时有两只兔子蹦到老人身边来，瞪着血红的眼睛瞅他。杨大疙瘩就怕看红眼睛。这些天他不断看见红了眼睛的村人。粮价要涨，土地要吃香，已经有不少外出打工的村人回乡。怕是九月里真的闹还乡团了。老人信服这个理儿，农民就是要种好地，贱种才疯跑野奔哩。灯不拨不亮，理不摆不明，天算不如人算呢。老人笑起来的时候，露出一嘴黄牙，嘴边的皱纹一动一动。

狗日的，鬼眼睛！杨双根忽然不吹唢呐了，两眼定定地盯着桥顶。他感到疲乏和困倦，可桥顶上浮荡着那么多的眼睛。他觉得这是九月那双很大很亮的眼睛。九月在村里那阵儿，时常到桥底下的水塘里洗澡，在桥下换衣裳、梳头和照镜子。娘不让她在桥底照镜子，说会照见鬼眼睛。九月任性偏偏照了，还照出一股狐媚子气。杨双根大概就喜欢她这媚气吧，女人不媚就没啥味道了。他把眼睛合上，就会想起九月的模样来。自从他家成了售粮大户，给他提亲的不断弦儿，他哪个也不理。他等九月。父亲说九月这年头在城里都野成六月花朵了，怕是大风里点灯没啥指望了。杨双根心想九月会回来的，她说挣些钱就回村过日子的。老牛梗着脖子吼了一嗓子。这牛是九月家的。九月的母亲早年就守寡，又得了满身的病，弟弟九强才十四岁，所以九月家的责任田就由双根代种了。卖了粮，父亲都要嘱托双根送些钱给九月娘。每年腊月初八喝过腊八粥，杨双根还要将存储了一年的小麦拿出来，淘洗晒干，送到磨房碾成面送给九月家。杨双根是村民小组长，别人家的事他也要管一管。父亲说精明人都外出了，留你这傻吃憨睡的东西也派上了用场。双根就抓着葫芦头得意地笑。杨双根自从当上组长，也干过几件露脸的事。如今的乡村，与过去那种单调缓慢的生活节奏大不一样了。前些年是半年劳作半年闲，秋收过去忙过年。眼下村人忙得脚后跟打脑勺子，再也没有农忙农闲之分。他们除了种地，还得跟市场和城市来往，同村里以外的许多人联系，各种各样的合同和威严的红印章，把他们与整个社会扭结在一起了。杨双根除了跟父亲母亲经营三百二十亩地，还要管小组里的事。农副产品加工不算，他还为开发荒地弄来一些资金。有几家地撂荒，男人外出做小买卖。乡里村里号召治理盐碱地，平整砣地。那些户没资金，又贷不来款。杨双根愁得在田里转悠，后来他看见离地头不远的靶场，就有了来钱的招子。这块地方是武装部训练民兵的射击靶场，已闲置几年不用了，那里有许多废铁桩子及踏板。他将邻村收破烂的王秃子领来，当废铁卖给他，整整变成两万块钱，自己留些机动钱，余下就给那几户治理盐碱地了。有两年了，没有人追问他，只有村里老少爷们的夸奖。开始杨双根心里发毛，后来也就心安理得了，废着也是废着，变了钱派上用场也许就叫废物利用，而且是为集体。想到这里，杨双根的目光就盯紧铁桥不动。由那理儿推一推，这废铁桥也是可以废物利用的。他想卖这架铁桥的想法不是一日两日的了。这铁桥能卖么？即使他敢卖，会有人敢买么？就这样嘀咕了一年。他不知道这桥的归属，因为过去这条铁路是从矿里运煤的，村北就是煤矿的九号风井。有人说是矿里的桥，也有人说是铁路上的桥，归铁道分局管。你也管他也管，互相一扯皮，就等于三不管了。坐落在杨双根村民小组的地面上，占着他们的地，迟早还要他杨双根操这份心的。顺着这一根筋，他一下就想远了。老天又赏给他一回露脸的机会了。再说杨双根也恨这旧铁桥。这种恨是否与九月出村有关他也说不上来，甚至是朦胧的不明确的。杨双根的眼睛盯着桥顶也盯得有些累了。

杨双根站起身，到玉米地里撒尿。宽大油绿的叶片直划他的脸和膀子。他一下一下地撩开。他系裤子的时候，看见玉米地上空的鸽群，就知道九月的弟弟九强来找他了。他扭脸吼，九强，你小狗日的出来！九强往往与鸽群同时出现。他从地垄里探出小脑袋嘻嘻笑，双根哥，张飞卖秤砣，人硬货也硬！杨双根知道九强看见了自己裆里的家伙，就骂，小流氓，没生一张好嘴！你说对了，你姐不回来，俺这家伙能软么？九强不瞅他，嘴里哼着歌子，引着鸽群刮了一阵小旋风，将扬花的玉米梢儿摇得哗哗响。鸽群低伏下来，鸽子嘀嘀嗒嗒地落满铁桥。杨双根瞅着这群白色灰色的鸽子说，俺看肥了这些鸽子，你倒是瘦猴似的，别太上心了，喂不亲的贱货，早晚还不放飞到城里去！九强不吭，他知道双根是指桑骂槐说他姐呢。他喜欢这个憨厚的未来姐夫，也是常埋怨姐姐，为啥在城里野得收不回心？第一年姐姐九月每隔一月就给他写一封信，信里还夹一张纸，是给杨双根的。九月写给双根的信没啥甜蜜话，只说身体好之类的平安话。第二年九月的来信就稀了，只是还不断给家寄些钱来。今年九月，就不来信了，从汇款邮戳上看，九月是流动的，九强想给姐姐写封信都不知寄到哪里去。今天姐姐九月突然来信了。这是姐姐正月走后的唯一一封信。信中只有“九月”两个字，字底下画了一只鸽子。九强让母亲看，母亲叹息着摇头。九强知道杨双根进了九月就想姐姐九月。他在村头都听见双根的唢呐声了，知道姐姐在家的时候就爱听他吹唢呐。九强看见自家的老牛朝他拱来，四只蹄子在田埂蹭着直响，嘴里还不停地低吼着。九强亲昵地拍拍牛囊子，然后扭头对杨双根说，俺姐来信啦。杨双根问，有俺的信么？九强摇头说，没有你的，连俺的也没俩字，八成是她想家里的鸽子啦！说着就从兜里摸出那封信给双根看。杨双根接过信纸，看着九月画的鸽子。他知道九月喜欢养鸽子，不仅仅是要拿鸽子换钱。村里有好几家养鸽子的。他忽然笑了，笑得喉结上下滑动。他说，九强，你姐要回家啦！然后将九强抱起来抡了一圈儿。九强愣着眼问，你咋知道？杨双根举着信纸给他看，你瞧，画的这只鸽子往回飞，脑袋朝下的嘛！九强接过信皱紧眉头。杨双根弯腰拾起一块土坷垃，朝铁桥上扔去，鸽群在这不起眼的黄昏飞起来。

黄昏时分天气还是很热的。秋天的傍晚，对杨双根来说，是个顶可怕顶没劲的时辰。今天就不一样了。杨双根牵着牛欣欣地往村里赶，九强骑在牛背上甩着胳膊，鸽群像风筝一样跟随着他们缓缓盘桓。九强唱些歌谣，歌谣伴随秋风在田野里弥散，散到空中去，也散到泥土里。杨双根手里捏着那信纸，仿佛捏着一只鸽子，也仿佛拢住日月的甜蜜。乡路上，一位背着柴火的老女人五奶奶说，双根，有啥喜事儿这样高兴？杨双根知道自己啥事都显在脸上，笑说，这一年风调雨顺，灶王爷扭秧歌，丰收啦，能不高兴？然后他就将九强从牛背上拽下来，又把五奶奶背上的柴捆儿放到牛背上去。五奶奶笑呵呵地跟着。五奶奶是烈军属，大儿子是在部队抢险中牺牲的，二儿子又带媳妇孩子到外地打工了，家里就扔下她。她归属杨双根这个第二村民小组。她家的地荒着，后来就由村长做主统一承包给杨双根父子了。村里给老人一些补贴。杨双根隔三岔五就到老人那里，帮着挑水做些杂活儿。杨双根说，五奶奶，缺柴烧就朝俺说。你就在村里养身子吧！五奶奶说，俺这老胳膊老腿的还能动弹，等动弹不了了，还少了让你操心？杨双根说，村里秋天还乡的不少，你家老二一家有信么？五奶奶说，要回来，要回来！来信儿了，在外头混也不易哩！像你们爷俩，种地不也种成了状元？杨双根叹道，有些人在城里，是死要面子活受罪呢！五奶奶问，你们九月回乡吗？杨双根不置可否地笑笑。五奶奶说她听见他吹唢呐了，还说九月找这么个婆家算是跌进福窝儿了，还有啥不知足的呢？杨双根听五奶奶这么说，心里又没底了。是哩，鸟儿放出笼子，还能收回来么？即便是收回笼子的鸟，还能在笼里生活么？又让他想起秋天和女人的所有事情。

只有进了村里，残秋的景象才明显一些。村巷里滚动着最初落下的树叶子。杨双根让九强带着鸽子回家，他牵着牛一直送五奶奶。他看见有的人家关闭几年的大门打开了，院里秋草丛生，歪斜的门楼子掉着泥皮。过去村里很少见人，剩下的也是老弱病残，眼下偶尔能看到正常健壮的村人。杨双根分别与他们打招呼。五奶奶叹说，叶落归根，都回来了，村里又要热闹啦。杨双根看到的是像鬼子进庄一样的混乱情形。晒被的、扫房的和清除垃圾的人们互相说笑。杨双根来到五奶奶家。院里空空，五奶奶从牛背上拽下柴捆儿就愣了愣，然后坐在老旧的门槛上，倚着门框吧嗒老烟杆，目送着杨双根和牛拐进小北街。杨双根知道五奶奶盼儿子回乡，该回来的会回来，不愿回乡的盼瞎眼睛也白搭的。杨双根掐算着九月里村人能返回七成儿就念阿弥陀佛了。

进了家门儿，杨双根将牛送进棚里，让牛独自去槽里喝水。他瞧着牛饮水，心里又想九月了，悄悄拿出九月的信纸来看。村长兆田披着夹袄进院，笑着说，咋着，牛槽里又多出驴脸来啦？双根扭头说，大村长有何贵干？兆田村长不笑了，一脸褶子往一块聚，然后叹息说，土地吃香，大户心慌，粮价上涨，干部难当啊！杨双根从村长兆田的脸色看，就感到了不妙。村长兆田如今是书记兼村长了，村支书倪志强到外地当包工头去了，不辞而别，也没有任免手续，兆田就兼上村支书了。兆田很胖，说话时嘴张圆了，像被浑水呛晕了的胖头鱼。

杨双根将兆田村长领到屋里。他们一落座就听见对屋母亲的咳嗽声。兆田村长问你娘的病还没好？杨双根叹说，怕是好不了，边说边往墙上挂那只唢呐，唢呐的红绸子卷起来，喇叭嘴又让双根插上一把谷穗。杨贵庄人过去很喜欢吹唢呐。慢慢地，唢呐几乎成为农人的护身符。他们认为唢呐是神仙的用物，他们常常将唢呐挂在门首或墙上，再将喇叭洞插满熟透的稻谷。似乎这样就吉祥辟邪了。兆田村长觉着好笑，他眼下真的怀疑这玩意儿能辟邪。在这金秋九月，带给这个农家的邪气还少么？还乡的农民已经争他们的土地了，还有这个家庭未来的女主人九月在外卖淫，被公安局抓住了，电话打到村委会，让村里去领人。一同被抓到的还有村里孙殿春的闺女孙艳。兆田村长没有声张，虽说这阵儿的城里笑贫不笑娼了，可村里还不行，嚷嚷出去这俩孩子就没脸回乡了。兆田村长很神秘地去了城里，跟公安局说了许多好话回村了。九月和孙艳说过些天回乡，说还有些事办一办，并向兆田村长保证不干这事了，回乡踏踏实实过日子。她们的钱没被公安局完全罚掉，她们身上穿金戴银的，手上都有很多的钱呢。兆田村长说，限你们这两个鬼丫头九月里回家，不然你们就别怪俺不客气了。九月和孙艳满口答应。

兆田村长回到村里跟谁也没说，但心里一直挂念着她们。他问杨双根九月回来没有。杨双根睖起眼，你知道她要回来？兆田村长情知说走了嘴，忙改口说，俺是琢磨着，这么多人都回来了，她也该回村吧。杨双根笑说，她来信啦，没说回来，挺能整，还画个鸽子。俺看是回家的意思。兆田村长叹一声，唉，回来就好哇，外头那么好混吗？不管进城还是还乡，不管啥时候，腰包最瘪的还是咱农民。穷些没啥，还处处吃瘪子气，你知道村里小木匠云舟吧？杨双根点头说知道，他咋啦？兆田村长说，他瘸着回来啦，在城里为人家装修房子，包工头拖欠他一万多工钱，他去找人要，不但没给钱，还被城里人打折一条腿！要是在家种地，也许不会碰上这灾的。杨双根骂了一句城里人，然后问村里都有谁还乡啦。兆田村长扳指叨念说，有文庆、杨双柱、败家子、康乐大伯、振良一家子、宽富一家子、广田一家子、徐大姐……他又说，多啦，有七十多户，也没见他们阔到哪里去。也就人家杨广田在外卖菜发了，回来就争着要地种大棚菜，还说把房子推了盖栋小楼！杨双根喜忧参半没说话，喜的是村里又有人味儿了，忧的是自家这售粮大户怕做到头了。于是两人愣坐着有一阵没说话，杨双根看见兆田村长的目光落在墙上的锦旗奖状上。这一墙的奖状锦旗都是他和父亲从县里乡里捧回的。什么售粮大王，什么劳动模范，什么小康之家。如果说这是杨家的荣耀，也是杨贵庄的光荣。兆田村长也曾以此为荣，毕竟是他一手扶植起来的。兆田村长面对这扇墙，眨蒙着眼，脖子直了半晌。

杨双根只能看见他的侧脸，看见他那只肥肥的大耳朵。

院里老牛闹棚，院门就打开了，杨大疙瘩领着一男两女进来。杨双根知道他们是城里人，都是针织厂的工人。工厂停产放长假到乡下来打工。这仨人是领班，男的负责玉米田和稻田灌水，女的负责采摘头茬棉花。都是计件包工，每天都要发一遍工钱。城里人说半月领一次，杨大疙瘩喜欢日日清，一是不留啰唆，二来为城里人发钱是格外痛快的事。杨大疙瘩进屋与兆田村长打个招呼，然后就抱着钱匣子为城里人数钱。交钱的时候，老人还要叮嘱几句农活要领。城里人乖顺地走了。

杨大疙瘩背驼得厉害，后脊上拱出一个大肉瘤儿。肉瘤儿容满慈善，也压弯他一世傲气。杨双根几次催父亲将肉瘤做掉，杨大疙瘩舍不得花这个钱，而且田里的活儿逼得他没那份空闲。赶上粮价上涨的好年景儿，老人掐算今年秋收会是满意的。他吃着碗里又看着锅里，还想好好折腾一程子，没承想，兆田村长一开口就将他噎住了。他真没想到，九月里还乡的村民会抢他的土地了。老人脸暗着，后背的肉瘤哆嗦起来。兆田村长说，没办法，俺也是被逼无奈呀！俺也想了几次啦，跟村支委们碰了头，都没啥好招子，人多嘴杂，耕地越来越少！就说村北那片地吧，贾乡长的小舅子围了地，说要买下给台商搞造纸厂，圈了一年多也没动静，地钱还欠着！杨双根说，那就收回来呗！兆田村长为难地说，贾乡长能依？就是表面依了，从哪儿都能给你一双小鞋穿的。杨大疙瘩说，不管村里地多地少，俺们承包是有合同的，承包期十年。咋着，咱党和政府的政策又变啦？也大腿上号脉没准儿啦？兆田村长说，唉，政策没大变，可下头小九九多哇！你是知道的，当初地荒着，县里乡里逼俺跑城里找人，俺将你们爷俩找回来，是许下愿的。十年不变，十年河东十年河西，俺搂着十年没跑儿，谁成想刚三个年头，土地又吃香了，村里人不用找就自己往回颠！乡里就又开会了，重新承包土地！杨双根骂，这些势利鬼，粮价一涨就种地，不合算就往外跑，俺是想，明年粮价再变，还打白条子，他们难道又弃田而逃？兆田村长说，谁知明年咋样，再胡毬折腾，俺也不当这屌官啦！杨大疙瘩闷闷地吸烟，不吭。他刚才进村，就看见满街筒子的村人，也闹不清这些人从哪儿冒出来的。完了，这地是保不住了，这些人原来是奔土地回乡的。他闭着眼，眼眶子抖出了老泪。

兆田村长嘴困舌乏懒得说下去了。他呆呆地瞧着杨大疙瘩。他知道老人是厚道的庄稼人，种地都种出花儿来了。就是过去学大寨修梯田那阵儿，老人也当过标兵。老人跟土地亲呐。三年前家家田里荒着，老人还在自家责任田里种上冬小麦。杨双根急着去城里打工找九月，老头不放心这愣头青，才不情愿地离开土地走了。爷俩儿没找到九月，就偎在城里的居民楼旁炸油条卖豆腐脑。是兆田村长苦心劝说，才将这爷俩拽回土地上的。他们回乡的春天，正是一场大旱。老人招呼着村里的老弱病残到灶王庙里做了祈雨法会。杨双根跟父亲回乡种地了，他没找到九月，也懒得在城里泡了。再说九月走时有话，她娘和弟弟得靠他照料。对于九月，他向来是很顺从的。兆田村长起身要走，杨大疙瘩留他晚上喝酒。兆田村长说，俺还有事的，这群杂种们一来，按倒葫芦浮起瓢。然后又说，你们先收秋，秋后再分地。俺先顶着，你们没听别山村的事儿吧？杨双根问别山村咋啦？兆田村长鼓起腮帮子骂，咱村还算好呢，别山村的两家种田大户上县里告状去啦。回村的人，没收秋就抢地，敢情回家吃白食儿啦！玉米田该给掰光了。说还给人也打啦！杨大疙瘩惶惶地说，老和尚打伞无法无天啦？杨双根也慌了神儿，这政府就不管么？兆田村长说，管是要管的，可这法不责众嘛！都将人抓了，一村里住着，子孙做仇哇！杨大疙瘩摇头晃脑地叹气说，人呐，这从城里浪荡回来的农民，胆子大得敢操天的！兆田村长，你可得给俺们做主哇！就跟乡亲们说，俺收了秋就让地。兆田村长满口应着，晃晃悠悠地走了。他走出几步不断回头张望，笑着招一招手。杨大疙瘩觉得村长的笑容里藏着东西，越发不踏实，回到屋里端出钱匣子，拿出红纸裹了钱，递给杨双根说，双根，去给兆田村长送去。杨双根迟疑了一下说，往年不是收了秋才给村长送红包么？杨大疙瘩虎起脸训他，你懂个鸟儿，今年不是闹还乡团么？不给村长见点亮儿，谁来保护俺们？杨双根无话可说，接了钱扭身出去了。杨大疙瘩瞅着窗外黑咕隆咚的样子，顿觉胸口疼，就知道心病与疾病结伴儿来了，缓缓蹲到屋地上，老脸蜡黄而虚肿了。

从兆田村长家里出来，杨双根感到傍晚的小村确实有人味了。家家户户的炊烟，轻轻飘浮起来。晚炊在夜天里晃晃悠悠的，他的心也跟着晃荡。不知是谁家的门楼子塌了，几个人在那里清理道路。也不知是谁家放着录音机，里边的一首歌曲使杨双根耳目一新。咱们老百姓，今儿个真高兴！高兴高兴高兴……杨双根站了一会儿，听得血往头上涌，后来一想，心里骂着，有啥能让老百姓这样高兴？然后抬腿就走，大脚踩着了一窝聚群儿的鸡，鸡们呱呱叫着跑掉了，后来一路上总碰着黑天还不进窝的鸡们。这鸡婆子跳骚，不是要闹地震吧！直到杨双根进家门了，才让他真正地高兴起来。

九月在屋里为杨大疙瘩捶背。

瞅着九月，杨双根的眼睛就亮了。九月问他自己变化没有。杨双根嘿嘿笑说，还那样儿。但他看出她身子消瘦，皮肤有些松弛，眉啦眼儿依旧透着媚气。她身子不板，腰肢柔软，在外面待久了，连说话走路的姿势都活泛了，懈懈怠怠的样子很好看。母亲放下灶台上的活儿，过来跟九月说话。她怕九月还要走，便试探着问她今年有多大了。九月说都二十五啦。九月说这话时感到十分疲倦，好像已经相当苍老了，像朵还没正式开放的花过早地凋谢了。可她有钱了，有钱和没钱说话口气都不一样。九月看出婆婆的心思，咯咯笑，说她这次回来要跟双根结婚过太平日子了。杨双根想，你在城里的日子就不太平么？父亲和母亲眉开眼笑的，他们太缺人手，而且盼着抱孙子呢。杨双根知道九月说话算话，这回肯定不是天上扭秧歌空欢喜。这样一来，九月不用捶背，杨大疙瘩的胸口也平顺许多。他将九月支开，独自在灯下鼓捣秋天收支账目。他没有账本，但全部账目都在心里装着。他知道，今年米价和棉价都上调不少，按最倒霉的行情，除了全部开销，赚项仍是很大的，只盼今年政府别再打白条子。前年的白条子还有一半没兑现呢。尽管这样，他还是舍不下这片地。他在地上舍得花血本，化肥和大粪铺了几遍了。当初接手那阵儿，全是盐碱地，地皮冒白面儿，人走上去梆硬的。如今从地里抓把土，就能攥出油水来。他还添了那么多农具，水泵就买了三台。他领导着这个超负荷运转的家庭在地里奔忙，仿佛不是一个家，而像过去的一个生产队。老伴累垮了，有一次吐血晕在田里，杨大疙瘩怕她出闪失，就再也不让她下田了。九月回来了，九月能牢抓实靠地田里转么？老人犯嘀咕的时候，九月笑说，听说种地也不少来钱呢！杨双根说，刚才村长来过，咱家的地被他们夺走啦！你也是奔地来的？九月瞪他一眼说，傻样的，俺奔谁来的？杨双根嘿嘿笑。杨大疙瘩在饭前又跟九月诉屈，售粮大户的如意算盘越发不如意了。九月问，就这么白白将地让出去？咱又不是稀泥软蛋，往上告，咱有合同的怕啥？杨双根说，村里那么多人都回来了，咱又不忍心，都得有口饭吃吧！杨大疙瘩叹说，再说兆田村长那里也挡不过去呀！听到兆田村长，九月的口气就软下来，眼睛恍恍惚惚总走神儿，后来就将话题转到城里打工上来。

夜里十点钟左右，九月起身回家。杨双根看着九月露出的一截儿暄白的胸脯儿，胸中便涌起一阵潮水，热热的发躁。他留她住下，九月说东西都在那头，等登了记结婚就正式搬过来。杨双根就以送她为名赖着跟过来了。他们先是到牛棚里看了看老牛，到村西九月家里时，那群鸽子早已进窝，咕咕地叫呢。杨双根听九月夸鸽子就说，是俺判断你回家的，你画的鸽子脑袋往地下栽呢。九月说，这年月傻人也练奸啦！杨双根不服气，你才傻呢！九月咯咯笑，傻人最不愿听别人说傻。不过，傻人心眼儿都好。杨双根挟着九月的腰进屋。九强搬到母亲那屋睡下了，九月闺房都已布置好了。杨双根嗅到满屋子香水味。九月抿紧嘴儿看他，样子顽皮且好看。看了一会儿，九月从皮箱里拿出一堆衣裳，让杨双根站在灯光下试穿。她说你这土老帽儿，俺得着实给你打扮打扮。杨双根不客气地说，俺如今是村民组长，穿点好的也应该。九月撇嘴说，屁，这破官怕是跟城里扫大街的一个级别！杨双根说，你别拿村长不当干部！在咱的地面上，俺还有权呢！然后吹嘘说卖靶场废铁治盐碱地的事，吓得九月打冷子。九月说，你别逞能，弄砸了会蹲大狱的！杨双根说，咱一颗红心为集体！自己嘛，只拿小头儿。九月说，别当那个组长啦，咱们往后开个家庭工厂，挣大钱！杨双根吸冷气，俺的姑奶奶，建厂哪有资金？九月大咧咧地说，俺还没想好上啥项目，资金不愁！杨双根斜着眼看她，哦呵，几日不见你成财神奶奶啦？九月说俺就是财神奶奶，细想太过，忙拿话将其遮盖过去了。杨双根试了一件又一件，都觉着太洋了。九月说他，你别老汉选瓜，越选心越花。杨双根扔下衣裳，坐在床头说，俺还花呢，你再不回来，俺都该废啦！说着就动手动脚地摸九月的手和身子。九月这次回家不想马上跟杨双根同床，她想调整调整，可也架不住杨双根的搓揉，情不自禁地偎过来，抱了一阵儿两人就上床脱衣裳。杨双根几年没沾她了，饿虎扑食地凑过来，九月摇头晃脑地叫唤起来，仿佛愉快得要溶。杨双根骂她，叫啥？俺还没挨你呢！九月马上意识到身上的男人是双根，脸立时红了。她睁着眼一把搂紧他，浑身冒了一层热汗。杨双根上去没两下就滚下来了，九月痴痴地瞅着他，鼻尖上渗出一颗颗美丽的汗粒。她想，在外面可没碰着一位这么乖的主儿。杨双根没发现九月的表情，自己却很理亏似的叹息着垂下头。

转天很早，杨双根被窗外的鸽子吵醒。他发现九强的小脑袋趴在窗台往屋里偷看。杨双根一点也不怒，一边穿衣裳一边朝九强眨眼睛。九强"嗖"的一下闪开了。这时候孙艳站在屋外喊九月。杨双根捅醒了九月，顺手将那条体形裤扔给她说，孙艳喊你呢。九月揉着眼睛穿衣裳，孙艳提着一包东西就进来了。孙艳说，刚回来就入洞房啦？杨双根笑说，赶早不赶晚，省着也是费！你跟小东没搂一宿？孙艳笑说，俺们可没你们神速！说话时九月就起床穿戴好了，这才想起她跟孙艳约定去看兆田村长。杨双根问，你这大包小包的孝敬谁去？孙艳说，俺跟九月姐去看兆田村长！杨双根点头说，也学会溜须了，想分几亩地吧？孙艳和九月对望一眼。杨双根说，看来你们这回真的想在村里扎根儿啦！九月一边照镜子一边说，电视里总说，留在家乡建设家乡！杨双根说，你们在城里美够了，这回唱高调来啦？孙艳说，就是美够啦，气死你！气死你！杨双根骂，这刁丫头，回头告诉小东整不疼你！然后大大咧咧地回家牵牛去田里了。九月对着镜子要化妆，孙艳建议她别再像在城里化得那样浓了，浓妆淡抹总相宜么！九月就真的化了淡妆，一照镜子，发觉自己淡妆更好看迷人。她们提着东西赶到兆田村长家。兆田村长家正来客人，兆田村长扭动着肥胖的脖子，一会儿跟客人说说话，一会儿扭头看九月和孙艳。他说，你俩平安回家就好，还拿啥东西？九月当着客人面也没把话说透，就说村长为俺俩操了不少心，日后还求村长守着这份秘密呢。然后就吃吃笑，脸蛋变成柔情的月亮。兆田村长竟没发现她俩有一点羞耻的意思。他看见两人穿着漂亮的衣服戴着贵重的金首饰。他头一回看到她俩真的姿色不弱，是副撩人的坯子。他笑笑说，如今你们姐俩也是在城里见过世面的啦！回村除了照顾家庭，村里有啥事还得求你们帮助呢！孙艳浅浅一笑，俺们能干啥！九月将话拖过来说，有啥事，你就吩咐！兆田村长笑起来，忙站起身将她们介绍给客人。客人是个三十出头的小老板，贾乡长的舅爷儿，现任金河贸易公司的总经理。那公司是乡供销社的三产。兆田村长说冯总经理可是财神爷呀！咱杨贵庄的好多事，还靠冯总关照哪！九月和孙艳朝冯经理礼貌性地点点头。冯经理自从九月她们进屋，眼睛就不够用了。他咂咂舌尖说，兆田兄，二位小姐光彩照人哪！想不到咱杨贵庄也出美女呢！兆田村长顺杆就爬，笑说，你别闹，当年乾隆爷选妃子，就从俺村选走一位呢！冯经理摇头说，不对，乾隆太晚，我现在怀疑，大名鼎鼎的杨贵妃是不是你们庄出去的？兆田村长笑说，这可就玄啦！九月和孙艳跟着笑。兆田村长见冯经理眼睛放光，就明白了一切，操持着放桌打麻将。冯经理的BP机响了几次，也不去看，只想着跟九月和孙艳打麻将。

九月并不喜欢这位小老板，说家里还有活儿要干。孙艳只是听九月的，在城里九月一直是她的主心骨，九月想走她就站起身。兆田村长脸就阴了，冷冷地说，九月，这点面子都不给你叔么？俺知道你们是搓麻的高手！冯经理说，女士只赢不输，一切由我兜着。兆田村长说，她俩有钱！俺琢磨着，咱村回乡的都算着，也不如你姐俩有钱！九月笑说，别给俺们戴高帽儿啦！兆田村长说，戴高帽儿？不对。瞧他们回家找俺要地的样子，就看出没啥出息啦。你俩咋没要地呢？冯经理说，大村长，小姐们是此地无银三百两啊！兆田村长赔着笑。九月眼见着兆田村长嘴里该把不住门了，就给孙艳递个眼色，悻悻地坐下来玩麻将。冯经理先从手包里取出大哥大，又掏出百元一张的票子，嘴里骂骂咧咧地说，人生在世，生不带来，死不带去，不玩儿白不玩儿呢！兆田村长瞅着冯经理的那叠票子，心里骂，这杂种，村里的占地费老拖着不还，自己包里总是鼓鼓的。这一刻，他忽然冒出个念头来。玩起来的时候，冯经理总是打情骂俏地逗九月，九月不卑不亢的样子，让他心里骂她是不解风情的丫头片子。

九月的日子把杨双根挤出好多邪念头，这些念头最初是朦胧的，随着村民的大量还乡，这种念头愈发强烈了。他搂着九月睡觉的时候，梦里不再有九月，原先九月的位置被田里的那架旧铁桥占据了。好似着了啥魔法，左右脱不掉这老桥。那天给村长送红包，他就跟村长说旧铁桥的事，兆田村长说得找矿上，那是煤矿的桥。那天他和村长都喝醉了酒，路过铁桥时，兆田村长醉迷呵眼地骂，这鸡巴铁桥和废铁道占了咱村不少地，哪天给它拆喽！杨双根架着村长也跟着骂。醒了酒他依然还记着。他围着铁桥掐算，这旧桥会拆下不少废钢废铁，准能卖个好价钱。拿这些钱去葫芦滩开荒地，他家就会保住大部分耕地，而且他这小组的人都有地种了。桥是公家的，地也是公家的。最终露脸的还是他杨双根。到那时连九月都不会小看他的。他为自己的计划欣喜。后一想，他怕跟村长讲了都来吃一嘴，都来分这块地，就先瞒着他们，等生米煮成熟饭就好了。他甚至埋怨父亲，埋怨村里争地的所有人，两只眼睛光盯着现成的地。这年月只要动你狗脑子，来钱的招子多得很哩。他想。父亲说，自古以来天上有玉皇，地下有阎王，都管着咱庄稼人。杨双根却觉得阎王爷好见小鬼儿难挡。所以，他要对自己的行为进行咨询，以免出现意外枝杈。那天他随父亲指挥人将籽棉入仓，抽空就牵着老牛溜了。他总是用老牛做掩护。杨双根去了十里地开外的矿井，听说煤矿分局的办公室就在那里。进了院子，他就将牛拴在矿务局门口的电线杆上，自己去了办公室。人们都很忙，没有搭理他。这时他又多了一个心眼。他朝一个老者说，俺是杨贵庄第二村民小组组长杨双根。在俺组的地面儿上有你们一架铁桥和一段铁轨。眼下村里在外打工的人都还乡了，人多地少，你们是不是将桥和铁道拆掉，给俺们腾出一块地来？老者闻着了他身上的牛粪味，孬着鼻子将他打发到办公室主任的屋里。杨双根又这样说一遍。主任正在写材料，也是爱答不理的，听完了半晌回忆不起有啥桥。杨双根心中暗喜，心想你们忘个屌不剩的才好呢。主任不知给哪屋拨了电话，问了问情况，然后回绝他说，拆桥得花多少钱呐，你知道么？再说那桥不归我们分局管，那是铁路分局的事。杨双根没想到他们一竿子支到铁路分局那儿去了。他愣了愣，赖着继续询问些情况。这时候楼下的老牛不停地吼起来，惊得门卫上楼嚷嚷谁的牛。杨双根急三火四地下楼牵牛走了。走到路上天就黑了。杨双根腿走得有些累，就骑到牛背上走。这阵儿就想，明明是矿上的桥，是运煤专线，怎么说就让给铁路局了呢？第二天上午落了一场秋雨，地里没法干活儿，连城里打工的也歇着，九月又被兆田村长叫去打麻将了，杨双根心里鼓鼓涌涌，就披上雨衣去了铁路分局。进铁路分局大楼时，杨双根心里很紧张，他怕铁路分局顺坡下驴赚个铁桥，就狗咬刺猬不知咋张嘴了，支吾半晌，还是照老样子说了。铁路分局很认真，查了查档案，还是矢口否认铁桥归他们管。杨双根心里踏实了，欣欣地下楼想，看来这铁桥非得俺这个组长管了。顶着雨，杨双根又直接回到铁桥那儿看了看，越瞅越像自个儿的财了。怎么拆，卖给谁，他心里还没谱呢。

父亲杨大疙瘩很相信节气对身体的影响。雨下得到处水啦啦的，天气也明显地凉了。他穿上薄棉背心，还叮嘱九月和双根多穿些衣裳。他见九月还穿着连衣裙和体形裤儿，就说她别忘记穿衣裳。她笑说，爹，古语说春捂秋冻，不生杂病嘛！她说话时对着镜子描了眉，画了眼睛，涂着唇膏，烫过的半长头发在肩头随便一卷。杨大疙瘩瞅着不顺眼。他更喜欢过去的九月。杨双根跟父亲不一样，九月的美貌和丰姿常常使他激动。她在他眼里不仅媚而且洋了。杨双根不止一次听村人议论九月，说想不到一个女人家在外混得好好的，为了双根说回乡就回乡了，赚到钱了气也粗了，模样也俊气了，真不是杨双根那傻小子配得上的。杨双根听见别人夸九月，心里美。他早有金屋藏娇的意思，又怕拢不住九月，就想干点惊人的事儿，到时卖了桥开了荒地，让九月和村人对他刮目相看。下午兆田村长在喇叭里招呼村民组长开会。杨双根看兆田村长的意思还让他干下去。兆田村长还表扬了他，特别说那次治盐碱地的事。兆田村长让组长们准备重新分地，维护秋收秩序，安置好还乡农民，还要搞好科技兴农。末了他说，咱村这几年外出打工的多，文明村小康村的称号与我们无缘，今冬明春俺们要当上文明村，奋斗两年直奔小康。杨双根心里热乎乎的，脸上像过年一样快活。回到家里他还庆幸自己的机会来了，那架铁桥将会给他带来好运气。这样走道捡鸡毛又给他凑了点胆（掸）子。父亲对杨双根的高兴模样不以为然，九月也没理会他的变化。父亲的土地要丢了，心情很坏，默默地杀了几只鸡煮了。母亲说有的还能下蛋呢。九月说不过节杀鸡做啥？父亲沉着老脸像奔丧的样儿，不吭。问紧了就说今天午饭家人都要吃鸡肉。杨双根懂父亲的心思，他想爹挨饥受饿怕了，因为鸡与饥同音，吃了鸡就去饥，就不会闹饥荒哩。杨双根说，爹，咱们不同往年啦，咱是售粮大户还怕饥荒？去年收的玉米、大豆、稻谷、小米和高粱，卖了几十万斤，还剩二万四千多斤，厢房盛不下，还搭了粮囤。今年收成还比去年好，怕个啥？几年颗粒不收，也不会饿着咱们！父亲终于绷不住地说，没了地，光有粮顶个屁！遇上连雨发了霉，老鼠都不吃的！杨双根知道父亲难受。其实就剩下的地，养家糊口还是满富余的。老人是好强的人，他是怕售粮大王的荣耀丢了，不忍心将自己养肥了的土地让出去。九月劝说，爹，俺正想办法，替咱家多保住些地。父亲杨大疙瘩快快地吸烟。他不相信九月。杨双根又说，爹，俺可真正为咱家保住一些地啦！父亲扭脸凶他，少跟俺吹五唤六的，就你那两下子，吃屁都赶不上热乎的。老人说着又生气了，气是气，只叹家族没权没势吃哑巴亏了。杨双根愣然地仰起了脸，脸木在半空。他欲言又止。他还不愿将铁桥的事说漏了，走漏一点风声，都会招来村里一些见利忘义的人。这时候母亲将煮熟的鸡肉端到桌上来了。都吃鸡肉，无话可说。杨双根大口地吃肉，嘴弄得很响。九月说他吃饭不要出声，城里人都这样。杨双根说这是啥屁规矩，不出声能吃得香么？然后他看见父亲费力地吃肉，喉咙也弄得很响。老人跟别人吃不到一块去，鸡块儿常常从牙的豁口处掉下来。窗外的雨没有停，杨双根扭头看见院里墙头挂着的玉米棒子，还有扎堆挂串的红辣椒，都滴答着水珠儿。红的黄的，好像开疯了的花朵挺好看的。

秋天的雨点子划出一条条亮线。

午饭后，父亲吸着烟瞅雨。这场秋雨虽然使棉田误了工，可也为晚玉米灌了最后一茬水。这样可以省下一些抽水机的油钱。他手上的钱不多了，算计着晴天之后将摘下的那批籽棉交到乡收棉站去。他去过了，有交棉的了。政策变化的确有了显应，今年棉农领到了现款，等级也高，打白条子的时代真要过去了？瞧瞧，刚刚碰着好年景儿，土地就是头抱孩子不是自己的了。总也甩不开这档窝心事。眼下唯一能让他遂心的是这个家。九月回乡了，虽说九月变得厉害了，日后能挑起门户来，有啥不好？餐桌上暖融融的气氛，又使他对即将丢掉土地的大户，以及这个大户在村里的未来处境，生了几多希望。他将九月和儿子叫到屋里来，吩咐他们趁雨天闲时到乡政府登记结婚。等雨过天晴就忙了，他还给九月派了活儿，让九月指挥那些城里人采摘棉花。九月挺满意，她也有机会管管城里人，本身就是很神气的事。她又想起自己和孙艳初到城里打工的艰难。她们最初进的也是针织厂。遭城里人的白眼不说，活儿也是最脏最累的。她整日陪着那架破旧的织布机转，她和孙艳吞进的棉纱粉可以织件衣裳了。她腰疼、胸闷、月经不调，脑袋掉头发。她们忍着，谁让咱是乡下人呢？那个色迷迷的白脸厂长认为她们软弱可欺，凭几双袜子就将她们玩弄了。后来她们听说厂里乡下姐妹，有点姿色的都被厂长玩过，厂里私下传言，不脱裤就解雇，不解雇就脱裤。是这狗日的厂长带她们到舞厅里去，使她们懂得了女人的本钱。多好的挣钱机遇哩！与其说在织布机旁卖力气，还不如在外卖青春。左右不过一个卖字。不然也在厂里被白脸厂长占有，她们主动将厂长解雇了，在城市男人之间悠荡。这类营生也难也苦，也冒风险，可那是无本生意立竿见影的。如今她和孙艳都在城里银行存了十八万元，回乡吃利息都够了。后来她见到白脸厂长，白脸厂长说农民进城将城市的安宁搅乱了，农民是万恶之源，随后就列举一些男盗女娼的事例。九月反驳说，你们城里人坑害农民的事还少吗？假种子假农药假化肥，还有你们城里人吸毒。吸毒才是万恶之源呢！白脸厂长被噎住了。九月那样说的，实际上她也很难分清哪里好哪里坏了。她学会了喝酒吸烟，学会了玩麻将，学会了唱卡拉OK里的歌曲。但她始终告诫自己是个农民。不是么，在城里时有位大款带她去听音乐会，都是一色美声，莫扎特之类的名字她首次听到。那位大款发现九月漂亮的脸蛋上泪水盈盈，以为她被音乐感动了，夸她的素质在提高。谁知九月却抽泣着说，一听这歌曲就使俺想起家里的牛和鸽子。俺家的牛吼和鸽鸣就这调子。大款知道她想家了，立马就倒了胃口。九月终于还乡了，每天听见牛吼和鸽鸣，亲切而踏实。只有闲下来的时候，她才感觉乡间也少了什么。当她走进白花花的棉田，在那些城里女工面前发号施令，感觉日子很好，土地也很好。当城里人喊她女庄主时，她感觉很神气，也就生出许多想法。土地不能丢，来日开个大农场，说不定真的当上女场长呢。她与杨双根结婚登记了，杨大疙瘩说收了秋正式举行婚礼，那时也有了钱，好好闹闹。杨双根也同意，他也正忙得烂红眼轰蝇子，反正九月已经正式搬过来住了，晚上她能陪他亲热就够了。眼下，杨双根被卖铁桥一事困扰着。原先他想九月想得梦里胡说八道，果真有九月了，他却不怎么拿女人当宝了。他梦里喊卖桥喽，九月就审他桥是谁家姑娘。杨双根就笑，笑声在嗓子眼里打哽儿。九月嗔怨说，你跟那些打工回来的人比，是土地爷打哈欠！杨双根问咋啦？九月说，土气呗！有时俺觉得男人去城里打工，就像参军入伍，锻炼锻炼挺好的！杨双根不服气地说，你别门缝里瞧人，日后你有好戏看呐！九月揣摸着他的话，眼睛很忧郁。

秋天的上午，一直到晌午之前，杨双根和九月都在棉田。杨双根将老牛套上一挂车，将没有棉桃的棉秸拔下来，用车拉回村里，留做冬天烤火盆用，还可以作生炉子的引柴。晌午时的最后一车棉柴，他直接送到五奶奶的院里。五奶奶的儿子一家还没回乡。老人强挺着坐在门口张望，见到双根就哽哽咽咽哭得好伤情。杨双根说，也许你家二头在外混得好才不愿回家的，别太伤心。随后劝几句，就赶车去邻村找收破烂的王秃子。王秃子听说杨双根有生意，小眼睛比脑顶还亮，硬摁着杨双根在他家喝酒。王秃子十分羡慕杨双根总能找到财路。杨双根没有说透，酒足饭饱之后领着王秃子到铁桥那边来了。王秃子牵着那头灰色毛驴，嘴里不停地哼着没皮没脸的骚歌。杨双根发现他的毛驴上还搭着两个耳筐。杨双根觉得好笑说，你老兄跟俺捡牛粪蛋呀！这回可是大家伙，两个筐子盛个蛋！王秃子笑说，你们村还有啥值钱玩意儿？除了废锅就烂铲子！他越这样说，杨双根越不点透，心里想，等你见到铁桥抱着秃瓢儿乐去吧。王秃子坐在他的牛上，一只手牵着毛驴。杨双根觉得王秃子挺对路子，也不知从哪儿捡来的铁路服装，脑袋顶着一只铁路大盖帽。他问王秃子家有铁路上人？王秃子说，这一身衣服是从破烂堆里捡的。他妈的城里人就是富，这么好的衣裳都扔了，杨双根鼓动地说，这些天跟俺跑这桩生意，你就穿这身皮挺好的！王秃子瞪眼骂，你小子别拿咱穷人寻开心。杨双根懒模怠样儿地瞅他笑。沿弯曲的田间小路往棒子地走，王秃子一颗心揪紧了，禁不住咕哝起来，你带俺去哪儿，你不是想害俺吧？杨双根说，别自作多情了，害你俺还嫌脏了手呢！然后就拐到铁桥底下了。王秃子两眼贼贼地往桥下寻，没看见有一堆废铁。杨双根笑骂，你狗眼看人低，往上瞅嘛。王秃子说上面是桥哇。杨双根拍拍王秃子的瘦肩说，就是这铁桥，卖给你，你拆掉卖钢铁，咱算计算计谈价吧。王秃子身架一塌，吸口凉气，妈呀，卖桥？杨双根稳稳地说，这是废桥，矿务局和铁路局都不要啦，由本组长卖掉，然后用这钱开荒地。王秃子搓了搓鼻子，说你饶了俺吧，俺可是上有老下有小哇！杨双根愣起眼。王秃子哆嗦着爬上驴，朝杨双根摆摆手，灰溜溜地颠了。杨双根追了几步喊他。王秃子一边拍驴背一边怨气地骂，白他妈管你一顿酒，人和驴就掩在青纱帐里了。杨双根也回骂，你他妈狗屎上不了台盘，送到嘴边的肥肉都不吃，受穷去吧。骂完了他就笑了，笑得很响亮。

这个平淡的午后，是杨双根最蹩脚的日子。杨双根独自发了一阵子呆，就去棒子地撒了尿，爬上牛车伸直了脖子望桥。午后的日头还很威风，晒得桥根儿热烘烘的，雨后的湿地上有地气升上来。他的鼻孔里嗯嗯地喷气，一只脚一下下踹着牛尾巴。老牛甩着尾巴吃草。有鸟儿在桥上鸣叫，细听是草棵里的蚂蚱蝈蝈叫呢。一只青蛙蹦上了车辕子，有一股尿水甩到他的脑袋上，凉凉的。他拿大掌撸一遍脑袋，就借着风将空中飞舞的葵花粉抹上去了。葵花粉很香，还有股子日头的气息。甚至是九月以前身上的香气。这时的九月已没有这香气了，也许被洋香水味冲掉了吧。那时的他和九月坐在桥下吃玉米饼瓜干馍，亲热劲儿连老牛都眼热，九月头扎红头绳，一件淡淡蓝色的小背心，遮不住她鼓胀胀的胸脯，他冷不防就伸手摸一下。九月格格笑，一点也不恼。眼下，他却觉得九月气息逼人，只有她支配自己的份儿了。他睁开眼，留心察看，周围的庄稼地里长出很多眼睛。一同盯着桥，他想铁桥是应该说话的，俺卖掉你愿意么？铁桥脸总是戚戚的，对他爱答不理。他一时觉得挺没劲，脑袋一沉迷糊着了。他终于开始感到力不从心。老牛用秋草填饱了肚，就长长地吆喝了一声。这声音将那头棉田里摘棉的九月引了来。九月腰里扎着棉兜儿，乌黑的头发揉成老鸹窝了，乱乱的。杨双根被九月揪住耳朵拽醒了，感到一股香气从她身上荡来。杨双根讪皮讪脸将她拽上车，伸手就揉她的两个大奶子。他发现九月回乡奶子格外大了。九月竭力挣脱他，还骂恶心不恶心。杨双根沮丧地松了手。九月变了，过去九月能在桥下的草滩跟他来。这阵儿的九月很挑剔了，即使在房里也要铺得干干净净。杨双根气得甩一长腔，屌样儿的。九月说，你中午不回家吃饭，也不去田里干活儿，跑这荡啥野魂？杨双根寒了脸说，俺做的活儿顶你们干一年的。中午有人请俺吃饭，还能饿着俺？九月忽地想起啥来说，谁请你？是不是刚才那骑毛驴的秃子？杨双根愣着问，咋，你也认识王秃子？九月生气地说，你跟这拾破烂的能混出啥名堂？你还美呢，刚才爹就是伤在王秃子手里！杨双根越发糊涂了，这都哪跟哪儿啊？九月说，午后王秃子骑驴从田头过，他骑的是公驴，爹牵的是母驴，公驴见了母驴就发情地叫，将王秃子甩到河沟里俩驴就踢咕成一团了，糟蹋了一片棉花，爹上去拽母驴才被踢伤的。杨双根问，爹伤得重吗？九月说左腿被踢肿了，有淤血，俺让人送回村里包扎了。杨双根问王秃子咋样。九月说，王秃子弄了一身泥水，跟鬼似的。杨双根嘿嘿笑，活该，摔得轻！这个秃子缺心眼儿。九月也轻轻地笑了，是人家缺心眼儿还是你缺心眼儿？杨双根说当然是他，随后噤了口，扭脸瞅铁桥。九月说，这铁桥有啥好看的？它还不如这老牛。杨双根倔倔地说，这老牛破车疙瘩套有啥好的？九月指着牛肚子说，这牛身上有个骚东西，可供你吹呀！杨双根锥起眼睛瞪她。九月就笑，仰脸看秋空干干净净的，一点云彩也没有。

每个人在倒霉之前总是巴望着转运。杨大疙瘩在家里养腿的最初几天，悄悄去邻村一位大仙那里卜算了。算算家庭，算算收成，还算算土地能剩多少。大仙望着缭绕的香火打哆嗦，说这几样哪桩也不好，家大业大，灾星结了伴儿来。杨大疙瘩求大仙给寻个破法。大仙让他回去，在没有月亮的夜里，将一块红砖洒上朱砂埋在院中间。杨大疙瘩默默地照说的做了。九月夜里看见两位老人埋砖头，引发了她许多神秘的猜想。她照例给父亲灌好热水袋。热水袋是她还乡时给老人买的，眼下真的派上了用场。她用一条灰旧的老布包了一层，搁在父亲的伤腿上。杨大疙瘩就说舒服多了，然后就听窗外街筒子上并不新鲜的骂街声。秋夜冗长而拖沓，以至连村人打架骂街的时间也拉长了。男人骂的声音粗了，女人骂声尖细，扭结在一起还夹了厮打的肉声，全村每个角落都能听到。杨大疙瘩心中诅咒九月的日子，这混账九月，小村像疯了一样。没地的人家不如意，有地的大户也不安，狗咬狗一嘴毛，槽里无草牛拱牛。他更加害怕那些红眼睛的还乡人。这些天他家的庄稼连续闹贼了，棒子被掰掉不少，棉花也丢了一些，甚至连棉柴也丢。杨大疙瘩气得找出冬日打兔子的双筒猎枪，拖着病腿在村口放了几枪，还骂了几句。双根母亲会骂人，老人骂起来嘴边冒白沫子，兜着圈子骂，骂谁偷了玉米吃下会头顶生疮，会断子绝孙祖坟冒水。杨双根和九月到街上拽她，别骂了娘。老娘打他们的手，坐在街头伤心地哭起来，她哭说俺家种那些地容易么？村里看热闹的人围了一层。九月怕两位老人不放心，就让杨双根和九强在秋田里护秋。杨双根背着那杆双筒猎枪巡夜，天亮方倦倦而归。每天上午是杨双根的睡觉时间，杨双根舍不得大睡，抽空去村外联系卖桥的事。几天下来，九月发现双根瘦去一圈，她审他干啥了，杨双根就是不说。说啥，的确没个眉目呢，但他一直希望这块云彩下雨呢。

这天晚饭后，杨双根背着猎枪刚走，九月就倚着门框暗自垂泪。眼瞅着膀大腰圆的汉子要毁了。她知道双根做事钻死理儿，是啥事折腾着双根呢？她抓拿不准，但有一点是明确的，双根想弄钱开荒地。就他这样儿的能找钱来？贷款是没指望的。有时她想将存入城市银行的钱取出来给双根用，又怕露了馅儿，还怕这愣头青拿钱打了水漂。她正想着，看见兆田村长慢悠悠地进了院子。兆田村长一见九月，就怀有深意地一努嘴儿。她将兆田村长领到父亲的屋里。杨大疙瘩见到村长就诉屈，大村长，你可得给俺做主哇！这叫啥鸡巴年头，从村里到城里，人们应该更文明。这可好，闹半天培养了一个个鸡和贼！兆田村长知道老人是骂城里打工还乡的人。这时他看见九月的脸色难看，就纠正说，你老人家不能都骂着，你家九月不也从城里来的，谁不夸好哇？杨大疙瘩笑说，那是，俺不是骂自家人！九月这孩子更懂事啦！兆田村长说，俺在喇叭里广播几遍啦，谁再偷秋抓住送派出所，还要狠罚呢！杨大疙瘩心疼得直捶肋巴骨，连说俺家丢了不少庄稼哩！九月说双根和九强每天护秋呢。兆田村长眼睛一亮，护秋好哇，那就让双根挨点累吧。随后他就说出晚上登门的来意。他说是来为乡里收划分土地款的。杨大疙瘩愈发一脸哭相了，这划分土地，还收俺们的款？俺地都丢了，还出这钱，又是向大户乱摊派吧？兆田村长说，上头这么招呼，俺是没法子！不论丢田户还是分田户都要出钱的。九月问得多少？兆田村长说，按目前占有土地的百分比收。你们家得交三千多块钱。杨大疙瘩猛猛地咳嗽起来，这不是欺负人么！瞧瞧，村长咱掏句良心话，俺是劳动模范，啥时要过赖？要这划分土地款之前，你说收了多少杂费？计划生育费、地头税、教育费、农田设施维修费、村里待客费、铺路费，那些名目繁多的捐款还不算。谁吃得消哇？兆田村长点头，唉，深化农村改革，越改法越多，越改税越多。这问题俺都向上反映过。有几个真正替咱百姓说话？就说那次乡里收铺路费吧，说好各村收上钱就铺石碴路，这不，钱都交一年啦，大路还是土啦咣叽的呢？杨大疙瘩作为重点户为铺路捐了两千块，他嘟囔说，俺听说乡政府把修路款挪用啦，买汽车啦。没听百姓说么，当官的一顿吃头牛，屁股底下坐栋楼。兆田村长叹道，这年月你就见怪不怪吧，生气就一天也活不下去。俺这夹板子气也早受够啦。杨大疙瘩将老烟袋收起来，又骂，咱可是地道的贫下中农，苦大仇深。现如今改革开放，咱农民吃饱饭了，不管咱叫贫下中农了，叫俺们村民，村长叫主任，听着咋那么别扭。土地政策变来变去，还有鸡巴啥主人翁责任感啊！兆田村长不耐烦道，你别放怨气啦，上级已经意识到承包田调整太勤，造成农民短期行为，使土地恶性循环，这回重新划分之后，实行口粮田和承包田分离，谁要外出打工，只分给口粮田，回乡也不给承包田啦。像你家再分到的承包田要三十年不变！杨大疙瘩说，口粮田和承包田分开好，不过，谁还信你这三十年不变？俺记得几年前你跟俺说十年不变的，结果咋样？兆田村长板了脸说，你这老家伙不能像孩子一样翻小肠呀！贾乡长说啦，道路是曲折的，前途是光明的。杨大疙瘩撇着嘴说，快别提这贾乡长了，他那宝贝舅爷冯经理，去年卖给俺的假农药，可把俺坑苦啦！减产四五成呢。九月听父亲说冯经理，就凑过来说，找冯经理索赔。兆田村长说，九月别瞎掺和，你也不是不认识冯经理，庄户人家惹得起他么？九月说不就是有个乡长姐夫嘛！兆田村长说，贾乡长原先是县委书记的秘书，上头也有人。这年头反正有点背景的，都鸡巴硬气。杨大疙瘩大骂，冯经理咋硬气，咱惹不起总还躲得起吧？前几天这狗日的又找俺啦，说他们金河贸易公司今年也收棉花。不是粮棉油统购统销么，他这也敢干？兆田村长说，他负责供销社的三产，可以打供销社的幌子呗！你答应啦？杨大疙瘩摇头，笑话，交给他算个啥？不交国家，俺这售粮大王是咋当的？况且今年政府也不打白条子啦。兆田村长朝九月眨眼睛，九月就说到她屋里坐坐。

兆田村长站起身又叮嘱收划分土地费的事。杨大疙瘩刚说完白条子，就想起去年乡里收大豆时给他一张整三千三百元的白条子；他从柜里翻出来，递给兆田村长说，这张白条子就还给乡里，对顶啦。兆田村长愣着看白条子。杨大疙瘩说那零头俺也不要啦。兆田村长黑了脸说，这不合适吧，歪锅对歪灶，一码顶一码。你这么对付俺，那秋后分地，可就三个菩萨烧两炷香，没你的份儿啦。杨大疙瘩一听分地，他就蔫下来，收回白条子，将话也拿了回来。兆田村长说准备准备钱，抬腿要往外走，杨大疙瘩忙说，别瞅俺是大户，其实是秋后的黄瓜棚空架子，双根他们结婚还没钱呢。兆田村长笑说，别跟俺哭穷，你有钱，九月也是财神奶奶呢。九月见兆田村长又该抓拿不住了，赶紧将兆田村长拽到自己屋里。

闻着九月屋里的香水味，兆田村长满脸的阴气就消散了。

九月为兆田村长倒水点烟，自从发生那件事以后，九月心里十分感激兆田村长。刚才父亲无意中骂还乡女人做鸡，又是兆田村长给遮过去了。这些天她为双根神不守舍的样子发愁，就想求兆田村长出主意。九月话一出嘴，兆田村长就夸奖双根说，你可别小瞧了双根这孩子，不窝囊，有理想，而且没私心。他跟俺说过想开荒地的事，俺跟他们组长们说，眼下村委会是逮住蛤蟆攥出尿，没钱！谁想开荒，各组想辙去，俺全力支持。九月笑着骂，没钱你支持个蛋哪。兆田村长说，这个鸡巴穷村，又回来这么多张嘴吃饭，你让俺咋办？俺就是浑身是铁能碾几个钉？九月眼睛亮亮地说，想致富的路子呀，古语说无商不富，村里得上企业。再说，开荒地也可以贷款干嘛！兆田村长上下打量着九月，你说话像吹糖人似的，你借俺俩钱吧。九月怯怯地说，俺在外没剩下钱。那次公安局又罚了那么多。

兆田村长嘿嘿笑，别诓你叔俺啦，你和孙艳都趁钱。他眨了眨眼睛，忽地想起什么来说，贷款开荒也是个法子。不过人家信用社也奸啦，咱村欠他们的八万块还没还呢。他们还贷给咱？要是你和孙艳帮忙，将私款存入乡信用社以存放贷还是有戏的。九月的心咚咚地往喉眼里跳，说俺和孙艳没那么多钱，但又说可以让城里朋友存款。兆田村长说明睁眼露的事儿，你们怕露富俺也理解。一来二去，这些事就敲定了，九月叮嘱村长贷来款多给杨双根第二小组一些。兆田村长应着，又往九月身边凑了凑，九月闪一下身子很慌，移开目光看墙上的唢呐。兆田村长好像有心事，又不知咋开口。屋里一时很安静，屋外棚里老牛喷鼻声都能听到。待了一会儿，兆田村长也将目光投向墙头的唢呐。久久才问九月啥时闹大婚礼。九月说秋后婚礼也不想大闹啦。俺和双根旅行结婚。兆田村长笑说，敢情也学城里人的洋玩意儿呢。九月知道兆田村长心思跟这事儿不搭界，怕他动别的心思，就说双根护秋该回来吃夜饭啦。兆田村长见九月拿话点他走，就又闷了一阵儿，憋得额头淌汗了，就十分为难地说，九月呀，俺有事要求你，不，是咱杨贵庄老少爷们求你办一件事。九月讷讷说，有啥事，只要俺能办的就说。兆田村长的话在舌尖转了一圈儿也没张嘴。九月催他几遍，兆田村长才骂骂咧咧说，还不是为这鸡巴土地。眼下俺掐算着，地忒紧张，简直他妈没法分配。你不知道，冯经理那狗东西占着咱村八百亩地，说是围给台商建厂，围了二年也不给村里钱，俺要地他不给，就想求你帮忙啦。

九月愣了愣，眼白翻出个鄙夷说，让俺去找冯经理要地？俺要了他能给？兆田村长说，行，只要你出马准行。那狗日的会给地的，其实那小子没钱建厂，那个台商吃喝他一通蹽杆子了，他守着这片地，也跟娘儿们守寡一样难受呢。九月问，既然这样，他为啥还撑着？兆田村长说，这狗东西想再从咱村榨出点油来呗！咱这穷村，可经不住他折腾啦。九月很气愤，这臭老鼠能坏一锅汤的。咱老百姓还是老实啊。不会告他个兔崽子！兆田村长摇头说，这招儿万万使不得。九月呆坐着，一脸的晦气。兆田村长说，俺这长辈人，实在说不出口哇，冯经理那小子看上你啦！九月心里明镜似的，那天在村长家里打麻将，那小子就紧黏糊。兆田村长说，那东西眼够贼，说孙艳长得太面，没你性感，说你有倾国倾城的貌。说你就是咱杨贵庄的杨贵妃。九月一生气，在城里时的脏词就上来了，就他那猪都不啃的地瓜脸，也想跟老娘打洞儿？兆田村长不明白“打洞儿”是啥意思，忙说冯经理不是想打你。九月知道自己走了嘴，脸颊一片火热，说，大叔，俺和孙艳是在城里有过前科，可俺们也不是随便让人作践的人。俺们回村，就是证明。兆田村长慌了，忙说自己不是那意思，大叔从没小看你和孙艳。大叔看得开，谁家锅底没点黑呢？有黑抹掉就是啦。九月心里很复杂，瞅了兆田村长一眼，耸动着肩膀哭泣起来。兆田村长慌慌地站起身，说大叔不为难你，你要不愿意咱就哪说哪了。他拔腿就要走，九月止住哭，喊住了他。九月不敢抬头，怕碰上她跟双根的照片。她喃喃地说，大叔，跟你老说心里话，俺既然回家了，就想当个好媳妇，当个好母亲，俺越发感到好人难当了。俺今天也不怪你，你老为村里奔波委实不易呢。兆田村长很感动，眼眶子抖抖地说不出话。静了一会儿，他才说，冯经理那王八犊子可会装人呢。是他找俺提的条件，俺都成啥人啦，哪像个村支书村长？都成皮条客啦。九月见兆田村长自责个没完，就抬起脸来说，大叔，为了夺回那八百亩地，虽说俺的处女膜恢复手术都做了，还是答应你这回。她多了个心眼，她知道孙艳回乡前花八百块钱做了处女膜恢复手术，她已将处女身子给了双根，就没这个必要了。但她怕村长将来还纠缠，只能这样唬他。兆田村长满脸喜气，你说那个手术多少钱？回头再做一回，花销村委会给你报销。九月说八百块，又说报销不报销没啥，但强调一点，请转告冯经理，俺只跟他睡

一回，不拿他一分钱，只要他立马将地让出来。兆田村长高兴不起来了，心里很难受，只想着将来分地时多划给她家一些来报偿了。九月仄棱着身子目送村长走了，扭头望天上的月牙儿，心里惦念着双根，更加觉得九月的日子很贱，也很沉重，想着想着眼睛就湿了。转天晚上，兆田村长笑呵呵地来叫九月打麻将，九月就明白是怎么回事了。她让兆田村长先在父亲屋里等着，自己换好衣裳，将过去用剩的避孕套、药水和手纸等杂七杂八的东西塞进小挎包里，末了坐在镜子前化了化妆。以往会男人她都十分认真地化妆的。她不管面对的是怎样的男人，都希望自己以美好的形象出现，因为男人也付出了钱。这一次的付出和获得又是什么呢？九月从镜子里看到自己苍白的脸，还有一双忧郁的大眼睛。脸和眼睛很好看，真实而生动。看着看着，就被水浸湿成一片黑土地。印在平原上的脸不再苍白，变成红扑扑极鲜活的一张脸，分明是九月的秋风染就。

日子纯美如初。日子混账透顶。

九月离家的晚上，田野很安静，一层雾薄薄地弥漫着。杨双根和九强走累了，就坐在棉田与玉米地相交的田埂上歇息。杨双根仰脸看雾里的月牙儿。九强将马灯放在地头，照亮秋夜一大块地方。九强嚷着要与杨双根下棋。杨双根拿手指在地上划成方框，又摆好土疙瘩说，咱先讲妥喽，你要是输了，就将你家那群鸽子给你姐陪嫁。九强点头说你输了呢？杨双根说给你这管双筒猎枪。九强欣欣地拍手，然后拿玉米叶儿当棋子。半个钟头下来，九强就输了那群鸽子。杨双根懒得再玩下去了，斜靠着棉柴垛打盹儿。他让九强先回家休息，大秋假该结束了，九强得把作业赶写完准备上课。九强走出老远，杨双根还吼着别忘了明天将鸽群赶过来，你姐就喜欢鸽子，特别喜欢白鸽子。鸽子使他产生对九月的许多联想，诱他进入了甜蜜的梦乡。棉柴垛很暖和，还有股子日头的气息。他感觉这里比铁桥底下睡觉舒服。秋虫鸣叫着，有几只野兔溜着柴垛钻来蹦去。他想睡一觉之后打两只兔子回去给父亲下酒，就迷糊着了。如果不是夜半被尿憋醒，杨双根是不会碰上这个尴尬局面的。他刚解开裤子，就听见柴垛后面有响动，扭头看见两个人影和一辆排子车。杨双根知道是偷棉柴的，就吼了一声，提着双筒猎枪奔过去。两人掉头就跑，杨双根几步就追上去，堵住了偷柴人。月光下他认出是村里小木匠云舟的媳妇田凤兰和女儿小玉。田凤兰见杨双根举着枪，吓得哆嗦着跪下求情。杨双根知道她们是瞧见九强刚回了家才敢来偷棉柴的。田凤兰一把鼻涕一把眼泪地说，云舟和你是同学，看在老同学的分上就饶过俺娘俩吧。云舟在城里学坏了，赌钱，赌光了就去找包工头要工钱，被人打瘸了。俺们回到乡里没有钱买过冬的煤，他又瘫着，俺娘俩就人穷志短啦。杨双根眼里闪着骇光，腮上的肉抽抽地抖了。他上去扶田凤兰和小玉站起来，没说话，就急着转到附近的棒子地里撒尿，他实在憋不住了。田凤兰好像看出什么，让小玉拖空排子车在路头等，自己整理头发，又拍拍身上的土，追着杨双根进了棒子地。她看见杨双根正系裤带，怯怯地凑过来，一把拖住杨双根说，双根，俺同意跟你来一回，只求你放过俺娘俩。杨双根吓得说不出话来。田凤兰说完就松开杨双根，很麻利地解开裤子，撅着白白的屁股拱他。杨双根马上意识到她误解了，就闷闷地吼，臭娘儿们，快系好裤子，你把俺看成啥人啦。田凤兰乖乖系好裤子听候杨双根发落。杨双根将田凤兰领到棉柴垛，又喊小玉将排子车推过来，他帮着装了满满一车棉柴。杨双根说，拉回家用吧，不够，俺改天送一大车过去。别黑灯瞎火地来啦，一车棉柴丢了脸皮值么？田凤兰满口谢着就由泪蒙住了眼。杨双根问她是哪个村民小组的，田凤兰哽咽着，哪个组肯要俺们这累赘？村长让俺们待分配呢。杨双根笑说，就进俺们第二组吧，俺找村长说，往后有啥为难遭窄的就找俺双根。田凤兰母女谢了又谢拉着棉柴走了。第二天中午，杨双根又用牛车给她家送去两车棉柴。田凤兰同着瘸子云舟说，你瞧双根，在家种田不也混得挺好么？咱这外出打工，孩子上学误了，钱也没赚来，倒落这么个灾。说着就啜啜哭起来。杨双根听着心里受用，觉得自己行了真的行了。心想，等俺卖了铁桥开了荒地，你们还会重新认识俺杨双根的。

九月走在街上，分辨不出投向她的各种目光是啥意思。她不愿去猜测，因为她刚干了一件自己都无法解释的事情。当她早上从冯经理的汽车走到村口时，感觉很轻松。她将那张八百亩的土地契约交给兆田村长时，心情就更好起来。过去在城里拿肉体换钱，时常感到一种罪恶的话，眼下就莫名地消除了这种不安。她要求兆田村长带她去那八百亩土地上看一看。兆田村长带她去了，她走在那片没有播种的土地上，看见了疯长的藤草。还有刚刚枯黄的酸枣棵、白虎菜和双喜花。她站在蓬蓬乱草间，不知往哪里下脚。酸枣棵里的倒刺紧紧地勾住她的裤角，她慢慢蹲下身来摘掉酸枣藤，却看见一朵还没凋落的双喜花。白白的双喜花哩。九月轻轻将它掐下来捧回家里，插在镜框上。双喜花又小又普通，没几日就干巴了，险些被拾掇屋子的双根娘扔出去。九月就将干花夹在一本书里，一本从城里带回来的书。孙艳过来看九月，她不知道九月姐为啥心气那么平和，脸也灼灼放光了。这是在城里她从没有过的气色，孙艳问她用啥好化妆品啦。九月微笑着不吭声。孙艳问紧了。她说到家乡的田园里走走，就是咱还乡女人最好的化妆品。孙艳茫然不解，别诓人啦九月姐。九月想起一桩事来，就跟孙艳商量将城里存款挪回一部分，存入乡信用社，以存放贷为村里开荒。孙艳笑说，俺越来越发现九月姐像个村长啦。是不是跟双根哥在一起觉悟提高啦。九月骂，死丫头，说痛快话，愿意不愿意？孙艳沉了脸说，听俺爹说，咱乡太穷啦，存的款都支不出来。九月说，信用社不比农业合作基金会，是国家的，你爹说的是基金会。孙艳问那利息咋样？九月笑说，鬼丫头够精的，利息跟城里一样。俺想呀咱那钱存哪儿都是存，不如帮咱村里办点实事，在这穷村里过，咱脸上也不光彩哩。咱村上都富了，就不用去城里打工受罪啦。俺们都要结婚了，生了孩子，有出息的，在外上大学做官；没出息呢，也有自己的土地。

九月说得孙艳挺伤感。孙艳说，别说啦，九月姐，俺听你的。九月搂着孙艳很开心地笑起来。当天下午，九月和孙艳悄悄去城里移回了十万元存款。办妥存款，九月就告诉兆田村长，说她让城里朋友在咱乡信用社存入十万元，现将存折抵押贷款。兆田村长接过存折看了看，客主署名李宝柱，就哈哈笑起来。他逗九月说，啥时咱村请这个李宝柱喝酒哇？九月噘起嘴巴说，人家不知道是抵押贷款，你要给保密的。兆田村长说，好，不跟你逗啦，要是走漏一点风声，你拿俺是问！九月又叮嘱村长一遍，多给杨双根的第二小组拨些贷款。兆田村长满口应着。九月一走，冯经理的伏尔加汽车就堵在兆田村长家门口。冯经理急三火四地下车，进屋就嚷嚷承包开荒工程。兆田村长不知道冯经理从哪透来的消息，后来一想，他跟贾乡长汇报了，还跟贾乡长夸了一番九月。冯经理笑嘻嘻地说，俺能调来五辆大型抓车，保你满意，保质保量。兆田村长很恼冯经理，又不好闹僵，只是胡乱应付说，没钱开荒，眼下八字还没一撇呢。冯经理说，别唬俺啦，信用社的刘主任都告诉俺啦！别不够哥们儿，俺拿下工程，给你高回扣的。兆田村长瞪了冯经理一眼骂，混账，你知道贷款从哪儿来么？俺拿这昧良心钱，这张老脸真得割下喂狗吃啦！冯经理被骂愣了，哼了一声，悻悻地走了。兆田村长瞅着冯经理的影子，又嘟囔着骂一句啃骨头的狗。后来一静心，想想杨贵庄在乡里的处境，心里又鼓鼓涌涌不安生了。下午九月和杨双根一起看兆田村长。杨双根听九月说村里有钱开荒了，高兴得扭歪了脸。虽说不是他弄来的钱，可终归能开垦荒地，组里就不会闹地荒，家中的承包田也能保住。这鸡巴桥委实不好卖，折腾来折腾去的，仍是空欢喜。这桥怕是远水不解近渴了，但他不死心，日子无尽，慢慢来吧。兆田村长说，咱乡里要在冬天大搞农田基本建设。各村都闹地荒，乡里号召咱多开荒地。双根哪，你们第二小组得带个好头，把流动锦旗夺到手。杨双根憨笑说，俺会拼一场的，俺早想好了，这蜜月得到北大洼上度过喽。九月瞪他，这傻样儿的。兆田村长就笑。杨双根说，得拿钱哩，这年头可不比学大寨那阵儿，旗杆一插就干活儿。开荒地可累，给打白条子没人干的。九月笑说，没有钱，也许就俺们这位缺心眼儿的傻干。兆田村长说，双根可不缺心眼，小伙子是大智若愚呢。九月也愿听别人夸双根，看着双根不再神神怪怪的，眼里便有了喜欢的人影儿。双根和九月一走，兆田村长就想起被他骂走的冯经理，忙着将冯经理呼过来，晚上在家里摆了一桌。冯经理喝酒就念叨九月，派人去她家里叫，那人回到村长家说，九月全家都在地里收秋。兆田村长看着天都黑黑的了，叹道，这阵是庄稼人最累的季节，这售粮大户本是不好当的。冯经理已经喝糊涂了，就没再追问九月为啥没来。

晚秋的日头还是很毒的，想熬干这平原的河流、庄稼的汁液和种田人的精血。灿烂的日子照花了眼睛，身体和记忆被蒸烤着。一下子想不起是啥地方。动一下脖子就疼，又动一下，侧过脸搂住女人的身子，他腰又酸了。杨双根睁眼喝水，才知道是在炕头上睡觉。他发现九月睡得很香，他知道九月也累哗啦了，睡觉的姿势就很丑，两条白白的大腿都扭成了麻花。杨双根望着她露出薄被外面的白腿，一点心思都没有。好几天他都没挨她了，她也从不碰他。熬过这累人的秋天，日子就会轻闲起来。一想到分地和开荒，杨双根觉得自己不会有轻闲之日了。傍天亮儿，杨双根觉得九月软软的手在摸他，摸他最值钱的部位，他也没哼一哼动一动。父亲蹶跶蹶跶地走到窗前叫他们下田收秋。其实在这之前，父亲已经像地主周扒皮一样，将鸡笼里的鸡放出来打鸣。九月就是被鸡叫惊醒的。九月将杨双根喊起来，刚洗漱穿戴好，兆田村长就慌慌地喊九月。兆田村长说贷款开荒的事砸了。九月惊直了眼。兆田村长说着就将九月拉到屋外悄声告诉她，乡信用社真他妈不讲信用，原说好好的，可他们将咱新贷的款子顶以前的贷款了。就是说咱村欠他们八万，这回贷的十万，只能支出二万元开荒。这仨瓜俩枣的管蛋用？九月明白了，是信用社搞鬼呢。又一想，谁让咱村欠人家钱呢？这不争气的穷村呀，你还有救么？兆田村长见九月不语，心更慌乱，他只有向九月讨主意了。九月怕兆田村长破罐子破摔就说去乡里找信用社头头说情，早知这样，城里的存款还不往乡下转呢。九月和兆田村长急匆匆地走了。杨双根隔着墙头听见他们说话了，开荒贷款泡汤了。杨双根很泄气地愣了半天，骂，这鸡巴事儿，当官不难，发财不难，骗人不难，学坏不难，就他妈咱老百姓干点正事儿难！父亲杨大疙瘩说，走了九月，你还愣着嚼蛆？快下地做活儿。杨双根跟父亲说了实情。杨大疙瘩叹一声，说别指望啥新政策了，丢了地更省心。杨双根瞅着父亲枯树根似的蹲着，知道他说的不是心里话。丢了地，怕是他的魂儿也丢了，地里常有丢魂儿的啦。

人到了没指望的时候就异想天开。杨双根将最后一捆豆秧装上牛车，又扭头朝那架铁桥张望了很久。他又不甘心了。人在机遇面前不能装熊了，也许过了这村就没这个店了。他从牛车上跳下来，笨拙拙地爬上铁桥，掏出腰间的皮尺又量了一番，然后掐指数数，按上次与王秃子卖废铁价格算，这铁桥得值十四万，开荒满够用了。他赶着牛车拐了下道，忽然看见桥头有几个人影晃动，心里就更着急了。他想再找一回王秃子，如果王秃子不干，就让他给介绍一位。他压根就没指望收破烂的王秃子这块云彩撒尿。傍晚杨双根又去找王秃子。王秃子眨巴着圆眼想了想，说帮他找一位城里收废铁的，成事了就提点劳务费，不成也求杨双根别露他。杨双根骂他咋变得跟老娘儿们似的，就拽着他连夜赶到城里。城东红星轧钢厂厂长的兄弟韩少军开了个公司，专收各种废铁烂钢，为城东红星轧钢厂供货。杨双根由王秃子引荐，认识了韩少军总经理，韩少军穿一身高档服装，小头吹得很亮，说话时大哥大响个不停，接一阵儿电话，问一会儿铁桥。杨双根手里摆弄着韩少军的名片，看见太平洋贸易公司总经理几个字，他就感觉这回十有八成。韩少军听杨双根将铁桥的事说一遍，就又将王秃子叫到僻静处问，你狗日的别诓我，这铁桥真归这姓杨的小子管？王秃子说，桥在他们组的地面儿上，桥占地多年拖欠占地费，就拿废桥顶啦！瞅他对铁桥的上心劲儿，他看得比老婆都紧！没错儿。韩少军又说，那得有煤矿或铁路的转让信,加盖业务专用章。这样我也他妈不放心,即使这阵儿没事儿,将来出啥闪失,不行。王秃子说,杨双根是为集体开荒卖桥,你怕啥?盖章也没问题的。韩老板咋变成老鼠胆儿啦?是不是金屋藏娇啦?韩少军瞪着王秃子骂,别他妈瞎逗咕,说正经的,我们公司不做,引荐给东北的,一伙倒废铁的朋友。咋样?过两天,我就让他们找你们看货交钱,不过,转让信得有哇,别让我坐蜡。你小子敢骗我,小心你的秃瓢儿。王秃子嘻嘻笑,俺叫你见杨双根了,这可是俺们那片的大老实人呐!他家是售粮大户,肥着哪!王秃子把情况跟杨双根一说就去找旅店了。杨双根半喜半忧,喜的是铁桥找着了婆家,忧的是转让信和业务章到哪儿去盖?矿务局和铁路分局都不承认是自己的桥。到了小旅店里住下,杨双根还为这事发愁。这时王秃子从外面领来个鸡,让杨双根痛快玩玩儿,杨双根头一回见这场面,怯怯地推脱说,俺有九月,俺跟九月就要举行婚礼啦,不能对不起她。王秃子一边伸手揉着小姐的胸脯儿一边说,就你这傻蛋,还为女人守节,还不知你那九月给你戴了几层绿帽子呢。杨双根怒了脸骂,你再他妈胡咧咧,揍你个秃驴!九月可不是那样的人。王秃子连连告饶说,好好,你眼不见为净更好!不过,你可记着,从城里打工回去的乡下姑娘,有几个还原装回去?嘿嘿嘿。杨双根骂你他妈狗嘴吐不出象牙。王秃子说,双根你去门口给俺看着点,俺可不客气啦。说着就拉小姐上床。小姐一扭身一撒娇说,你先给钱。王秃子笑着骂,臭婊子,俺是乡下人,你也是乡下人,咱都是公社好社员,优惠点么。小姐笑说,今年大米都涨到两块钱一斤啦,乡下人肥呢。杨双根看见王秃子和小姐推推搡搡的样子,觉得晦气,怏怏地走出房间。他怕公安局来人抓到王秃子罚款,也不敢避远。这王秃子玩鸡或罚款都得他支付。杨双根蹲到门口,听着王秃子屋里的响动。对面厕所吹过来的臭气,熏得他脑仁儿疼。后来又凉了,不知不觉就伤风了。王秃子又犯了没完没了的驴劲儿,挺到后半夜三点钟才放那小姐走了。杨双根坐在地上睡着了,梦里的他像是在护秋,周围是一片寂静的田野。田野里飞舞着无数妖冶的红蛾子。

三天后的一个下午,一场雷阵雨刚过。杨家门口的歪脖柳被雷劈落两股树杈。这歪脖柳是杨家祖传下来的古树。父亲和杨双根望着劈散的老树发呆。树杈上筑巢多年的老鸹窝也连锅端了,树杈落下来的时候,还砸碎门楼的几块脊瓦。父亲指挥着家人收拾残局,嘟囔说,怕是咱杨家有妖了,这落地雷是专收妖魔鬼怪的。九月在一旁听着脸都白了。杨双根一边拽树杈一边说,爹,咱家都是本分人,哪有啥妖哇。母亲也说雷劈树杈的事常有的。杨双根发现九月脸色难看,仰脸就看见灰老鸹呱呱叫着,围着树冠划出弧线,叫声一直传到村子深处。杨双根说老鸹找不到家了,只好到外地打工去喽。多可怜的老鸹,村人都还乡了,这本是你的家,还得往外奔。杨双根独自乱想一气,就见王秃子的铁路大盖帽从墙头冒出来。王秃子怕杨大疙瘩骂他,就趴墙头上晃帽子。杨双根眼下十分崇拜王秃子,别看他吃喝嫖赌的,办事能力却不差。王秃子挖窟窿打洞从矿务局三产弄来了盖业务章的转让信,信是空白的,委托内容是杨双根添上去的。矿务局三产的一位副经理是王秃子的表兄,王秃子叮嘱杨双根说,俺可是一手托两家,那头章不是白盖的,得交人家公司一万元手续费。杨双根爽快地答应了。王秃子说他没告诉表兄桥的事。

杨双根理直气壮了,告诉他们也白搭,他们不承认有这座桥。这桥是俺们小组的,也是俺杨贵庄的,盖那戳子是给客人看的,省的狗咬狗一嘴毛。杨双根知道王秃子是给鼻子上脸的主儿,他是真想吃一嘴了,吃就吃吧,反正这全是无本生意,最终占了便宜的还是杨贵庄人。杨双根看见墙外的秃头就欢喜,放下手中的树杈,带着满脸的兴致跑出去。王秃子告诉他太平洋贸易公司的韩总经理的客人到啦。杨双根问人呢?王秃子笑骂,你小子一努嘴儿,俺他妈跑断腿儿。这群东北老客在俺家避雨,中午搭了一顿饭,还让俺老婆陪他们玩麻将。都他妈一群色鬼,俺老婆的屁股蛋都让王八蛋掐肿啦。杨双根听着好笑,王秃子的老婆丑得闹心,还有掐她的?他听出王秃子是诓钱。杨双根说,只要拍板成交,亏不了你的。王秃子说俺老婆直接带客人去铁桥了。杨双根眼一亮,他们带钱没有?王秃子怀有深意地一努嘴儿说,带啦,你说能不带钱么?杨双根回屋带上皮尺和写满数据的小本子,就牵着牛去铁桥了。

雨水洗过的铁桥很好看,浮在上面的灰尘和蛛网被大雨冲掉了。躲雨的鸟们被来人吓飞了。杨双根站在桥上望天,天上竟有一弯彩虹。看远处的小村,小得像一段驼黄色的绳头。也许就是这段不起眼的绳头支撑着他,使他有了底气,很严肃地跟这群人讨价还价。客人当中领头的是个大胡子。他也拿出名片给杨双根看。杨双根发现大胡子的头衔实在,是辽宁的一家金属公司。他觉得这回是抱着猪头找到庙门了。大胡子围桥绕了三圈儿,大掌不停地揉着那几根毛说,如果我方负责拆桥,只能是十一万,不能再多啦。杨双根要价十四万是有理由的。他那小本子都算烂了。王秃子又凑上来,一手托两家,拿出十二万五千元的折中价儿,双方闷了一会儿就拍了。然后在王秃子的驴背上签合同。大胡子从皮包里摸出红戳子盖上去。杨双根哆嗦着签了字,又扭头朝那驼黄色的绳头张望。望见那棵被雷击伤的老树,也望见轻轻浮动的炊烟了。他心里说,杨贵庄哩,俺这一番苦心终于有了报偿。爹哩九月哩,你们压根儿就不了解杨双根。想着想着鼻头就酸了。大胡子观察着杨双根的表情,怎么也看不懂他的心思。他先交给杨双根三万五千元现款做预付款,说四天后拆完桥交齐那款,并请求杨双根盯着拆桥作业。杨双根见王秃子凑过来吃蹭饭儿,就拿出一万五千元钱给他,说那一万是他表兄盖章的手续费。王秃子躲在桥下的草棵子里数钱,杨双根让他打条子。王秃子说咱俩谁跟谁,还用得着这个?杨双根冷了脸说,这他妈是公款,都弄完啦,俺要如数交给兆田村长。王秃子撇嘴说,你这傻蛋不留点?杨双根说那就看村长怎么奖赏啦。啥事都说破,这情分就浅了薄了。王秃子说,俺一上学就赶上学雷锋,今儿个才知道雷锋还活着,你让俺学学你吧。然后就讥笑。杨双根骂,玩你妈个蛋。王秃子说,有你小子后悔那天。你知道兆田村长么，他妈的是人窝子里滚出来的人精，钱交他，他敢胡吃海塞糟光的。杨双根倔倔地说，俺们村长不比你们村长，他会拿这钱开荒种地的。为了开荒，也够难为他和九月的了。王秃子附和说，也许吧，你们村穷。一般穷地方都出好干部。杨双根硬逼王秃子打了条子。王秃子声明说这可他妈不是交公粮的白条子，不会再兑现的啦。杨双根骂，美得你屁眼朝天。随后就冲着晚秋的田野笑起来。一连几天，杨双根都很快活，他在拆桥工地晃，心叹大胡子雇的这拨人够能干的，电割机的火花昼夜闪跳，很像荒野里溅落的星子。来往的行人称赞说，还是上级领导体恤咱农民，知道咱地少了，急着赶着给咱腾地方呢。杨双根听着从心底往外舒服，心里说没俺杨双根奔波，拆这桥还不知要拖到啥猴年马月呢。随后他看见一群看热闹的孩子，孩子们像兔子似的蹦来蹦去，还欣欣地拍手唱歌谣，乡巴佬看花轿，傻姑爷得不着……

烦恼来得不够顺理成章。杨双根在拆桥的最后两天顶不住了，父亲和九月以为他在桥头凑热闹，拉他回家装车送棉花。杨双根将王秃子派到拆装工地，自己跟家人庆丰收来了。杨家的棉花收成最好，风调雨顺，掐尖打杈及时，而且没有碰上假农药。父亲母亲笑着脸让九月唱支歌，一会儿又让杨双根吹阵子唢呐。杨双根没想到九月的歌唱得那么好，问她在城里打工是不是整天唱歌。九月说城里人都爱唱流行歌曲。杨双根说那屌歌软棉花似的，趴着屙屎没劲的。然后就鼓起腮帮子吹唢呐。他努力回想往年丰收吹唢呐的情形，但那些内容总是模糊不清。今年有九月陪伴，他可以完完全全地陶醉过去。他眯眼吹着，鼻头下一条清水鼻涕，一闪一闪亮着。唢呐声招引来那么多看热闹的村人。他们不是来听唢呐的，他们是望着那一排排的棉车愣神儿。九月数了数，整有八辆装满籽棉的马车。车是雇来的，棉花是自己的，将来哗哗响的票子也是自己的。村人的眼更红了，红得滴血的眼睛曾经被城市的风吹拂。杨大疙瘩坐在头车上，笑着朝路边的乡亲们作揖，作着作着就觉得不对劲儿了。村人的眼睛堆起仇恨。使杨大疙瘩想起一句古语，一家饱暖千家恨呢。想想本是杨家最后的风光，就蔫下来，觉得胸部阵阵发紧。九月是押的中间那套棉车。她望着长长的棉车队朝乡收棉站进发，觉得做大户是很过瘾的。当她望见那赤裸的原野，充满湿润甘甜的胸腔漾着波浪。她在想一个问题。那笔“以存放贷”的开荒款终究没能拿下来。兆田村长说只要将工程活儿给了冯经理，款就会下来，兴许是这狗东西做手脚了。九月的口封得死死的，宁可鸡飞蛋打也不给冯经理低头。她跟他低过一次头，她只跟男人低一回头，开始就是结束，这是九月的性格。兆田村长说看不透九月这孩子，再也看不透了。九月悠在棉垛上，天也跟着晃悠，如果拿自己银行里的脏钱开荒，还能叫它处女地么？这样的土地能打苗么？收获的棉花还是这样洁白么？这些问题使九月几乎泪下，甚至觉得有些不可思议了。杨双根押着最后一辆棉车。他与车把式轻松地说笑。丰收是乐事，他不理解父亲和九月为啥是这副样子。人无须看多深多远，只管眼皮底下的日子吧。快到乡收棉站的时候，他的心思跟这儿也不搭界了。桥！他能从这桥上走过去吗？他想是板上钉钉的事。交完棉花，他要给村人一个惊喜，然后跟兆田村长一起设计开荒方案。九月，你做梦也算计不到俺双根吧？爹哩，种田大户还是咱杨家的。可是脑顶上低低的云朵，压得他喘不上气来。头顶这方天，活像一块破尿布，说不定是啥时辰就会憋一场骚雨。

交棉途中，杨大疙瘩发现冯经理手下人拦车，让交到冯经理的第二收棉点上去。杨大疙瘩一听就知道冯经理打着公家的幌子赚自己的钱。全乡人都知道冯经理个人承包的公司。杨大疙瘩停住车，见九月和杨双根都奔过来，跟他们一商量，就合了老人的心意。他们一致拒绝将棉花交到第二收棉点上去。于是棉车队又缓缓行进了。到了乡第一收棉点，杨大疙瘩看见棉车的一蛇长阵渐渐松散。他跟棉农们打招呼。有些棉车掉头往外走，杨大疙瘩问是不是又打白条子了？一个棉农说，今年倒是现钱，可他们把价压得太低。这上好的籽棉，竟给压三级棉！杨大疙瘩下车摸摸那人的棉花，骂道，这么好的棉花交三级？真他妈黑呀！从互助组到初级社，从生产队到包田到户，也没这么压价的。他瞅瞅自己的棉花也发慌了。杨大疙瘩又问调头去哪儿交棉，那人说第二收棉点比这高一些，九月脑子快，她说怕是冯经理从中作梗了。杨大疙瘩骂这他妈还有没有王法啦？粮棉油统购统销，为啥还要设第二收棉点儿？那人说第二收棉点也是供销社的。杨大疙瘩愤然道，也是挂羊头卖狗肉。他让九月和杨双根守着棉车，他穿过热闹的人群，到一里地外的第二收棉点转了转。这里的棉价比第一收棉点虽然高一些，仍不遂他心愿。他看见有些棉农托关系递条子塞红包，找质检员溜须，拿自己热面孔亲人家冷屁股，他很难受。另外他发现这里交棉的没有大户，都是零散的小车小包，后来碰上东刘庄的售粮大王吕建国。吕建国说他的棉花在乡里压低价，一生气夜星悄悄交到外乡去了，又说哪儿的风气都不正，总归比咱乡里强。唉，往年打白条子没这么压级，该见着钱了，又都他妈刁难咱！杨大疙瘩呆了半晌，叹说，那样会少受损失，可就当不上售棉大王啦。吕建国丧气地说，这鸡巴事儿，你还想名利双收？哪有刀切豆腐两面光的？杨大疙瘩说，年初粮棉油规划会上，咱可都是向乡政府表了决心的，做了保证的。吕建国骂，你跟政府作保证，谁跟你作保证？就说承包土地的事儿，村里打工的一还乡，原来的计划就全乱啦。杨大疙瘩问你们村也重新承包么？吕建国说，村干部没明着跟俺说，看样子也使坏招子挤对俺，提高承包费让你自己种不下去，乖乖地将土地交出来。杨大疙瘩心想，看来难受的种田大户不只俺一家。他看吕建国七股八岔越说越离题儿，就快快地回到第一收棉点。他不想跟吕建国学，也不想将棉花送到第二收棉点，只盼着这里的验质员公正些。即使自家受些损失，也还得瘦狗屙硬屎强挺着。人生在世啥金贵？人活名儿鸟儿活声儿。这个售棉大王的称号还想当下去。他将意见跟杨双根和九月说了说，一家人就守着棉车等，中午了，他们与车把式们一同吃的盒饭，等到下午五点钟，才排到他们这里。杨大疙瘩率先抓着一团籽棉,同着质检员撕碎,围观的人都夸绒长好。验质员却毫不思索地写下三级。杨大疙瘩脸都白了,恨不得给验质员磕头了,这是地道的一级棉啊。哪怕你给二级俺也认啦。验质员说你别老汉卖瓜自卖自夸啦。杨双根和九月也上来说理,验质员说你们想吃人啊! 再闹算你们干扰公务罪蹲局子。杨大疙瘩骂,你是瞎了眼,还是瞎了心? 俺们种田的容易么? 验质员和保安人员都上来说,你们不易也不能坑国家呀! 杨双根和九月上去评理,被杨大疙瘩拦住了。杨大疙瘩脸相很苦,蹲在地上吸烟,愈发一脸哭腔地说,俺一家勤勤恳恳种地,老老实实做人,到头来成了坑害国家的人啦? 他将手里的验质单撕碎,站起身牵着马车往回走。验质员说第二收棉点也不赖么。九月从这话里证实冯经理在这里安插自己人了。杨双根问父亲,难道咱就去求冯经理? 杨大疙瘩倔倔地说,咱不坑国家啦,咱不当狗屁大王啦,咱去四远乡交棉。杨双根说那里保准不欺人么? 俺听吕建国说那里公道。九月说,对,宁可交外乡也不跟姓冯的低头。杨大疙瘩带领棉车队在黄昏时分出发。走到黄沽村北的小饭店,杨大疙瘩招呼所有人吃饭,自己在暗处守着棉车。他吃气都吃饱了,也不想吃饭,从饭店拿了一瓶二锅头独自喝着。几口就干了一瓶酒,眼睛蒙眬起来。他喝酒不醉,醉了也不吐不倒。等人们都从饭店出来,他就爬上棉车想眯一会儿,他让杨双根多留神路上动静。他听说乡里收棉花外流,从各村抽调了不少干部,沿乡里各路口设卡,堵截去外乡交棉。听吕建国说夜里出乡没有问题。谁知他眼皮还没合上,前面的路就被人堵上了,几个胳膊戴袖套的家伙晃着手电嚷,停车停车。杨大疙瘩心头一紧,醉迷呵眼地溜下棉车。几个人过来说不能到外乡交棉,乡政府明文规定。杨大疙瘩雷公似的一脸怒容,咱乡里太黑啦,这都是逼的。那几个人不理他,说快回村,还要罚款的。还有人认识杨大疙瘩,说你这售粮大王的觉悟呢? 杨大疙瘩用烟熏酒腌的粗哑嗓门说,你们让俺过去,别往死路上逼俺。那些人挺横,说你甭想过去。杨大疙瘩觉得一兜儿气冲头,脸古怪地扭皱着,蹲到地上抱头哭了,呜呜的,像个老妇人。杨双根和九月劝他,老人抡了抡胳膊,掏出打火机,点着了第一车棉花,嘴里骂俺的棉花是后娘养的,俺烧光个蛋的总可以吧? 他又要烧第二车,被众人抱住了。车把式忙将马引开,人们七手八脚地扑火。火苗子在夜里格外显眼。截车的人呆住了。九月在家的温顺劲儿全然消尽,凶得像一只母老虎,骂杨大疙瘩老糊涂了,就是烧,也要拉到乡政府门口去烧。她指挥着牛往回赶。七车棉花和那辆烧焦的马车行进在乡路上。一路上都默默的,谁也没说话。棉车堵住乡政府门口的时候,已经是夜里九点多了。贾乡长不敢露头,派乡政府办公室齐主任来劝说。九月不依,杨大疙瘩更不依。九月嚷着要见贾乡长,是他的舅爷儿将俺逼到这份儿上。贾乡长刚刚从县里回来,不摸头脑,听说是杨贵庄售粮大户杨大疙瘩一家闹事,就打电话将兆田村长叫来。兆田村长也劝不回去,引来好多人围观。九月说有人看见贾乡长回来啦,躲着不见人。他再不出来,俺就带车去县政府门口闹。咱老百姓还有活路么? 这些话传到楼上去,贾乡长坐不住了，将杨大疙瘩一家和兆田村长叫到办公室。贾乡长前前后后听九月一说，当下就将供销社主任和冯经理叫来，当场没鼻子没脸地骂一顿，谁他妈叫你们设两个收棉点的？谁叫你们压价压级？供销社主任上楼时顺便抓了一把棉花，在灯下看了看，说这棉花够一级的，这鸡巴验质员胡来，回头俺撤了他。冯经理刚进来时嘴巴硬，一见是九月，就蔫下来，悄悄捅九月，早知是你家的棉花就不会有这场了，你咋不直接找俺？九月没理他。贾乡长真的急了眼，咱们乡的棉花被挤到四远乡去，咱乡完不成收棉任务，县里怪罪下来，谁担得起这个责任？再说，老百姓辛辛苦苦种的棉花容易么？他说着责令供销社主任收棉，而且补偿那烧掉了的一车棉花。杨大疙瘩听着很解气，瞪了冯经理一眼才下楼招呼送棉花，杨双根也跟下来。贾乡长留兆田村长和九月多谈一会儿。他刚才从九月的怨气里看出点什么。他们谈了半天村里的事情。冯经理见杨双根父子走了，就赖在楼梯口等九月。九月和兆田村长下楼时，冯经理凑上来说拿汽车送他俩回村里。九月故意拿手捏兆田村长。兆田村长对冯经理说，你姐夫可是挺赏识九月的，说俺太老实挺不起门户来，想提拔九月做村长呢。冯经理问那你老家伙就退位啦？兆田村长说，俺当支书，日后你小子在九月面前可得自重呢。冯经理凑在九月身后笑说，九月，你咋老躲着俺？俺可是真心对你好哇。俺没别的指望，你拿俺当你一个朋友准行吧？九月没说话，脸冷得像块冰坨子，怕是拿心拿血都暖不过来。

趁着早晨的弥天大雾，杨双根骑着自行车去田野里看铁桥。哪里还有铁桥？铁桥被拆掉了，两断土坎子中间是凹坑。坑沿儿只有零零散散的碎铁碴儿。一些无处藏身的鸟儿在那里乱飞。杨双根愣了愣，埋怨大胡子不打声招呼就吹灯拔蜡走了，拖欠的九万块钱还没给呢。杨双根气不打一处来，直接骑车去邻村找王秃子。王秃子大白天还偎在被窝里，屋里酒气熏天。王秃子见到杨双根就诉苦，大胡子他们真他妈损，在工地上往死里灌俺酒，喝得俺跟死狗似的。睁眼就不见人啦，铁架子都拉走啦。不是俺老婆去工地找俺，俺就他妈没命啦，回家就吐血。杨双根恨恨地说，大胡子也他妈太不够意思啦，咱们去找他。王秃子说先给沈阳拨电话，俺猜想他们也不会把废铁运回东北，很可能就地卖给关内的轧钢厂。说着他就按大胡子的名片拨了电话。金属回收公司的人说没有大胡子这个人。杨双根一听就慌了，当下腿一软，莫不是一个骗局？王秃子也骂韩少军给介绍这么一位不托底的买主。第二天，杨双根和王秃子去县城找韩少军。韩少军将他们俩骂回来了，韩少军说俺这做媒人的还管生孩子？俺后来就没见过大胡子。杨双根也不知这幕后的勾当，哀求韩少军给找找大胡子。韩少军说，听王秃子说你老婆九月长得不错，弄来陪俺一宿就帮这个忙。杨双根恨不得将韩少军的脸蛋子扇歪了，气呼呼地回了村。杨双根没心思进家，独自坐在铁桥遗址发呆，看看桥下的大坑，像个深潭一样吓人。他又看看手里的盖有红戳子的合同书，就觉心里一阵疼。他双手抱住头，胡乱地揪扯着自己的头发哭了。

哭了一会儿，杨双根觉得窝囊，就骂自己快省几滴猫尿吧。他擦着眼睛，泪珠被揉碎了，转眼也被很凉的秋风吹干了。他想人不能就这么完蛋，他想去乡派出所报案，用法律追回铁或是追回款。只能这样了。杨双根把想法跟王秃子一说，王秃子就反对说，他妈是麻秆打狼两害怕，吃了哑巴亏算啦。你一报案，万一追问铁桥的产权咋办？杨双根很硬气地说，矿务局和铁路分局都说没这桥，产权就是俺杨贵庄的。王秃子撇嘴说，就算他妈是杨贵庄的，你小子是庄里啥人？是村长还是支书？杨双根说俺带兆田村长一起报案。王秃子骂他蠢，简直蠢到家了。杨双根见王秃子阻拦，一时竟疑心他跟大胡子合伙糊弄自己。杨双根就更生气了，回村直奔兆田村长家里，见兆田村长不在，就揣着合同书只身去乡政府派出所报案了。乡派出所的人不摸底，值班人员看了杨双根的合同，并把详情记下来，说追查看看，一有消息就去村里通知你。杨双根说了好多感谢话就回村了。到了家里，杨双根想将那两万元钱和有些条子送到兆田村长那里去，都找出来了，又迟迟疑疑藏下了。他还指望乡派出所能找到大胡子那伙人，找回欠款。他的心里霎时就宽敞起来。

交完公粮就快入冬了。受冷气流的影响，一夜之间落了场大雪，原野便裹上了冬装，雪后的第一个上午，杨大疙瘩与村人一起聚到村委会门前开会。贾乡长来时，检查一下重新承包土地的事，又宣布九月给兆田村长当助理。没明说也是干村长的事。杨大疙瘩没有怎样高兴，他发现儿子杨双根沉着脸。这个小家庭各有各的心事。杨大疙瘩知道九月的升迁并不能使杨家留住土地，甚至还会更少。他知道九月和兆田村长操持开荒，但这也是远水不解近渴的。春天订下的大棚塑料，已经送货上门。杨大疙瘩只留下极少部分，然后就说尽好话将人家央告走了。随后他就走到田野上去了。雪停之后，天空仍然很晦暗，他没法说清楚这个初冬，田野上的人慢慢多起来。他们议论着哪块地好哪块地坏，脑里却是想象来年秋收的景象了。人们没有发现一个老人久久徘徊在原野，当风哭泣。似乎土地上发生的事在老人的脸上都显露出来。在那天的乡政府表彰会上，政府依然奖给杨大疙瘩售粮大王的锦旗，杨大疙瘩没有去开会，锦旗是九月领回来的。眼下这个家庭最活跃的就是九月了，与满面春风的九月相比，杨双根明显地委顿下去，整日唉声叹气像是丢了魂。杨大疙瘩猜想儿子的魂儿是丢在田野里的。他们家里供着菩萨，他和老伴儿面朝着龛里的那个面孔慈祥的观世音，缓缓跪下去，祈祷菩萨保佑他们的儿子。杨大疙瘩想到重新承包土地之后，将儿子的喜事办了。这个家庭是该拿喜气冲冲积了很久的晦气了。分地的前两天，杨大疙瘩将兆田村长和几个村支委请到家里吃饭喝酒。喝酒的时候，匣子播放一首歌，叫《九月九的酒》。杨大疙瘩说今儿的酒本该是九月九来喝的，只是收秋太忙啦。杨双根心事很重地说，这九月九的酒也怕是假酒，这年月连眼泪都鸡巴假了，何况这酒？兆田村长呵呵笑。九月边端菜边哼唱，思乡的人儿漂流在外头，走走走走走啊走……兆田村长骂，走马灯似的上城，走来走去的，竟他妈都走回家来啦！原先请都请不来，眼下打都打不走啦，真有意思哩。然后苦笑着举杯说，都回来也好哇，咱就喝了这杯九月九的酒！全桌人都笑了。喝完酒的傍晚，杨大疙瘩一下子病了两天，发高烧。到重新承包土地那天，杨大疙瘩强撑着去田里抓阄儿。他从来不曾像现在这样深刻地意识到，他硬硬朗朗出现的重要性。

尽管是一个晴日，地上还残存着积雪，踩上去咯吱咯吱响着。好多饥饿的麻雀在雪野里觅食。西北风扬着晶莹的雪粉，砸得杨大疙瘩总想闭眼睛。杨双根默默地跟着父亲。父子俩几乎同时发现自己家承包过的土地慢慢膨胀，被冻酥，像棉团一样蓬松地胀开。人们红着眼盯着这些土地。没有谁挨门吆喝，村人便很兴奋地拥到田野里来。杨大疙瘩觉得那气氛像三中全会以后的大包干儿。人们脸上的喜气依然不减当年。与这气氛格格不入的是杨大疙瘩垂头丧气的样子。杨双根开始为第二小组张罗抓阄儿。他悄悄走到父亲跟前说，爹，何必呢，高兴点儿吧，这地谁种不是种呢？杨大疙瘩狠狠地瞪了他一眼，直到兆田村长和九月都凑过来跟他打招呼，他的老脸才松活一些。他蹲在雪地里，吧嗒吧嗒地吸烟。一群孩子在人群里钻来钻去，拍着小手唱歌谣。杨大疙瘩几乎不认识这些孩子，孩子们大多是城里生的，模样很洋气。他们随父母还乡了，还拿城里人眼光唱童谣，乡巴佬看花轿，傻姑爷得不着……杨大疙瘩歪着脑袋瞅他们，庄稼佬不打腰，拿着鸡巴当辣椒。杨大疙瘩感到被嘲弄了，扭头臭口臭嘴地骂，婊子养的，不准你们糟改庄稼人！孩子们被老人的凶样吓跑了。已经闹闹嚷嚷地抓半天阄儿了，兆田村长几次喊杨大疙瘩过来抓阄了。杨大疙瘩泥塑木雕似的不动，烟锅早已熄了，可烟袋杆仍在嘴里叼着。杨双根走过来，有些焦急地说，爹快去抓阄儿哇，不然好地就没啦！杨大疙瘩还是没理他。杨双根说你不抓，俺可要下手啦。杨大疙瘩扭头凶儿子，你别给俺抓，剩下啥是啥！杨双根茫然地盯着父亲。这时候，在城里卖菜发了财的杨广田笑悠悠地走过来说，老叔哇，俺抓着原来承包的那块地了，真是天凑地巧的。这块地几年不荒，比先时还肥了，感谢老叔的料理呀！杨大疙瘩嗯嗯着点头。杨广田见杨大疙瘩绷着脸，就说俺在城里学会了管理大棚菜技术，你老有用得着俺的就叫一声。然后哼着歌子走了。杨大疙瘩心腔一热。他觉得杨广田还算有良心，还知道是俺将他的地养肥啦。是哩，几年来他往地里使了多少底粪呢，总算换回一句热肠子话。

西北风越刮越紧了。杨大疙瘩的老脸被冻得挤成一团。他看见九月了，九月举着小牌嚷着村人的名字。她长大了，长成挑梁拿事的能人了。她的脸蛋被风吹得红扑扑的，脖子上的红围巾被风一掀一掀，像一只在田野里扑棱着的大鸟。她支使得杨双根干这干那，杨双根只有被使唤的份儿了。杨双根瞅着父亲的样子很难受，也在自责，自责自己没能把铁桥卖成，没有为杨家赢来土地。看来追桥钱也没啥指望了。一切就像没有发生过一样。他在寻找适当时机，将剩下那点啰嗦跟兆田村长办了。杨大疙瘩不动声色地瞅着村人来来往往，杨家剩下的承包地有结果了，有好有坏。杨大疙瘩听着儿子数叨那些地。还有九月娘家的地，以及五奶奶的地，仍由杨大疙瘩承包。杨大疙瘩闭上眼睛就能想到那几块地的方位和模样，因为那里还留着他和双根的气味儿，他的影子；侧棱耳还能听到他留在地里的吆喝声，尽管这些地少得可怜。

过了一会儿，杨大疙瘩听到人群里有女人的哭泣声。他被女人哭得浑身发紧。杨双根告诉父亲，说那是小木匠云舟媳妇田凤兰在哭，她抓阄抓到一块很远很差的地。杨大疙瘩问是不是被城里人打瘸了的那个云舟？杨双根说是，还说她们很可怜的。爹，咱们帮帮她吧。杨大疙瘩咳了一声，蹶跶蹶跶地走去了。他对田凤兰说，云舟媳妇，莫哭鼻子啦，你那块地咱两家换过来。田凤兰立马止住哭，这咋行？你家的地够少的啦，俺咋好意思雪上加霜呢？杨大疙瘩瞅了一眼双根说，你家是双根那组的，要不双根也得帮你种田。田凤兰泪流满面了，喃喃地说，还是咱乡下人情厚哩！俺代表云舟给你老磕头啦。说着就缓缓跪在雪地上了。

人都散尽了，雪野被人群踩黑了。杨大疙瘩还独自蹲在田野里。只有几只觅食的麻雀陪着他。杨大疙瘩竟忆着很早的往事，解放后搞土改分田地时，他和父亲分了地。那时他还是个孩子。这茫茫一片都曾是杨家人劳作过的田野。从今天开始，或许到有生之年，再也看不到昔日的景象了。就像没生过娃的女人做不得娘一样，他这售粮大王算是做到头了。杨大疙瘩忽然觉得脸上烫烫的，一摸，才知道有泪水流下来。

烈风扑打着杨大疙瘩昏花的眼睛。

婚礼就要到了日子。杨双根和九月婚礼的前一天，杨贵庄又落了一场大雪。一切都操办好了，只欠这场瑞雪。这天早上，九强将那群陪嫁姐姐的鸽子引过来。门口的残树枝上落满了白鸽子，分不清是鸽子还是雪。杨双根被鸽子的啼啭叫醒了，一睁眼，发现九月一双眼睛痴痴地看他。杨双根笑问她不认识俺啦？九月将脸贴过来，很伤感地说，双根，俺做了一夜噩梦，梦里你背着行李外出打工去啦，一去就再也没回来。杨双根憨笑说，俺这鸡巴组长有啥好，又窝囊，你见俺不回来就再找一家呗。九月紧紧地抱紧杨双根，将自己的胸脯贴在杨双根胸脯上，讷讷说，俺不能没有你哩。杨双根笑说，梦打心头想；刚分了地，你自然梦着俺上城打工。九月的慌乱给杨双根带来桃红色的遐想。他趴到九月的身上去，九月这一次渐渐入境的，做得很真实。她那好看的鼻眼挤弄着，声音像夜鸟儿轻唱。杨双根仿佛觉得自己牵着那头老牛走在田野里。九月的脸渐渐化在平原里了。他牵着老牛走，越走越远，待回首最后看一眼小村时，小村竟被一团亮色的云遮蔽，像一段驼黄色的绳头。

吃过早饭，兆田村长到杨双根家里贺喜。贺过喜就跟九月商量开荒的事。九月将那笔存款直接提出来开荒。兆田村长感动得说不出话来。杨双根听说九月从城里引一笔资金过来，从心眼儿佩服。杨双根知道自己掺和不过去，就抄起笤帚扫院子里的积雪。扫完自家门前的，又去扫大街上的雪。鸽子们在他头顶上旋飞，间常能听到鸽哨。一群孩子在村巷里堆雪菩萨，雪地上留下他们奔跑的足印。杨双根站在雪菩萨前，歪着脑袋瞧着，发现菩萨很和善，很慈祥。这个时候，杨双根和孩子们一同扭头看村口，那里缓缓开来一辆警车。红灯警车没有鸣笛，到杨双根跟前就停下了。车门打开，走下一位很威严的警察，问杨双根村长家在哪儿。杨双根说现在村长正在俺家，然后憨厚地笑笑，就领着警察往他家走。杨双根边走边笑问，俺村有犯法的啦？警察点头走着。杨双根还骂了一句，俺村还有这样的家伙？看来从城里回来的人学坏啦。说说笑笑就进了院子。兆田村长迎出来问了问，警察出示逮捕证说，你们村有个叫杨双根的人吗？兆田村长愣起眼问，有哇，给你们引路的就是。杨双根脑袋轰的一响，就有冷冷的铁铐铐住手腕。杨双根伸着脖子喊，俺咋啦？俺没犯法哩！卖铁桥是为公家开荒，俺他妈还被骗了呢。兆田村长说，你们抓错人啦，俺这个村谁犯法俺都信，就是双根俺不信，有事好商量，放下人。警察并不理睬兆田村长，七手八脚地将杨双根推上了警车。杨双根舞着双手喊，九月救救俺哩。五奶奶看见这一切就瘫在雪地里嚎，俺村就双根这么一个好人哪。随后她就将刚刚堆好的雪菩萨抓碎了。

九月奔跑着追到村外，汽车就沿着村路消失了。她狂奔的时候，也滑去了许许多多哀戚的面容。唯有那一片原野跟着她游动、起伏，眨眼的工夫就牢牢地筑在那里了。她的身子慢慢软向大地，喉咙里挤出一阵短促的呜咽，这冤家，别人都还乡啦，你为啥走啦？然后就朝那个遥远的地方好一阵张望。

纷纷的雪，又在飘。

落雪的平原竟有了田园的味道。

关仁山

满族。1963 年 2 月生于河北唐山丰南县。1990 年加入中国作家协会。现为河北省作家协会主席，省作协创作室主任。

1984 年开始发表文学作品。著有中短篇小说集《大雪无乡》《关仁山小说选》《野秧子》《红旱船》《破产》《九月还乡》，长篇小说《福镇》《魔幻处女海》《胭脂稻传奇》《天高地厚》《风暴潮》《权力交锋》《白纸门》《麦河》，长篇纪实作品《小镇太阳神》《感天动地》等。《关仁山小说选》、长篇小说《天高地厚》分获第五届和第八届全国少数民族文学创作骏马奖，长篇报告文学《感天动地》获第五届鲁迅文学奖。

泱泱水

尤凤伟

佝偻人奎安下葬那天雨一直下个不停，送葬队伍踏着泥泞艰难地向墓地进发，粗密的雨鞭子抽在装奎安的棺材上发出击鼓般空洞的响声。棺材和通常的一样大，没因奎安那没长够的短身子而做得小些，娶了亲的人便不是孩子，一切须享受大人的权利。雨一直把送葬人驱赶到离村五里的墓地上，吹鼓手站在墓坑旁开始努力吹奏，以此证明没因下雨松懈妄拿佣金。新挖的墓坑里已灌了很深的雨水，被泥土染得浑浊呈黄。这雨没一丝停歇，浇得人们烦闷焦躁，于是不肯理会死者家人坚持将坑水汲干的要求，便把棺材下进坑里，棺材在里面呈漂浮状，随之被抛下的一锨锨湿土压定，直至平地上垄起一座圆圆的丘。埋了奎安送葬队伍便自行解体，各自向村子疾奔。这时雨更大了，本来便昏暗的天地几乎黑成夜晚，以致回村的人找不见路径，趺趺撞撞不住摔倒在泥水里。同时又听到今年开春的头一声雷响，很闷，如同憋足了劲儿才从浓厚的云层里钻出，这次乖戾的殡葬使所有的人都隐隐感到一种不祥。

佝偻人奎安被埋进赵家茔地当夜，他爹赵凤歧就到他媳妇房里对她说找个人吧。儿媳是南面山里人，在娘家人称七姐，到婆家还叫七姐。虽男人刚死，她见了公爹也没哭，佝偻男人死了她没往心里去，哭多了反叫别人说是装出来的，所以她没哭。她问公爹找人干啥，丧事已办利索了还找人干啥？她公爹瞅她一眼说不是找人手是找男人，她听了吓了一跳，心里直打鼓，两眼惊讶地盯着她公爹那张没一丝表情的马脸。虽说嫁到赵家不到两个年头，可族上的规矩她晓得，女人死了男人头三年里不许走道，以后能不能走得视新找人家的情况由族上尊长定夺。今日刚埋了男人公爹便说出叫她走道的话来，这着实使她大惊。可她是聪明灵巧的人，很快便断定这是公爹指天说地呼狗打鸡的伎俩，意在灭灭她的心性，叫她在今后的时光里不想三想四严守妇道。她这么想定心里自是好气，嘴里却说爹放心媳妇一辈子不再找人，伺候爹。她公爹赵凤歧皱了皱眉，说这不行得赶紧找个男人，半点儿也不能拖。说得极其认真。她这遭真蒙了，不摸公爹到底打的啥主意。想想自己一朵花似的青春给了他儿那么个残废人，心里一屈呜呜哭出声来。见女子哭，赵凤歧还站着不动，心里恨恨地想：你男人死了猫尿也不肯多洒一滴，叫你找男人倒装出这份正经来。等女子哭声低了他又说不是叫你走道是叫你找个男人，生儿。女子彻底停止了哭声，泪眼望着公爹，赵凤歧又说趁奎安刚死赶紧找人怀上孩子，算是奎安的遗腹子。女子听见这话瞪眼说不出话来，可她总算明白了公爹的意思，叫她给佝偻男人留个后。她愿意不愿意两说，可这实在是没道理的事。佝偻人不是独子，他弟兄四人俱已娶妻生子，她公爹称得上子孙满堂，为啥却一定要死了的佝偻儿也留下一个后？她想想屈上加屈又哭起来，这遭赵凤歧却没耐心等她哭完，冷着脸说这是三爷的意思，他只是传三爷的话。三爷说这事成了算你给赵姓人立了一功，往后是走是留随你，要是不成就以是你毒死了奎安施家法。女子哭声更高了，赵凤歧也抬高声音说还有，三爷叫你记硬一桩，万不可差错：找男人不许找自家赵姓门里的人，只准找本村杨姓人，只要是杨姓人你找哪个就随你便了……赵凤歧丢下这个话就走出他儿媳七姐的房。

这晚又下了整夜的雨。

雨声掺和着女人的哭。没有停歇。

三爷耄耋之年仍善于思考，他想着这桩事已好久好久了。这事看似古怪而荒唐，三爷却为此不知思想了多少个白天和夜晚。

这村叫赵家泊，百十户人家，住着赵、杨两姓人。一条东西街把村子切为两爿，赵姓人住前街，杨姓人住后街，从老辈就这么盖屋，似乎自然而然。

既然村名冠以了赵字，就会使人想到赵姓是这座村子的奠基人。对此，《赵氏祠谱》也有记载，他们是这块土地不容争议的开拓者。另外，《赵氏祠谱》也记叙了杨姓人早年迁徙来此定居的细末，蝇头小楷历历在目：“……永乐十三年，谷雨日，一乘牛车自西南驶来，进村。车上载杨姓一家七口人丁，俱面有菜色。男者下车声泪俱下，言称云南人士，遭灾奔逃求生，途遇一观，道长神课，遂求得一签，上曰：一方胜土在东北，赵家泊前好风光。大喜，日夜兼程三月有余，方达签上所喻之地。祈望收留，将世代感恩不尽。族人听罢验签，果如杨氏所言，一字不差，信为天意，遂应之，拨村后一闲屋为安身之地……”不难看出，《赵氏祠谱》中的记叙将杨姓人祖先描绘得狡黠而卑躬屈膝，这自是杨姓人所不能认从的，他们亦有自己的《杨氏家谱》为之澄清：“……永乐十三年，先祖携亲眷自祖籍云南赴关东觅参。谷雨之日经赵家泊村前，但见村庄破败然风水甚佳，遂留此落根。赵姓人本有驱逐之念，但见先祖身魁魄壮气宇不凡，终不敢妄为，相安无事……”言简意赅，杨姓人又将赵姓人的鸡肠狗肚色厉内荏之德性跃于纸上。总而言之，赵、杨两姓引经据典各执其词，大相径庭，但尚有一点吻合，即赵姓人是坐地户，杨姓人是后来人。

不过论究起实际，赵姓人便渐渐心虚且深感自愧弗如了。随年代之推移，村子不知不觉起了变化，这变化开始并未引人注意引人深思。只从外观，外人进村一眼便见出前街与后街的截然不同，后街杨姓人的屋愈盖愈气派，高门楼，福字照碑，青砖砌墙青瓦盖顶，蔚蔚可观；而前街多为老辈人留下的草屋，又矮又破，每每雨过，宛若一群被雨水淋湿的鸡。

这只是外表之异，两姓人一代接一代繁衍，养子添孙，这中间更见出两族人此盛彼衰。杨姓人的后代一下生便显得虎虎生气，哭声如牛犊之哞响彻全村，赵姓人听了便知杨姓又添新人。孩子再长大些更见着喜人，男者仪表堂堂，女者如花似玉。且个个天资聪慧，在学堂里读书无须老师多加指点，便心领神会融会贯通。每每乡试，杨姓子弟总能考出几个秀才举人，光耀乡里。即使到了民国取消了科举制，杨姓人在外面做官的也不少，有的在军中担任师长、旅长之职，有的在执政衙门担当高等参事。不一而足。与此相反，赵姓人就大有一辈不如一辈之势。孩子生下来便像遭了霜打，萎靡不振，佝偻人简直成了族上的特产，不呼即出，源源不断。有的人竟吓得不敢生育，年纪轻轻便和女人分居二室。不孝有三无后为大，终又闹得父子反目夫妻绝情。即使没有残疾的孩童，在体魄与智力上也都不如人意，要么长不起个，要么头脑愚笨。也是上苍不佑，族中偶有健全孩童出生又总是早早夭亡，三爷的两个儿子便是一前一后死于天花，断了他一线希望。一辈连着一辈，赵姓中人竟无一在乡试得中，更无人出门为官，整个家族抱残守缺，浑浑噩噩……

这便是三爷忧之所在。

作为一族之尊长，也着实苦了三爷。他已风烛残年，本应消消停停，优哉游哉，晒着日头等月亮。可他享不到这份清福。如同一只灵龟，负载甚重又责无旁贷。他夜以继日地思考着同一个母题：赵杨两族头顶一天脚踏一地共饮一水同呼一气，无风水之异，奈何兴衰不一？他反反复复地推敲咀嚼，如同牛之反刍。终有所悟。

赵凤歧和儿媳七姐说了那桩事，过了三日，不见七姐有什么动静，一切照旧，白天做饭扫院推磨喂猪洗衣缝补，一刻也不停闲；黑下早早回自己屋睡下。鸡鸣复起，再一样不差地重复头天的活计。赵凤歧就有些沉不住气了，第四天上便去三爷家告了她的状。

七姐跟公爹去见三爷是那天的傍晚，黄黄的日光像给村子抹上一层屎。空气也臭不可闻，不是来自日光，是街上星罗棋布的牛粪狗屎。

三爷家在前街的西头。七姐是头次进到三爷家中，也是头次见三爷的面。和奎安成亲那天按礼数是要拜见的，可三爷说免了。后来她才知道是三爷不愿叫佝偻子出来在杨姓人面前丢人现眼。她和公爹进去见三爷坐在堂间一把太师椅上闭目养神。“棺材瓤子”，她看了三爷一眼心里就这么想。

三爷就是三爷，小孩子从小就三爷三爷地叫，叫到自己有了孩子却仍不知三爷的名讳。三爷究竟活了多少岁数也没人能说得准确。三爷虽年事已高,却无甚大病疾,只是腿脚有些不便,所以他不大出门。再就是牙齿脱得一颗不剩,不能吃稍硬些的东西。三爷一再对人说他年轻时牙齿极好,杏核桃核一咬就开。他一向有收藏落牙的癖好,掉一颗收一颗,决不遗漏。等全部掉光,他已聚敛了一小布口袋,提在手中一掂,哗哗作响。他一年总有几回当着族人的面把牙齿倒在桌子上让大家观赏,大家便称赞不已:好牙!好牙!如果时间充裕,三爷还可凭记忆将这些牙齿以脱落时间为序一颗一颗排列出来,再次博得众人的喝彩:三爷好记性、好记性。如按虎生十仔必有一豹之说,三爷便是那一豹无疑,他自小聪明伶俐心计过人,学业不在杨姓子弟之下。族人坚信他是赵姓里头一个能出门当官的人,对他抱足了希望。可他样样不差只差在运气上。乡试那年他突然得了伤寒,好容易活过来却过了考期;他娶亲后生了两个活蹦乱跳的儿子又双双夭亡。他不舍气,快五十岁时又纳一个不到二十岁的女子为妾,满心希望这女子能为他留后,却又未能如愿,再老些他就心灰意冷了,认了命。老婆已在十几年前过世,妾在身边早晚服侍他。

七姐和她公爹进屋时妾正站在太师椅后为三爷捶背,见有人来,妾便对着三爷耳朵告诉他找的人来了。三爷便睁开眼。

七姐叫了声三爷又叫了声三婆,站着没磕头,她公爹赵风歧气得对她直翻眼。

三爷看看她又看看她公爹说风歧你回吧。赵风歧就走了。三爷又说云仙你也去吧,七姐就看见三婆走进里屋去,她由此知道三婆的名字叫云仙。

三爷说:“奎安家的,你来啦。”

她说:“来了,三爷。”

三爷说:“进赵家门几年啦?”

她说:“快两年了,三爷。”

三爷说:“今年多大啦?”

她说:“二十四啦,三爷。”

三爷说:“看你模样整齐,跟奎安是屈了。”

她说:“当初媒人说奎安生得膀阔腰圆。”

三爷说:“听她瞎诌,咱赵姓门里哪能找出个膀大腰圆的?”

她说:“当初俺信啦。”

三爷说:“跟奎安是屈了你。”

她说:“奎安死了。”

三爷说:“死了也好,活着自个儿受罪别人也受罪。”

她说:“埋进赵家茔地了。”

三爷说:“他去那儿好。”

她说:“坟垒得很高。”

三爷说:“活时身量不高,死了坟垒得像样子,风光一遭。”

她说:“那坟是垒得风光。”

三爷说:“你公爹说你泪都没掉一滴。”

她说:“我哭啦。”

三爷说:“你公爹说你干哭不掉泪。”

她说:“他胡诌,我掉泪的时候他看不见,不掉泪的时候就看得见。”

三爷说:“只为你没学会刁,学会了他啥时见啥时脸上都有泪。”

她说:“是没学会。”

三爷说:“人学好不易,学刁也不易。”

她说:“我爹说三爷叫我寻野男人,我不信。”

三爷说:“别不信,你爹没瞎说。”

她说:“真是三爷教我干下作事儿?”

三爷说:“三爷叫干的就不是下作事儿。”

她说:“这不是坏了祖上的规矩么?”

三爷说:“女人家家,只知其一不知其二。”

她说:“三爷,我不懂。”

三爷说:“赵姓人不中用了,你咋不懂?”

她说:“我真不懂,三爷。”

三爷说:“懂也罢,不懂也罢,就照三爷说的做啦,三爷不会亏待你。”

她说:“三爷,干那种事我害怕。”

三爷说;“万事开头难。”

她说:“我不会。”

三爷说:“不会啥?”

她说:“不会那个……”

三爷说:“你不是过门两年了么?”

她说:“奎安不行。”

三爷说:“奎安不行?”

她说:“奎安不行。”

三爷说:“真可惜了。”

她说:“奎安只知道使嘴咬。”

三爷说:“小庙的神。”

她说:“三爷,我不会,叫别人干不行么?”

三爷说:“不行。”

她说:“三爷,我真的不会。”

三爷说:“不是三篇文章两篇诗,是个男人都能教。”

她说:“三爷,我不干。”

三爷说:“混账!”

她说:“三爷,我不干。”

三爷说:“大胆!”

她公爹赵凤歧依照三爷的意思,第二天就让她搬到村头的一所空房里单过,名义上是儿子不在了公公媳妇住在一块怕别人说闲话,实际却是为她行事方便。那屋原是住着一个老哑巴,老哑巴死了这屋就空出来了。

她公爹没亏待她什么,帮她收拾了屋子,刷了石灰,搬去了家具,送去了粮食柴草,临走还帮她挑了一缸水。公爹走后,她哭了,眼泪像泉一样涌出来,可她并不知道哭的是啥,只是想哭,痛痛快快哭一场。

这一晚她没吃饭就躺下睡了,孤身一人在哑巴死鬼倒出来的房里,她吓得要死,点灯害怕,不点灯也害怕,便索性不点,用被子蒙着头,一动也不敢动,只觉得那白胡子老哑巴在暗处对她比比画画。

昨天三爷和她说话的后半截,态度就不像开始那样和气了。见她不应,便两眼瞪着她,又重复了她公爹对她说过的做不成就以毒死她男人论罪的话,那时她从三爷那不善的眼光就清楚这话不是吓唬她。

她从未想过死,新婚之夜发现嫁的是佝偻人,千般恼万般恨,可也没打死的主意。不知怎的,从她看奎安头一眼就知道他活不长,她不是咒他,她只是这么觉得。她也没从心里恨奎安,她觉得他也可怜。奎安不行,她也没多想。不是所有佝偻人都不行,可奎安不行就是不行。她倒觉得这样清静。日子久了,无论怎么说奎安终是个男人,和一个男人同床共枕,有时就冷不丁生出点念头来,可转身一看见奎安那蜷缩在一起宛若一只瘦小猫崽的身子,她那一点念头随之便烟消云散了。奎安就是养在她身边一只可怜的猫崽。她以后就叫自己这么想。

她听到下雨的声音,雨声给她的屋子罩上一层屏障。还不到夏季,夏雨使村东那条河涨满洪水,波涛滚滚,在夜里那震耳欲聋的吼声叫人心悸。而时下的春雨只是入地无声,轻柔无比。“桂儿桂儿”,雨声中她似乎听到一声连一声的呼唤,她感到惊诧,把头从被子里露出倾听,那呼唤消失,满耳依旧是淅淅沥沥的雨声,可当她再蒙上被子,“桂儿桂儿”又在耳畔响起,她心惊肉跳。在后来的日子里,只要夜里下起了雨,她便会听到或是轻柔或是粗暴的雨声中伴有“桂儿桂儿”的呼叫声,直到她死去。

在奎安入葬数日之后,一桩奇异的传闻劲风般在村子里回荡:有从赵家茔地经过的人看见奎安的新坟不断往外淌水。天早已晴朗,阳光和干燥的春风把地面弄干并做成一层硬壳,唯独奎安的坟总是湿漉漉的,从坟丘两侧流出两道细细水脉,如同两行泪水。那人说好像还听到了从坟里传出呜呜咽咽的哭声。村里的年轻人听见这怪异事结伴前去勘察，回来也都赌咒发誓说他们也看到相同情景，与奎安熟稔的人更证实那悲悲切切的哭声确是奎安的。于是这桩被考证无讹的事实便被村人们细细地咀嚼着、推敲着，很快便得出相同的结论：那可怜的佝偻人死得冤枉，所以泪水不断哭声不绝。奎安是被人害死的。那么谁是害死他的人呢？对此人们也似乎心领神会，只不愿说破而已。

七姐是在奎安死后第七天上去到赵家茔地给男人“烧一七”的，她像出殡那天一样穿一身白孝衣，脚踏白鞋头裹白布，手提一个包着祭品的白包袱，走在田野路上，风吹起宽大孝衣的边角，宛若一只巨大的白蝴蝶。那可怕的传闻最终也刮进她的耳朵，她不相信是真，却又心虚。她想立刻去茔地看个究竟，又怕别人疑心，就日夜不安地等待着，直等到“一七”上坟日。

茔地在村子的南面，出村不久便看见在阳光下牙齿般白亮的碑林和一丘丘黑魆魆的老坟，那黑是坟上盘根错节生长着的迎春。她娘家山里也和这里一样，有在坟上压种迎春的悠久传统。每年清明时节，坟上便缀满密密匝匝的黄色小花，美得令人眩目。她记得小时候每到清明这天便嚷着要与大人一起去上坟，那片黄花带给她无限的欢愉，却压根不晓得坟墓对人具有怎样的意义。当她后来长大，尤其当自己的爷爷和婆婆先后被埋葬在这里，不久那坟上又生长起迎春，她才开始体会到那一丛丛黄花不仅仅预报春天的来临，同时也向人们预报死。

眼下已不是黄花开放的时节，除了新坟，便是一丘一丘的黑。

七姐在春风里飘飘荡荡来到茔地，找到了奎安的坟，她的心很慌，果然看见水从坟两侧汩汩流出，流到很远的地方，然后渗入干土中。这确是奇事，下葬那天的情景她是知道的，墓坑里即使存储了雨水也不应如此流淌不断。她侧耳倾听，没听到所谓的奎安悲切的哭声，但她却强烈地感受到从坟墓里透出的奎安身上的气息，这只有她才能分辨的气息是确凿无疑的，是那种放了很久了的陈蒜泥的味道，她感到一阵窒息，忙后退几步，她觉得那股陈蒜泥的气味儿淡些了，便双膝跪下，眼望着面前的新坟。奎安我来给你送吃的啦。她把包袱解开，把供品一样一样摆在地上，这时她明显感到那陈蒜泥的气息浓重了，是奎安靠过来吃东西啦，她又后退退，开始给奎安烧纸，纸在家里已打上了钱印，给男人备足在阴间的花销。望着袅袅上升的青烟，她开始哭泣，这遭没人逼她，是她自己想哭。奎安你这辈子活得委屈，可这又怪得谁呢？连好身子骨的人都活得不易，何况你这满身没个硬梆处的呢？她呜呜地哭，泪流满面，其实她也不知道给男人念叨了些什么，或者什么也没说出口。她忽然觉得奎安身上的气息变淡了，大概是他吃饱了开始四下收集银钱了，他的腿脚不便，这成百上千的银钱够他忙活几个时辰的了。奎安我走啦，待烧二七我再来给你送吃送钱。她从坟前爬起身，一抬头看见茔地边上站着一个男人向她定定地望，她的身子倏然一颤。

这村子的地理面貌在那一带乡间是罕见的，四周无一处没有河流，河流相互交汇，像包饺子似的把村子包在中间。于是一年四季水源充足，没有干旱之忧。除了夏季涨水，河水咆哮浑浊，其余季节水流都十分平缓清澈。河床里干干净净，不见一处淤泥和杂草，草都茂密地生长在岸边，堤上是高高的白杨，即使没风的日子也会听见树叶在头上哗啦啦响。

刚过的一场雨虽大却毕竟是春雨，雨过天晴，河水也随之变得清亮。日头升高，村里的女人便来到河里洗衣，此起彼伏的棒槌声在河面上砰砰作响，间杂着女人们的嬉笑和言语。

七姐也在这些女人中间，只是隔着一定的距离，她的位置离石桥很近，能看见从桥上过的下地的男人。这也正是她来河里的目的。给男人烧过“一七”，她换了装束，除却脚上那双白鞋和头上扎着的白布条尚可看出她是个戴孝的寡妇，衣裤已是日常素淡的蓝色。她跪在蒲团上一下一下地搓衣裳，眼光却不时地向桥上瞟去，村里的地大部分在河的对岸，这桥便是男人们的必经之地，眼下正是播种时节，各家的青壮劳力往地里送粪，小心翼翼地推着小车从狭窄的桥上过，目不斜视地盯着前面的桥。七姐可以无所顾忌地把审视的目光投向他们去。想到自己将要自作主张从这些男人中间选出一个委身，作为对奎安无能的补偿，她心里便生出一种复杂无比的情感，她觉得自己仿佛置身于梦境之中，是那种荒诞不经的梦。但她最终又知道这不是梦，或者说不是她的而是三爷和公爹的梦。这是他们的意旨，不可抗拒，她只是他们手里的一团泥，可着他们的心意捏巴出个形状来。这个前提又使她减少了许多罪恶感与羞耻感，同时感到一种前所未有过的激动与不安，与奎安在一起的两年，她渐渐忘记自己是个女人，而现在她又重新是了，一颗女人的心在焦躁烦乱地跳动，跳得她胸口发堵。她下意识地在石板上搓着衣裳，眼仍向桥上凝望。她在过往的众多男人中间进行辨认和筛选，自然只是局限于杨姓青壮男人的范围。嫁到这村不到两年，平常又不大出门，特别是和后街上的杨姓人家来往很少，可以说她对杨姓人尤其是男人们十分陌生，平时在街上遇上把头一低便走过去了，而现在要把他们分辨出来便只能采取非此即彼的方式，除却熟悉的赵姓人，其他的都权当是杨姓人。她很快便发现自己的这种判断方法是正确的，因为与三爷所忧虑的状况正相吻合：陌生的男人十有八九具有强健的体魄，推车走在桥上，足音如雷，而熟悉的赵族本家人则十有八九身材瘦弱，推车上桥便战战兢兢。更见蹊跷的是，她似乎也闻到了奎安身上的那股陈蒜泥的气味儿，这新发现使她惊诧不已。

日头渐渐升至头顶，河水被照射得明晃晃的，天快晌，洗衣裳的女人们陆续回村做饭了。河里只留下孤零零的七姐一人。她不想离去，她的事情还不见头绪。大半个上午，她差不多把村里的男人看了个遍，看得心猿意马。她觉得就像买东西，真叫你可心挑拣了，反倒不知所从。人就是这德性，想当初爹妈听信媒婆之言把她嫁给佝偻人奎安，她虽然痛心疾首无比哀怨，可到后来还不是认了命？而现在她却对这些比奎安强出百倍的健壮男人横挑鼻子竖挑眼。于这挑剔中她似乎感到一种惬意。

一个上午就这么过去。午后她又来到河里，把上午洗过的衣裳再洗一遍，同时把看过几遍的男人们再看几遍。日头西斜时，她似乎找到一个目标，那是一个面孔白里透红的陌生男人，而一旦认定了他，她倒觉得对这人有些熟悉，这又叫她怀疑他是否是杨姓人，好在在他从桥上过时她没闻到那股陈蒜泥的气味，她想不会错了。

天渐渐黑下去，下地的人三三两两往村里回。七姐把盛衣裳的木盆抱到离桥头不远的地方，等着那个红脸男人，这时她感到惊慌，心怦怦地跳个不住。“桂儿桂儿”，她忽然又听到这使她百思不解的呼唤声。环顾四周，她没看到一个人影，暮色笼罩的河谷寂静而空旷，她无限惆怅，怔怔地站着。

红脸男人出现在桥上时天几乎黑尽，从桥上下来时他看见了她，只看了一眼又往前走，走得匆忙。她慌张得厉害，虽于黑暗中她仍看到他的脸绽出红光，她冲口喊了声大兄弟。男人停住脚，诧异地望着她。“奎安死了。”她说。男人无语。“奎安死了。”她又说。男人冲她点点头，抬步向村子走去。

整整一个夜晚她都在痛恨自己，除“奎安死了”她没找到别的话对红脸男人说。本可搭讪点别的，还可以请他帮忙把木盆捎回家，到了大门口还可以让他把木盆送进屋，而后……事实上她什么作为也没有，只痴人似的“奎安死了奎安死了……”她感到万分羞愧，一遍又一遍在心里责骂成事不足败事有余的自己。

她隔一两天便去看公爹一次，帮公爹做些家务活儿。每回公爹都瓮声瓮气问一句：咋样了呢？她就红了脸，而公爹的脸却一次比一次铁青。

她也十分清楚这事一旦要做便不可久拖，如同种地不能错过了季节。何况她也确实不想错过了那个杨姓红脸男人。她已经知道那年轻人是后街上外号门神的杨宗才的三儿，尚未成婚。她十分惊奇，自己竟然变成一个十足的荡妇，一个无羞无耻的女人。自那次在河边见他一面，她就变得心神不定，只要闭上眼睛，那张如燃炭火的脸便在眼前晃动，她甚至能闻见一股清香的燃木味儿，尤其在夜里，燃木香在屋里缭绕，彻夜不散，只搅得她心旌摇晃。她知道自己是喜欢上了他，无论是嫁他还是偷他都心甘情愿，但她却不知道该怎么办，整夜整夜索尽枯肠。

转眼要给奎安“烧二七”了，征得公爹的同意，她去集上给奎安买祭品，祭品自然要买，而在内心深处更重要的事是去集上与杨宗才的红脸三儿见面。她觉得他会到集上去，他爹是菜园子把式，每集都让儿子们去集上卖菜，没成亲的红脸三儿想逃也是逃不掉的。

可她在菜市硬是没看见急于要找的红脸三儿。

事情常在意外之间，当她在第二天突然碰上红脸三儿的面一时惊得目瞪口呆。那是在村外，他叫了她声“奎安嫂子”她或许没听见，或许听见了没寻思叫的是她。红脸三儿是从菜园子里回来的，怀里抱着一大捆菠菜，她篮子里也有菜，是拔的喂鸡的野菜。她呆呆地看着似从天而降的红脸三儿，把他看得低下头去，接着朝村子走去。望着他那宽阔的脊背她才回过神来：怎么能叫他走呢？她慌忙叫了声“大兄弟”，他听见停住脚，转身朝她望着，她赶紧追过去。“奎安嫂子有事么?”他问。“有事。”她说，同时极力思想着下面该怎么说。“做什么嫂子只管说。”他说。“我想买点菜不知你家园子里有没有。”她说。“嫂子要什么菜呢?”“黄瓜。”她说出黄瓜两字脸陡然烧起来，忙低下头去。“园里有，嫂子跟我回去摘吧。”他说。她点点头，跟在他后面走。到了菜园，红脸三儿开始从架子上采摘黄瓜，她站在一旁看着。她想趁这个空儿和他说点什么，却硬是开不了口，急得心噗噗地跳。直到最后她才想出一句话来，说：“大兄弟我没带钱，今晚你到我家里取吧。”说过后脸儿又一阵发烧。

傍黑时她就在家等候，换了衣搽了粉，而他却没有去。

在奎安坟头摆上祭品烧了纸钱那男人就向她走过来了，这之前他一直站在茔地边上朝这边望，如上次那样。上次他久站不动，这次便走过来了。隔她三五步停住，若无其事地看着她。她从未见过这个男人，很陌生。男人有一副自来笑的模样，好像世上所有的事情都值得一笑，包括别人上坟。她心里有些恼，低头用木棒拨弄着熊熊火焰，纸灰一片片飞向空中，如一群黑蝴蝶飘舞。男人站着不动，依然笑着。她忍不住说你走吧。男人说我在这儿妨碍你了么？她说我要哭啦。男人说哭不值当，坟里的那人不值当的哭。他是我男人。他也算得上男人么？女人不吭声了，叹了口气。她是最知道他算不上男人的啦。哭是哭不出来了，两眼怔怔地盯着坟头上渐渐熄灭了的火。黑蝴蝶飞散了，露出明朗蔚蓝的天空。她刚要收拾祭品回村，又听男人说坟不往外流水了那人看是走远了。她一来茔地便发现了这一点，她同样也想奎安走远了。而此时这男人把她心里想的说出来，她暗暗吃惊，觉得这男人的笑眼能看到她心里去。她不由抬头再看他一眼，这一看又看出这个四十岁上下的男人确有些气宇不凡。她问你是哪村里的呢？他说这是无关紧要的，你实在要知道就告诉你，我白天在地下黑天在地上旱天在水里雨天在旱地。她想了半天也没猜出他说的是啥地场，只觉得这人很古怪。他说你跟我来吧，她问去哪儿？他抬手指指茔地边上的一块玉米地。她没说什么，把祭品一股脑收进包袱里，抱着向村子走去，连头都没敢回。

推开门七姐惊叫一声，两眼直瞪，院里站着一个男人，是背影。她的叫声使男人回过头。她认出是刚在坟地离开的那个笑脸男人。此时他脸上依然绽着笑，说我在帮你喂鸡。她缓过口气来，恼恨地冲他嚷你咋贼样进人家门？他说我确实是贼，一向偷偷摸摸，不过从不偷人家钱财。她哼一声说世上有不偷钱财的贼么？他说有,我就是。你不偷钱财偷啥?偷人。她的脸一下子飞红,心噗噗地跳,想起在坟地他撺弄她钻玉米地,清楚了他确是个寻花问柳的贼。她说你走吧,别叫人撞见。他说别叫我走,我有话对你说。那你就快说。他说不急,吃了饭慢慢说。七姐在心里叫苦,今番真遇上一个难缠的贼。

她更没想到,笑脸男人早做好在这里吃饭的准备,带来了肉鱼菜肴和酒,放在灶间。她不知所措地站着。他说做出来咱们一起吃饭。她不动,后见男人要自己下手,便无可奈何地照他的话做。男人给他烧火。

做饭的过程两人都不说话,各干各的,锅上锅下配合倒也默契。菜做好后端上桌,七姐说你吃吧吃完了就走。说毕自己拔腿出了家门。

走在街上时她不知该往哪儿去,漫无目的。也许平日里去河的遭数多,出了门就不知不觉往村东方向走去。日已西斜,街上依旧黄澄澄的像抹了屎。她掉了魂似的往前走,心里空空的。就这么一直走到河堤上,凉爽的风使她清醒些。她一下子想到杨宗才的红脸三儿——小名叫宝儿。那天傍黑就是在这里与他打的照面。从此就硬是不见他的影儿了。嘭嘭嘭的棒槌声又使她看见在水边洗衣裳的女人,她有些慌,空着两手呆痴痴地站在堤上会使这群女人惊异,会使她们搬弄是非广传口舌。她立刻迈步向桥走去,过桥后又该怎样?她同样不知晓,只知必须从石桥过到彼岸去。在桥上没遇见迎面走来的人,这使她宽心。到对岸堤上也没见有人。再往前走不远她看见一伙光腚孩子在捕捉蚂蚱,捉到的蚂蚱用草茎穿成一串,身体被穿透但尚未死去者一阵一阵地痉挛着。不久它们将完全葬身于鸡腹。她目睹了一个穿刺过程后自己也有些痉挛了,感到有点晕眩。她说你们——,孩子一齐朝她望去,目光茫然。她没再说什么,孩子们不久又开始了先前的作业。她就往前走了。这时她看见了散布在地里干活的男人们,这些只是像小虫子在蠕动。她知道这中间一定有红脸宝儿,但她找不到他,也不能找他。她心里酸酸的,眼前渐渐腾起一片白雾,使她对田野上的一切都看得很模糊。她擦了一下眼,手弄湿了,白雾闪开一道缝。这时她想到前面有自家的一块地。刚种了玉米,与其漫无目的地行走不如去看看苗儿是否出齐,再顺便拔拔长出来的草,挨到天黑再回家。她这么想定便加快了脚步。春天的田野十分开阔,没有高秆庄稼阻隔视线。她看见前方的一块麦地里站着许多男人,情景异样,似乎有非凡事情发生。她犹豫了一下但还是走过去了,原来这些人在察看一摊狼屎,狼屎证明了狼的出现,这是有关村人安全与否的严峻事端,有人说看狼屎起码是一条活了十五年以上的老狼。她也看见了狼屎,衬着青绿的麦苗如同绽开的一朵偌大白花。她很快发现男人把目光从狼屎移到她的身上,且有个男人还询问她奎安的坟是否还在流水。她神色慌乱,一句也答不出,匆匆逃离这伙围观狼屎的男人,不敢回头,却感到如芒在背。直到自家地里仍惊魂未定。

七姐回家时暮色已经降临,屋里透出的灯光显示那男人还没有离去。她心慌得厉害。手扶门框才使身体没有瘫软下去。她已意识到即将面临的事情。嫁到赵家两年多,还从未遇上被男人纠缠的事,奎安无能这不是秘密,可谁也不能无视他的存在与权利。而如今奎安一死她就成了野地里的花要任人采摘了,此时那个毫不隐瞒来意的“偷人贼”正在屋里等候,耐心无比。为啥不该是红脸宝儿呢? 她想,心里充满了恨意,她知道恨的是对一切浑然不觉的宝儿。

“谁也没留你呀!”进了屋她便发起火来。男人还是石刻泥塑的笑模样。“我等你吃饭哩。”他说。她这才发现饭菜还原样儿摆在那儿,一动未动,想早凉透了。她一时无话可说。

“天暖了,菜不怕凉,咱一块儿吃吧。”他说。“我不吃。”她说。男人看看她,叹了口气,说:“你连顿饭都不愿和我一块吃,说明咱俩真是没缘分了,我走啦。”他站起身要走。

“你,等等。”她说,“你带来的菜不吃留给哪个呢?”

“给猫狗。”

“家里没猫狗。”

“好清冷。”

她不语,眼盯着如豆的油灯,过了会儿说:“你把东西吃了再走吧。”

“要吃就得两人一块儿吃。”

她没说什么,算是默许了。

尽管天气是暖和了,七姐还是把几样菜重热一遍,桌上热气腾腾,似乎溶解了刚才的冰冷气氛,在此间男人把酒倒上。

“我不喝酒。”她说。

男人就自己喝,吃菜。一会儿酒上了脸,眉眼乱飞,话也多了。

“七姐本该认得我的呢。”他说。

“不认得。”她说。

“这四邻八疃的男男女女大人孩子就没个不认得我的,唯独七姐例外?”

“不认得。”

“你见过我。”

“在坟地里。”

“比这早。”

“在哪儿?”

“戏台上。”

“你会唱戏?”

“会不会你听我唱几口便知。”

“别唱。”

“怕外面人听见么? 我小声点儿。”

他哼起《淤泥河》中的段子：

要问为臣哪的住，家在山东叫淄川。
十岁打过北平府，十一岁名扬四海传，
十二岁夜打登州府，十三岁传枪过剑后花园，
十四岁江南败水马，十五岁扬州夺状元，
十六岁军中保李密，十七岁保主往北反，
十八岁投唐归顺李，保大驾年长二十三……

他停下问："七姐听出此人姓甚名谁么？"

七姐说："是罗成。"

"对了。"

"你是演罗成的曲路么？"

"对了。"

隔赵家泊四里路的曲格庄有个小戏班，常年排练，年节到四周各村演出，颇有些名气。扮演武生的曲路是戏班里的台柱子，扮相俊秀，武功好，嗓子也十分清亮。七姐在娘家时便看过他演的《斩姚期》。他扮演姚期之子姚刚。自从嫁到赵家泊后几乎每年都看几回。自然看的是戏台上的装扮过后的曲路，没想到卸了妆的英俊武生却是个四十多岁的笑嘻嘻的男人，且又是个拈花惹草之徒。

他问："七姐还想听哪个段子呢？"

她说："不听啦。"

他说："你们女人家个个都是戏迷，这我知道。就算我来给你唱回堂会。"

她问："你常常给女人唱堂会么？"

他说："也难说，只看有没有精神了。有时一年间唱个三回两回，有时一回也没有。"

她问："那今年唱了几回了？"

他说："实言告诉七姐，今日是头一回。"

她急急地说："我可没答应听你唱堂会。"

他说："七姐不应，我哪里敢妄为。"

她说："你是在哪里见的我？"

他说："戏台上。"

她说："你在台上唱戏，还有心思往台下看女人？"

他说："两不误。居高临下，看得清楚。不瞒七姐说，我一眼瞄上你就看出和别人不一样。"

她问："咋不一样？"

他说:“七姐混在女人堆里,我看出来七姐还是个女儿身。”

七姐闻听全身忽地一热,如同赤身裸体展现在男人眼光下,没遮没拦,让他一览无余了。

“你——”

“我说的对呢还是不对?”

“你走,你走吧!”她气呼呼地嚷。

见七姐真生了气,他连忙告罪:“七姐息怒,算我是信口雌黄了……”

“你走,你走!”

他说:“七姐,有道是抬手不打笑脸人,我这么笑嘻嘻的,七姐忍心撵我走么?”

七姐说:“你看见鸡狗都笑嘻嘻的,也要鸡狗领你的情呀!”

“鸡狗不晓情谊,七姐晓。”

“我不晓。”

“我看见七姐一心一意给佝偻人上坟便知七姐是有情有义的人。”

“他是我男人。”

“男人干不了男人的事儿。”

“那也是我男人。”

“他走了。”

“走了又咋样?”

“七姐要我把话说明白么?”

“我不要听。”

男人叹了口气,端起了酒盅,“天黑了,七姐执意不留,就只有走了,请七姐喝了这盅酒,算是临走给我个面子吧。”

七姐说:“我从未喝过酒。”

他看着她,“啥事不都有个头一回么?”

她听出他话中有话,不觉心头一颤,不语了。

“万事开头难,可不踏过门槛哪能进家门?七姐喝了吧。”

七姐有些心慌意乱,经不住男人的再三央求,终于接盅喝了。她觉得像喝了一盅醋,酸酸的,好清爽提神。她从小喜吃酸东西,青杏子、山楂、酸梨、野葡萄,这些果子在他们山里有的是。她从春吃到秋,吃不够。喝下酒她在心里想,早知酒是这种滋味儿哪会等到今日才喝头一遭呢。

她说:“我喝了。”

他说:“原来七姐是有酒量的,却说从未喝过酒,单凭这须罚一盅才成哩。”

他斟上酒,又端在七姐面前。

她说:“你这人咋说话不算数呀,说好了我喝一盅酒你就走的。”

他说:“其实人人都是说话不算数的,七姐也一样。”

她说:“我啥时说话不算数了?”

他说:“昨夜我做了个梦,在梦里见到七姐,七姐对我亲亲热热,分手时七姐一再对我说,要我今日黑下来陪伴你,我来了,你倒一遍一遍地撵我走,这不是说话不算数么?”

她说:“那是在梦里,梦里的事哪能当真? 自然不能算数的。”

他说:“七姐敢说只要不是梦里的话都能当真做数吗?”

她说:“能。”

他把酒盅放回桌上,看了看七姐,说:“那我倒想试七姐一试。”

七姐不语,等他说下去。

他想了想,抬头问:“七姐可知家里养了几只鸡?”

七姐说:“自己养的哪会不知道?”

“几只?”

“五只。”

“要是七姐说错了呢?”

“错了任罚。”

“咋罚?”

“由你。”

“那好,要是七姐错了,我只向七姐要一样东西。”

“给你。”

“当真?”

“当真。”

“一言为定。现在七姐可以去查查鸡的数目了。”

七姐心想,唱戏的个个都疯疯癫癫的,痴人说梦。也十分难缠,去看了早打发他走也好。便起身走到院里。鸡窝在院子的一角,用破渔网罩着。她走过去,趁着月光,数起来,数了一遍她怔了,竟是六只。她再仔细数一遍,依然是六只。她惊诧万分,百思不解,明明从公爹家提了五只鸡来养,凭空却多出一只。真是出鬼出神了。

“究竟是几只呢?”进了屋便听见那戏子向她发问。

“咋多出一只呢?”她自言自语。

“终是七姐错了吧?”

她不语。

“要是七姐说话算数,我就向七姐要件东西啦。”

“要吧。”她说,仍未回过神来,恍恍惚惚。

“我要七姐的裤腰带。”

“要啥?”她似未听清。

"要七姐的裤腰带。"他再说一遍。

"你——"她似惊似怒,身子却一下子瘫软了。

"七姐说话是当话的,七姐说话是当话的。"戏子像朗念戏词般一遍又一遍念叨着这句话,后来便向七姐的腰间伸出手来……

又过了几日,武生曲路去到一个叫八甲的小村子。这也是他每年必来演出的一个村庄。村子为何叫着八甲,他不知晓,也不感兴趣。他感兴趣的只是村里有没有好看的女人。无论在台上舞刀弄枪还是引吭高嗓,他都能忙里偷闲地从女人堆里找到出众的那一个,且准确无误。随后他又能千方百计与他相中的女人会面,调情,使手腕直至最终拖进自己的怀抱。他的相好遍布这一带村村落落。有的是寡妇,有的是有夫之妇,也有的是未出阁的黄花闺女,常年间,他如同一匹精力充沛的种马奔波于村村落落间,不知疲倦。曲路公然与所有本分男人为敌,侵犯他们的合法权益,使他们时刻为自己的妻女姊妹的贞操担忧,从而对曲路深恶痛绝。数年前一个被曲路戴上绿帽子的苦主将其痛打一顿,打折了腿。人们奔走相告喜形于色,如同年节来临。然而养伤使曲路无法进行惯常的正月演出,他的角色被一个自告奋勇的新人顶替,但那人却是热情有余技艺不足,戏到关键处总也推不到高潮,致使人们难以尽兴郁郁寡欢,人们便由此意识到尽管曲路混账,但对于大家都是不可缺少。便有人责怪那打人的人出手太狠,只图自己解恨却忽略了人们的文娱需求。于是舆论便渐渐朝着有利于曲路的方向发展,人们似乎认可了他对于女人的嗜好,只要不是自己的女眷被奸淫,也便置之不理。每当流传开曲路新的风韵事,人们也只是说句"混账东西"之类话也便罢了。即使被捉了奸也只是象征性加以惩罚了事,怕伤他太重有犯众怒。但人人都在暗中加强了对他的防范,不许自己的妻女与他接近,每看演出,不许她们离戏台太近,不许她们浓妆艳抹,有的甚至故意弄得衣衫不整蓬头垢面,然而正如俗话所言:道高一尺魔高一丈,即便如此曲路的慧眼仍能从台下寻到那颗沾尘之珠。人们只有再无可奈何骂句"混账东西"。曲路像一个天才,驾轻就熟游刃于戏台上下。后来人们便把他的作为当作互相取笑或攻击的资料:"听说曲路下一个便是给你老婆唱堂会了你做好准备了么?"或者:"你看某某的儿子跟曲路可像从一个模子里倒出来的?"这样的攻击是恶毒的。人们对此讳莫如深。曲路确实在这一带抛撒了无数的野种,这已成为不是秘密的秘密,但这些野种的数目与分布,却只有曲路自己心中有数了。

他到八甲,便是来对他的一个相好的新生儿进行通常的验证。相好名叫细米,是个有夫之妇。

验证的方法很简单,只需看一眼新生儿的脚。

七姐的公爹赵凤歧见儿媳数日没登门心里有些没底,这日晌午便推开她家门。

七姐正在灶间做饭，见公爹来心里一阵慌张，烧火棍从手里掉到地上，她忙起身招呼公爹。公爹还是那句老话："咋样了呢？"

"有了。"她的声音很小，像蚊子叫。但赵风歧却听得一清二楚。

"真有啦？"赵风歧问。

"有了。"她的声音高些，却仍深埋着头。

赵风歧不眨眼地盯着她的身子，眼珠子像要从眼眶里飞奔出来。"行啦，这遭行啦。"他说，转身朝大街上跑去。

他一口气跑到三爷家。三爷正拄着拐杖在院里信步行走。潮湿的地上印满密密麻麻的拐杖印，整个院子像一张打了银钱的烧纸。赵风歧见状立刻偃气息声，纹丝不动地站在门边上。他是知道三爷平日习性的，三爷每当这样在院中行走便不许任何人打扰，他要么在思考要么在回忆。

此刻三爷正沉浸于往事的回忆中。最近一些时候他总是回想起遥远的孩童时期，那时的族长是耿爷，一掬雪白的胡子。都过来。耿爷招呼过族中的孩子。今日我要考考你们哪个机灵。他拿出一枚雪白的银元。谁能把它藏起来叫我找不着就归他。耿爷又规定了藏匿的范围。头一个孩子把银元藏在自己的口中，耿爷问一句藏好了么？孩子点点头，耿爷一伸指头便从这孩子的口中掏出了银元。再一个孩子把银元藏在帽子里，也让耿爷摸出来了。后面的孩子尽管都藏得五花八门，却没一个能骗过了耿爷。轮到他藏了。耿爷照例先把眼闭上，睁开后问藏好了么？他说好了。耿爷便先摸他的身上，从头摸到脚，没摸出来，然后又在地上找，树上找，藏匿范围各处都找遍了也没找到那枚银元。耿爷认输了，问他藏在哪儿。他从耿爷的口袋里掏出来递在耿爷手中。耿爷怔了半晌，最后说跟我走吧。他就跟在耿爷身后走，出了村，一直走到龙泉汤镇的大街上。你想吃什么？耿爷问。吃烧肉。他说。那时和现在他都觉得世上最好吃的是烧肉。耿爷把他领到一家烧肉铺。管够吗？他问。管够。耿爷说。他便大口大口地吞咽香喷喷的烧肉，直到吃圆了肚子。烧肉好吃么？耿爷问。好吃。以后还想常吃么？想。那好，从明天起报名进学堂，书念得好，以后保你经常有烧肉吃。耿爷并不食言，只要从先生那里得知他学业长进，便带他去龙泉汤吃一次烧肉。直到耿爷老死……

他眼前又浮现出来的画面是他十岁那年见到的昆洛山山谷，他骑的是一头驴或者是骡子，这一点他记不太清楚了。驴或者骡子驮着他踏着山谷里的碎石往山上行进。山谷两边开着鲜艳的桃花。鸟儿顺着山坡飞上飞下。他见到山半腰有一座石屋，他突然觉得肚子饿了，想到那人家讨口吃的再走。他把牲口驱到石屋前停住。进屋后发现只有一个像他妈那般年岁的女人。女人怀抱一个吃奶的婴孩。他问女人能不能给他点东西吃。女人说没有吃的。你们自己吃什么呢？什么都吃。吃草？吃。吃树枝？吃。吃石头？吃。他转身要走了，女人喊住他，孩子睡了你过来吃口奶吧。她说，真的把怀里的孩子放到炕上，她的怀一直敞着，露出两个饽饽样的奶子。他站在那儿,不知是否该吃这女人的奶。别馋鬼了,我看出你从小断奶早,断奶早的孩子个顶个馋奶,你是闻着奶味儿找到这儿的。他觉得这女人说得很对。便走过去,抱住一个奶子吸吮起来,奶汤很香很甜,女人笑盈盈地看着他吃奶。吃饱了你得叫我声妈。他一边吸吮一边对她点头……那时候他妈已死去很久很久了……

七姐再次踏进三爷家门还是一个黄澄澄的傍晚,三爷也如上次端坐在太师椅上。七姐感到极其不自然,站在三爷前面头也不敢抬。她担心三爷会追问怀的是哪人的孩子,说出是戏子曲路的那什么都完了,可不说出曲路又能说出谁来呢?

曲路在她家一住半月。最后一个夜晚即将结束时,他走了,临走对她说:我还会回来的。

其实她也盼着他回来的。曲路叫女人快乐的手段无比。

她见三爷的气色比上次来时好多了,红扑扑的,眼光也格外亮。三爷每每回忆过往事便总如此,相反,在进行一番绞尽脑汁的思索之后便精神委顿显得格外苍老了。

"你公爹把事说给我了。"三爷说。

"嗯。"她应着。

"你是听话孩子。"

"嗯。"

"三爷说过不会亏待你。"

"嗯。"

"往后族上按月拨粮食和柴草。"

"嗯。"

"从今后不要再下地了。"

"嗯。"

"想吃啥对你公爹说,叫他去集上买。"

"嗯。"

"事成了,该把心收一收。"

"嗯。"

"黑下早早把门关紧。"

"嗯。"

"墙头插上棘子。"

"嗯。"

"再养一只狗看门。"

"嗯。"

“把那个人忘了。”

“嗯。”

“一刀两断。”

“嗯。”

“告诉我那人是谁?”

“这……”

“三爷得知道,谁?”

“我……忘了,三爷。”

“胡说!”

“……”

“到底是谁? 你说!”

“……宝儿。”

红脸宝儿于麦季里从村子失踪的,那几天下着雨,河里涨水,谁也不知道他去了哪里,包括他的家人。若干年后回来,他已是军队里一名上校旅长了。

七姐于正月间分娩,生下一个健全男婴。佝偻人奎安的后人出世是那年正月里赵家泊赵杨两姓人谈兴不衰的话题。七姐是本分贤良的女人,没人怀疑这孩子的来路不清,加之赵凤歧每日脸上都挂着笑,三爷亲自派妾妻云仙伺候七姐月子,人们便想也不往歪处想了。只是看过婴孩的人都说长得不像奎安,其实也没别的意思,是变相的褒奖,如果说孩子长得像奎安那倒不是句中听的话了。

孩子起名叫春望,是三爷给起的,在七姐的全部孕期里,三爷的孕育同样也不消停。他几乎翻烂了一本字典,最后才定下这个名字,赵春望。赵字自不必说,春字为族中这一辈人所共用,望是真正属于这孩子的,它的蕴意自是不言而喻的了。按照族规,孩子出生睁开眼睛,须首先让他(她)看看自己的名字,孩子不吭声,便是认可了。要是啼哭,便是孩子对起的名字不中意,须另起。那日三爷焚香净手把“赵春望”三字写在一张大红纸上,交云仙带到七姐家给孩子过目,那孩子睁开眼瞅瞅红纸,哇地哭出声来。这也不奇,奇的是哭时小脸上却分明绽出了笑模样。后来云仙说给三爷听,三爷半晌不语,这一哭一笑使他迷惑不解,名字终还是没改。

正月十六这天傍晚,从街上传来“打台子”的锣鼓声,正在给春望喂奶的七姐心里一动:曲格庄的戏班子来了,曲路来了。自春天的那一夜分开,他再没登门。但有关他的传闻听了不少。他是个无情无义的家伙,他不会在哪个女人身边待得太久,他是个吃新鲜食的畜生。但她并不恨他,不仅不恨,反倒怀有几分感激之情。在她怀上孩子之后,她真切地知道他带给她的远不止是那彻夜的快活,他对她的侵犯实际上是对她的拯救。所以她不恨他。她恨的依然是红脸宝儿。宝儿不明不白地走了。在夏季的那个雨夜,她的屋里突然消失了那股燃木的香味儿,她怔过之后,便意识到宝儿已远离了村子,她哭了,抽泣了整整一个黑夜……

此刻,锣鼓声使她生出一种欲见曲路的强烈愿望。

天再黑些三婆婆云仙回去伴三爷看戏了。掌上灯的屋里只剩下她和春望,春望睡了,他睡的时候小脸上仍挂着笑,好像一下生便看出世上有许多可笑事,包括他自己。一个不足月的婴孩已拥有了三个爹:大家公认的奎安,三爷和她公爹知道的宝儿,还有她自己知道的曲路。曲路尚不知道他在这个赵家泊又添了一个新后裔。她也不想叫他知道。他是个缺心少肺的人,她不对他寄予希望。她想见他完全与孩子无关。

她侧耳倾听外面的动静,戏已开场。从时断时续飘来的戏词她听出演的是《花打朝》,这出戏是曲格庄戏班的拿手戏,她看过。曲路在戏中扮演小将罗通。这个角色颇得女人们的青睐。曲路的嗓音很特别,不论是念词与唱腔都分外洪亮,与台上其他人有明确区分。只要是他唱,她句句都听得清。

北国里余建王打来战表
唐王爷传圣旨命我去征
我有心国公府抗旨不去
恼怒了唐王爷吃罪不起
……

她一直听下去,似乎能看见曲路在台上一招一式的演出,油彩盖住了他脸上惯常的笑容。她心想今夜里他会来看她,一定会来。她默默地等候,心情一阵比一阵激动。

而曲路终是没来,她空等到天明。

春望过了一岁生日他亲爹曲路才露了面。半夜时分,万籁俱寂,曲路像一头失了前蹄的牲口从七姐家门楼上跌进院里,被惊醒的七姐脑子里头一个闪念是有贼,但旋即便意识到是曲路,偷人贼曲路。这时曲路在地上疼得正紧,咬住牙关才没使自己叫出声来。他别无选择:大门紧闭,墙上插满荆棘,又不敢喊叫七姐开门,唯这高耸的门楼是可行通道。

如果不是不断遇到麻烦,曲路定会早些来探视七姐母子的。他所有的麻烦都与女人有关。如同他的快乐。先说细米。在那次看过细米的孩子后他承认孩子是他的,在这方面他一向都很忠实。那是个女孩儿,生得笑盈盈十分可爱,确实非他莫属。问题在于细米的男人,那石匠粗黑鲁莽,貌似浑噩,而心中有数。他不相信自己会生出如此灵秀乖巧的女孩,想必是野种。于是便每日追问这孩子的来历,性起时便口出恶语并拳脚交加。细米自知此事干系非同小可,嘴硬到底,任男人怎样施暴也不吐一字实情,只说石匠能打一手好石活便能生出一个好孩儿。但这终不是长久之计。于是细米便托人给他带信,央他一不做二不休,携她们母女一起下关东做长久夫妻。曲路将此事想了几天几夜,怎么想都觉得不合心意。自老婆死后,他从未想过再娶。十好几年过得逍逍遥遥,何必再自寻苦恼?再说下了关东便意味着从此走下戏台,他这一生,使他得到乐趣的除了女人便是戏台,而戏台又与女人紧密相连,丢失不得。另外他也并不真的惧怕那五大三粗的石匠,他是这一带的名人,石匠知道了实情也不敢对他妄为。他不想依从细米,却不得不对她进行安抚。每当石匠外出做工,他便潜入家中,翻来覆去对细米陈述去不得关东的道理:去关东路太远,沿途盗寇猖獗甚不安全,关东野兽太多,大白天里吃人,关东天寒地冻,常冻掉小孩的耳朵。没了耳朵的女孩长大注定找不到好主儿,找不到好主儿又注定一辈子吃苦……他有理有据的分析常常使细米瞠目结舌无以对答。这便能维持一些时日。一旦细米熬不住男人的打再旧话重提,他必须再绞尽脑汁证明关东确是不可轻入的狼虎之地。这一年间他在两村间穿梭,磨破了鞋又磨破了嘴皮,还要留神躲避石匠;还要把房事做得精而又精,以此作为对细米承担苦难的补偿。他的主要精力便消耗在与细米的恩恩怨怨上。再就是小娥。他与小娥的恋情或者说奸情本来便带有更大的风险,她不是寻常人家之女,她爹陈百万是陈家疃头号大财主,两脚一跺四邻八疃都跟着忽颤。曲格色胆包天奸淫了他的爱女,他哪里肯善罢甘休?说起来,他与小娥的事更富有些情趣。去年的端午节,小娥的爷爷过八十大寿。她爹雇了曲格庄戏班给老爷子祝寿。戏台扎在陈家大院里,外人不得进入。小娥一家人众星捧月般簇拥着老寿星看戏,那天的戏目点的是《保皇娘》,说的是周幽王驾游三宫,西宫石美容用酒将幽王灌醉,本奏正宫杨太珍有篡位之心,幽王信以为真,命大国舅石彦龙监斩杨太珍,恰遇李广赏军还朝,上殿保本,幽王不准,反将李广贬官为民,其弟李文不服,劝说其兄,劫了法场,李文载箭而死,李广保着正宫娘娘杨太珍逃出庆阳。曲路扮演李广。在台上他看见了甜甜媚媚的小娥,险些掉了手中的长矛。念白也念得颠三倒四,幸亏陈家老少没听出来。戏散已至一更,吃过茶点又过了一更。这时天降小雨,不急不停,正应人不留天留之说。陈家遂留戏班在家落宿。也合该出事,排给曲路的住屋正与小娥的屋子相对,灯影幢幢可见。曲路心里知道这女子断不可冒犯,可总忍不住想入非非,嘴里念戏词似的自问自答:曲路呵曲路,可否饶这小女子一遭?不可饶不可饶。他反反复复念咕到三更,对面屋的灯黑了。他坚定了信念,过去拨开了小娥的门……奇就奇在那小娥对他也有心思,先惊后喜,遂投入他的怀抱。一夜如胶似漆,天明事发,他逃之夭夭。陈家怒气冲天,本欲告官,又怕坏了小娥名声,终生难嫁。只得改官究为私了,派人四处打探"混账戏子"的下落,只吓得曲路东躲西藏,几个月不敢归家。这一年与小娥的事也叫他焦头烂额。归纳一起,七姐家姗姗来迟也是情有可原了。

像个大忙人，曲路在七姐身边只待了两三个时辰，于天亮前匆匆离去。这两三个时辰他运用得很紧凑，很经济，该说的说了，该做的做了。春望一直在酣睡，没睁眼。在以后来的若干遭春望一直这般沉睡不醒，似乎执意不肯看他一眼。直到曲路患顽疾死去，孩子终是没见过他亲爹的面。想必是天意了。那一夜曲路划一根洋火看了看孩子的脸，再划一根看看孩子的脚。关于奎安遗腹子的说法已广为人们接受，他自是不信。看过孩子的脚他朝七姐说了句：我的后。七姐冷冷地说句：是奎安的。他没再吱声，只在暗中笑笑。房事七姐稍做推诿也便就了，曲路同样做得很好，在戏台上他充其量是业余，而在炕头上却完全是专业了。他知道一次酣畅的交合对于女人胜似千言万语。临出门他又重复了一年前的那句话：我还会回来的。似乎他这话是对所有女人的恩赐。

春望一眨眼便长到五岁。这当间三爷问过七姐"走道儿"的事。一切仍按原议：要走，族上不拦。但须将春望留下。赵家的后，不去旁姓人家。留下由三婆云仙抚养。七姐没怎么想便回三爷不走。她舍不得孩子。另外，眼下她确实也无"道儿"可走。

春望每次过生日，三爷和赵凤歧便当作一桩大事张罗操办，很有一番热闹。无论是赵姓人还是杨姓人都看出三爷对这个孩子另眼看待。三爷并不避嫌，平日每隔些时候，便叫赵凤歧把春望领来给他看看。云仙必定给孩子做顿好吃的。还不到上学堂年龄，三爷便提前教他识字、念诗，也教他算术。春望是伶俐孩子，耍着玩着便学会。三爷得意非凡，常常喜欢得湿了眼睛。对族人说道：奎安没福，要活着看见有这么个好儿子该多高兴呵。每年清明节，七姐都要带着他给奎安上坟。当着许多上坟人的面，她让春望在他爹坟前跪下，叫他哭。哭的报偿是在家便讲好了的：下个集日便带他去龙泉汤买果子和糖瓜吃。所以他便哭。哭到她烧完了纸便戛然止住，这也是事先讲定的。然后他便跑到旁边那些老坟上采摘缀满了黄花的迎春枝条，在手里舞弄一阵子，腻了，又一朵一朵把花扯下来，只剩下一条光杆儿。春望并不太淘气，喜欢自己玩耍，与村里的一般大孩子不合群。七姐倒觉得这么省心，少惹乱子。每年秋后，她都要带春望回山里娘家住些时日，娘家人也喜欢这个孩子。她哥哥的孩子带他去山坳里转悠，摘果子，网鸟，捉刺猬。捉到便用湿黄泥包起来烧了吃。只需几天心便野了，不肯跟七姐回家。过五岁生日那天，赵凤歧去集上买回半爿猪请客，宴设在家祠里，一摆好几桌。三爷连人带椅子让人抬了去，笑得合不拢嘴。席间，他忽然又想起自己小时候耿爷考他藏银元那桩事，遂生试春望之心，一切如法炮制。他把春望叫到面前，如此这般地说了一番，然后从怀中摸出一枚铜板，自己闭眼让春望藏了。藏好后他便开始寻找。春望擎着两只胳膊让三爷爷搜身，冬日衣裳穿得很多，三爷从外至里可谓搜得遍无遗漏，也未搜到。桌面上没有，脚下是青砖铺地，想藏也藏不进去。三爷又把手指伸进孩子口中，也没摸出什么来。最后又神经质地摸摸自己的身上，看孩子是否与当年的自己英雄所见略同。却没有相同。三爷笑了，说他找不着了，叫春望拿出来。这时春望的胳膊仍然擎着，听三爷爷叫他拿出铜板，便把那只右胳膊移到三爷爷面前，同时把半握着的小手伸开，那枚黄澄澄的铜钱就在手掌里。开初三爷正是把铜钱放在他这只手中，他连移都没移，却瞒过了三爷爷的眼目。三爷愣怔了半晌，众族人亦惊喜交集。后三爷抚摸孩子的头良久，叹曰：苍天不负我矣。赵姓有望矣。遂狂饮之，合族响应。一时间觥筹倾斜、酒流遍地。这一天简直成了赵氏家族复苏振兴的誓师日。三爷被抬到家中已人事不知。这年夏季气候突然变得异常，先是燥热而后便是连绵的雨水，东河水平了河槽，混沌的波涛滚滚而下。大人们都上了堤坝，警戒着不断上升的水位。不知什么时候春望也奔上了河堤，被雨水淋着，两眼看看滔滔河面，突然笑出声来，脸上透出无尽的喜悦。大人怕他掉进河里，喊他赶紧下堤。他充耳不闻又对着满河大水叫嚷，声如水鸟。直到七姐闻讯赶到堤上才把他带回家。以后每次下雨春望便按捺不住，想方设法躲过他妈的眼线跑上河堤，谁也说不清滚滚河水怎会带给他如此之激动快活。夏季过后春望变得安静，少言寡语，踽踽独行。依然按时到三爷家习学文字和算术。三爷对他更加疼爱，只要他喜欢便有求必应。一次结合教授算术，三爷拿出了自己的那袋落牙，摊在桌上叫春望数清数目。三爷有意给他出个难题，将牙齿排成环状，首尾相接。春望虽然聪慧，却毕竟是个孩童，他不知道这个看似简单却是数学王国里一个巨大的迷魂阵，他不可避免地陷入阵中而不能自拔。他一颗接一颗地数下去，周而复始无穷无尽。三爷始终注视着这个过程，津津乐道。后终忍不住笑出声来，笑得胡子直颤。春望被这无端的笑声惊扰中止记数，这时他已将三爷的落牙数至上百颗之多。他愕然地望着笑走了往常模样的三爷爷，蓦然间，他觉得这张面孔是如此之陌生而可憎，不由心生恨意。如果说他与三爷爷的仇恨在若干年后最终达到了顶点是日积月累的结果，那么这一次便是开端。只有上苍才知其意义的开端。三爷同样不知道这一笑的后果，如果知道他一定悔之莫及了。转过年春望六周岁便进了学堂。先生姓闵，外乡人，是个五十多岁的干巴老头儿。闵先生幼年发奋，博览群书，是饱学之士。然世上万事之所成，小半靠才，大半靠运。他也是个时运不佳之辈，屡屡乡试屡屡落榜。后经一相面先生指点迷津：闵字是文在门里面，哪里会有出头之日？他这才死了心，做了教书先生。闵先生在赵家泊教书多年，深谙乡情，一向对赵姓子弟嗤之以鼻。春望入学之前，赵姓族长三爷摆了一桌酒，把他请去。席间央他对新生春望多加关照。他嘴里应着，心中却不以为然。他压根儿不相信从赵姓那筐木头里能砍出个檩子来。因此春望入学后他没怎么理睬。闵先生教书有个特点，喜欢给学童讲历史典故，以证明自己学识渊博。还喜欢提问，把所有的学童问倒他再说出答案，他便感到由衷的快乐。这一日他讲了一个盲人不知灯灭的故事：一个盲人辞别朋友时，朋友给他一只灯笼。他说我不需要这个，无论明暗对我都是一样的。朋友说这点我知道，但如果不带的话也许别人会撞到你。盲人一听觉得有理，便带上这只灯笼。可走了一会儿他被人狠狠地撞了一下，倒在了地上，他在心里想我带上了灯笼怎么还是叫人撞上了呢？闵先生要学童们回答这个盲人的疑问。过了好久也没人回答。闵先生哈哈一乐，说这其中的缘故么——就是盲人的灯笼灭了。众学童一片恍悟之声。这时春望站起来说那盲人的灯笼也许还一直亮着呢。先生不悦，说灯笼亮着怎么还会叫人撞上呢？春望说撞他的一定也是个盲人。先生哑口无言。从此他对春望便有些刮目相看了。尽管心中尚有芥蒂，但做先生的毕竟都喜欢伶俐学生。以后对春望便开始用心教授。进了学堂，三爷便不用再单独给他授课了，可他不时还要看看春望，给他讲点功课之外的事理，如仁义礼智信；如默而识之，学而不厌；如三人行必有吾师。当然，讲得最多的还是学而优则仕。出人头地光宗耀祖。春望如坐针毡，却也不敢造次。听完了三爷的训导便赶紧溜之大吉。他不愿在三爷跟前多待还因为他总闻到三爷口中有一股异味儿。这年秋后七姐又带他回一趟山里娘家，因惦着他的学业，七姐不敢久留。春望玩得意犹未尽，执意不肯回家。七姐好说歹说才算把他弄回村子，而他却得了一场大病，一连几天昏迷不醒，嘴里"斑鸠刺猬"地说着胡话。三爷叫赵凤歧从镇上请来医生，看过开了单子，叫赵凤歧再跟他去镇上药铺抓药。药有些效力，病情渐有好转，也吃进一些东西。又过了几日方完全复原。但他却至死不去学堂了。任七姐怎样劝导都不肯听。报告三爷，三爷又叫赵凤歧将春望带到跟前。照例是劝导，又照例是无济于事。三爷无奈，说只要肯上学堂，要什么便给他什么。春望想了想说要看杀猪。三爷和赵凤歧面面相觑，半晌不语。心里却叫苦不迭，人杀猪为是吃肉，哪有为看而杀？再说不年不节，杀猪也让村人笑话。三爷想变通一下，问杀鸡可否？春望不依，仍然坚持杀猪。三爷遂问赵凤歧圈里的猪有多大，赵凤歧哭丧着脸说不足百斤。三爷说大小都杀了吧。平常杀猪为过年节，而这次杀猪却叫村人又过了次年节，大人孩子围在赵凤歧门外，喜气洋洋。看过杀猪，春望履行了诺言，又进学堂深造。可谁料到他像吃大烟吃上了瘾，过了三五个月，便要再看一次杀猪，不应便故伎重演。赵凤歧已无猪可杀，三爷家的猪也杀过了。三爷只得颁布新规：在赵姓各家中抓阄，抓到的便杀他的猪。如此一家一家的杀下去，只杀得族人怨声载道。尽管不敢公开对抗三爷，却也在背后大发牢骚，说三爷真有点老糊涂了，竟做出这般荒唐事。对那"狗日的崽子"大家就无所顾忌地大骂，骂他是逆种，是害人精，并扯连着他妈七姐和早埋在地下的他爹奎安。可也有人把春望的作孽与埋葬奎安的事做有机的联系：那天大家不肯将墓坑里的水汲干便把奎安放了进去，奎安自然恼恨，便怂恿儿子与大家作对。总而言之，日子本来还算平静，现在人人都感到灾难时刻会降到头上。出门的人回家必定先看看圈里的猪在与不在，在了才心安。甚至连猪们都变得十分警惕，只要听见春望在街上行走，它们便吓得连哼都不敢哼一声。春望成了猪们的克星。如同他爹奎安的雨葬，人们从春望的乖戾行为再次感到那种不祥……

这一年，灾难突然降至业余戏曲表演家曲路头上。说突然其实也不突然，从他脱出娘胎这灾难便与他休戚与共了，只是他不知道罢了。开始他并没意识到这灾难对他是致命的，没当回事，仍然一往情深地为他所酷爱的戏剧和女人辛勤耕耘。

问题出在脚上，确切地说是在脚下面，他出生时左脚心长有一块蚕豆大小的胎记，这也算不了什么异常。随着年龄与身体的增长，这块胎记也在增长扩大，到身体长成停止发育时，胎记已长至核桃般大小。之后的几十年时光这胎记也没有什么异常，在脚下默默无声任人蹂躏，直到春天的一个夜晚，他突然感到脚心里有些痒，很轻微，他没在意，但由此为开端这痒便日益加剧起来。且明显感到痒发自那块胎记。

到了夏季，脚下的瘙痒便无休止地折磨他了，有时竟痒得钻心，任怎样抓挠也无济于事。他开始认真对待，发现那个部位已出现溃烂，颜色也由原先的淡紫变成紫黑。他打听到一个偏方：将蒜捣成泥浆敷上。初时还多少有些效果，但没多久又痒得变本加厉。他只好去看医生，而最终医生也没给他的病带来转机。

到了秋天，奇痒已不能叫他静止，他赤足在村外的田野上疾走，靠脚掌与地面的摩擦止痒。他在蜿蜒的田间小道健步如飞，汗水湿透了衣裳。在地里干活的村人以惊讶的目光向他注视，他也无暇顾及。溃处已开始淌血，斑斑点点印在他所经之地，似一头受伤的野兽留下的足迹。眼下他也确如一头困兽。他似乎已看见了自己的末日。他的思维与他的脚步一起奔驰，只不过脚步朝前而思维朝后。他追溯自己的一生：一出出演过的戏，一个个与他共欢过的女人，还有那些唯有他才知道确切数目的私生子。在这之前，他不肯多想他的这些孩子，也不承担责任。孩子仅是他寻欢作乐的副产品，漠然以置。而此时，当他意识到自己将不久于人世，他突然牵挂起他的散布于这一带村村落落中的孩子们。他（她）们身上无一例外都打着他的印记——脚下与他完全相同的胎记。这种奇异的遗传初时使他惊叹，之后又使他释然。他保守着这个秘密，这秘密对他有着特殊的意义，他可以既省事又准确地辨别出哪个是他的骨肉，而哪个不是。每次确认都使他感到由衷的惬意。他会想到自己犹如古时的皇帝老子拥有如此庞大的后裔，自己是没有皇位的皇帝。如果说在这之前把自己的行为与后果只视为一种生命游戏，那么现在面临着死亡，他不能不为他的这些弃之于世的孩子们感到深深的忧虑……

在冬季到来之前，曲路脚的溃烂已发展到全身。他的腿、胳膊肿得像透明的萝卜，全身生满米粒大小的红斑，他一边在山野中奔跑，一边撕抓着全身，抓得血肉模糊。巨痒已使他难进饮食，实在饿了，便在地里捡点遗落的粮食放进口中咀嚼。咀嚼时仍一如既往地奔跑，渴了便趴在河中牲口似的大饮一通。无论是白天还是黑夜，村人都能听见他那瘆人的嚎叫，惊心动魄。这叫声使人知道此刻他是在村东还是村西，村南还是村北。“想必曲路在上世作了孽。”人们连连叹息。在极其痛苦之际，曲路的头脑十分清醒，犹如哲人般的彻悟，他知道自己这非常的痛苦只缘曾享有过非常的快乐，与上世无关。没有哪个庄稼人像他这般逍逍遥遥地度日，无拘无束地寻乐。他是庄稼人里的逆种。他知道世间万物一如阴阳交替月圆月缺亘古不移，欢乐与痛苦的转换更迭自是理所当然。所以他不怨天尤人。在死亡面前于苦痛之中他已不顾及自己，他只有对往日欢乐时光的思恋：那使他激昂亢奋的开场锣鼓，以及那柔如春风的女人的艳体。当然，他思恋更多的是他的那些孩子们，也一如自己曾对他（她）们的忽略，现在他满怀着一种刻骨铭心的难以割舍之情。特别在他预见到这些孩子在若干年之后将缘于与他共有的病因而导致相同的死亡，他便感到不寒而栗，感到自己的罪孽也不可饶恕。在他生命的最后时日里，他精神上的折磨已超出他千疮百孔的身体。他的号叫透出的也不再是肉体的苦痛而是心灵中无尽的哀伤。他业已着手安排自己的后事了：变卖了房屋和全部土地。他安安逸逸的一生主要仰仗于祖辈留给他的这些土地。现在他尽数卖掉，所得银钱装满了一条布口袋。在初冬的寒风中，他背起钱袋，手拄木棍，步履艰难地从一个村子挪到另一个村子，将钱一把一把投进那些他自知不会投错的院子里，直到空了口袋为止。

曲路死于寒冬。入冬后头一场大雪下了足有半尺厚。第二天一早，村人惊愕地发现在村前的一块空地上有人堆了无数的小雪人，这些小雪人大小不一，个个栩栩如生，在朝阳下银光耀亮。细心人清点了一下数目，不多不少二十四个。这数目也未使人产生更多的联想。但人们却不约而同地发现，这些小雪人虽然姿势不尽相同，有坐着有站着有蹲着，但他们都面对着一个方向。人们顺着这个方向前望，发现在不远处也有一个雪人，这个雪人高高瘦瘦，身后依傍着一棵杨树。人们见到这酷似人形的雪人心中蓦然一动，奔跑过去果然认出是唱戏人曲路。他的身体早已冻僵，像石头一样坚硬，但两眼却大睁着，直视着那群活泼的雪孩。这情景使人唏嘘不已，又使人百思不解，曲路临死为何要堆起这些雪孩，最终又令自己也变成了雪人？一生放荡不羁的曲路死也死得不同凡响。

春望是个孤单孩子，在同龄人中没有朋友，除了上学，便是一人独处。要么玩耍，要么帮他妈七姐的忙，提着篮子到村外拔野菜喂鸡。这时又把干活与玩耍结合起来。拔满了篮子，便在野地里捕捉野味儿：蚂蚱、蝉、刺猬、鸟、兔子、鳖等都属他的捕捉范围，捉到便逐一杀死，然后物尽其用。也有杀而弃之如蛇蝎之类。夏天是他最快活的时光，他溯河而上，去到一座拦河水塘里游泳，塘水深邃而清澈。他的水性极好，没人教他，属无师自通。他在水中逐鱼赶鳖，快活无比。

他不合群，一方面由于他性情孤傲，另一方面也由于他得了三爷更多的宠。因此招惹了嫉恨。抓阄杀猪尽管已是几年前的事，但人们记忆犹新，只要想起便气不打一处来。也幸于春望早有收敛，否则定会遭到杀身之祸。那是在他看杀第十四头猪之后，正心满意足地回家，他突然看见一双双从街两旁向他射来的仇恨眼光，这眼光如同一把把利刃欲将他杀死，他的心蓦地一颤，这是他小小生命中的头一次战栗，这战栗叫他清醒，从此他不再看杀猪取乐。烦闷时便到野外寻找个把生灵将其杀戮，聊以自慰。

春望让族人怀恨还因为一直由族人承担抚养。族中有一处几十亩田地的庙产，租给人耕种，租收归族中共有。这项收入的使用世世辈辈似已约定俗成，一是祭祖之花费，二是奉养一族之长。向无例外。而今由三爷做主又添上春望和他妈七姐的使度。祭祖与奉养族长自是理所当然，管那乳臭未干的小儿吃喝却实无道理，族人为此长久愤愤不平。问题还不仅在于钱财，三爷对那小儿的偏爱则更使族人在感情上难以承受，凭什么佝偻人的遗腹子可享有这种特权，而别家孩子则不能够？三爷对这种论调这种情绪亦早有觉察，仅一笑置之，不予理会，依然我行我素。

唯使三爷感到宽慰的是春望终未辜负他的一片苦心与厚爱，随着年岁的增长，春望收拢了童昧之心，渐晓事理，开始听从三爷训导，专心致学。对先生亦多有敬意，不再卖弄聪明叫先生难堪。而对先生所教授之学问则用心习学，直至烂熟于心，几度受到先生的夸奖。三爷的欣喜自不待言，每每闲暇便将春望叫至跟前，叫他当他的面背诵课文，春望便如念经似的背，一泻千里：士志于道，而耻恶衣恶食者，未足与议也，见贤思齐焉，见不贤而内省也；德不孤，必有邻；十室之邑，必有忠信于丘者焉，不如丘之好学也，述而不作，信而好古，窃比于我老朋，默而识之，学而不厌，诲人不倦，何有于我哉，饭疏食，饮水，曲肱而枕之，乐亦在其中矣。不义而富且贵，于我如浮云，我非生而知之者，好古，敏以求之者，子钓而不纲，戈不射宿，逝者如斯夫，不舍昼夜……由学而第一，为政第二，八佾第三，里仁第四，公冶长第五，雍也第六，述尔第七，泰伯第八，子罕第九，乡党第十，直背到子张第十九，几乎无一字遗漏，无一音不准。三爷击掌称快，三婆则闻掌而动，端上犒赏之佳肴。尽管刚刚背过至圣先师有关吃粗淡的饭喝白开水的教诲，春望还是饱餐一顿。不管怎样，春望日渐优良的学业令杨姓人瞠目，不得不一反过去对赵姓族人之轻蔑，转而惶惑且忧虑。由此可见三爷振兴图治之大愿已初见端倪。

子曰："由，诲女，知之乎？知之为知之，不知者为不知，是知也。"春望本该牢记此条教导，却没有，故而酿成灾祸，可谓始料不及也。

一日，闵先生在讲授一课诗经之后，布置学生回家作诗一首，第二天交卷。春望唯对诗不感兴趣，不知诗自何而出，颇有畏难。不作有违师命，不可；胡乱谄出几句，又难免被人讥笑，也不可。何况在学业上他又不肯甘于人后。他忽然记起曾在家中见过一本书，砖头般厚。看过，似懂非懂。上面间有若干诗篇，他想何不从上面摘下一首交差，想先生未必能看出个真伪。想定，便回家翻出那本书，随便抄下一首。第二天先生将学生们的习作一一收齐，随即在课堂上过目点评，或褒或贬，或喜或怒，得意之色溢于言表。当阅到春望诗作，他忽然止声，面现惊奇之色。诗曰：

谈兵纸上自矜奇，漫说偏隅可创基，
从古书生最饶舌，未经肱折即名医，
从来螳臂惯挡车，海瘴凭空混太虚，
诚向循州询往事，几多枝击已耠锄。

先生一遍又一遍阅览，终于读毕，抬头向春望道："此可出自尔手？"春望回是。先生再问，春望自不改口。先生遂捻须笑道："小小年纪，却有大气存焉。"春望心虚不敢吱声，若谦逊状。

如仅此一遭，也许不致露出马脚。然而春望却不知进退，当先生再次布置作诗，他又如法炮制，抄一首呈上。诗曰：

羞看鸾镜惜朱颜，手托香腮懒去眠。
瘦损纤腰宽翠带，泪流粉面落金钿。
薄幸恼人愁切切，芳心撩乱情绵绵。
何时借得东风便，刮得檀郎到枕边。

先生读罢脸白了半晌，胡子直颤。春望正等着先生如上次那样夸奖他的诗作，却不料先生兀地把手往桌台上一拍，口出厉声："好个胆大妄为的赵春望，竟敢以此淫诗戏弄先生，可恶，可恶至极！"春望一时怔了。再看看先生，先生的脸已由白转红，依然怒不可遏。他自知事情出在抄的这首诗上，抄诗时他并未细读，只觉得行数适中，便选了这一首。先生称其为淫诗，这淫字他不解其意，但知令先生恼怒必不属光明堂皇之列。遂讷讷噤若寒蝉。随之先生追问诗出自何处。这遭春望不敢再说谎，一五一十地招认了。先生命他当堂回家取书，春望亦不敢违拗，一溜小跑回家把书搬来，呈于先生，先生将书浏览一番，怒火更增，喝问此被官府查禁的淫书自何而来，春望只答不知，再问，不知还是不知。而先生却定要查个水落石出。

七姐一病不起。

许多事当属该然，七弯八拐便把人赶上绝路去。假若当初曲路不把那书撂在七姐家中，假如她认得字早把这该死的书销毁；假若春望不图省事从上面抄诗；假若先生不把此事告诉三爷；再假如三爷不执意追查到底……

从三爷家出来七姐的精神一下子垮了，偷儿似的躲避着村街上的人，回家后便倒在炕上，只觉天旋地转，万箭穿心。她知道自己的末日已经来到。

这遭三爷对她的态度不同往常，朝她怒目而视大发雷霆。极尽羞辱恫吓之言词，非逼她交代出淫书的来路不可。七姐心明，知万不可说出曲路，说出便等于把春望的来历给三爷交了底，非同小可。不说，又招惹了三爷加倍的恼恨，更认定她是个败坏了赵家门风的淫妇。那时站在三爷面前，她恨不得能钻到地里头去。

这是一场浩劫。七姐自知无法逃脱，她不再出门，终日躺在炕上，瞪大两眼，不眠不食。她公爹赵凤歧根据三爷的意旨到炕前继续追问，七姐始终无语。如此日复一日，七姐那本来丰满的身子迅即消瘦下去，且一日短似一日，如同雪人在阳光下渐渐融化。

七姐死于秋季一个阴霾的午后，是自然死亡。在这之前她曾试图由自己结束生命，没有成功。同样是一个不晴朗的日子，她支走了春望，用尽最后一丝气力将腰带搭上门框又把自己的脖子套上，但这最古老最传统也最有效的方法对她却失去威力，她的身体太轻，吊在门框下面宛如一个纸扎的人，飘飘悠悠，微风一吹，身子钟摆似的左右摇晃。直摇晃到春望回来将她重新抱在炕上。这种死法没有奏效，她便清楚再没有其他己所能及的方法供她使用。同时也知道自己的阳数未尽，须耐心等候。在等待的那些日子里她出奇的安详，也变得絮絮叨叨，黑下春望一躺在她的身边，便开始给他讲她小时候听说的那许多故事，直到听见了春望的睡声仍然讲个不止。在最后的那个夜晚，她再次听见“桂儿桂儿”的呼叫声，她像突然听见一声号令般翻身坐起，同时头脑中豁然一亮，她终于记起，“桂儿”是她幼时常在一起玩耍的一个光屁股男孩，玩耍时她总是“桂儿桂儿”地叫他。后来男孩溺水死了，埋在山坡上的“乱葬岗”里。再后来她把他忘记了。现在，当她突然晓悟一直谜一般困扰她的“桂儿桂儿”的呼叫竟然是自己幼时的声音，她惊愕了，同时又明白自己的时候真的到了。

殡葬一切按规矩行事，她葬在奎安那座坟的右边。棺材也是惯常的大，没因她最终萎缩得如孩童般的身子做得小些。这对夫妻在阳间里不甚般配，而在阴间就可以的了。

春望似乎知道他妈七姐的死与他从上面抄诗的那本书有关，悲伤中他一直想仔细看看那本书究竟如何能置他妈于死地。但书已被三爷收管，严禁外传。他只好作罢。但心里的疑惑不减。

春望给他妈七姐摔过瓦盆，便被他爷爷赵凤歧领到三爷家了。三爷要亲自抚养这个孤苦伶仃的孩子，三婆云仙也很乐意。春望由此进入他生活的新时期。

春望在三爷家一住三年，到十四岁下了学堂。这当间三爷和三婆为其含辛茹苦自不待言，难以一一赘述。春望已长成一个体面英俊的少年，且学业上游品行端正，令村人刮目。此时闵老先生因年老多病已告老还乡，新先生尚未来到，学堂暂时关闭。考虑到春望的实际状况，即使新先生来了也未必能教得了他。三爷便与赵凤歧商量：要么送他进龙泉汤那所官办的新学；要么干脆停止学业，给他说一门亲，等满十六岁后完婚。这样一来可以尽早些为赵族繁衍焕然一新之后代，以使向杨姓人借种的尴尬事不再重演（三爷至今仍坚信春望是杨宗才三儿杨宝儿的后）；另外，也可让春望在三爷身边帮助料理族中事务，一旦三爷百年便名正言顺成为后继之人。权衡再三，还是觉得后面的想法为好。

这年秋天为七姐烧了第三个周年，三爷和赵凤歧便开始张罗春望的亲事了。提亲的人很多，最后从媒人们所提众多人家中筛选出两家，一是南面八里常家庄的常姓人，一是东面六里小郑庄的郑姓人。论条件常、郑两家各有长短。常家的家境较为殷实，二十几亩好地，骡马多匹，日子过得红火。而郑姓人的家境则逊了一筹，三十几亩地，别的亦不如。但若论究起两家的闺女，那就得倒过来说了，郑家女子长得俊俏水灵，常家女子则逊色一些。尽管长短如上所言，但这次的选择却没费多少周折，三爷没怎么斟酌便定了郑家。他的原则一贯是从实用出发，家境再好终归带不过来，过来的是人。常言道宁可苦命不可苦相，女子的模样长相关系着下一代人的面貌，这一点对于赵姓人的重要自不待言。定下郑家女子不久便择吉日下了简①。

春望于一个极偶然的机会见到了郑家女子小穗。这是一个乖戾的机缘。若没有这个机缘他们的相见必然要等到两年后的洞房花烛夜，那样后来的事便会平平安安圆圆满满。但这次提前的不合常规的相见却改变了后来的一切，使赵家泊赵、杨两姓人同时经受了一场大灾难。

那是在“下简”转过年来的春天，龙泉汤集日。几乎每个集日春望都去给三爷买鱼。三爷自嘲是只老狸猫，离了腥气便食不甘味。春望深知三爷在他身上的恩典，便对三爷格外孝顺。凭着他的水性，时常在池塘里捉个王八给三爷滋养。平常集日，春望总是早早便去，买来顶新鲜的鱼。可这一集他去得晚。族中两户人家因地界的争端大闹，动了手，几乎闹出人命。三爷也许有意培养春望，让他去处理这件事。在这之前，春望确也代替三爷处理过若干事情，但多是鸡零狗杂，这次便不一般。在往村外田地里去时他在心里思忖：在乡间为地界相斗的事屡见不鲜，出因皆在人的自私心，而私心是人的本性，无良药可治。唯一可行之法便是以毒攻毒，使其患大失而认小失。到了地里，两家人仍厮扭在一起，难解难分，见他来到也并不当回事。他看了看也没多言，从地上捡起一把镢头，朝一具犁猛砸下去，砸折了犁尖。接着又砸折了另一家的犁尖。这时厮扭在一起的人住了手，瞪眼看他，不知所措，围观的人亦面面相觑。春望先发制人，大声扬言：三爷有话，以后再有地界之

① 下简：当地俗语。即订婚。简意为婚约或婚姻之信物。

争，不问青红皂白，先砸其犁。不服，将地没收为庙产；再不服，点火烧屋。说完转身便走，走出老远，身后仍鸦雀无声。

他这便去龙泉汤赶集，已近晌午。到了集上，乌云已布满头顶。世上许多事，离奇也罢，平常也罢，只要对当事人产生不凡的影响，这事情也便带有了戏剧性。春望买了鱼刚要回村，天下起了雨。雨点很大很密很凉，赶集的人如同鸟儿奔巢各寻就近的门洞避雨，一派狼狈。春望跑进一个门洞见里面已有两个年轻女子，这时他根本不会想到其中的一个便是他的未婚妻小穗。他只是觉得这两个与他年岁相仿的女孩长得很俊秀，个儿高些的那个一双眼更加妩媚动人。按说，避雨就是避雨，互不相干，雨歇便走。如此也不会生出以后的事端，可春望却忍不住开了口，问人家是哪个村的。个儿高的回话说是小郑庄的。春望并不止口，又问知不知道有个叫小穗的。这一问，那矮些的女孩哧哧地笑起来，指指说这不就是你说的小穗么？春望听了先是一怔，随之满脸涨红。那高个女孩也早埋下头去。从那一刻，春望便觉得这个美丽的未婚妻小穗已深深钻进他的心里头。

那次门洞相见时间很短暂，不待春望把自己是何人告诉小穗，雨停了，小穗和她的女伴走出了门洞，很快没入重新聚拢起来的人群中。

春望的日子没有恢复原样，小小年纪却心事重重，不再专心做三爷交给他的事情。整日扳着指头数算着到十六岁成亲还有多少天。越算心里头越焦躁，他急于同小穗见面，不甘心等到遥远的新婚夜。如果他只是在心里思念而不付诸行动，那一切仍会平平安安。但那样他也就算不得他亲爹曲路的后了。

他决定去小郑庄与小穗见面。这是清明后的一天。天空晴朗。他赶到小郑庄见村街上空空荡荡，只有几个光腚孩子在玩耍。他问一个男孩小穗家住哪？男孩说在村东头。小孩子自告奋勇把他带过去，指指一个平平常常的门楼。他深感为难，知道不可贸然而入。想了想，便央一个孩子去把小穗叫到街上来。

小穗随那个孩子走出门来，竟认出了他。小穗脸红扑扑的像一朵刚开的山茶花，春望看见这张脸心便狂跳不止，连话都说不囫囵了。他说小穗你那天走得那么急，你知我是谁么？小穗说我不知道你是谁。他说我是赵家泊的赵春望。小穗惊讶地说你就是赵春望。他说是。他说我早就想来找你。小穗说找我有事么？他说我想你。小穗的脸红上加红，抬眼看看四周，说你赶快走吧，叫人看见不好。他说你跟我走。她问去哪儿？他说到村头的树林里。小穗摇头说不去。他说你不去咱们就站在这儿说话。小穗无奈，叹口气说你头里走我跟着。

到了树林，春望冷不防就抱着小穗亲起来，小穗不敢喊叫，抵抗了一会儿就没了力气，倒在地上。春望把她压在身下，开始解她的腰带，一边大口喘气一边说：早晚的事就早做了吧，我等不及了。小穗不动也不说话，只张眼看他，就这儿春望便把事做成了。从地上坐起，小穗啼哭起来，春望抱着她用舌尖把泪珠一颗一颗舔进口里再咽进肚子里，直到小穗不再流泪为止。临走时他对小穗说他还会来的。说这话时的口吻与他亲爹简直毫无二致。

春望一发而不可收，从春到夏，他频繁奔走在赵家泊与小郑庄之间。这是他自小至大心情最为舒畅的时日。对他的行为，小穗亦由初时的拒斥渐渐变为响应。他们的相会间隔愈来愈短，而每遭相会的时间却愈来愈长，他们有点不顾一切，忘记一切。虽然小穗的家人已有察觉，但他们也并未因此而收敛些。他们不断变更相会的地点，有时在场院屋，有时在庄稼地里，也有时去到离村很远的一个大河套里，白亮的河沙与他们白亮的身体融为一处，这时春望便惊讶小穗的身体比她的面目更加美丽。他们的恋情这么一直持续到仲夏。

一日，小穗的伯父受小穗父母的委派来到赵家泊，向三爷陈述春望的不轨，并要求对春望严加管束。这些日子三爷也发现春望的行为有些异样，找点借口便离开家门，一去便是大半日，且在家时也总是神思恍惚，像掉了魂。经小穗伯父这么一说，他方如梦初醒，连道：是了是了。又忙向小穗的伯父赔罪，引咎自责，说这孩子从小是由他一手栽培长大，在学业、修身、处世、谋事诸方面，对他的要求都十分严格，可唯独忽略了有关女色方面的教导，这疏漏实不应该，以至生出今日的大逆不道。三爷请小穗的伯父回去转告亲家，保证今后杜绝这事的发生，再犯绝不饶恕。小穗的伯父这才走了。

春望在外并不知小穗家的人来告他的状。回到家见三爷阴沉着脸，也没多想。三婆叫他吃饭，他吃了。正要再出门，叫三爷喊住，对他说从今往后再不许去小郑庄。他一听这话知道事情有露，却也没当回事。心想，他与小穗早定了亲，早晚是他的人，这也算不得犯啥王法。可当着三爷的面他还是答应了不去。

第二天便是他和小穗的约会日，他终于按捺不住又奔赴小郑庄。在约会地点他没有见到小穗，这种反常使他意识到小穗已被家里人看管起来，他怏怏而回。回到家三爷便对他大发雷霆，说若不悬崖勒马便对他施行家法。

这夜下起雨来，电闪雷鸣。每当坏天气他便格外惦着小穗。他不知道她家里人会对她怎样，会不会对她施行家法。作为族长的继承人，他自然深谙乡俗，对惩罚不轨族人的条条款款都烂熟于心。如果他与小穗的事被视为通奸，那么小穗将受恶鸡啄身之苦。想到小穗那娇嫩的身子会被啄出一个个血窟窿而后又不被人理睬发臭生蛆，他便心惊肉跳。这夜雨一直未停，他也一直未眠。

第二天雨仍然在下，时紧时松，村东面的河开始涨水。在村里可听见“哗哗”的水声。春望突然想到：若雨继续再下，河水漫过了石桥，那时想去看小穗也看不成了。眼下小穗凶吉未卜，必须赶去看个究竟，方可心安。

他决计不顾后果，偷偷溜出了家门，冒雨奔向村外。刚到河堤下，已被几个候在那里的族人拦下，并将其五花大绑，带到村里，绑在街上的一株古槐上，任其风吹雨淋。

三爷并不见他，着人传话：若不发誓改邪归正，便永不松绑，直至饿死冻死，死了也被视为逆种不准进赵家茔地。春望不语，只思谋着脱身之计。

一时间被缚的春望成了村中的一大奇观，全村男女老少一齐奔到槐树下观看，那热闹状不亚于当年看曲路的演出。把雨不放在眼里。年纪大些的人还披着麻袋片子，年轻人则干脆任雨水冲刷。春望不指望这些人中有哪个能帮他解开绳索，相反他从所有人的面目上都看出难以掩饰的快意。确实，他的倒霉与难堪只能使人感到高兴，杨姓人是这样，赵姓人自不必说。春望闭了眼，不再看。突然他感到有一只手在摸他的裆处，便立刻睁眼，见是一个涎笑着的矮小汉子，正是那天他砸犁震唬过的人中的一个。他摸了一会儿，朝众人做个鬼脸儿，说道：是个光板儿。娘的，连毛都没长出来，倒急忽着操×，拦都拦不住。人堆有人插嘴：叫他说说，那小×长没长出毛来，也是光板一块么？又有人说：常言道，青龙对白虎，操上一回也是福，问问他总共操了多少回啦？这当间人们一阵阵哄笑，一声声怪叫。春望怒目圆睁。一声声在心里吼号：杀了这群王八，杀了这群王八，杀得片甲不留……

也并非没人为春望的遭际难过，他爷爷赵凤岐和三婆婆云仙便是。他们在三爷面前为春望苦苦求情，说这般做法只能使亲者痛仇者快。三爷心硬如铁，执意不肯饶恕，说这遭若不叫他脱胎换骨，待自己百年之后谁又能对他施加管教？

这一天雨从早晨一直下到天黑，没一刻停歇。春望又冻又饿，终于发起烧来。脸涨得通红，雨落上去，似乎能看见被蒸发的一股股白汽。被缚的身子阵阵发抖，冲击得绳索咯吱咯吱响。围观了一天的村人此刻都回家安歇了，带着无尽的回味。春望耳畔只有连绵的雨声以及东河愈来愈使人惊心动魄的涛声。雨在继续增大，山洪说不上会在何时暴发，而山洪一旦暴发，即使他脱得了身，也难以渡河去小郑庄了。生命危在旦夕，他心里装着的依然还是小穗。他是个货真价实的情种，这德性如他的亲爹曲路无异，而这父子间却有着天壤之别：曲路虽不断对女人们钟情，但从不把与她们交合寻乐之外的事放在心上。他没心没肺，无情无义，搞女人如同黑瞎子掰苞米，掰一穗丢一穗。而春望却专心于一。

这最后一个夜晚格外的漫长，这不仅出自春望内心的感觉，而更是一种真实。一夜之间他原本光滑的下巴长出了长长的胡须，他看得见；犹如对耻笑他的那伙人的抨击，他的胯间也长出了浓密的毛，这是他感觉出来的。另外他既看不见又无从感觉的是脸上出现的皱纹。要是这个黑夜再继续延长，他或许会一直变成一个须发皆白的老人。却没有，天亮时他成为青壮之躯。

这青壮之躯使他挣断了绳索。

拂晓时的雨变成瓢泼，天地间像垂着一道灰白的布。雷电使这布飘摇不定。春望发疯般奔向村外，一直登上河堤。他望向河面，滚滚波涛上漂浮着整棵整棵的树木，他知道这是山洪来临的先兆。他寻找河中的石桥，没有找到，石桥早被河水漫住。他几乎没有多想，便蹲下来用手扒掘河堤，河堤被水泡得松软，一会儿便被他扒出一道缺口，河水从这个缺口向堤外溢出。缺口愈冲愈大，整条河堤很快将毁于一旦。春望从缺口处不断后退，望着滚滚洪水凶兽般奔向村子，他的目的在于将整个村子淹没，同时使分洪后的河水跌落下去，露出石桥。对他而言这两个目的并不矛盾，都是他的心愿。他要在过河之前看到整个村子的毁灭。这是一种巨大的快感，其程度远非看杀猪以及与小穗交合的快感可以比拟。他觉得这不仅是复仇更是一种创造。

他目不转睛地看着大水将村子席卷，他听见人与牲口濒死的哀号。当滚滚波涛吞没了所有黑色的屋顶，这哀号也渐渐低落以至消失。可叹生生灭灭皆在顷刻之间。

忽然，一幅奇异的景观展现于春望眼前，使他触目惊心：泱泱大水之上漂浮着一口色彩鲜亮的木棺，木棺里隐约见有一颗花白的头。如同一个老渔人在驶着一只舢板。他心里格登一声：三爷！是三爷！他在三爷家一住多年，自然知晓三爷的各种习性。他不在炕上睡觉，五冬六夏都睡在自己早已备好的棺木中。这是老人拒斥死神的风俗。可他在决堤时忽略了这一点。望着三爷逃脱了劫难，他心里充满了悲怆，三爷毕竟是三爷，他无法加害于他，这是天意。

他感到一种彻骨的寒冷，这寒冷是来自恐惧，是那种胆战心惊的恐惧。此刻他已别无他想，唯一的念头是赶紧逃离此地。他转向河面，只见石桥已奇迹般露出水面。他为自己分洪的成功而欣喜。正准备过河，但他却突然像被雷电击中般目瞪口呆，他已不能从这座石桥上过河。他扒堤时犯了一个致命的错误：站错了位置。本应站在离桥近的一边，而他却相反。此刻，他正是被自己开掘的那道洪流所阻隔，使他无法到达桥头。最后的希望恰断送在自己之手……

他木然站在堤上，混混沌沌。大雨仍然在下，他那一夜间长出的胡须被雨水粘连在一起，显得整个面目是那样的怪异，如同一只未老先衰的羊。陡然，一阵排山倒海的啸吼把他惊醒，他连忙望去，只见一座小山似的洪峰从河的上方倾压过来，洪峰经过之处堤坝纷纷坍陷，如同墙的倒塌，发出震耳的轰鸣。他立刻意识到大难临头，拔腿便跑，沿着堤坝。那座洪峰紧紧追逐，堤坝亦追逐着向前溃坍，他不顾一切地狂奔，名副其实地与死神赛跑。终于没了气力，倒在堤坝上，这时洪峰已至，将他与堤坝一起吞没……

在军内升至上校旅长的杨宝赶回家乡已是半月之后。他事先并不知道村子遭了水难，他回来一是探亲。另外他要与三爷了结十五年前的那桩宿债。那个夜晚三爷把他唤到家中，污他与七姐私通。要他立刻出走，永不返乡，否则性命不保。他有口难辩，只得忍气吞声离开家人。不想一走便是十五载。

上校与他的随身马弁在离村子很远的地方停下，向前久久凝望，似乎来到一个陌生地方。马弁轻声问前面可是长官的祖籍？他未作答，可心里清楚那些残墙断壁确系赵家泊无疑。面对着满目疮痍无一丝生气的昔日家园，上校不胜唏嘘。

（选自《小说家》1992年第2期）

尤凤伟

1944年出生，山东牟平人。1982年加入中国作家协会。历任青岛市文联副主席，青岛市作协主席，山东省作协副主席。

1976年开始发表文学作品。已出版有中短篇小说集《月亮知道我的心》《爱情从这里开始》《尤凤伟中短篇小说选》《蛇会不会毒死自己》《一桩案件的几种说法》，长篇小说《中国一九五七》《泥鳅》《色》《衣钵》及《尤凤伟文集》(4卷)等。

一曲未了

阙迪伟

一座座山。一条条岭。一道道弯。

老曲走累了，每抬一次腿，木沉沉、颤抖抖的艰难，都感觉到是在竭尽生命的最后一点气力；喉咙干渴，火烧般难受。抬头看天，日逼西山；天陲的棉花云缓缓翻动，厚厚的云层里隐隐传出一两声闷雷。算来已整整走了一天。

当向导的村长说："歇回力吧。"

老曲就条件反射似的丢下拄杖，一屁股跌坐在山路边草棵上，无奈地喘气，畏难的目光在崇山峻岭睃巡之后又无力地垂下，木木地盯着脚跟前匆忙奔走的山蚂蚁发呆。老曲已说不清歇了几回力了。

村长叫蛮牛。蛮牛一点儿也不蛮，倒是顺帐得很，像狗，这时候便踅回来，跄蹴在老曲身边，一脸歉疚的笑，一边忙忙地让烟。烟是好烟，云南产的红塔山牌，五块九一包。出发前在乡政府旁边的小店买烟时，蛮牛听到这个价格时瘦削的脸痉挛了一下，充分地表露出震惊和肉痛，但最终还是将一些皱巴巴的零票一五一十地点在柜台上。烟是为老曲准备的，他自己只抽旱烟。老曲下工作组一个多月，知道这一带很苦，山民大都一分钱掰作两半用。为此，老曲就很懊悔当初没阻止蛮牛买烟。老曲惯来在这方面反应迟钝。

蛮牛是个寡言的汉子，见老曲一再谢绝抽烟，便很过意不去，说：

"快、快到哩……拐个弯，上岭，就、就、就到村。"

还要拐个弯，上条岭！老曲听了心里便有些发寒。早就听说到苦树坑的最后一条岭有七里，陡峭得很。但老曲还是故作轻松地笑笑，说：

"没啥，没啥，给村长你添麻烦了。"

蛮牛便愈发过意不去，一脸歉疚的笑便愈发凝固不动，讷讷地想解释，却又道不出个子丑寅卯来，而后就骂：

"狗娘的二狗子，死人哩，咋还不来接？我到前头瞧瞧去！"

蛮牛一骂人就没了口吃。骂毕，巴结地朝老曲一笑，站起来猴急地小跑离去。

二狗子是蛮牛的子民。二狗子昨天和蛮牛到乡政府找工作组时，老曲正在整理材料。再过十天，工作组蹲点就要结束了，老曲的任务是超前把总结写出来，届时工作组的任务就圆满完成，不留尾巴回机关。老曲那个单位不叫机关，是群众团体，叫文联。老曲在文联编杂志，编余就充当写手，上自由班。老曲的熟人都说老曲狗娘的命好，拿公家的工资，写公家的纸墨为自己赚稿费，很舒服。老曲这次下来收集了不少素材，想尽快把事情了了，回去过“舒服”生活。当然老曲不嫌素材多，听了二狗子和蛮牛的反映，赶紧到隔壁把正在开会的组长老刘叫过来。老刘想了想很为难，说：“这阵子我脱不了身。老曲，干脆麻烦你跟他们走一趟，倾听一下下面群众的意见，顺便采访一下，把那个调查报告写出来。”那个调查报告就是指苦树坑村林业发展的调查报告，工作组原是将其列入计划的，老曲也早拟好了采访提纲，但由于路远，又天天下雨，便一直没有兑现。老曲没二话，一口答应下来，只是原定老刘与他一起去的，现在叫他独当一面，有点把握不稳。不过也没办法，其他组员都在周村蹲点，老刘又忙，你不去谁去！难得共事两个月，捧捧场吧。今天一大早蛮牛来叫时，不见了二狗子。蛮牛说二狗子半夜先回了。老曲好纳闷：半夜先回干什么？带点遗憾，老曲就跟蛮牛上路了。

雷雨前的山林很悄静，很闷热。空山鸟语，益发感觉到如水的静谧，没有风，老曲身上的臭汗早将衫衣溻湿，黏滋滋地贴在脊背上，怪不舒服。于是老曲又想到了家，想到了下乡前装的万家乐牌热水器。老曲想这会儿若在家中，准会痛痛快快洗个热水澡，而温柔娇小的妻子，则会幸福感强烈地将他这一身脏臭兮兮的衣服浸泡在水池里，细心地洗涤……老曲笑了。很满足地笑了。老曲原先难得有满足的笑，一个写手，写一些三流稿子，除此之外，毫无特长。妻子的调动，孩子的入托，单位的分房，处处求人，处处低人一等；连编辑开的稿费也特低。老曲就很佩服那些发明“手术刀不如剃头刀，教授抵不上卖茶叶蛋老太婆”之类流行语的无名作者对生活的洞察力。可是现在，老曲对生活几乎是万分的满足，心平得很。老曲终于对欲望是万恶的根源有了深刻的理解：你老曲拿工资，有饭吃，有彩电、冰箱、万家乐牌热水器，还他娘的常常发牢骚、说怪话，而这里的山民有这一切么？这里的山民点煤油灯还抱怨耗油，一年的口粮总缺那么一两个月……于是老曲就想：以后机关里说怪话的同志恐怕光学马列还不行，得请他们到老区走走，啃几个月番薯，对比一下，想想很多老区农民的生活还远不如自己，比上不足，比下有余，他们才会心安理得，才会满足。

老曲正这么想的时候，忽然听见蛮牛的喊声：

“嗨——嗨嗨嗨啰——”

老曲走不出百步，拐弯就撞上了气喘吁吁的蛮牛。蛮牛是兴奋的，瘦削的脸上不再是歉疚的笑，而是欢喜若狂、如释重负的笑，流彩飞扬。蛮牛一路叫：

“来了，来了！甭走，哎呀呀曲同志，你，你你你咋扛挎包？撂、快撂撂撂下！”

老曲就停下，就撂下挎包，疑惑地瞧蛮牛。

蛮牛喊：“他们来接了！”

越过蛮牛身后，老曲果然瞧见六个山汉大步流星地朝他奔来。山汉们都不空手，抬一顶滑竿，拎一只热水瓶、篓箜什么的。老曲好纳闷，不过旋即就自责起自己的迟钝：二狗子半夜先回，是回村调遣滑竿抬你上山哩！便觉得脊梁上好似有山蚂蚁结队爬过，坐立不安起来。

转眼间，山汉们都到了老曲跟前，将崎岖的山道堵塞了，一个个都虔诚而惊畏地瞧他，露出白白的牙齿，怯怯地笑。老曲从没有让人家如此虔诚而惊畏地瞧过，现在看他们的神情就联想起灵隐寺大雄宝殿里的香客们，心里掠过一阵惶惑：山民们将他当活菩萨哩！

蛮牛在子民们跟前便颐指气使，吆喝道：

“还愣着干么，快给曲同志倒水！”

这几个山汉便都打了个愣，憨憨地笑。二狗子反应机灵，立马从篓箜里取出一只海碗，粗笨的指掌在碗唇匆忙地揩拭时，另一个山汉已拎着热水瓶凑了上来。

一碗新茶，不烫不凉，不酽不淡，恰到好处。老曲喝时，就思忖山民们为了这一瓶新茶的恰到好处，煞费了一番心机。喝毕，有若醍醐灌顶，身体陡然有了精神，心里却歉疚得很。

蛮牛问：“再来一碗？”

老曲忙摇手。

蛮牛就说：“那就吃块饼，充充饥吧。”

二狗子忙将篓箜凑到老曲跟前，揭开毛巾，便见一浅篓箜薄饼，好似老曲是大肚汉。

老曲就不客气，捡了一块，饼是麦饼，加点盐，粗粝得很。这时候确实饿了，开头几口倒不觉得难咽。

蛮牛说：“山里条件差，没好吃的，哪像城里……”

老曲说；“好吃好吃。”并努力做出狼吞虎咽的样子。

山民们就笑。如释重负地笑。

蛮牛又问：“再吃一块？”

老曲嘴巴尚塞满饼，忙又摇手。

蛮牛就指指滑竿说：“那好，你坐。”

老曲匆忙咽下饼，急急地说：“抬上山，像啥话！”说着就去拎挎包，一副死不相从的倔样子。

但蛮牛不容他多说，一把将他拽到滑竿边摁在坐椅上。老曲挣扎，可徒劳，感觉到蛮牛那双瘦精精的手似有千钧之力。

蛮牛像哄小孩似的拍拍老曲肩膀，接着便吆喝他的子民：

“起——”

滑竿稳稳地升起。老曲刹那间便有了一种腾云驾雾、一览众山小的感觉。这时候想跳下去已不可能，左边是倾斜的山，杂树成林，右边是悬崖。恭敬不如从命，老曲想，再何况，今天确已累得够呛，欲充好汉，非折腾得死去活来。

严格地说，滑竿算不得滑竿，很简单：一张旧太师椅，绑两根苗苗条条的竹杠，椅脚前绑木板，搁脚，如此而已。不过，一路摇摇晃晃的，老曲还真舒服得过瘾。老曲虚度四十，还没福气利用过这等人力资源。那年他应邀参加作家协会在雁荡山举办的笔会，作家们雅兴不灭，结伴去游小龙湫，游小龙湫有滑竿。一顶滑竿乘坐往返二十元、三十元价格不等。作家们身份不低、名号响亮，可谁都不忍花钱去利用那人力资源，连走得气喘吁吁的老作家也说还是跑路好，跑路能锻炼身体，跑路能增添雅兴。为了省钱，作家们惨不忍睹，包括老曲。老曲那次皮鞋硌脚，一蹶一拐地像流浪汉。老曲后来就很懊悔没去体验滑竿的滋味。

可是，这一次滋味如何？山民们前呼后拥的，景况与那次小龙湫之游截然不同，老曲想自己真有点像一部影片里坐滑竿上峨眉山、养尊处优的老爷。一百五十斤肥胖的身坯，硬是让山民们轮流抬着爬山越岭，你老曲凭啥？臊！

于是老曲几次努力要下滑竿，但这种努力愈发换得山民们的殷勤热情。到了这份儿上，已身不由己，老曲只好作罢。

雷雨前的天很闷热。抬滑竿的山民精壮精壮，精力无穷。赤裸的古铜色躯体挥汗如雨，似涂了黑亮的油彩。滑竿一步一摇，在他们肩上好似没啥斤两。抬着抬着，他们就唱：

> 一步一步一步摇，
> 一摇摇到马蹄田，
> 热勃勃的臭汗，
> 热勃勃的骚情，
> 苦只苦，
> 马蹄田的妹子只认铜细，
> ……

蛮牛笑骂：“瞧好路，嘴巴少骚！”

山民们就咋舌，憨憨地笑。

老曲也笑。

不知不觉地，滑竿进了一片松树林，头顶的天就阴暗了些；山风徐缓，凉浸浸。都是些合抱粗的松树，参天而立，很是壮观。凭经验，老曲知道是风水林，村子就在前头了。果然,滑竿就稳稳当当地停下来。

蛮牛说:“到了。”

老曲抬抬腿,就要下来,却感觉到腿有点麻木。蛮牛立马像一个忠诚的马弁似的将他扶下滑竿,说道:

“站好站好,血脉不畅,停晌就没事。”

老曲笑笑,正想说句歉疚的话,忽然见林子里闪出四五十人,惊诧纳闷之时,铜锣鼓钹已震天响彻:

咚咚哐,咚咚哐,咚哐咚哐咚咚哐……

蛮牛笑道:“村里人接你哩。”

老曲感动了,但更多的是惶惑和歉疚,说:

“村长你哩,何必兴师动众,惊动乡亲们。”

蛮牛笑道:

“苦树坑十多年没来过干部。来个把乡干部也不过夜,罚了款就走。山里人盼干部来,说说心里话。”

这话蛮牛已第三次重复。此情、此景、此话令老曲感慨不已。

正准备往村里走,二狗子喊:

“刘撑船!”

老曲就见一个制服口袋上别支钢笔的跛脚后生,像撑船似的一摇一摆上前,挥挥手似赶鸭一样将八个系红领巾的男女学生,驱赶到他跟前。刘撑船是山村教师无疑。撑船代称跛脚很形象很风趣,换若平日,老曲定然为这种幽默笑得前俯后仰,但此刻则笑不起来,只觉得心里苦涩——为这位跛脚的山村教师,此时铜鼓锣钹骤然停止。老曲定了定神,学生们已一字排开。一个女生跑上前敬礼,把一簇山花塞到老曲手中。老曲只有接了,并迅速地联想起天安门前欢迎国宾的场面。老曲没有俯下身吻那女生脸颊,那样不符合乡情,只是抓住她的手摇了摇,然后摸摸她的头以示亲切。女生就后退一步,朗诵道:

“敬爱的地委工作组伯伯,我们苦树坑小学全体师生,热烈地欢迎你光临指导……”

女生致辞结束,铜锣鼓钹又响彻云霄。苦树坑村小学全体男女学生随即挥动山花,笨拙地载歌载舞起来:

“欢迎欢迎,热烈欢迎……”

一切都是事先安排好的。这个貌似老实寡言的蛮牛哩,老曲这么想,老曲虽说好歹是位作家,但如此殊荣,还是第一次消受,好不尴尬,只好僵僵地笑。

蛮牛便颇有点村元首的风度,朝老曲点点头,拉起他一只手,在热烈的锣鼓声和笨拙的舞蹈中,由着村民们前呼后拥进了山村。

村不大，仅三幢房子，呈三足鼎立，错落在坳地里。房子却很大，一律木结构，没有泥墙，空阔的回廊空空荡荡。每幢房子像笔画特长的“一”字，住八九户十来户不等。房子与房子之间距离有五百米光景，一条乱石砌的路，米把宽，高低起伏，呈环形沿山腰将三幢房子连接起来。

这种风格和布局，老曲头一次见到，不免好奇。蛮牛告诉他，原先村子里的房子是连片的，前年一场大火烧得精光，重新盖才决定盖成这个样子。

蛮牛叹道：“没水，眼巴巴瞧着烧。苦树坑从老祖宗起就这样，烧了盖，盖了烧。三五年，七八年一次，硬是烧穷了。”

老曲也就跟着叹息。

薄暮降临，山村朦朦胧胧起来。蓦地一道闪电划过，白亮如昼；跟着是隐隐而悠长的闷雷。各家各户都在吃晚饭。老曲瞧对面两幢房子，见汉子、女人们捧着海碗慢吞吞地穿过回廊，都聚到中堂去，对着他这边指指戳戳。中堂显然是议事活动中心。他们在议论他。现在蛮牛没空儿陪他说话。蛮牛的女人好似要将晚饭搞出国宴水平，把个蛮牛支差得团团转。使老曲纳闷的是，这儿和对面房子的中堂形成鲜明强烈的对比。这儿的中堂，仅留下他形影孑然，好不孤单，一反方才的热闹。

老曲便随便走，随便串门。串了几家门，老曲就恍然了：山民们是死要面子。差不多家家的晚饭都是番薯，很少有米饭或番薯丝米饭的；差不多家家见他撞进来都表露出最初的尴尬，而后才表示出热情。山民们显然不愿捧一大海碗清寡寡的番薯丝粥或啃着番薯聚到中堂来，由客人看穷家境。老曲心里便黯然落泪。

“粮食不够吃？”

“……不够。”

“一年相差多少？”

“一两个月；亏多的户一年缺半年粮。”

“政府的返销粮下来也不够吃？”

“够。可不敢吃白米，大多日子要吃番薯丝才够。再说，返销粮贵，比私价才便宜一点，没钱买。缺半年粮的有返销粮也不够吃。”

“那咋办？”

“借哩。今年吃明年粮，明年吃后年粮。”

老曲问得很平静。山民们答得也很平静。好像都习惯了，就这样。

老曲第一次和组长老刘下村了解民情，心头就不平静。一问一答，差点没把眼泪洒出来。老曲和老刘沉重地走出那户孤寡老人的家时，默默地对视着，而后凑了五十块钱返回塞到老人手里就逃了出来。老曲和老刘逃出很远回头瞧时，见老人正趴在家门口朝他们方向磕头。

老刘说：“你老母要是这样，你心里难受吗？”

老曲和老刘就禁不住泪水汹涌了。

老曲见怪不怪、心情渐趋平静是随着日子推移而成的。老曲现在了解这个乡的现状:穷山恶水,田地少,由于天寒只能种单季稻;没有乡办企业,山民又无意外出闯天下,穷惯了。后来,给钱的事由村里传到乡里,乡政府的王书记如获至宝,大肆宣传。宣传使工作组在群众中产生了反响,老刘和老曲开始有点沾沾自喜。但很快,那种只说他们给钱伟举而闭口不谈山民现状的宣传就又使他们觉出含有更多的讨好性质。“这样不好。”老刘委婉地劝说。“怎么不好?”王书记反问,随手抛过云烟。王书记曾自嘲地解释过云烟好贵,只招待客人,但老曲发现他平常都抽云烟,连他辖下的招聘林科员张三粒也都抽云烟。老刘就又说:“这样宣传真的不好。”王书记就笑答:“就是要大力宣传工作组嘛。”还是讨好!老刘和老曲便愈发说不出滋味。但嘴巴是人家的,封不住,只好听之任之。再后来,给钱的事由乡里传到区里,区里传到县里、地委,地委的《乡下动态通讯》上就刊登了。老曲和老刘很臊,好像给钱的目的是为了“事迹”见刊似的。与此同时,组里的同志就鼓励老曲和老刘每月都将工资用来救灾,最好连家当也全部摊上。老曲和老刘就更臊。靠个人有限的施舍,靠工作组短短的两个月时间,是无法改变村里的穷面貌的。老曲常常这样想。因而,最初的惊诧和激动的心境经过日子的磨蚀,也就慢慢变得平静甚至麻木了。

蛮牛找到老曲时,天已黑了。唯有十来盏油灯昏黄的光缀散在漆黑的天穹下。蛮牛打了手电。手电光射向屋外时,光束里斜织着银色的雨线。路面是湿的。

蛮牛说:“吃饭哩,让我好找。”

老曲道:“哦,走吧。”

蛮牛说:“今日你吃力了,饭后好好歇力。”

老曲道:“不累不累,晚上还是开座谈会吧。”

老曲没有忘记调查报告。早一天搞好早一天走。

蛮牛说:“这般讲,晚上的会还是通知一下?”

老曲道:“当然,得抓紧。哦,通知方便么?”

蛮牛说:“……不碍事。”

蛮牛回答时,又将手电光射向天空,瞧了瞧越下越密的雨。

老曲说:“下雨了。”

蛮牛道:“嗯,落雨哩。”

说着说着,就到了。蛮牛一到家,就叫二狗子通知开会,二狗子冲老曲笑笑,捋了几颗番薯抬脚就走。

蛮牛家挤了许多人,大人、小孩。见了老曲都很恭敬、崇敬地笑。小孩的目光则有些敬畏,更多的,是勾勾地盯着八仙桌上的菜。

蛮牛的女人笑道:“没菜,没菜,曲同志你快吃哩!”

菜很多:两碗鸡、两碗笋、一碗鸡炒笋、一碗笋炒鸡、一碗鸡杂炒笋、一碗笋炒鸡杂、一碗蛋炒笋、一碗笋炒蛋，外加两瓶“一滴香”。

老曲就想：国宴水平。不是么？在这大山里。

刚喝了一杯酒，天空忽然划过一道闪电，稍纵即逝。跟着，一个炸雷豁裂裂当空炸响，倾盆大雨蓦然好似千军万马压境而来。蛮牛的眉头皱了一下。

老曲说：“这雨！”

蛮牛道：“这雨，哎……吃，曲同志吃！”

一盏油灯昏黄。

十来张山民的脸影影绰绰。

都说农民的会难开。一点没错。不过，天也不作美，八点过时下起瓢泼大雨，一直就没停过。整个山村都让咆哮的雨声淹没了。

山里的夜晚本来就凉，下了雨，气温便骤然下降。老曲把挎包里的毛衣毛裤都套上了，还是觉得不自在。老曲现在还真有点懊悔：今晚就不该开会。不然，坐在山村的被窝里静静地听外头的狂风暴雨，静静地就着一盏油灯读书，倒是别有一番滋味，倦了，就静静地入睡，是何等惬意。

现在惬意不来了。为了那篇以示工作组成绩的调查报告，老曲得熬。老曲怀疑再熬等下去，挨到人齐了，自己倒反是没了情绪。于是心里便不是滋味：雨再大，三幢房子挨这么近，十分钟管够了吧，咋磨磨蹭蹭比出国还难？心里这么想，却又克制着不让在脸孔上表露出来。

老曲又看表，快十点了，就说：

“都通知到了吧，会来么？”

蛮牛一脸焦虑，却说：

“会来的，再等等。”

正说着，有人嚷：“瞧，来了！”

都往外瞧，果然见村路上有三五点鬼火般幽亮的手电晃动。慢慢近了，就听见人声。跟着，到了跟前，从大雨中一头扑进九个穿蓑衣的山汉，裹带进一股寒气，地面顷刻间水汪汪了。

蛮牛迎上去问：“岩土佬通知了？”

对方答：“二狗子跟我们讲过，没停，就直头走了，想是通知了。贼娘个雨！”

蛮牛便不再多问，默默地退一边，满脸的焦虑。

脱了笠帽蓑衣，老曲就看清九张毛孔奓起的陌生脸孔憨憨地笑。九双脚都穿着草山鞋，湿漉漉满是泥浆，走动时发出清脆的吱咕吱咕声；裤脚都绾到大腿根，勒得紧紧的。

老曲笑道：“辛苦了。”

都憨憨地笑，说：“不辛苦不辛苦，同志你跑老远的路到山沟沟，才辛苦哩！”

说着，一个个都转身到屋檐前，伸出脚，让如注的屋檐水淋浇腿脚上的泥浆。

淋浇出一股逼人寒意，条件反射地漫遍老曲全身。老曲不由得一颤。

老曲说："开始吧。"

蛮牛道："再等等，还有几个没到。"

老曲就没奈何。于是又团团坐着闲聊。老曲又开始撒烟。烟是"干部烟"，西湖牌，老曲已撒了两包。山民们都抽旱烟，没人撒烟的。屋里烟雾腾腾。蛮牛见老曲老撒烟就很过意不去。蛮牛不撒烟，见老曲要撒，就赶忙给老曲敬烟，其他人不管。蛮牛敬的烟就是早上买的红塔山牌。

就这样将房间污染到忍无可忍的程度下又熬过半小时，雨夜里才突然撞进一个山汉。瞧那山汉，又是一色的蓑衣，一色的满山草鞋泥浆，一色的裤脚绾到大腿根。所不同的是没戴笠帽，铁青的脸上雨水淌流，头发精湿，牙齿像发电报般嘀嘀嗒嗒乱颤个不停，像刚从冰水中捞出似的。

蛮牛的眉头拧成一个疙瘩，吆喝道：

"岩土佬哩？二狗子哩？狗娘的等你们开会，比请大宴酒还难，舍不得老婆咋个！"

汉子就红了眼，铁青的脸艰难地痉挛，似欲克制，却又禁不住泪水夺眶而出，与雨水合流搅淆得一塌糊涂。半晌，只管牙齿乱发"电报"，就是道不出一个字来。

蛮牛凶了：

"有屁快放！"

汉子终于哇地哭出声来：

"贼娘个雨！山坑水涨、涨了，过了卵、卵袋头……过丁步……"

蛮牛愣怔了一下，就忙笑着打断汉子的话，说：

"知晓了知晓了！走，换身干的去。"

边说边推着汉子往外走。

一屋子的山民都神情疑虑、紧张起来，你看看我，我瞧瞧你，却又都没说话，眼睁睁瞧着蛮牛将汉子推出房去。

老曲嗅出有些异样，追出去问：

"出事啦？"

蛮牛就笑：

"没、没事、没事，曲同志你进去吧。"

蛮牛说着，就脱了汉子的蓑衣，又推他到屋檐前，抬起他的泥腿让如注的屋檐水淋浇。淋浇了一只，又淋浇另一只。汉子木木的好似木偶，凭着蛮牛乱摆布。之后，蛮牛带他进了一个房间。

好一阵子，蛮牛才回来。汉子却没再出现。

老曲又问：

"出了什么事？"

蛮牛便又笑：

“没事没事，没啥卵事。”

老曲发现蛮牛有点心神不宁，就更疑惑：

“到底出什么事啦？”

蛮牛说：

“真的没啥屁事。他们路远点，来不了，就派一个代表来。这婊子儿嫩头，不惯夜路，又落雨，跌了跤，就吓得流×尿。”

就见山民们都缓过气来。

老曲便愈发疑惑，问：

“三幢房，不是很近么……”

蛮牛说：

“苦树坑有三个自然村，丁步坑村到这十里，老鹰岩村到这十三里。”

老曲听了，缓过一口气的同时，顿时愧疚得无地自容：

“村长你，呀，咋不早说！”

蛮牛笑道：

“没说的。你们工作组有任务，安排妥当的，咋能误了你们正事！再说，你吃千般苦到苦树坑，听我们农民心里话，我们农民能摆臭架？只是山里条件孬，让曲同志你吃苦哩。”

老曲就感动不已：

“你早说，这会就明天开。既然来了，多住一两夜有啥关系。”

山民们就善意地笑。

那笑声倒反使老曲不安。到了这份上，唯一能暂时弥补一下愧疚的方式是撒烟。

这时，蛮牛对老曲歉然一笑，说：

“老鹰岩村的代表路上淋了雨，直打摆子，我叫他先困了……这会儿，耽搁了；人凑不齐，你看，这就开始……”

老曲看表，已是十一点半，就说：

“那就开始吧。”

蛮牛便接下去说开场白。蛮牛说：

“曲同志是地区一杆笔，笔头生花，十分了得。这次是地委派他来为你们扬名的，让地委大官都知晓苦树坑农民造林多。狗娘的好好反映反映，甭错过机会，回家想想还有一条忘了讲，床上不颠床下颠，机会就没了！这是第一点。第二点，曲同志是地委派来察访民情的，就是钦差大臣，见官大一级。你们日子过得咋样？对乡干部有啥意见？有话就讲。实事求是讲。甭怕，曲同志护着你们，还把你们的意见捅到地委，地委回头就整治他们。整党嘛，廉政嘛，就是老百姓提意见的时候。

甭平日里怪话连篇，今晚上放不出一个屁来……”

村民们就恍然般地笑，都崇敬、敬畏地瞧老曲，好似老曲真的是钦差大臣。老曲没想到自己让蛮牛说得如此伟大，而且蛮牛确实也将他看得如此伟大，就觉得自己的身份多少有点欺骗性质。其实，老曲想，我又能帮助农民办点什么呢？除了了解一些民情，在两个月内力所能及地帮助农民说说话，跟区、乡干部疏通疏通，办一点实事，又能干什么惊天动地的事！两个月后，确切地说，十天后，即工作组结束后，老曲还是老曲，编稿子、写稿子，为老婆的调动、孩子的入托发愁奔波，为一日三餐忙得团团转，鸡零狗碎！位卑言微，根本与钦差大臣八竿子打不到边儿。但老曲不想实事求是解释。老曲现在在工作组工作。老曲若要实事求是解释，就不叫工作。若是让农民知道你老曲只是个应应景的酸文人，说话办事远不如一个乡干部威风，岂不让今晚的座谈会砸锅！你老曲又如何完成工作，如何撰写林业发展调查报告？农民对你老曲寄予无限的厚望呢！于是，老曲在听蛮牛说话时，就尽量保持着钦差大臣高深莫测的微笑，让山民们饱睹丰采——为了工作。

蛮牛说完，谦卑地朝老曲笑笑，说：“曲同志，你讲讲？”

老曲说：“好，好。”

蛮牛就说：“大家欢迎曲同志做指示。”

山民们都热烈地鼓掌。

于是老曲就讲。先讲工作组情况，后讲基本路线教育，接着话题一转，转到调查报告上来。老曲的调查报告题目叫《政策稳，人心定，造林多》。这个题目是老曲、老刘和王书记共同拟定的。确切地说，是王书记和老刘共同拟定，由老曲按题撰定。王书记说：“解剖一只麻雀，带动全乡绿化造林。”若说写小说，还能涂几笔，写这玩意儿却有点心慌，于是老曲就懊悔平时没有加强政治理论学习。王书记见老曲有畏难之色，便抱来一大沓报纸、材料，说你参考参考。老曲参考了一夜，就发现原来此类调查报告都有一个既定的模式。很明显，王书记要老曲贴金。老曲沉思良久，就不想标新立异：贴贴金吧，主流要肯定；再说，十天之内，严格地说是一星期之内，除了写这调查报告，你还得完成组里的万言总结，完成个人小结，以及开会等。想标新立异、冲破模式，时间上也不允许。于是老曲便按题套模式拟写了一些采访提纲。图省力偷懒一下吧。

现在，当一揽子采访提纲一个个被提出来时，老曲便发现山民们全都傻了眼，好似他老曲要他们解答一个宇宙天体问题。山民们原先热烈生动的脸，现在变得麻木、呆板，原先崇敬、恭敬的目光，现在变得漠然、淡然，原先亲热、随和的微笑，现在则是僵硬、疏远的。都避开老曲的目光，却又时不时偷偷瞥他一眼，表露出更多的失望，好似在怀疑他们用滑竿抬上山的不是活菩萨，而是他们平日就躲避不及的厌恶怪物。

冷场。

老曲好尴尬。

蛮牛很古怪地笑笑，打破冷场问："几点？"

老曲看表："快一点了。"

蛮牛就说："会就先开到这里。过半夜了，人家曲同志走了一日，很吃力，还是先休息吧。曲同志讲的问题，大家回去先想想，再跟曲同志说去。散吧。"

蛮牛很武断，并不征求老曲同意。这使老曲有点惊讶。

山民们便默默站起来散去，很少有与老曲打招呼告辞的。

老曲好纳闷；一无所获，自然失望。

蛮牛就说："困吧困吧。农民没文化，讲不出个道道。狗肉上不得台面，扬名的事，再讲，再讲。急不来哩。"

老曲就无话可说，狠狠地抽烟，递一支给蛮牛。蛮牛一反原先那种谦让的固执劲，毫不客气接了，也狠狠地抽。

雨还是很大，没有停的意思，哗哗的雨声笼罩着山村。

老曲说："其实我一点不想困……是不是明天上午接下去开会？"

蛮牛好一阵不答，闷闷地抽烟。

老曲又说："明天上午继续开会，可以么？"

蛮牛这才道："人都走光哩。"

"不留下过夜？"老曲惊诧地跳起来，迅速走到窗前，果然见雨夜山弯处，有几点鬼火般幽亮的手电在慢慢远去。老曲好颓丧，默默地瞧蛮牛，发现蛮牛已和白日里判若两人，很冷漠。

"留下过夜哪有恁多床铺？再说……"蛮牛欲说，却顿住，再没说下去。

老曲明白了蛮牛的意思，心里愧疚万分。跑来，离去，雨夜时30里往返山路，结果什么也没得到。就好像对一个饥饿的人说："你来，美味佳肴等着你。"来了，却是一个骗局，打发人家回去。半晌，老曲才道：

"我们去，看看那后生打摆子好点没有。"

蛮牛说："早走了。"

老曲又一次吃惊，问："为啥？"

蛮牛说："实话跟你讲吧，我也没想到会发山洪。老鹰岩村来开会的过丁步时，叫水冲走一个……是村民小组长，叫陈岩土，就是二狗子爹……后生是来报信的；也回村报了信……统村人在找，不晓得找到没有……生死……"

蛮牛说不下去了，突然啪啪地抽打起脸颊，呜呜抽泣不停。

老曲傻了，痛苦地扭歪了脸，好似那耳光抽打在他脸上。

半夜，老曲还在睡梦中，这时恍惚中有敲门声。

敲门声不重，却甚急。至此，老曲完全清醒了，知道是敲隔壁蛮牛的房门。看窗外的天，灰蒙蒙的一片，估摸拂晓将至；听不到雨声，大约早停了。老曲想了想，思忖这敲门声一定与昨夜那个让山洪冲走的人有关，心跳就刹那间剧烈，静卧不动，紧张地窃听着隔壁动静。

就传来蛮牛公婆俩穿衣的窸窸声，然后是双脚摸黑探寻鞋子的声音，接着便听见脚尖踮地走动，房门轻轻地吱扭一声，开了。

“咋样？”

“找到了……”

“问你咋样！嘘——，轻点！”

“统村人找……岩土佬冲出三里，让一株被风刮倒的枫树掱住……死了。”

便有片刻的静默。

老曲觉得世界静止了，凝固了，一团漆黑……

房门轻轻带上之后，就听见蛮牛上床声。

老曲竖着耳朵窃听，却再没有听见蛮牛公婆俩说话。

一片可怕的寂静。

老曲睁着眼，再也无法入睡，心里一团乱糟糟。过一晌，天就蒙蒙亮了。曙光也愈来愈白亮起来。

隔壁传来起床声、开门声。蛮牛公婆俩的声响后来就转移到伙房。

老曲再也躺不住了，起床后径直到伙房。

蛮牛笑道：“曲同志睡好？”

老曲哦哦应着，抬头，正撞着蛮牛女人盯着他瞧。女人忙僵僵地故作笑脸。

蛮牛又笑道：“曲同志，上午我叫几个人，昨晚的会接着开，好么？你那个调查什么的，不能耽搁。上午我还有点事，不陪了，你甭见怪。”

老曲问：“上午你啥事？”

蛮牛支支吾吾：“山……山上的事，呵不不不，丁步坑有桩家庭纠纷，婆媳相吵……我去……”

老曲说：“村长你别瞒了。陈岩土的死，我也有责任。”

沉默。

女人泪多，此时便吧嗒吧嗒直滚。过了很久，蛮牛才叹了口气，说：

“你就甭去老鹰岩村了，没意思的。”

老曲没作声。

饭后，趁蛮牛出去通知开会之机，老曲上了路，直奔老鹰岩。老曲想，不先溜，蛮牛是无论如何不让他走的。

一夜暴雨，给青山平添了许多白亮如练的大大小小的飞瀑。此时细雨星星蒙蒙，雾锁大山。眼前是一幅活脱脱的泼墨山水图。

老曲无心欣赏景致，向山民讨了路就急匆匆地迈开大步。好在山路不陡，也不滑，走得倒也不慢。

过了丁步坑村，出现岔路。老曲不知该怎么走，正犹豫，忽然见百米之遥的山地上有六七个汉子正在忙乎着什么，便急急地走了过去，老远就招呼：

"忙呀！"

都停下活瞧老曲。而后一汉子答：

"挖冢。"

果然是挖冢。冢叫观音冢。早年家境贫寒者都采用此冢。大约现在城里的年轻人已经很少知道了。城里人现在做冢动用条石、水泥，讲究气派，几千上万地往冢上掷。而这观音冢，选个土山坡，只需几个精壮劳力横刺挖出长方形洞穴能溜进棺木就行。老曲见观音冢已挖进一米多，除了一个山汉圪蹴在冢里像土拨鼠一样挥动短锄，其余五人都散落在山坡上寻找搬运堪石。唯有风水仙捧着罗盘呈一副高深莫测状，间或以居高临下的口气作一两句仙气十足的指示，诸如"甭啰哩啰唆讲话，惊动风水脉，走逃了，我捣你娘烂×"等，教训得山汉们似瘟头瘟脑的狗夹紧尾巴干活。

见陌生人过来，山汉们都欲歇息一下，和老曲搭搭话。风水仙立马吆喝开来：

"催紧点，甭磨磨蹭蹭误了时辰！"

挖冢的汉子嘴上说"来得及"却又不敢怠慢，一边加紧挥锄一边偷眼瞄了下老曲。

而风水仙见了陌生人就开始炫耀。风水仙说选这块风水宝地只抽过主家一支烟，却跑断了他的腿，说这个坟冢虎踞龙盘风水脉，正冲着旭日东升，因此主家的子孙受此荫福注定有人出将入相。

风水仙都这么说，老曲老家的风水仙也都这么说。平日百姓很少有人相信，但却没有人能免俗。出人头地是人的本能，所以风水仙的事业兴旺发达。

风水仙说着说着便指手画脚、唾沫四溅、忘乎所以，直到说累了、说乏了才猛然发现跟前的陌生人一脸焦急，似乎有什么事要打听，这才顿住，将挖根问底的好奇毫不掩饰地表露在脸上：

"看你同志非本乡本土，去哪垓？走亲访友还是做生意？这垓有没有亲戚？"

直盯着老曲的脸。

老曲忙掏烟："请问，老鹰岩村咋走？"

"去老鹰岩哪家？亲戚还是朋友？"

老曲说："二狗子家。他爹死了，送葬去。"

风水仙一脸疑惑："你是他家……"

老曲发现山汉们都停下活瞧他，好似瞧山魈，便笑笑，说："我是工作组的。"

老曲这么一说，便蓦然觉到一股逼人的风迎面扑来，山汉们已乎啦啦蹿到跟前，像一排树竿。老曲在纳闷中忽然发现了对方强烈的敌意，莫名其妙的当儿感觉到腿肚儿禁不住虚晃晃地颤抖起来：

“你们要干么?”

都不言语,一步一步紧逼过来。

老曲便害怕,一步一步后退。

“狗娘的,拿他填棺材窟!”一个山汉突然愤怒地吼,声音似金属片断裂,颤颤地震动山谷。

立即得到同样愤怒的响应。

“干么!”老曲实在弄不懂什么地方得罪了他们,却明白无误地意识到眼前飞来的横祸已容不得他申辩解释。得逃！老曲事后想起这个念头觉得实在愚蠢透顶。老曲当时闪过这个念头时便加快了后退的速度,但150斤肥胖的身坯无论如何难与矫健如山豹的山民们相匹敌,石头一绊脚,便沉重如老牛般地翻倒四脚朝天了。山民们轻而易举地将挣扎的老曲举到头顶,就像原始部落的野蛮人高抬着祭品,庄严地走向观音冢。

老曲绝望了,恐惧了,仰望天空灰蒙蒙一片急遽地晃动旋转。后来,老曲知道挣扎也无用,反倒平静下来,说:

“你们知道这是犯法么?”

这几个山汉并不理睬他的法制教育。

老曲没想到会遭受如此莫名其妙的侮辱,更没想到会沦此叫天天不应、叫地地不灵的境地。

这些挖冢的山民是些什么人？老曲这么想。老曲这么想时脑子便恍然了,心里直骂自己迟钝如此,真他妈像个脑膜炎患者。

操,山民们拿他为二狗子爹出气哩!

因此,老曲就平静地闭上眼睛,由山民们举着一步一步往山坡上蹭。老曲现在理解山民们的心情。恰在此时,倾斜的身体使老曲的视线里出现了一位救星。

“村长救救我,村长!”老曲拼命地喊,重新扭动身子挣扎。

老曲想:这么高声呼救,走在路口的蛮牛肯定能听见,那么显而易见,蛮牛也肯定会猛喝一声,然后大步流星地赶过来制止他的子民们的野蛮行径,说不定还会慷慨地奖励他们几个耳光。但是很失望,老曲没有听见蛮牛猛喝,也没有听见他大步流星的奔跑声。蛮牛是装聋作哑抑或真的没有听见？老曲这么想着,便又拼命呼救。

等待老曲的结局还是填棺材窟。山民们毫不手软地将他塞进观音冢,如同塞进一头蠢猪。一股强烈的泥腥气使老曲的头脑分外清醒起来,心想总算“死”过一次了。他不再挣扎,蜷缩在观音冢里瞧山民们手忙脚乱地搬运堪石垒封冢口;触手所及,都是湿漉漉、黏滋滋的冰凉山泥。再后来,观音冢里的光线便暗淡下来,通过堪石的缝隙,他瞧见蛮牛一步一蹭慢吞吞地走近观音冢。

老曲没有再呼救。

这个蛮牛，装聋作哑；这个蛮牛，让人不可理解！

终于，堪石缝隙的光线给挡住了，观音冢里更加暗淡下来。老曲估摸是蛮牛站在冢前。

果然就听见蛮牛的声音："冢口封了干么？弄啥么鬼名堂！"很严厉的口气。

都噤若寒蝉。

老曲干脆就不呼叫。

"拆了！"

山民们手忙脚乱起来。

亮光大片地斜射进观音冢，老曲感觉到有点炫目，很狼狈地爬出来，站直，腿肚儿还是抖抖颤颤。

"咋回事？"蛮牛大吃一惊，忙上前搀扶老曲，一边回头斥责他的子民们。

都惶惶的，如丧家之犬。

"你们敢到太岁头上动土？你们知晓他是谁？捣你娘烂×。"蛮牛戳着一个个鼻尖大骂。

蛮牛虽骂得厉声厉色，痛快淋漓，但老曲不傻，多少看出他是在做戏，于是就说：

"没啥，算了算了。"

蛮牛也就真的算了，终于没奖励他的子民们耳光，也没再骂"捣你娘烂×"。蛮牛说：

"曲同志，你就回吧，甭去老鹰岩了。"

老曲说：

"去。不送送陈岩土上山，我心里难过。"

蛮牛很惊讶地瞧老曲，犹豫了一下，对风水仙说：

"你先回村通个信，说工作组曲同志亲自来送葬。告诉二狗子，谁他娘的敢动曲同志一根毛，我扭他到公安局坐班房！"

风水仙畏畏葸葸地"嗯"了一声，赶忙狗一样溜了。

惊魂甫定，老曲跟蛮牛继续上路。和昨天一样，一路无话。但老曲明显感觉到蛮牛已没有了真诚。甚至有点冷淡。蛮牛走得很快，全然不顾气喘吁吁的老曲。

老曲不得不说："等等，赶不上哩。"

蛮牛停下，漠然地等他。

老曲递上一支烟，蛮牛就接了，那神态好似今天该抽老曲的，不抽白不抽。

老曲说："你和二狗子反映的事，我想再开个座谈会。昨晚的会，还没讲到么。"

蛮牛和二狗子前天找工作组反映的是乡林科员张三粒利用职权，在审批更新疏林山造林时对农民敲诈勒索，接受贿赂，并胡乱罚款。

蛮牛这才凄淡地笑笑，说：

“不冲这事，昨夜恁大的雨，村民们会来开会？岩土佬就不会……”

老曲低下头去。

蛮牛说：

“这会要开。麻烦你听听，向上头反映反映。三粒这婊子儿……你昨夜会上说，政策稳，人心定，造林多。头尾给说对了。可人心不定。有三粒这婊子儿霸着，人心能定？你会上还提：乡干部是咋千方百计帮助农民造林的？咋帮助？三粒这婊子儿是农民头上的恶霸！你这一说，村民心里就凉。好不容易盼了工作组来，说说心里话，谁知还是护着三粒说话的，你说村民心里啥滋味！”

蛮牛第一次说话这么尖刻、气愤，瘦瘦的脖项上青筋暴凸。

老曲就无话，心里很懊悔图省力乱搬调查报告的模式。对于乡林科员张三粒，老曲了解一点：二十七八年纪，黑胖，是招聘干部，工资60元，抽茶花，云烟；盖了幢土木结构房子，围了个大院子；去年结婚，如花似玉的老婆不养猪、不下地，清闲在家。老曲和老刘去过他家一趟，不算咋样，可与一般山民比较，不说富丽堂皇也称得上阔绰。告辞出来，老刘就说过这家伙能耐大。果然是能耐大，老曲没想到乡林科员竟有如此大的油水。

见老曲无语，蛮牛缓和下口气说：

“昨夜会没完，村民肚里有气，不怪你。再说，岩土佬是死是活，弄得我心烦。方才的事……我替大家给你磕头赔罪。”

说着，真要趴下磕头。老曲慌了，忙扶住他。蛮牛这才罢了，说：

“回头我再说说去，接着开会。农民没个说话处，工作组来了，不能白错过机会。”

老曲点点头说：

“好，会接着开，让农民都说心里话。若情况属实，趁我们工作组在，把三粒办了，也算是我们为农民做了一件实事。”

蛮牛笑了，就拿出红塔山牌烟硬要老曲续上一支：

“有你这句话，我肚里踏实。”

老曲也笑了，心想情况若属实，处理一个乡林科员还不是易如反掌的事！

蛮牛说：

“前天二狗子没讲他的事。二狗子给三粒送了五百钞票，三粒就批了五十亩更新疏林山造林计划。一家老少一秋冬苦干，砍了疏林，翻掘遍山头。三粒见他家砍下的杂木卖了不少钞票，就暗示再给四百。二狗子想计划都批下了，不买账。今春三粒就说他疏林山砍超了，得罚款一千，杉苗也不供应。栽不下杉苗，秋后就得不到政府无息贷款，等于白忙一秋冬，还得缴罚款。一家人都气疯了。岩土佬昨夜不死来开会，就为向你讲这事。”

“有这种事?”老曲忙掏出笔记本记了。

蛮牛说:

“这种事不稀奇。农民办事难哩!苦树坑哪家不更新造林?家家都得烧香磕头。前年我就送过三粒三百钞票。”

老曲义愤填膺:

“这种人,非处理不可!”

正说着,就到了老鹰岩村。

送葬的队伍没有花圈,没有几竹竿被面,没有军乐队,没有死者的遗像,也没有双卡录放机播放哀乐,连鞭炮也不曾响过一个。看去栖栖惶惶全无城里人的那种炫耀。送葬的队伍只有人,拖在棺木后面像长蛇蠕动般的人。差不多管事的男人和女人,亲戚和朋友都来了。

这时候太阳跳出云层,满世界鲜亮起来。

吹鼓手的情绪此时变得十分高昂,很生动地鼓着腮,拼着气力将颤颤的哀音尖锐刺耳地尽情炫耀,亘盖了整个山村,好似要去和金色的阳光拼撞。而此时,女人们的哭唱则开始退潮,转换成一片断断续续的呜咽。

老曲和蛮牛夹杂在人群中,神情肃穆。

坟山不远,出村一会儿就到。队伍末的人出村才里把路,拐个弯,便看到了“开路先锋”插在坟尖上的招魂幡。

现在,棺木到了坟山。接下去就都是风水仙的事了。杀雄鸡祭奠。撒子孙谷。冗长而烦琐,且迷信。老曲不要听,想找山民们聊聊。但山民们反应冷淡。老曲没法,只好圪蹴在蛮牛身边抽闷烟,一边想着调查报告和张三粒的事。

后来,进冢的时辰就到了。在女人们骤起的哭唱声中,棺木贴着冢篾被徐徐推入观音冢。这时候,风水仙便开始掼子孙石,边掼边唱:

子孙石掼得正,
生个儿子不捏锄头柄;
子孙石掼得远,
生个儿子是共产党员;
子孙石掼得响,
生个儿子当乡长;
子孙石掼得齐,
生个儿子当县委书记;
……

唱毕,便讨红包。

蛮牛隐忍不住，笑骂：

“狗娘的风水仙，好似猢狲精钻进人肚里，啥心理都让你捏摸着，恁讨巧！”

风水仙笑道：

“过去迷信唱句，得改。”

老曲接嘴：

“过去迷信的唱句是不是这样：子孙石掼得远，生个儿子中头名状元；子孙石掼得响，生个儿子中榜眼……”

蛮牛和风水仙便都很惊诧。风水仙说：

“同志，你家里啥人当过风水仙？”

老曲笑而不答。老曲十年前参加一个乡下亲戚葬礼，听风水仙唱过。当时用心记了，思想日后写小说不定会派上用场。老曲没想到仅仅过了十年，连风水仙的唱词也改变了，改变得如此贴近现实。

见老曲笑而不答，风水仙便刨根问底追问。蛮牛不悦，斥责了一声，他才嘿嘿一笑，转而指挥村人去搅拌烂泥，准备封冢门。

蛮牛说道：

“二狗子甭说当县委书记，就是当个乡长，我们村农民啥事会吃亏？三粒这婊子儿连舔屁股也轮他不上哩。可惜二狗子除了捏锄头柄，啥屁都不是。如今的事，乡里没个靠山，你就认做龟儿子。农民哩，定好的秤，生成的命，认了。”

二狗子剜了蛮牛一眼，默默地帮风水仙传递堪石封冢门。

老曲不便说什么，插上手帮忙。

这时候送葬的村民都陆续散了。坟山上就留下他们。雨季的天异常，这时候格外闷热，阳光格外猛，将人的影子清清晰晰地印在光秃秃的山地上。也就在这时候，老曲发现二狗子的脸格外阴鸷，而风水仙畏畏缩缩，双手颤抖得十分厉害，好似突然患了鸭爪疯。这时候正准备封冢门的最后一块堪石。风水仙手捧着一块堪石，烂泥早已泥上了那最后的豁口。

老曲骤然有点紧张，但却无暇顾及二狗子，忙问风水仙：

“你怎么啦，不舒服？”

这时候蛮牛在拉尿，听老曲这么问就转过头。蛮牛转过头马上就震怒了，猛喝一声“婊子养的！”随着这一声猛喝，蛮牛全然不顾村元首体统，一个箭步窜上前，一把将老曲拉向一边。蛮牛拉开老曲之后，才注意到自己形象欠佳，忙匆匆掩藏好家伙。但是，蛮牛震怒未止，狠狠地在二狗子和风水仙的屁股蛋上各捣了一脚。好狠的一脚。

二狗子和风水仙好似夹尾巴的狗，吭都不敢吭一声。

老曲就莫名其妙。

两天后，老曲在细雨霏霏中离开苦树坑村回乡政府。

蛮牛一路相送，还有二狗子。二狗子拎着老曲的挎包像一条忠实的狗，紧跟在他们身后。二狗子还背着麦饼和一竹筒茶水，以防老曲一路饥渴。

和上山一样，老曲又被当作活菩萨。铜锣鼓钹震天地响；跛脚的刘老师再一次指挥他的全体学生载歌载舞欢送。只是没用滑竿。老曲坚决不同意坐滑竿。到村口，村民们才不再送，依依不舍地瞧老曲离去，只由蛮牛和二狗子一路相送。山民是固执的，老曲知道劝也没用，只得由他们。

一直到离乡政府只有三四里时，蛮牛才突然说：

“不送了，曲同志，眼下都是大路，你慢慢走。”

老曲很惊诧：

“这当儿晚了，咋回？乡政府过了夜，明天再回村。”

蛮牛说：“带了电筒的，没事。”

很固执。

老曲就没办法。

蛮牛说：“传名的事，山里人不看重。可那件事……就拜托曲同志你了。”

老曲说：“你们放心，张三粒的事，我们一定抓紧办。”

这话老曲在村民们面前说过，而且说得斩钉截铁，信誓旦旦。陈岩土安葬后，老曲抓紧开了两次座谈会。老曲的笔记本上密密麻麻地记满了山民们许许多多更新造林的动人事迹，也记满了有关乡林科员张三粒胡作非为的事。老曲是信心百倍的：张三粒的事，有证有据，处理不难；何况，只不过是一个招聘乡干部么。

蛮牛说：“为了三粒，苦树坑村农民会永生永世记住工作组的恩德，把你当菩萨敬的。”

老曲就很窘：“说哪里话。干部不帮老百姓干事，当什么干部！应该的。”

蛮牛笑笑，道：“曲同志知不知晓三粒是王书记的老婆舅？”

老曲不禁愣了一下。事情竟会这么复杂，老曲没想到。这一层关系蛮牛始终没在他面前提起，蛮牛的子民们也始终没在他面前提起。老曲就想蛮牛也太他妈的精啦，狡猾得可以。

见老曲发愣，蛮牛的脸就阴下来。蛮牛猜透他的心理哩！

老曲尽管心里没底，可还是忙说：

“不怕，工作组敢管。村长你放心好了。”

蛮牛这才笑了，紧紧地握住老曲的手，有点颤：

“曲同志要真是为难，也就算了。”

“不为难的。”老曲说。老曲的手也有点颤。

这时候，二狗子突然讷讷地插嘴：“曲同志……那……那日，我……我不是人。”

老曲问：“哪天？”

蛮牛笑道：“就是他爹安葬封冢门那日。狗娘的跟风水仙串通了，想把你的人影封进他爹的冢里，往死里整。”

老曲还是不解。

蛮牛说：“封最后一块冢门石，人都要避开的。人影封进冢，一辈子三灾四病，没好运。”

老曲恍然，接着就大笑：“国家干部，不信这些。”

蛮牛愣了一下，也跟着大笑。

这当儿，牛毛细雨早停了，一抹阳光又使满世界鲜亮起来。

（选自《上海文学》1992 年第 9 期）

阙迪伟

笔名曲河。1950 年出生，浙江丽水人。1968 年在本县插队。当过工人、编辑，现任《丽水文学》主编，丽水市作协主席。1982 年开始发表作品。2002 年加入中国作家协会。发表中篇小说《莽莽丛林》等 30 多部，短篇小说近 30 篇，电影剧本 1 部。中篇小说《一曲未了》等 3 部连获浙江省三届优秀小说奖，中篇小说《绑架》获《广州文艺》朝花文学优秀小说奖。

碎　瓦

——《桑梓地》之一

赵本夫

在我的童年记忆里，父亲老是不着家。

父亲除了种地，还做些小生意。贩卖粮食、麻花、木器和一切能赚钱的东西。自然是小本经营。推一辆独轮小土车，或者挑两只筐子，在苏鲁豫皖交界的几十个县之间往往来来，一趟就是十天半月。

家里很穷。两间草屋做居室兼厨房，半间草棚子放些农具杂物，一个土墙小院，院里一棵弯枣树，树底下卧一条狗。全部家当就是这些了。家里老是断炊，老是半饥不饱的。晚上没有吃的，肚子饿了就喝点水。我那时还小，饿了就哭闹，母亲放下纺车，把我揽到怀里哄一阵，解开怀塞我嘴里一个奶头。其实母亲的奶早就没水了。我吃奶吃到八岁，到入学才断奶，还是母亲在奶头上抹上锅灰，又让姐姐们羞了一通才从此不吃奶的。

父亲又是好多天不在家了。全家人都盼他快点回来。因为父亲一回来，就意味着有吃的了。

那是一个大雪纷飞的隆冬之夜。

傍晚时积雪就已很厚。林里到处静悄悄的，屋后路边的杂货店里透出一小片灯光，几乎没什么生意。几个老人倚着柜台聊天。庄稼人都瑟缩在自己的草屋里。这么冷的天，很少有人外出。关上院门，男人转动着拧车拧绳子，女人纺线，而且多是摸黑做事，油灯也舍不得点的。孩子们不怕冷，不时跑到院子里玩一阵雪。我小时体质很弱，曾有两次差点病死。天冷加上肚饿，我没有心思玩。父亲不在家，家里就格外冷清。母亲和大姐都在纺线，我和二姐早早就睡了。纺车声嗡嗡的像催眠曲。母亲又在低声哼唱着什么，调子非常凄婉。母亲纺线时常这么唱，唱给自己听，像是倾诉，又像是叹息。天还在下雪，鹅毛似的，越发紧了。有树枝折裂的声音。北方雪大，压塌草屋的事也是有的。不知什么时候，我带着泪痕睡着了。母亲说，睡着了就不觉饿了，睡吧。

母亲和大姐还在纺线。她们同样空着肚子。

已过半夜了吧。除了簌簌的落雪声，外头世界已在漫天大雪中沉入深夜的静寂中。突然一阵敲门声，然后是大黑狗兴奋的咆哮，父亲回来了！

父亲整个成了雪人，挑两只筐踉踉跄跄栽进屋，眉毛都是白的，嘴里哈着寒气，一副极疲倦的样子。赶到这时回家，肯定是走了很远的路。一家人都惊醒了，那份欢悦是可以想见的。大黑狗吱吱叫着跑里跑外，不时往父亲身上乱扑。大姐忙着为父亲打雪，母亲则忙着烧水去了。我迷迷糊糊刚坐起，父亲已转身从筐里端出两个大壮馍。这是四省交界地特有的一种面食，每个壮馍要四斤干面做成，像一块豆饼那么圆、那么大，放在特制的平底锅上烤熟，结实耐嚼，刚出锅的更好吃。父亲带回的壮馍当然早就冷硬了，放在案板上"嘣"一声响。父亲用刀砍开，一块也有一斤的样子，拿起来塞到我手里，我赶忙接过，用手背擦擦眼就啃起来。一家人都在吃，真香啊！

其时大雪仍在下，门缝里挤进的雪积成小雪堤，冷风不时灌进屋子，但全家人都感到暖烘烘的。外间屋灶膛里火光一闪一闪的，母亲要为父亲烧大半锅热水，盛出来半盆让他洗脸洗脚，剩下的再烧点面汤。那时父亲坐在一旁，抽着烟看我们吃东西，一脸疲惫中透着满足和安详。偶尔说几句话，大约就是外出的见闻和经历之类。父亲口拙，不太爱说话，他一生对儿女的爱都是体现在行动中。即便这种全家团聚的时刻，他也不太说话。他默默地抽着烟，一屋子都是咔嚓咔嚓的咀嚼声。看我们姐弟狼吞虎咽的样子，父亲忽然有些心酸，他掩饰地撸一把脸，说："甭慌，够你们吃的。"

后来的几十年中，我经历过困窘，也经历过辉煌，住过豪华宾馆，吃过珍奇佳肴，其中许多东西父亲连见也没有见过。但我永远忘不了那个隆冬之夜，那是迄今为止一生中最幸福的时候，没有什么东西比得上父亲给我的壮馍更好吃。

歇息几天，父亲又上路了。挑两只筐，风风火火的，像是要去捡拾什么。他总是这么来也匆匆，去也匆匆。

母亲和大姐依然在家纺线。摸着黑纺线，一纺就是大半夜。那时大姐不过十来岁。

村里人说，这家人疯了。

父亲母亲黑夜白天没命地干，就是为了买地。

土地于庄稼人像命一样重要。而父亲母亲都曾是庄园主的仆人，失落的庄园是他们永远的梦想，他们要捡回那个梦。

曾祖父曾有一千多亩肥沃的土地和一片青砖瓦屋，人称大瓦屋家。那是他的父辈三门合一传给他的。日子相当富裕。可惜曾祖父三十九岁病逝，撒手西去了。从此曾祖母以寡妇之身带着三个儿子和一大片庄园，开始了艰难的人生。在半个多世纪的时间里，大瓦屋家已有一个庞大的家族。曾祖母子孙满堂，却无力保护他们。几十年间，这个家族曾十二次被土匪绑票。曾祖母没有别的办法，只能一次次割地赔款，用大把大把的票子把儿孙们从虎狼窝里赎回。其间的屈辱是无法尽述的。

三个祖父渐渐长成汉子，胸中涌动着无数仇恨。他们决心要用自己的力量保护这个家了。

那一年，一个土匪头儿又去家要粮，带着几个人，一人一条枪。曾祖母不敢得罪他们，亲自灌了两口袋麦、一口袋秫秫，让人搬到他们车子上。事情就出在那一口袋秫秫上。土匪嫌给了杂粮，气哼哼走了。爷爷赔着小心送到门外。土匪头儿却突然转身，对着爷爷打了一枪。爷爷一闪身，幸亏缩得快，躲回门后，一枪打在墙角上："噗！"一股尘土，溅了爷爷满脸。土匪扬长而去。这正是日头正南的时候。爷爷看看日头，一口血喷出来。他返身回到院里，冲二祖父、三祖父说："卖地，买枪！"

爷爷是长子，爷爷说一不二，一辈子都是火暴脾气。

半个月后，枪买来了，三条。三个祖父一人一条枪。

又两个月，炮楼修起来了，两座。在院子里对角矗立。院墙也加固加高了。炮楼上三条快枪，加上几门土炮，一家人胆气壮了。果然，三五零星土匪再不敢大白天骚扰。夜晚捣乱，一阵枪打出去。大瓦屋家不再逆来顺受。

但好景不长。三兄弟也就三条枪。对付小股土匪还行，有大队土匪前来，就只好开门迎盗，不然一座庄园都会玉石俱焚。

绑票的事仍在继续发生，曾祖母又在卖地了。

父亲就曾两次被土匪从被窝里拉走。第一次才七个月，回来时已经会喊奶奶了。父亲被土匪抱走后，寄养在皖北一个孤老太太家。每日喂三次面疙瘩，吃罢就扣在粮囤底下。那是一种条编的大粮囤，扣在底下，别说七个月的婴儿，就是七八岁的孩子也爬不出来。父亲在粮囤底下生活了一年多。这期间，曾祖母费尽千辛万苦，到处托人打听，是哪路杆子抱走的，要价多少。方圆几百里内都寻找了，却一直没有下落。父亲是长门长孙，曾祖母为找回父亲是不惜倾家荡产的。后来曾祖母的娘家人也出面寻找。一个偶然的机会，终乎在皖北的砀山县找到了父亲。原来，一年前的那个夜晚，土匪把他寄在一个偏僻的小村后，自己也找不到了。他们早就知道我们家的人在找父亲，也知道曾祖母开了个很大的价钱，却只好装聋作哑。父亲第二次被绑票是三岁。这一次很快就赎回了，曾祖母卖了十亩地，把两千斤麦子交给土匪，才保住了父亲一条命。

曾祖母的土地在一年年缩小，是被人一刀一刀割走的。

三祖父说："我去当兵！"

曾祖母舍不得。三祖父才十七岁，肩膀还嫩得很。

爷爷说："娘，让他去吧。"

曾祖母说："你说得轻巧，那是要在枪林弹雨里钻啊！"

爷爷说："娘，不该死，老天爷会保佑他。该死，在家待着也会遭祸。"

曾祖母抹抹泪不吱声了，直发呆。

多少年来，她像老母鸡护小鸡一样护着她的儿孙，还是挡不住一次次被狼叼走。留在身边，的确也不保险呢。

曾祖母终于同意了。

夜晚，爷爷把三祖父喊出来，兄弟俩在院子里站着。

爷爷好一阵没说话。

三祖父有点怕爷爷。长兄如父，爷爷规矩很大。

夜很黑。星星显得特别亮，只是被风摇得厉害，像是要从上头掉下来。

三祖父抱住膀子有点冷。

爷爷说："三，当兵要打仗的，你不怕死？"

三祖父说："知道。我就是想去打仗！"

爷爷说："打仗好玩？"

三祖父说："打仗不好玩。我就是想死个痛快！"

"啪——！"

爷爷甩了三祖父一个嘴巴子。

"哥，窝囊气我受够了！"

爷爷转身找到一条绳子，指指旁边的树，"想死容易，上吊！我看着你上吊！"

三祖父哭了。三祖父还是个孩子。

爷爷扔掉绳子，叹一口气。

爷爷一阵子没吱声。他在想让不让他去当兵。

爷爷知道这条路很险，几乎是一条绝路，但他终于别无选择。

"三，去当兵吧。好好当兵，能混个连长排长回来，就没人敢欺负咱家了。"

三祖父点点头。三祖父曾三次被土匪绑票。

爷爷说："三，别光想着死，要活着回来！"

三祖父去当兵了，在距家一百多里路的山东省鱼台。

三祖父打仗很勇敢，又爱结交朋友，在兵营里有一帮拜把子兄弟。打起仗来互相照应，受过几次伤，却无大碍。一年多时间里，三祖父摔打成一条黑大汉。不久被提升为排长。

这一年多里，家里安稳了许多。大瓦屋家有个在外头耍枪杆子的，土匪们有所顾忌了。

曾祖母天天烧香磕头。

忽然有一天，三祖父跑回家来了。

三祖父前脚刚到家，一顿饭还没吃完，抓逃兵的就追来了。三祖父是逃兵。

队伍要往山西开拔，那里距家太远。三祖父当兵是为了保家护院，当兵去那么远的地方，还有什么意义呢？于是他跑了。

那时候，逃兵被抓回去是要枪毙的，何况是一个排长。

三祖父被夺下饭碗，当即捆起来就要带走。

曾祖母给人磕头求情，磕得披头散发，额上冒血。

乡邻们也帮着说好话："你们行行好，就当没抓住他不中吗？"

"不中。我们抓到了。"

"行行好吧，抓回去就是个死。"

"军有军法！"

爷爷请来了寨主。寨主是赵家的头人，有点身份的。但他无法阻挡抓人。就向带头的说："长官，请你们路上走慢点，我去求个人情来。"然后示意爷爷，爷爷明白，赶紧送上一袋钢洋："路上喝茶用，请诸位慢点走。"

那带头的还拿捏着不接，被一个也是小头目样的人伸手拿过去，笑嘻嘻说："我们也是听差，你们求人情要快！"后来才听三祖父说，小头目样的人是他把兄弟。

抓逃兵的把三祖父带上路的同时，一顶小轿抬着寨主也飞快地往县城奔去。寨主和县长是把兄弟。赵家寨主在当时是体面人，一个寨子两千多口人，加上分布在全县的赵家，有数万人之多，大寨小寨常联手和外姓人打斗，人多势众，不免有些霸气。但为官的却爱和这类人物结交，不然这官就做不稳当。寨主就是去县长那里求人情的。自是爷爷一路同行。

一路上爷爷捏一把汗，因为他不知能不能求到县长的人情。即便求到，又不知县长和那军队的长官有多大交情。那时天已落黑，到处一片苍苍茫茫的，一行人走得好急好快。

没想到顺利得很。小轿把寨主抬到县衙后门，通报过后，便立刻被请进去了。爷爷在外头候着。两盏茶的工夫，信拿出来了。爷爷一拿到信就揣进怀里，立刻打马出城，往鲁西南一路飞奔。这一夜，几乎是马不停蹄。一百多里路，全是生路，不时跑迷了，只好叩开人家的门打听。几经辗转，赶到时天已微明。军营外一里多的一处荒岗上，三祖父和抓逃兵的一干人马正在等候。原来他们早就到了，都没有进兵营去。幸亏三祖父的那位把兄弟从中打点说情，如果进了兵营，而人情又求不来，便只有死路一条了。

爷爷看到他们，纵马跃上荒岗，扬扬手中的信说："我已经求了人情来，还烦诸位稍候，我去去就来！"拱拱手调转马头，直奔兵营去了。这一夜跑得人困马乏。爷爷已是心力交瘁。但没人能代替他。

果然县长的面子大。这位军队长官曾带兵在丰县驻扎过，和县长交谊颇深，当即允情，派了一个军官随爷爷来到那座荒岗上，命令松绑放了。

爷爷带上三祖父千恩万谢，一同辞归。走出很远了，突然听到一声枪响。

后来父亲曾经对我说过，如果小时候好好读书，或许会有点别的出息。他说这话的时候很平静，并没有多少懊悔的意思，只是淡淡的有点伤感。那时他已差不多走完了一生的路。

父亲小的时候，家里还很富。只是没权没势，老是被兵匪衙门敲诈。于是曾祖母和爷爷就老是被这个问题困扰，老是想着家里出个有本事的人，好能保护这个家。父亲是长门长子，希望便寄托在他身上了。

学而优则仕。这是古今多少平民家庭的幻想，多少有抱负的少年苦苦追寻的一条路。然则云泥殊路，又谈何容易！

父亲上了三年私塾。

父亲悟性很高，是那种漫不经心的聪明。他少年时并没有什么大志，只是随心所欲地生活。家庭的屈辱磨难，于他并无多大关系，爷爷的用心他还不能理解。那都是大人的事。两次被人绑票，他都觉得很好玩。父亲最早学会的话是"奶奶"。奶奶就是第一次被绑票时寄养的那个老人。那位老人没有家庭儿女，孤身一人度日。她很喜欢父亲，每天拌疙瘩汤给他喝，白面或者杂面疙瘩。父亲一生爱喝疙瘩汤，就是从那时开始的饮食习惯。家里找到父亲时，老人家大哭一场，她舍不得让他走。后来还来看过父亲。父亲长大一点后，又由家里人带着去看望过老人家。他对"奶奶"很有感情。

父亲上私塾后，不知怎么迷恋上了戏曲。

那时乡间社戏很多，有大台戏，也有地摊曲种，梆子、四平调、柳子戏、花鼓、拉魂腔、评书，各有各的迷人之处。特别农闲时节，这村那村到处都是锣鼓声声。冬天到了，一些大户人家就请来戏班子，在野外的麦地里搭台唱戏，吸引十里八村的庄稼人都来听戏。一是显示仁德；二是联络感情，和乡民搞好关系；三是借听戏请来一些头面人物炫耀势力。还有一个好处是肥田。那时土薄，即使大户人家也无法块块田肥，冬小麦就长得稀稀拉拉。于是搭台唱戏，让人在田里乱踩。自然是一片狼藉。但人的脚气却有肥田特效,加上粪便污物,一块薄田便一夜之间注入肥力。别看当时一片狼藉,等开春一场雨,麦苗就会返青猛长,放眼绿油油一片,和别的田明显不同。这就是古话说的“麦收战场”。

哪里晚上有野台戏,父亲是必定要去听的。白天有地摊曲艺,他也常去听。胳肢窝里夹着书,夹杂在大人堆里席地而坐,托着腮听得入神,时常误了上学。有时干脆就不去先生那里,吃完饭直奔戏场。家里以为他去上学了,先生以为他在家,两头都被蒙着。但这把戏不久就被发觉了。父亲被扒光了衣裳,爷爷用皮鞭打,打得在地上翻滚,血痕横一道竖一道的。父亲记住几天,不久又去听戏了。于是爷爷又打。父亲老是想不通,书念得并不差,为什么就不能听戏呢?他固执地这么想,也固执地这么做,终于改不了。他身上的鞭痕一道一道的,有时几天走路都困难。可他还是要去听戏。爷爷那么暴烈的脾气,都无法改变他。看他摇摇晃晃又去了戏场,大人们只好摇摇头,谁也不知他心里想的什么。

一个乡村小子对戏曲音乐的迷恋几乎是不可思议的。流浪艺人怀里的马头琴,游方和尚手里的木鱼,都能引起他极大的兴趣。他时常懵懵懂懂地随在他们身后,从这家走到那家,从这村走到那村。痴痴的,呆呆的。终于,流浪艺人走远了,从荒草野径中消失在旷野尽头。那时父亲便爬到树上摘一片树叶,含在嘴里吹起来,吹得呜呜咽咽的,孤独而宁静。他就这么在野地里吹着、溜达着,追逐着飞鸟、野兔,随手捡拾一片碎瓦放在口袋里。直到日暮黄昏,才蹒跚着回家。

等着他的又是一顿鞭子。

爷爷到底不能容忍他的固执。父亲退学了。

爷爷心里很难受。

他的望子成龙的殷殷之心,像被扎了一刀。这意味着他的家族只能继续败落下去,再也无法挽回。父亲自小喜欢捡拾碎瓦的癖好,则似乎是一种预言。

他同样不能改变他。

父亲成了小小的农夫。

其实他从八九岁就能吆牛耕地、驭马耙田。他喜欢农事,喜欢旷野,喜欢庄稼,喜欢日出日落,喜欢风雪秋雨。他天生就是个农夫。他的性格中没有掀天揭地、经邦济世的气质,他只是温和、平静而执着地生活在自己的世界里。

他依然喜欢捡拾碎瓦片、烂砖头。路上碰到捡起来,耕地翻出捡起来,回到家归拢成堆,逐一拍去泥土,翻来覆去地看。

有什么好看呢?

一片碎瓦,一块烂砖,破旧而丑陋。但在父亲眼里,却是无价之宝。

“你摆玩个啥,喂牲口去!”爷爷猛喝一声。

父亲吓得一哆嗦,冷丁的,赶紧藏好他的破烂宝贝干活去了。

有好多事其实不必一定要父亲做的。家里有大领、二帮和其他雇工。他满可以享受小少爷的生活。但爷爷不允许。既然念书不成，就要把他调教成一个真正的庄稼人。

事实上，曾祖母和三个祖父一直都是和佣工一样干活的。特别爷爷是一个庄稼好把式，一个优秀的庄稼人。直到爷爷七十多岁去世，都没有停止过劳作。

父亲很快学会了所有的农活。

父亲依然喜欢捡拾碎瓦。

父亲还是到处去听戏。

他温和而平静，从容而悠闲。

父亲又是孤独的。他不爱说，却喜欢唱。在乡村小路上，在风雪旷野里，在莺飞草长时："蓂荚更新，流光过隙，桑榆日近西山，有女无家……"

爷爷怀疑他迷上了哪个小戏子。

这类事是时常发生的。

唱戏的女子风情万端，且多穷家女，可爱而又可怜。真正唱出名堂的并不多，很多是为了混一碗饭吃，冬练三九，暑练三伏，稍有松怠，师傅动辄一顿鞭子，打得红粉飞花，皮开肉绽。到得前台，演一出公子落难、小姐养汉，叫一声"苦啊——！"哭得泪人一样，颤颤摇摇，摇摇颤颤，叫人心疼。听戏的只沉在戏里，唱戏的女子却借戏中人倾尽苦情，其间滋味有谁解得？遇上痴情的后生，这村跟到那村，一路尾随着听戏，看得人都呆了。台上的女子直和那后生眉目传情，飞眼闪闪，越发显得水灵。终于有一晚，上得台来，只顾神魂颠倒，把戏词都忘了，引得一阵倒彩。下台被老板一顿鞭子，打得哭爹叫娘。那女戏子卸了装溜出门去，后生等个正着，一把牵了就走。于是一件梨园新闻不胫而走，成就了一对小冤家。

自然，唱戏的女子也有上当受骗的，被人玩弄又抛弃，那结局就惨了。

那时人们都爱听戏，却又普遍瞧不起唱戏的。为什么瞧不起？没什么道理。好像大家都这么说，你也得跟着说，不然也成了下九流。其实戏班子是很受人欢迎的。哪里搭台唱戏，周围村庄的人这一个白天都像过节，晚饭后骑驴乘轿、扶老携幼，说说笑笑，从四面八方汇集来，为多少人带来欢乐！普通人从戏里了解历史，从戏里接触艺术，从戏里宣泄情感，于是历史活了，生活有了色彩。

但人们还是瞧不起唱戏的，真是怪没名堂！

爷爷也是没名堂。

他急急忙忙为父亲操持婚事，就是怕他被小戏子拐跑了，学坏了。

父亲成亲时十五岁。母亲大父亲五岁。

爷爷说，大几岁能管住他。

父亲早早结束了他的少年时代。

那是个朦胧而富有幻想的时代。在那个时代里，他只属于他自己，属于他的戏文，他的木鱼，他的碎瓦。

母亲兄妹十三个，其中兄弟八个，姐妹五个。在姐妹中，母亲是老三，被称为三小姐。兄妹十三个是异母所生，但处得极好。特别是外祖父去世后，这兄妹十三人更是相濡以沫，共同经历了一场场灾难。

外祖父家的败落，是从一场大火开始的。后来母亲说，那场火是鬼火，是天意。

外祖父除了有几千亩地，在县城还开了个很大的土烟店，赚得的钱不计其数。乡下有一座庄园，县城还有一大片房子。母亲小时候很得外祖父宠爱，一直跟着住在县城。那条街叫火神庙街，在火神庙街的那片房子里，母亲度过了她的童年和少女时代。

五十多年后，我又住到这座小城的火神庙街附近。母亲通常住在乡下我爷爷家里，有时也到县城住一些日子。母亲已是个完全意义上的乡下人。但童年和少女时代留给她的记忆却依然清晰。傍晚，她时常在火神庙街慢慢走动，或者坐在路边的一块石头上久久发呆。老街已经不存在了，只有些零星旧房子夹在楼房和店铺之间。我不知道母亲在想些什么，流逝的岁月已把她一头青丝染成白发，这里勾动她回忆的往事太多太多。

母亲说，那晚外祖父从县城回家。乡下那座庄园是他的根基，他时常回去料理一下的。

县城到乡下的家只有七八华里，走得熟了，他没带任何人。母亲说，外祖父喜欢一个人走夜路，走黑漆漆的夜路。他的土烟店既给他带来无数财富，也带来无尽的烦恼，他知道烟土是个害人的东西，却又经不住财富的诱惑，那是一朵恶之花。他时常受着良心的责备，却又不能自拔。他知道他的财富终有一天会毁了他。

那晚有一弯残月，残月在薄云里游动，夜色朦朦胧胧的。外祖父忽然发现前头小路上有一个半截人向他作揖。半截人无腿，头戴一顶辣椒帽，怪模怪样地冲他笑。外祖父以为眼花了，揉揉眼再看，半截人不见了。他胆子极大，向来不信鬼的，也就不以为意。可是走出几十步，那半截人又在前头的小路上拦住了冲他作揖，还是怪模怪样地笑。外祖父大喝一声："什么人挡路！"再看，又不见了。如此三番。外祖父有些心惊肉跳。夜风凉凉的，他却出了一身冷汗，他相信真的撞上鬼了。这是个不祥的预兆。

外祖父回到他的庄园，站在过道门下，想抽口烟喘喘气。他装好烟袋，摸出火镰，"嚓！"打出一束火苗。这一瞬间，似乎有一股冷飕飕的风拂面而来，接着那火苗腾地窜上房，变成一团火球在房上跳跃，从过道门滚开去，整个庄园顿时变成火海。

母亲说，那是阴火，无法扑救的。大火烧了一整夜，庄园化为废墟，遍地尽是烂砖碎瓦。除了抢出一些金银首饰，其余东西全烧光了。侧院的二十多匹大马在烟火中嘶鸣咆哮，终于挣脱缰绳踏出火海，已是烧得浑身流油，不久都倒毙在村头野外。

这是当地有名的一场大火，老辈人说了几十年，并成为纪事的一个标志："侯家起火的那年……"外祖父姓侯。

母亲说，那天晚上没人救火。外祖父不让人救。他和他的一群儿子、下人，眼睁睁看着大火如龙滚动般一直烧到天亮，没救火，也没搬东西。金银首饰都是女人们抢出来的。外祖父坐在数丈远的一块石头上，抽了一夜烟。火光一闪一闪地映到脸上，火星子在他周围迸射，他一动不动，脸像一块生铁。

天明回到县城的时候，满城人已传得沸沸扬扬。

外祖父两眼发乌，什么话也没说，倒头睡了半个月。

那场大火并没有让他伤筋动骨。他的数千亩地还在，他的土烟店还在。只要他愿意，钱财还会滚滚而来。

但外祖父却关闭烟店，打起了一场莫名其妙的官司。那是大火半年以后的事。

对方是福建的一个烟贩子。

关于那场官司的起因，母亲已记不清楚。那时她还小，并不懂大人的事。母亲只记得，当时外祖母和舅舅们都来劝他不要打官司。打官司要花很多钱。对方是个贩卖烟土的头子，生意从福建沿海一路做到中原几省，手底下有一帮心狠手辣的人，不仅有势，而且富可敌国。和他打官司是耗不起的。

但外祖父不听劝。他决意要打这场官司。

打官司在苏州府。

从苏北的丰县到苏州府有一千六百里之遥。我不知外祖父当时为何要到那么老远的地方打官司。只听母亲说，那场官司打得极苦。

开始，外祖父往来于丰县和苏州之间，在那条漫漫古道上由秋到冬，由春到夏。后来，他有些跑不动了，就住在苏州府，让家里人给他送钱。外祖父和那个福建烟贩子比耐性，也是比财力。这场官司既然无法阻挡，外祖母就只能源源不断地派人给他送钱。常常是下人们赶着十几头毛驴，用驴褡裢为他送钱，再雇几个镖手一路护送。母亲说，谁也记不清到底耗去多少钱。有一次半路上钱把驴子压死、累死了。驴子倒在热浪滚滚的古道上，铜钱淌了一地。

官司持续了七年。

这期间，外祖父和家里保持联系就靠他的一条狗。母亲还记得那条狗是黑色的，细腰长腿，平日很温驯，就像一条很普通的狗。其实却是一条优秀的猎狗，在野地里异常凶猛，奔跑起来四肢扯平了像一条线，你几乎看不到它是怎样落地又怎样腾空的，只见它在草叶上低空飞行，无声无息地飞行。外祖父很喜爱它，叫它“大鸟”。一条无翅的黑色大鸟。

自从外祖父到苏州府打官司后，就苦了大鸟。它在丰县和苏州之间充当了信使的角色，几乎每个月都要去一趟。脖子上系一个很小的牛皮袋，里头装上信，拍拍它的脑袋，它便日夜兼程直奔苏州府去了。一路上跋山涉水不说，单是村狗的骚扰堵截就够难为它了。有时途经一个村庄，会有一群村狗把它包围起来，大鸟就只得进行一场恶战，然后从村狗们的头顶凌空而去。大鸟常常遍体鳞伤，但终于没有什么能挡住它。它跑得太快。没有哪条狗能追上它。它跑累了就在荒山野岭间隐蔽起来休息，舔去身上的血。饿了就抓一只野兔子吃，那对它来说是一件易如反掌的事。在一个六百里的路途上，要经过运河、淮河、长江几条大水，还有数不清的小河。遇小河，大鸟便凫水而过；遇上大江大河，它懂得寻找渡口。外祖父第二趟去苏州府就是带上它去的。大鸟特别记路。几趟往来，渡口的船家都认识它了。看它风尘仆仆的样子，知道它是从远方来要到远方去送信的，是条义犬。也猜到它的主人肯定是遇上了麻烦事，便让它上船送到对岸。大鸟跳上岸，回头看看船家，转身又飞奔而去。

一年又一年，大鸟在千里古道上穿行，忠实地执行着使命，没有出现过一次差错，最紧急的时候，大鸟五天打过一个来回，一天一夜六百多里，天知道它是怎么跑的！

外祖父在苏州府打了七年官司，居然奇迹般地赢了。

大鸟首先跑回来报了信，是二舅带人把他接回来的。外祖父去的时候还很健壮，回来时已是白发苍苍。七年的官司把他变成了一个垂暮老人。

赢了官司，外祖父并不欢喜，也无悲伤。这场官司的输赢并没有什么意义。也许他从一开始就没考虑过输赢，他只是为了耗尽家财才打官司的。那七年真正折磨他的仍然是他自己。

外祖父的土烟店早已关闭，卖烟土得来的无数钱财滚滚而来，又滚滚而去。外祖父只不过经了一遍手，却完成了一个过程。那终究成了身外之物。他的几千亩地也大多卖掉，赔进那场毫无意义的官司里。

但他似乎因此从重负中解脱。官司打赢的第二年，外祖父无疾而终，平静地离开了人世。

大鸟也随后死去。

也许，世上没有哪条狗比它跑过的路程更长。

我不知道外祖父是否真的能因此而解脱，也不想重新评判他的一生再去搅扰一个早已安息的灵魂。事实上，我对外祖父还是知之甚少。母亲零星的回忆，并没有为外祖父掩饰什么。她说过，你外祖父卖烟土是不名誉的，发的都是不义之财。这是母亲的品性。她一生耿直而近偏执，常在村里为邻里排解家庭纠纷，只以是非为标准，并不顾忌得罪谁。

我不想再责怪外祖父什么。他离我已十分遥远。人间的许多是是非非，随着时间的流逝都会淡漠而轻飘。何况他生活在那个社会。我只想说，那是一段历史，一部沉甸甸的人生。在那条风雪弥漫的千里古道上，起码留下两行清晰的脚印，一行属于外祖父，一行属于大鸟。

外祖父去世后，外祖母也一病不起，常年卧床。家中事里外都由二舅操持。其实外祖父在世时，家里的数千亩地也一直由他经管。现在还剩百十亩薄田，光景一落千丈，下人们大都散了，二舅便带领一群兄弟亲自耕耘收获，过起俭朴的日子。

大舅早年在外求学，后来投笔从戎。最初几年还常有书信，后来便不知去向。二舅成了整个家庭的主心骨。母亲说，二舅是个拿得起放得下的汉子，在场面上也极有威信。外祖父为一场无名官司需要大批钱款，二舅一句抱怨的话也没说过，卖掉一片片土地，源源不断地把钱送去。外祖父过世后，他格外孝敬并非生母的外祖母，爱护一群异母弟弟妹妹，他像一棵大树，为这个败落凄凉的家铺下绿荫，遮风避雨。二舅仁爱大度，却又操家严厉，不允许弟弟们沾染一点恶习。那是个五毒俱全的时代，破落子弟们稍一放纵，就会陷入泥潭。外祖父的教训是刻骨铭心的，二舅希望从他手上能重整家业。后来舅舅们相继成亲，二舅也不准他们出去，一家人仍在一起，一口大锅吃饭。虽说清苦一点，但吃饭没有问题。一个大家庭依然是完整的。在外人眼里，侯家兄弟拧成一股绳，家业振兴指日可待。这期间，母亲和她的几个姐妹也相继出嫁，都是二舅一手操持的。

但振兴家业谈何容易！在那个时代，仅靠正道是难以发财的。百十亩薄田，打发日子而已，再想有外祖父时的财富，绝无可能。多少年下来，日子依然清淡，舅舅们都有些灰心了。而且家庭太大，兄弟们待久了，免不了要磕磕碰碰的，闹些纠纷。外祖母卧病在床，没有精力也没有能力治家，几个小儿子都不是亲生。媳妇更远一层，深浅都不是。二舅竭尽心力，维持这个家，但内里已是千疮百孔了。舅舅们尊重二舅，顾着面子，可媳妇们早都三心二意了，吵吵闹闹的事不断发生。其中有个五妗子性格最烈，最看不下这种表面和和气气，内里伸拳动腿的事。她说话不饶人，横眉冷目，三天两头和人吵，芝麻大的事也要动火。母亲回忆说，我性子也不好，从你五妗子嫁过来，就常和她吵架。吵完就好，好几天又吵，是最好的朋友，又是最大的冤家。家里一天天不安宁了。终于，四舅和五舅各自带上妻小，离家出去了。两个舅舅是怕有一天兄弟们伤了和气，再闹分家就没意思了，不如索性出走，另奔天地。

一个完整的家破碎了。

有一年忽然传来大舅的消息,却是个噩耗。带信人说他死在上海附近,让家里人去运他的尸骨。这消息一惊一乍的,全家人都呆了。二舅赶紧收拾马车,带上三舅和一个伙计去了上海。按地址找到人,一个杂货店的老板热情接待了他们,说明天一早我带你们去,要是路上有人盘查,你们就说是我的伙计,出外去进货的。二舅看他神神秘秘的样子,心里犯嘀咕,就问是怎么回事。那人说你就别问了,今晚早歇息,明天照我说的办。

第二天微明,老板带上二舅一行人上路,出了上海一直往远处走。到荒郊野外的路上,老板才说出实情。原来大舅早去江西参加了红军。长征开始后,他被组织上留下来坚持地方斗争,发展游击队,因为他在旧军队里干过团长,打过许多仗,有相当的组织才能。国共合作后,活动在南方八省十三个地区的红军游击队,被改编为国民革命军新编第四军,奉命向皖南、皖中集中。那时大舅是一个支队的团长。他带的部队到达皖南的岩寺地区就地待命。数年征战,都是在极其艰险的环境中,大舅九死一生,也异常疲惫。部队短暂休整后即将奔赴抗日前线,战士们都在休息。那天傍晚,大舅带一名警卫员在附近的一条河边散步,心里很宁静。这是难得宁静的片刻。后来他的警卫员回忆说,那晚他显得特别亲切,向他说起远在苏北边陲的老家,说起他的童年,说起他参加革命的经历。而这些话平日是绝少向人说起的。他渐渐有些激动和伤感。苏北老家早已断绝了音信,感情上也早已淡薄,那个地主家庭和他的革命道路是水火不相容的。但他从小上学,又是由外祖父的不义之财供养的。那里还有他的一大群兄弟姐妹,作为长子,理应还有他的家庭责任,但他无法回去,也不能通信,那会害了他们。就要去抗日前线,等待他的是拼杀、流血和死亡。那种为国捐躯的悲壮感和飘零感,使他重又想起故乡。他说如果有一天死了,还是希望能把尸骨埋在老家。那是一份割不断的乡思乡愁。那会儿他并没有想到,隔河对岸的树丛里,正有一支枪管一直随他移动。就在他们散步结束就要往营地回转的时候,对岸的枪扣动了扳机,大舅当即倒地再没有起来。不知是谁打的黑枪。大舅死得突兀而简单。

二舅很悲痛。虽说大舅失去音信多年,可他相信他一直活着,而且在外干着一件轰轰烈烈的事业。他知道大哥是个有学问的人,他年轻时的举止言谈都那么与众不同。他一直是二舅心目中的偶像。外祖父死后,二舅便格外想念他的大哥。他无数次想象着他在哪里,在干什么,希望有一天,他会戴着荣耀辉煌归来。可现在一切都结束了。那一声黄昏的枪声断送了大舅的性命,也断送了二舅的梦。当他们赶着马车,离开上海几百里,在一条河边找到大舅的坟时,那上头已长满荒草,二舅和三舅扑到坟上放声大哭起来。他们没想到,思念大哥多年,会是这样相逢,这样结局的。

这是一个荒凉的河坡，周围连个村庄也没有。二舅死死盯住对岸的那片丛林，一把泥土被他攥出水来。

大舅的尸骨被运回家，来回用了三十九天。

埋葬过大舅后，二舅病了一场。之后，他像换了一个人，沉默寡言，常常闭门发呆，除了一日三次去外祖母屋里请安坐一会儿，几乎不和人说话。

那时母亲和她的几个姐妹已出嫁几年，知道二舅这样子，都有些担心，便常回娘家看他。二舅说，我没事，你们安心过日子，不要挂念我，我会好起来的。母亲说，我们都知道，你二舅的心冷了。我们都希望娘家能再发达起来，而这只能靠你二舅，你二舅一垮，就几乎没有可能了。大家心里都不好受。那时的女子，哪个不希望娘家是一座山呢？娘家富有强盛，在婆家就不会受欺，就体面，遇上三灾两难的，也好有地方求援。

一家上上下下栖栖惶惶的，整个家庭笼罩着幻灭的气氛，压抑得人受不了。

又一场更大的灾难终于来临。

事情的起因是二舅的一个堂弟被人杀了。他的那个堂弟是棵独苗，没有兄弟姐妹，没有什么亲人。对方杀他的时候很放心，像捉一只鸡捉去杀了。这是一场私仇。

二舅对外祖母说："娘，我不能孝敬你老人家了。"

我外祖母知道他要去干什么，但无法阻拦，也拦不住。按当地的规矩，他为堂弟报仇是天经地义的，不去会被人瞧不起。二舅是场面上一条铁骨铮铮的汉子，他不能被人笑话。

二舅把几个弟弟叫到一起，说你们别恨我，我揽了个麻烦事。几个舅舅说，二哥你去吧。

大家都很平静。

大家都知道二哥定能为堂弟报仇。

大家也知道这场仇杀会没完没了。

夜幕降临时，二舅揣一把短枪出门去了。

那人在一个地方杂牌军的兵营里，是个小军官。二舅的堂弟就是他喊几个当兵的捉到野外弄死的。

小军官常溜出兵营喝酒、赌博、嫖女人。

二舅候了四个晚上，在赌场上一枪打碎了他的脑袋。

小军官也是当地人，也有一群兄弟。

自然要报仇。

二舅枕枪睡觉，深居简出，几个舅舅轮流值更，一人一把枪，都很兴奋。已经很无聊的日子忽然有了滋味。

但二舅不愿老是躲着。他想快点了结，就走出去了。他说我去他们家，和他们弟兄谈谈，能了就了，不能了也没啥，你们都有枪。

几个舅舅说，二哥你别去，没个好！

二舅笑笑，去了。

对方很客气。让座，倒茶，递烟。

二舅说，我们家死一个，你们家死一个，扯平了，往后怎么说？

往后。

你是说这事算完啦？

我没说算完。随便。

这事没完。

那就下手吧。

“叭！”

二舅倒下了。

办完丧事，三舅对外祖母说：“娘，我不能孝敬你老人家了。”

外祖母哭了，摆摆手。

三舅提一把短枪走了。

三舅杀了对方一个兄弟。

三舅后来又被人杀了。

四舅五舅早已出走。轮到六舅为三舅报仇了。

六舅才十九岁。

六舅向外祖母告辞的时候，外祖母没哭。她只是说，你才十九岁，行吗？

六舅说，娘我行。

六舅出门的时候，看了看七弟、八弟，有点犹豫。七弟、八弟还是孩子。他摸摸他们的头，走了。

刚出门，八弟又喊住他，哥，你还会回来吗？

六舅的泪水在眼里打转，他想说我肯定回不来了。可他没这么说，他受不了八弟眼巴巴的泪光。他转回头说，回来！我肯定回来，你们别怕。

六舅杀了人又被人杀的时候，是一个月黑头天。

他被反绑着手，喉咙里插一把匕首，那把匕首像一把钥匙，插在他的生命之锁里，只要再转动一下就没命了。但他们没有再搅动，只把匕首插进去，甚至连手绑得也不紧。后头有人用枪逼着，他跑不了。

六舅被牵到一片野地里。他们要活埋他。

一个人被活埋前会想些什么，只有他自己知道。但那一刻六舅肯定想起了他答应过八弟的话。他肯定记起了他的谎言。他说过他要回来的。八弟还那么小，他不能骗他。

押解六舅的是两个人，一个是被六舅杀死的仇家的弟弟，另一个是仇家请来的帮手。对方是兄弟五个，也仅剩这一个了。但双方谁也不肯罢手。所有的人都在看着这两家杀来杀去。没有谁认为这场对杀会中途结束。许多年后我听母亲重新说起这场仇杀的时候，同样没有觉得有什么好惊心动魄的。如果我是当时舅舅们中的一员，肯定也会参加进去。我太了解家乡人的秉性，他们就是为一口气活着，为一口气去死。一条路走到黑，憨得八头牛拉不转，等一切都明白过来，已经为时太晚。

六舅明白得已经太晚。他才十九岁。也许当他出门的时候就已经明白了，可他不能退缩。不然人家会说他是孬种。就为不当孬种，他宁肯舍弃这一条命。

当他站在野地里，面对黑乎乎的旷夜时，他知道他的时间已经不多。他已经痛感这场仇杀没有任何意义，不能再继续下去了。这话必须由他说，由他告诉他的七弟、八弟。如果就此死去，不留下这句话，七弟、八弟还会接着为哥哥报仇，灾难还将继续。

那把匕首插得很深，喉咙已经麻木，血管被匕首切断又堵塞闭合，并没有多少血渗出，只觉得凉凉的有些快意。仇家的弟弟正在拼命挖坑，已经挖出有大半人深了，影影绰绰只露出脑袋。再往下掘一尺就够了。六舅很魁梧，站着埋进去很要一个大深坑的。仇家的弟弟呼哧呼哧喘着粗气，只顾低头往外掏土。背后押他的人已经连打几个哈欠。天太冷，他有些不耐烦了。有时就走到坑边看看催促说，快点伙计，我冻得手都麻了。仇家的弟弟说，伙计帮忙帮到底，要不你下来替我干一会儿，我都累得手酸了。那人缩回头说："你干吧，弄一身土怪脏的，我还是看住他这个宝贝。"就在坑沿跺脚取暖走来走去的。

六舅不露声色，一直在悄悄挣动背后的绳子。本来就捆得不紧，不大会儿就脱了手。他捏住绳头没急于逃跑。他知道这样逃不脱的，对方手里有枪。

他终于等来一个机会，事实上也是最后的机会了。挖好坑，仇家的弟弟在里头喊："喂，伙计，你搭把手把我拉上来。"那人答应一声，就把右手的盒子枪放在左手上，弯腰就去拉他，胳膊肘撇开，左手的枪就在六舅鼻子底下。六舅手疾眼快，伸手夺过枪，飞起一脚，把那人也踢下坑去。六舅想说点什么，可他试了试，一阵剧疼，喉管里那把匕首妨碍了发音，就用枪指了指吓得缩在洞里的两个人，开了一枪。那一枪好瘆人！

然后六舅转身就跑了。这里距家有八里地，六舅跑得飞快。他用一只手托住那把匕首，不让它掉下来。他知道匕首一旦脱落，血就会喷涌而出，无论如何也支撑不到家的。但匕首在飞奔中还是震颤不止，血在一缕缕往外流淌，他能感觉得出来。他不时把匕首往里塞一塞。六舅在和生命赛跑。十九岁的生命像一条满荡奔腾的河，像一架葱绿的山。

六舅终于坚持到家。

六舅一身都是血。脚步晃得厉害。

六舅踉跄着栽进外祖母的堂屋，一家人都跟着跑进来了。七舅、八舅和一群寡妇，骇然盯住他喉咙里的那把刀子。那把刀子仍在打颤，颤动一下，血沫便咕噜咕噜往外冒。

外祖母已由人从床上扶出来。六舅跪在她的脚下。六舅说娘我快不行了。外祖母说六子你是好样的。六舅说娘不要再为我报仇了，七弟、八弟还太小。外祖母说我就等你这句话哩。七舅扑上去从六舅手里夺过那把枪就往外走，外祖母喝一声你回来！他还要往外走，被几个妗子抱住了，她们说七子你才十六岁，她们说七子你要听话，她们说七子七子……六舅跳起来打了七舅一个耳光："啪——！"

七舅愣住了，一把抱住六舅，放声大哭。

六舅重又跪下给外祖母磕了三个头，然后拔出匕首，血突然窜出来如泉喷。

六舅死了。

他的血终于流尽。

从此一切又归于平静。

这边不再去报仇，那边也不再来寻事。

六舅临逃走的时候开了一枪。那一枪是往天上打的。仇家的弟弟和他的帮手跌落洞里，六舅本可以一枪一个打死他们，但他没那样做。

他放过他们，也为他的七弟、八弟留下一条生路。

这场仇杀以双方丢了九条人命结束。

母亲从她那个轰轰烈烈败落的家走出来，又走进我们这个同样日渐败落的家庭，也算得曾经沧海了。她的父兄留给她太深的铁血影像，太多的创伤，也给了她超出一般女人的刚强。

母亲嫁过来不久，爷爷就让父亲母亲分家单过了。

爷爷给了三亩路边地。他们就从这三亩地起手，重新做起发家梦。

这个小小的家庭是从废墟中生出的一片绿叶，充满勃勃生机。

一旦独立生活，父亲像突然间换了一个人。十五岁的父亲很想像一个真正的男子汉一样，挑起家庭的重担。他的肩膀其实还嫩得很，但他要尽量做得像一回事。干完农活，地里有了空闲，他就出外打工、做小生意，和村里其他人结伴远行，一去数百里外，风餐露宿，不辞辛苦。挣了钱回来一把交给母亲，兴冲冲的。母亲夸他几句，越发高兴，稍事歇息，便又外出了。

但生意并不那么好做。小本经营，赢亏都在分厘之间，稍一失算就会亏本。在外买吃买喝下馆子是少有的事，都是带干粮喝凉水，拼个身子省点钱，那份罪不好受的。那时兵荒马乱，盗贼遍地，被人抢个精光的事时有发生。父亲两手空空回家，见到母亲就哭起来，再顾不得什么男子汉的脸面。母亲就笑着安慰他说这不算啥，破财人安乐，下回当心点就是。父亲终于释然，振作精神，不久又外出了。

在以后的几十年中，如果说父亲是一个船夫，那么母亲就一直是家庭的舵手。她大父亲几岁，经历的事也多，父亲有一种依赖心理，而母亲则当仁不让地主持着家政。

父亲和爷爷的关系越来越疏远了。

爷爷对父亲素无好感，对他的不听调教，对他的无所事事，对他的漫不经心，几近厌恶。让他早早成亲，让他十五岁分家，已近乎一脚踢开，生子只当无。他喜欢二爷家的一个儿子，达到痴爱的程度。他时常把米面钱财送给侄子，却从来不给儿子，以至后来把分家时送给父亲的三亩地收回。父亲母亲只好求亲告友到处借贷，凑集上千斤粮食交给爷爷再把地赎回。他们不能没有地。

爷爷曾希望母亲的到来能改变父亲，可是一旦父亲真的一改木讷变得像一匹小马驹样现实地过起日子，爷爷又无比恼火了。他恼怒父亲又迁怒于母亲，动不动找茬打骂，打父亲也打母亲。他觉得他的为父尊严受到严重的伤害，儿子已真的不属于他了。这使他万分沮丧。后来有了小叔，爷爷更把父亲视为陌路人。他曾不止一次地当着母亲的面对父亲说，你死吧，你死了我一点都不心痛。父亲眨巴眨巴眼不说话。他只是在心里想，我怎么能死呢，你干吗要盼我死呢？父亲当时很生气，但很快就忘了。父亲不记仇，一生都不记人的仇，他只记住人的好处，何况对父亲呢。但这些绝情的话及无数次的毒打，却大大伤了母亲的心。她弄不清这个古怪而暴戾的老头究竟是怎么啦。长辈要找小辈的茬，小辈是防不胜防的。争吵不断发生，也不断升级，终于几乎断绝关系。在后来几十年的时间里，父母和爷爷奶奶的关系还不如一般邻里。这首先是因为爷爷的古怪，其中也有母亲的固执。她性格中强悍的东西太多，对任何人都不愿低头。

这种紧张的关系一直到我长大以后才逐渐好转。

我小时候并没有像一般家庭的孩子那样受到爷爷奶奶的宠爱。从上小学到上中学，没有花过他们一分钱。但有两件事却让我永生难忘。一是五岁的时候第一次去县城，是爷爷带我去的。我家距县城十二里路，爷爷赶一头很瘦的黑色毛驴，驴背上搭一张小褥子。爷爷让我骑在毛驴背上。他赶着，脖颈里插一杆烟袋，烟袋包晃晃荡荡的。我一路上既兴奋又紧张。这是第一次去那么大的地方。我还不能想象县城的轮廓，可我知道那是个热闹的去处。这又是我第一次和爷爷单独在一起。平日他老是阴着个脸，动不动就大声训斥我一通，我很怕他。但那次进城，爷爷却没有训我，当然也很少听他说话。他只是闷声不响地赶路，间或吆喝几声："得！得！"如果是父亲在这种场合下，一定会唱点什么。但爷爷不唱。我一生都没有听他唱过什么。他总是阴着脸飞快地走路，也不和人说话，突然远远地吆鸡吆狗，弯腰拾一块小砖头甩过去，然后又飞快地走路。

那次进城，我已不记得爷爷办了什么事，只记得在县城西关路南的一家饭店里吃了一顿饭，吃的是大米饭、羊肉汤。那是我平生第一次进饭馆，也是平生第一次吃大米饭。从此我知道了世上居然还有卖饭的，还有那么好吃的东西。记得回到家天已落黑。尽管爷爷在驴背上垫了小褥子，我屁股上还是磨出两片血来。那头毛驴实在太瘦了，真个驴脊如刀。但我还是兴奋了好多天。

另一件难忘的事是在六一年。那年我从村里小学考上丰县一中。丰县一中是当时全省闻名的一所中学，学生是从全县范围内择优录取的。考上这所中学，全家看得像中举一样重要。那正是三年困难时期，考上学却没有钱交学费，还是后来父亲卖掉我心爱的猎狗才凑齐了钱的。那条猎狗被卖掉后又逃回来，逃到半路又被人打死。这段生活曾被我写进一篇小说里。现在要说的是另一件事，我去县城上学那天，奶奶送给我一只大花瓷碗。那是祖上保存下来的一只大花瓷碗，很精致，平日不用，只在过年上供时奶奶才用的。现在想来也许很珍贵，说不定是件古董。但那时不懂，也许奶奶都不知道它的真正价值，只当一件祖传的碗就是。奶奶把它送给我是让我吃饭用的。我一直在县城中学用了几年，后来和同学打架时不当心碰到地上摔碎了。那是记忆中奶奶送我的唯一礼物，好多年过去，仍不能忘怀。

爷爷奶奶是喜欢我的。我能感觉得出来。特别是我考上中学以后，那份爱心更是日渐浓厚。可是由于家庭关系的不正常，他对儿孙都生分了。他从没有抚摸过我的头或时常弄点什么好吃的给我，却时常远远地盯住我看，直到我消失在他的视野里。后来才听母亲说，那次带我去县城，他根本就没有告诉我父母，是他偷偷带去的。那时他刚从戒烟所里出来不久。爷爷在解放初住过三个月戒烟所，因为他吸大烟，住进去强行戒毒。

家族在经过十二次绑票和数次反抗失败后，迅速败落下去。曾祖母年岁已大，再无力领家，就给三个爷爷分了家，说各家单过。三个爷爷由那些年应付土匪开始，渐渐都染上了吸大烟的恶习。老兄弟三人由三杆快枪变成三杆烟枪，家境日渐衰微，到土改时，二爷、三爷都被划成贫农，唯有爷爷还有二十多亩地，被划成中农。在半个多世纪的时间里，大瓦屋家已轰然倒塌。

到我年岁渐大，逐渐了解这部家史后，我开始努力理解爷爷。我为他感到悲凉。他的古怪和暴戾和由此对父亲的疏远，都含着一个老人的无奈和绝望。他的满腔的仇恨和悲愤无处发泄，只能怨恨儿子，怒其不争。在他时常远远地看着我的遥远而茫然的目光里，似乎含着他的酸痛和叹息：这孩子会有出息，可惜太晚了！

到后来我高中毕业特别是参加工作以后，爷爷再不能掩饰对我浓浓的爱心，仿佛他贫瘠了一生的精神荒漠终于有了依托。尽管这精神依托再没有任何意义。每次回乡下老家，爷爷看见我就悄悄凑上来，怯怯地和我搭讪，问一些城里的情况，让我说一些和他毫不相干甚至他完全不懂的事。他听得兴致勃勃，不时插一句没头没脑的话。在我面前，他毫不掩饰对那些事情的无知。他用慈爱得令人发抖的目光看着我，像看待一个极有见识极有身份的人。我最受不了的就是这个。爷爷在他一生中经历过无数艰难困苦，不曾向任何强暴低头，在我面前却变得那么瘦小，那么卑琐。有多少次，我想大叫一声："爷爷，我是你的孙子呀！"

那个古怪、暴戾的老头不见了。

他走路不再那么快，脸也不再那么阴沉。

没有了大瓦屋，没有了财富，也没有了脾气。

爷爷变得平静而安详了。

我知道，在爷爷对我浓浓的爱心里，既有对他迟到的安慰，也有他对往事的忏悔。他对父亲曾有过高的期望，那几乎近于苛求。父亲即便认真读书，又能如何呢？大厦将倾，独木难支，没有谁能有回天之力。

父母经过多年奋斗，到解放已有八亩地。土改以后政府提倡发家致富，他们更是如鱼得水。从土改到合作化短短的几年中，已发展到二十四亩地，一头牛一头驴，耕织齐全。如果不是合作化，他们再度成为庄园主是完全可能的。

那时父亲多快活啊。

种田、做生意、听戏，一样不误。

他几乎是村里起得最早的人。

清晨还在薄雾里，父亲已吆牛下地了。不大会儿三三两两的庄稼汉子都赶着牲口离开村子，田野里渐渐有了些游动的身影。父亲爱唱，爱唱梆子戏。他几乎精通所有的古典戏曲。直到晚年，每在县城住一些日子，他什么要求也没有，每晚一张戏票足矣。戏园子是他的圣堂。父亲还是唱吆牛歌的好手，他的吆牛歌可以传出几里远。他平日说话口拙，却天生一副好嗓子，宽厚而洪亮："哈哈——嘿——喂——嘞嘞——嘹咪——啊哈——嘞嘞——嘹吔——"雾气缭绕的田野里，父亲放开嗓子，把鞭子挥成S形，并不舍得打在牛身上。他和牛都在悠悠地走，透着满足和闲适。这里那里，庄稼汉子们渐次都喊起吆牛歌来，此起彼伏，于是乡野从沉睡中醒来，雾气散尽，是一片明朗的天。

母亲忙着家中事，还要时常回娘家看一看，那里有许多让她牵肠挂肚的事。

舅舅们那场仇杀过后不久，外祖母也去世了。家里只剩下七舅和八舅。两人无依无靠，成了孤儿。八舅自幼是个残废人，一条胳膊细如麻秆，不能做什么事，吃饭穿衣都要人照顾。七舅十八岁时和人打了一架。对方人多势众，欺他身孤力单，把他打得头破血流。七舅吃了大亏，却无人帮助。打完架，他到外祖父和一群哥哥的坟上痛哭一场，然后依坟睡了。一觉醒来后神志错乱，从此疯痴一辈子。母亲每去一趟，帮他们拆拆洗洗，照应两天又忙忙地赶回来。有时也把两个舅舅带回家住些日子。两个舅舅大一些后，母亲和她的几个姐妹都曾帮他们娶亲。但不久都散了。一个残废，一个疯子，无法养家糊口，两个女人先后都走了。七舅、八舅直到前几年才先后去世。两个鳏舅一死，外祖母家便一门灭绝了。

四舅早年出走，再无下落，想来早已客死异乡。五舅出走后，突然在解放时有了消息，说在徐州市当了干部。母亲赶忙让父亲去打听，果然在徐州市找到五舅和五妗子。原来当年离家不久，他们都成了地下党，利用做小生意做掩护从事秘密革命活动。五妗子曾被捕蹲监一年，敌人用尽酷刑，也没能让她招供。五妗子向来性硬，当初在家时就是个坏脾气，天不怕地不怕的，这下派上用场了。老虎凳、辣椒水、烙铁、皮鞭，能用的刑全用了，她硬是挺住不投降。后来我曾问过五妗子，敌人用刑时你怕不怕。她说咋不怕，没用刑前害怕，一用刑我就火了，折腾得死去活来，我受不住了就骂，祖奶奶的！肉是你们的，骨头是我的，那会儿哪想到会活着出来。敌人拿她没办法，就投进死牢。后来被营救出来时，五妗子已是枯瘦如柴，三分像人，七分像鬼。五妗子成了英雄。徐州人把五舅称为侯老五，称五妗子为侯五嫂。刚解放时，五妗子去北京参加群英会，毛主席接见大家。有人向主席介绍了五妗子的事迹，主席握住她的手称赞说，你是钢铁妈妈！后来出过一本连环画，叫《钢铁妈妈侯五嫂》，就是描写五妗子革命事迹的。五妗子做了多年的徐州市妇联主任，到八七年才去世。至今徐州市五十岁以上的人，几乎没人不知道侯老五和侯五嫂的。我第一次见到五妗子是“文革”大串联时。那时五舅已经去世，我到徐州找她，在她家吃了一顿饭，说了一些闲话，大多是她问我一些老家的事。饭后临走时送我十块钱，然后沉着脸说，到北京看看赶快回家去，别乱跑！

后来凭那十块钱，我跑了半个中国。

五舅在世时，给过我们家很多东西。解放初，父亲做小生意常去徐州。每次去五舅都要给些钱物，而且每次都要送到城外。五舅性情温和，待人亲切。有一次五舅送父亲临出城时，买了三十条香烟给父亲，说回去换些粮食给孩子们吃。那时三十条香烟是很大的一笔财富了，可换一千多斤麦子。徐州到丰县一百八十里，父亲一天一夜走回家，真是高兴极了。后来父亲以这三十条香烟为本做生意，一次买了八亩地。

父亲是村里入社最晚的一批。

当村支书带着腰鼓队到家里欢迎祝贺时，父亲蹲在一旁抱头痛哭了。

他从十五岁分家，以一个稚嫩的肩膀挑着担子，走遍了四省交界地的几十个县，在兵匪盗贼间穿插往返。吃苦受罪还在其次，单是遇险就不下几十次。一次去安徽的砀山县贩麻花，傍晚回来时在黄河故道里遇上强盗。强盗紧追不舍，父亲挑一担麻花在故道的荫柳棵里左拐右拐，舍不得丢下。那是五百根麻花，挑回家一根可赚两分钱。来回一百三十里，父亲都是连夜往家赶。那次父亲在黄河故道里周旋了一夜，最后还是把麻花都丢了，人也被抓住打了一顿。有一回去山东的菏泽贩卖粮食，中途碰上打仗，粮食被没收，人留下修了三天炮楼，还被砍了一刀。那年日本人扫荡，鬼子突然进村，父亲带全家仓皇逃出，刚买的一头花牛未及牵出来。半夜里，父亲顺麦垄爬回村，想把牛偷出来。潜回家刚把牛牵在手上，就被日本游哨发现，一阵排枪打来，花牛当场倒地死了。父亲赶忙滚进一条暗沟，仗着地形熟悉，一寸寸往村外爬行，进入野地，爬行三里多才脱险回来，双膝磨得血肉模糊……

这类事够他回味的了。

他用血汗挣来的几十亩地和牲畜不再属于他。

父亲两手空空，只剩下满身伤疤。他的两条腿青筋暴凸，盘成疙瘩。到了晚年，那双腿每夜都要不停地抽搐痉挛，时常疼得梦中醒来。他年轻时跑过的路太多太长了。

入社后，父亲的大黑牛被分到别的生产队。可他每晚下工回来，都要去看它一次。黄昏一声低沉悠长的牛哞，叫得人心里抖抖的。父亲带一把炒熟的黄豆，去了村外的饲养室，脚下是一条荒僻的小路，月光洒在上头，依稀照出一些碎片烂瓦。父亲走在上头，忽然被绊了一下。他弯腰捡起一块形状古怪的瓦片，在月光下端详一阵，习惯地要把它装进兜里，可掂了掂还是把它扔了。父亲咂吮一下嘴唇，又往前走。他的嘴涩涩的。

父亲在饲养室找到那头黑牛，掏出黄豆用手捧着一粒一粒地喂它吃。那头黑牛是两岁口，正是能吃能干的时候，拉犁拉耙都是主套。只是喜欢调皮捣蛋，干着干着活突然用角顶撞左右邻居，因此常挨鞭子。父亲喂完黄豆，拍拍它的脑袋，黑牛便低低地哞叫一声，显得特别乖，特别乖。它每天都盼着老主人来看它，每天都想吃老主人带来的黄豆，每天都想诉说它一天的委屈。

但父亲得走了。待久了饲养员老头会不高兴的。

后来父亲便做了社里的耕作员。

父亲依然是村里起得最早的。

父亲依然喜欢唱吆牛歌。但那歌却格外的凄凉了。

吆牛歌没有歌词，也没有一定的曲调，或高亢，或悠然，或凄婉，全看歌者的心境如何。

清晨，一个庄稼汉子赶着牲口，在薄雾里扶犁游动。他时常把鞭子挥一挥，甩成S形，却并不真的打在牛身上。

人和牛都在悠悠地走。

忽然那汉子唱起来："嘞嘞——嘹——吔——啊——嗨嗨——嘞嘞——嘹——嗨嗨——唉嗨——！……"

那便是父亲。

一曲吆牛歌，无词无韵，却唱出一个庄稼汉子心中的苦闷、忧伤、烦恼和无奈，唱出乡村岁月的全部滋味。

雾散了。

父亲的轮廓渐渐清晰。

一群麻雀尾在他的身后，蹦跳着在新翻的黄土地里捡食虫子。

（选自《钟山》1992年第6期）

赵本夫

1947年出生，江苏丰县人。1983年加入中国作家协会。现为徐州市文联主席，江苏省作家协会专职副主席，《钟山》杂志主编。

1981年发表处女作《卖驴》。出版有小说集《寨堡》《空穴》《走出蓝水河》，长篇小说《黑蚂蚁蓝眼睛》《刀客与女人》《混沌世界》《天地月亮地》《走出蓝水河》《无土时代》及《赵本夫文集》(4卷)等。小说《卖驴》获1981年全国优秀短篇小说奖。

走出困局

葛安荣

一

老孙头圆太阳般的脑袋从传达室的玻璃窗口慢慢探出来,带说带笑:"去尖庄催粮催款?"

林德明侧了侧脸什么也没说。他虽然刚到菱湖乡,地皮儿还没踩熟,却看不惯老孙头一副神头鬼脑的模样。因而懒得与他搭腔。常常是老孙头先逗他开口。

林德明老家在乡下,也曾在乡团委泡过两年,晓得乡政府"上面千条线,下面一根针"的苦衷。比如计划生育、砌房造屋、催粮催款就是乡干部头疼的三件事。菱湖乡大院里的干部把它比喻成压在头上的"三座大山"。眼下正值交粮交款之际,这项工作抓不好,年终分配无法兑现,民办教师、赤脚医生、村干部、烈军属、五保户等工资和补贴奖金全落空,一些福利事业也无法统筹。所以,每年总是打一场硬仗。乡党委书记杨远和一贯认真而严肃地布置任务,再三强调这是压倒一切的中心任务。

昨天党政联席会议讨论派往各村催粮催款的干部,参加会议的先后说:"我去呢湾庄"、"我去东湖"……等声音平静了,杨远和手中的铅笔翻了个身,用橡皮头笃笃桌面,"尖庄哪个去?"

会场上沉默了一阵。

"我去。"林德明话冲出喉咙才觉得冒失了点。

就林委员去吧。大家表示赞同。

杨远和拿眼光照每个人脸上滚了滚,而后敛回来聚在林德明的眼睛上:"尖庄的情况复杂哩。"

林德明来之前,县里事先跟杨远和通了气。头儿说给他一个人,好好培养培养,又半开玩笑半是真地说,你老杨在菱湖乡也七八年了,总不能打"万年桩"吧,到城里来弄个副手做做反而落得清闲安乐。杨远和咬着说,副手也不做,当干部当够了,最好看看大门,收收发发。

“复杂倒不怕。”林德明态度很明朗。来之前，他在局里是做文字的，开始也复杂，慢慢地熟悉了环境，摸熟了人的脾气特点，也就变得简单了。复杂与简单之间其实只需要一个过程。

临来菱湖乡前，妻子小碧几次问：“下去了上得来么？”

林德明脸一苦，“这不是女人家问的事。”见妻低眉哀眼地不响，便笑着说些乐话宽慰她，真的上不来倒好了，现在城里干部要求下乡的排队哩！你没看见？人模鬼样地下去混几年，当书记乡长的，一个个城里买了房子，装了电话，家里装修得皇宫似的，人在下面心在上面，小车接接送送，两头跑跑反而新鲜。

小碧经他这么一说，眼里窝着的疑虑就散了，顿时鲜亮了几分。

现在，联席会结束，大家捧杯朝楼下走。林德明挨在最后等杨远和。杨远和将泡得发胖的茶叶倒进竹篓里，边旋着玻璃杯冲洗边说：“小林，你尽管放开手脚干，党委支持你！”

“我明儿就去尖庄。”林德明感到一阵温暖。

已是初冬时节，田野里只剩得一片焦黑。昨夜落了场猛雨，打得地上湿润润的添层阴冷。灰白色的稻茬像一夜间长出来的。间或有小草堆东一堆西一堆地散坐在田埂上，很孤独的样子。一阵风尖啸着打着旋儿卷过来，林德明不觉缩了缩脖颈。

这条大道通向尖庄，七高八低的不大好走。林德明索性推着自行车走，罩壳颠得“咔嗒咔嗒”的，车铃也被震出清脆连绵的细响。

林德明已摸过尖庄的情况。

尖庄每年交粮交款总是个老大难，村干部换了几轮也不见起色。原因很简单，年终拿不到钱，就有人甩摊子不干，第二年跑到外面做生意、搞建筑赚钱。赚了钱回来又影响了新一轮村干部的情绪，刺激得他们心理失去平衡。党员有组织约束，不是党员的也只好睁只眼闭只眼随他去了。所以，尖庄的干部大都是乡里圈定而不是选举。刚刚上任的书记偏偏出车祸截肢而被迫搁下担子。眼下书记、村长的位置还空着，只有村会计里里外外一人跳。乡里说等过年从外村引进干部到尖庄。但尖庄凡能说说话的人都表示愤怒：虎死还不倒威，尖庄这么多大活人反而让外村人来当头儿，一点威风和名气也没有了！

尖庄的老百姓不坏，说，穷归穷，粮还是有的，自古皇粮税不能免，这理儿上代传下世，他们懂。

但事出有因，尖庄的老百姓盯住仇腊生比，说他交，我们就是砸锅卖铁也一斤粮不少，一分钱不缺。

派下去的乡干部没词儿回答，想半天才说，走路要走高坎，比人要比好汉。

尖庄的老百姓纷纷说，人怕凶，鬼怕恶，这理儿八辈子也不转变！

林德明听乡政府大院里人说过仇腊生的事。

仇腊生有个绰号叫“穷狠”。“四清”那阵子，仇腊生在乡养殖场当出纳会计。查账查出他贪污了20多块钱，于是被开除回家种田。后来分田到户，养殖场也承包给私人。一个太阳汪汪的日子，仇腊生带领一班儿女，把养殖场两间房子的瓦和砖拆下，浩浩荡荡地运回家中。乡里站出来说话。仇腊生则要求为当时被开除事件平反，并补发工资。乡里想查查当时的处理决定，偏偏找不到，据回忆，是当时党委毛书记一句话决定的。仇腊生顿长三分理，你们嘴唇抖抖就处理人，有错也不改，我去乡里找了七八回了，都你推我我推你拿人当猴子玩。事情僵持了好久，乡里难下台，当时的郭乡长说，算了，就酌情给几个钱，让他把砖瓦退回，菱湖乡穷也不在乎一两千块钱。

仇腊生得了钱，又要求乡里明确平反后的待遇。砖瓦自然一块不退，并让家人在村上放出风来：乡里给他补发工资了，承认处理他处理错了……

尖庄人满脑子一锅粥糊糊。

郭乡长很恼火，给派出所人暗示一下。派出所的人便把仇腊生请来，关在小屋里，问他退不退砖瓦。仇腊生头一梗：中国人说话一句，当钱用！真的不退？派出所人一时急火攻心，揍他，又拿电棒击他。他瘫倒在地，抹抹手背上的血，扶着墙摇摇晃晃站起来：“除非把我打死，老子只要有一口气就不会说个退字！”

派出所关了他几天又放了，他一出派出所大门就奔乡长的家。郭乡长不在家。他女人吓得脸都变了颜色。仇腊生说：“你男人狠，嘴歪歪就叫派出所的人打我，我仇腊生就这么几根穷骨头穷筋，横竖意思不大；你告诉他，我活不成，你们也别想活！”女人一句话不说，就这么痴呆呆地立着像尊泥菩萨。仇腊生隔三岔五去乡长家坐坐，而且去的时间都不同。于是就有人托话给仇腊生，说其实郭乡长不是分管民事纠纷，他没有叫派出所的人抓他打他。

郭乡长有一日在家中恭候仇腊生，夫妻俩像待远客一样的热情，烧了好几个菜，留他喝了几杯酒，并且含含糊糊地赔不是，临走又揣给他两条“黄果树”。

仇腊生以酒三分醉，一番话使得郭乡长笑不出哭不得，“我晓得这香烟也不是你买的，不过是转手人情，你能送我就能送他，你哪来那么多的钱？我不过拿了20多块钱就被开除了，你郭乡长多少个20块了？拿公家20多块钱的人就开除，乡大院只怕青草长得一尺长了……”

仇腊生回到尖庄见会抽烟的就散，说：“郭乡长送我的，大家香香！”

仇腊生又跑到村子前面不远的养殖场地，照例的先散“黄果树”，而后对承包头儿说：“养殖场江山是我仇腊生打下来一半！你现在坐江山了，就拼命要我退砖退瓦，告诉你想骑在我脖上拉屎，你嫩着呢！”说完就走，走走又回头，“嘴里没有味，借几条鱼来吃吃！”

承包头儿衔着烟不抽，一副尴尬的模样，很快回答：“你下午来拿吧。”

仇腊生走到塘边，把一只大网篮朝水面拎，背脊长得发黑的鲫鱼“嚯洛嚯洛”地窜，浮出水面就“啪嗒啪嗒”地跳，很响。

承包头儿说，养在这里等乡里来人拿的。

“你就说我借走几条。”仇腊生顺手折下一根柳条，从鱼的腮帮里插进去，血糊糊的嘴里拉出来，粘粘挂挂六条，拎着转转看看：“称一称吧。”

承包头儿说：“算了。”

林德明一边推着自行车一边断断续续回味着窦乡长的话。他晓得窦乡长意在提醒他要把握好分寸，催粮催款这个问题太棘手了。

那时候还是叫公社革命委员会。仇腊生的老婆火娣一共生了八男一女。

火娣怀老九时，计划生育的风声已经很紧了。火娣说：“腊生，就计划掉吧。你看这家里……”

仇腊生一句话堵住她的口：“这事儿男人管，你外出避一避。”

上门做工作的三番两次，仇腊生不好意思地挠挠头皮，态度显得温和明朗，说这回他想通了，准备出门找火娣……话到这儿就刹住，深深叹口气。

领头的马上表态：出门找火娣的车旅费由公社负责，花掉几个钱是小事，执行国策是大事。

仇腊生拿了公社的钱出去兜了好几天才悻悻而归，脸色惭愧地表示不安与歉意，说找遍了所有的亲戚都不见她人魂儿，这次她要么不回来，回来非好好教训她，女人就是贱！

那领头的忙说不可以动手动脚的，要慢慢说服。

仇腊生的弟弟等人走后说：“你到山上姨娘家玩了一个礼拜！”

“哪个说的？”

“你肚里翻几个泡泡，我能没数？”

“摊底牌说，我就是想弄几个钱，给几个‘细猴子’做身小褂裤，一混夏天了，老向公社要钱，当真我脸皮厚得能走犁？”

火娣悄悄跑进县城给老三、老四、老五剪了布料，剩余的钱给丈夫剪件白的确良小褂子。摸黑回来后说给腊生听：“老六、老八还小，老话，小鸡鸡不长笔，满村都能跑。你常常在外面走走的人……”

未等火娣把话说到底，仇腊生便火了：“讲究屁的风光，的确良是我穿的么？”

火娣骂他不识好人心。

仇腊生说你再骂一声，火娣就不吱声。仇腊生气咻咻地把这段的确良过给别人。村上几个看看都不肯要，怀疑哪儿有毛病，要不，买回来怎么又想退？也可能提了价，赚几个黑钱。仇腊生什么尖刁促狭的事做不出来？最后降价两块钱让给老二。仇腊生依然穿那件破了肩胛的青竹布衫。

仇腊生不让火娣再出门。大门口一进来抬眼便见腾空的挑架。四根长的杂树横跨两墙间，当中横铺木板，堆放稻草杂物。放在挑架上的草掏个空心，火娣躲在里面，不叫她下来，吃喝拉撒仇腊生送上送下。他弟弟一日串门问挑架上怎么会动的，仇腊生“唰”的一下翻脸：就你眼睛尖，屁颠屁颠的！直到孩子落地满月，公社抓计划生育的头头才忽然想到：会不会中了仇腊生的调虎离山计？不敢说出来，说出来非但降低自己的水平，甚至可能动摇自己的位置。就对仇腊生说，火娣刚从山里回来吧？仇腊生笑而不语。那头儿又说，他已经向公社革委会主任汇报，一个人藏的地方一万人也找不到，仇腊生去找没找到，公社付车旅费也不出格，边说边拿一种很古怪的目光投在他脸上。仇腊生一副认真的样子，说，我懂。

公社他常去跑，多多少少晓得一些事儿的。那头儿拍拍他的肩：你很聪明！仇腊生说：就是人穷点。

那时候窦乡长刚到菱湖公社就任副主任，分管计划生育工作。他决定从尖庄开始抓，碰碰硬，从而以点带面打开路子。现场教育会就在尖庄开，各大队都去了十多个代表。广播喇叭应天响，红红绿绿的标语满村贴，还动员群众卸门板扛铺板搭台，先开会，然后由文艺宣传队演节目。

仇腊生作为重点教育对象，站在台前，他两手交叉搭在干瘪的小腹上，腰身却笔挺的，眼光盯一刻地面又升上来朝天飘来飘去。会议结束，台上人叮叮咚咚地把桌子、椅子搬到台下，准备演节目；仇腊生还呆站着，别人叫他下去他一动不动。窦主任过来说：“你好像还有对立情绪，下去！”仇腊生这才说：“我等你窦主任的话哩，乡下有句老话，打酒只问提瓶的。”

第二年公社改乡了，窦主任的计划生育转给新来的丁乡长抓，他成了窦乡长。

窦乡长家住在乡粮管所，到乡政府大院要穿过两条狭长的巷弄，然后向右拐，绕过卫生院，再径直向南约莫一百公尺便可望见很气派的门楼。乡干部自誉是小天安门。这天开完乡党委扩大会，窦乡长又玩了几圈扑克，往家走时已经过了夜里十二点。巷子里暗深深的，窦乡长感到这一截路特别的阴冷，不由得紧了步子。

刚出巷口，仇腊生和他两个儿子突然从斜刺里闪出来。

窦乡长吃一惊，连忙拍拍心口。

“窦乡长，我们与你有话说哩！”

“明天乡政府说。”窦乡长硬把口气坚定些，依然不失白日风度。

仇腊生拦住他：“窦乡长，你玩扑克玩得热乎乎的，回家老婆被窝焐得热乎乎的，我呢，站在大院门口等你几个钟头……你摸摸我的腿子，冰冻冰冻的了，家里老婆孩子几个人拱一床被子……我晓得你窦乡长热水瓶心，表面上冷的，里面热烘烘的，菱湖乡的老百姓都这么说……”

窦乡长说：“究竟有什么事？简单点。”

“其实我这个人想复杂也复杂不起来。我问过以前在菱湖当书记的，他说批斗我是你的主意……我早说过乡下有句老话打酒只问提瓶的。我晓得那家伙滑得泥鳅似的。他拍拍屁股走了，剩下的屎你揩。我问你，我是阶级敌人？像我这样挨批斗的全县打着灯笼也找不出第二个！上面我也托人查过问过，没有这样的规定，又不是‘文化大革命’……”

“计划生育马上要立法呢！对你的处理还是轻的。”

“我不是不想计划，计划不了怪我么？我的事今儿就包包扎扎装起来再说。我老婆呢？那回我被批斗，她受了惊吓，落得一身病，夜里常常鬼叫鬼喊的，钞票已经看掉小小一千块，医药费总得乡里报销吧？”

“你去找丁乡长，他分管。”

“丁乡长哪有你爽快？他这个人阴丝丝的，说，只要你写张条子。听他那口气好像你不敢写。”

“这条子我不好写。”

“是的，窦乡长稳着哩，菱湖的老百姓都这么夸。”

“你还是去找丁乡长吧。”窦乡长的话亲近几分。

第二天一大早，仇腊生就找到丁乡长，说：“窦乡长老资格，恐怕你要亲自跟他打招呼……”

丁乡长碰到窦乡长，两人都笑笑，闭口不谈写纸条一事。窦乡长忍了好长时间终于破了口：“你让我给仇腊生写条儿？”

丁乡长一愣，好像这事儿问得太突然，以至于他不能马上做出反应，“哦……你不提我倒忘了，我记好了要跟你说的。其实，我晓得你不会写条子给他，我才叫他找你写条子的。你不是也叫他找我么？你晓得我不会冒失答应，你才叫他找我的。一样的道理。其实，话倒过来说，就是真的解决这个事，还得你老领导出面，生姜老的辣。何况当时的情况你熟悉……”

窦乡长有些尴尬，心里刻毒地骂道：你这细狗日的年纪轻轻就玩这一套！

这事儿一搁就是两个月。

窦乡长晚上一般情况就不再去乡大院。粮管所头儿从他们办公室拖了一根电话线到他家里，装部分机与外面联系。

仇腊生便朝窦乡长家里跑。有时凑巧开饭时间，窦乡长免不了说句客气话：“老仇，就在这儿弄一碗吧。”

仇腊生埋下屁股，说：“为公家的事破费你。”

窦乡长老婆娥子脸色就发灰。

仇腊生却照例笑融融地登门。这天窦乡长来了几个城里的亲戚，菜丰盛许多，还有两瓶“竹叶青”酒。到吃饭时，仇腊生依然没有走的意思，又等一会儿，他才说：“窦乡长，老是麻烦你，真不好意思，你们今儿客人多，我就不凑热闹了……借六块钱吧，我自个儿到街上随便吃点。"

窦乡长不出声，看看亲戚又看看女儿，然后大度地说："娥子，拿六块钱给老仇。"

仇腊生接过钱也没说谢就走了。他用六块钱给孩子买了根凉席，自己饿着肚子回到家。

这样又登门几次，窦乡长只得写张条儿，客气地交给仇腊生，含含糊糊地证明当时有这么一回事。

丁乡长让仇腊生直接把这个条儿原封不动地交给财政所会计，什么也没说。

会计反复看几遍，让丁乡长批一下，写出具体金额。

丁乡长满脸的不高兴："窦乡长的条儿还不行？人家不在那个位置说话就失灵啦？怎么个弄法，财务上的事总不要我这个外行教你这个内行吧？"

丁乡长碰到窦乡长，窦乡长笑笑："花钱消灾。"

丁乡长满不在乎地道："这么大个菱湖乡，哪里在乎几个毛毛钱！"

……

林德明想着，前面的路平展些，就骑一阵，间或猛蹬几脚，两只车轮颠颠簸簸地直滚。他感到浑身上下有一股热血在窜腾。他不信治不了仇腊生为头的几个，心里设计着一套又一套的方案……

二

露水还湿滴滴的，林德明已赶到尖庄，先在村会计家里坐了个把钟头，细细地问些具体情况。

等乡政府的人马与尖庄党员到得七不离八，林德明开始动员，再三强调"有理有节"四个字。屋里人你一言我一语慷慨激昂，未等林德明把话说完，便朝门外一拥。

林德明声音扬上去，"又不是打狼，乱哄哄的，非把事情弄僵了！"

林德明把屋里的人分成说理、算账、运粮、治安保卫四个组，一一作了交代，然后留下乡会计、村会计与派出所的人，让其余人暂时到民兵营长和妇女主任家里避一避，等候命令。

村会计去请仇腊生，刚跨出门，林德明忽然想起什么，叫住他："把仇腊生叫到村委会办公室！"

仇腊生头一仰一仰地来了，六十出头的人还没落威，冒失一看，跟在后面的村会计像伙计，而他活脱脱大老板一摇三晃的神清气爽。

林德明让座、敬烟，然后自我介绍，拍拍他的肩胛："仇老兄，帮帮忙假假势，今年上交粮款带个头怎么样?”

仇腊生喷射出大团烟雾,目光从烟雾中穿过来:“没有粮也没有钱。”

“话不能说死,也不是交给我林德明的。”

治安组的见仇腊生这副傲慢姿态,不由得帮着狠几句。

林德明只管哈哈地开玩笑:“千金难买心头愿。你存心不交,我们也不逼你,等你想通了再说吧。”

仇腊生突然兴奋得像走路拾到一叠票子,轻快地朝外走。

林德明又把他叫回头:“自古只有欠账没有赖账。这是你欠粮欠款的清单,看看,有没有哪个地方弄错?”

“它认得我,我不认得它。”仇腊生满不在乎的样儿,“皇粮,我不会赖的。”

林德明让会计从头至尾仔细念两遍,问他有没有出入,然后叫他签字,按手印,同意什么时候有粮有钱就什么时候交。

仇腊生笑笑:“你个林胖子!我仇腊生玩猴子玩惯了的,还会被猴子玩了去么?我肚里没有几滴墨水,也晓得宁可跌在屎上也不跌在纸上哩!”

林德明阴下脸,嗓门儿拔高几节:“抬你上轿你不上轿,非得自己走下轿!明的告诉你,你今天签也得签,不签也得签!”

仇腊生吓一惊。多少年了,还没有人敢用这么凶的口气与他说话。脑子里转转:纸是死的,人是活的,毛主席指的路还倒回来走哩!去年粮已经运到粮管所了,不是又让他运回头的么?他高兴得让拖拉机沿村子“突突突”地绕两圈……

仇腊生刚写个“仇”字就按住纸往回拖:“仇字半个身子分家了,重签重签,还有一张吗?”看样子纸要被撕破。

“就这样,不在乎字好字坏的。”林德明按住他的手。

出门时,林德明落在后面把签了名、按了指印的清单交给治安组的,郑重关照:“收好,万一打官司就有个凭据。”

三十余人聚在仇腊生门前光溜溜的水泥场上。仇腊生好歹算砌了一幢小楼,平房上加一层,上下四间,土地庙般地立着,式样远远落下潮头。外粉刷也没做,红砖裸露着,水泥嵌的缝口凸一块凹一块的;窗户未安玻璃,一层塑料薄膜蒙着,风吹来一鼓一落的,也有一扇窗用草帘遮挡。

围观的人愈来愈多,却隔得远远的。

大门里拴得铁紧。

治安组的说冲进去。林德明摇摇头,把他们招到一边低语:私闯民宅,侵犯公民的权利呢……

软磨硬缠,把仇腊生从水泥场东边推到大门前。

“开门!”治安组长低低命令。

林德明跟在后面说:“有理不打上门客,老仇,开门吧!”

“林委员,你急什么? 老仇好客哩,已经站到最前面叫门了。”旁人唱白脸。

“对对对,老仇是叫门了。”又有人顺风说。

“老仇开门了,老仇开门了……”后面“哦哦哦”地欢呼起来,并乘机朝前推。

仇腊生分辩的声音被淹没了。门栓被挤撞脱落,大门“哐啷”一声洞开,仇腊生是第一个冲进家的,直面扑地,后面的人堆草堆似的叠压在他身上。

林德明也跌倒了,爬起来拍拍手:“老仇,这就是你的糊涂了,我们靠在你家门上,你们家人却从里面拔栓子……”

旁边人插话:“老仇跟我们开开玩笑的。”

仇腊生哭笑不得,望着林德明眼睛白颠白颠的:“你们凶长了!”

火娣从楼上踢嗒踢嗒地一阵风般旋下来,开口就是一串又一串的:“又‘文化大革命’了是不是? 又好把老仇捉去批斗是不是……老娘不怕,大江大海都走过来,还怕阴沟里翻船?”

仇腊生像搁在浅滩上的鱼重新蹦下水活起来,一副拼命三郎的架势:“要粮要钱没有,要命,有几条!”

“有也不交,交去让他们这些五保户吃啊用啊……”火娣顺着丈夫的口气帮着撑一篙。

“放你娘的屁!”林德明朝她面前横一步,“你骂哪个五保户? 骂干部? 侮辱人格,攻击人身是犯法的。你敢再骂一句,把你捆起来信不信?”

围观的人渐渐聚拢到水泥场上。

“我又没有指名道姓骂你。”火娣声音发软。

“骂哪个也不行,像你这样的‘尖子户’,我们一是不怕,二是杀一儆百!”

屋里霎时静下来。林德明语气轻软些:“老仇,你想想,你不交,他也不交,烈军属、五保户、民办教师、赤脚医生、村干部等,让他们喝西北风啊? 铺路、造桥、砌学校……老仇,你将心比心再想想呢!”

仇腊生像在刹那间大彻大悟,大有浪子回头的气概:“交!”

堂屋沿墙用芦苇编织的护脊圈了一个粮囤,把上面盖的稻草掀掉就见黄澄澄的稻谷。扒了几箩,弄得满屋里烟雾腾腾的,人头上身上都染了一层灰。林德明操起半把稻摊在手中央,对着仇腊生吹了吹:“这么多的灰、砖子儿、石子儿,能吃么?”

“我也想交好粮风光风光,可哪儿来呢?”仇腊生叹了口气,好让人感到他的沉重与不安。

林德明斩钉截铁地道:“仇腊生,请你交好粮!”

“我会变戏法么?”仇腊生一脸的委屈,“没有会变出个有来?”

火娣飘动的眼光被林德明捉住了。虽然只是一瞬间表现得恐惧不安,但那内心世界弹射出来的秘密,足以证明仇腊生在说谎。林德明觉得有把握了,又将语调朝上拎拎,“如果你藏着好粮呢?”

“又‘文化大革命’,抄家?”

“请你把楼上两间的门打开。”

“没有怎么办?”仇腊生拿一种很凶猛的目光瞅他,见林德明好长时间不说话,也在注视他,不觉偏了偏,把目光落到别处。

“哪怕砸锅卖铁,你今年的粮款由我交!”

仇腊生哑巴了,额上沁出一层细汗珠儿。

楼上的西边一间果然藏着好粮,往下搬的时候,火娣又舞手又跺脚地撒泼:“林胖子,你凶长了,你狠长了,老娘只要还有一口气,会看见长短的!”

“老嫂子,这叫以毒攻毒!”林德明笑呵呵的。

仇腊生往火娣面前横一步:“娘儿们懂个屁!”火娣马上闭紧嘴唇。仇腊生回头说:“林胖子,我承认我今儿输了,明儿呢,后儿呢?你怎么给我弄走的,怎么给我送回来!”

“太阳从西边出吧。”林德明走出屋子蓦然间觉得天地宽广,对场上围观的人说:“还没有交粮交款的回去准备吧,大家客客气气的。”

查看花名册,第二个未交粮款的是村西的王巧芝。林德明让其他人找地方休息,自己与村会计两人朝王巧芝家走去。他要看看这个女人用什么力量抗粮。

王巧芝把板凳、椅子一张一张地朝屋里端。

他们两个跨进门只得木桩般竖立。

林德明将几分见怪的意思婉转地道出来:“嫂子,有理不打上门客,我头一回来你就……”

“见多了蜜糖嘴钩子心。没拿扫帚赶算客气!”

“能不能给碗水喝?”林德明望望茶几上的水瓶,舌头润润嘴唇,感到嗓子冒烟一般。

“水缸里,自己舀。”

村会计窝着一肚子火,林德明拖拖他的衣角,一边拿勺子舀水一边说:“嫂子,有什么意见你就说出来,闷在心里多难受。”

王巧芝顿时泪水噙在眼眶里,满肚子的话纷纷涌出来:“你们当官的一个窑里烧的,一个模子浇的,今儿要粮要款了,比孙子还乖;过了事就孙猴子变了面孔,答应的事丢进了东洋大海,找你们,一个个哼哼哈哈的打官腔,只晓得捧好乡里转,不问老百姓的苦,不管老百姓的事。我家的事儿,村里乡里跑多少趟了?一个个你推我,我推你,我小老百姓一个,晓得找哪座庙拜哪个菩萨?”

林德明瞅瞅村会计,问王巧芝:“嫂子,能说给我听听么?”

“别装模作样地唱戏!”

“他是菱湖乡新来的组织委员。”村会计介绍。

“换汤不换药。”巧芝说，“大会计，要说你说，我说不动。”

王巧芝的儿子与仇腊生的孙子同姓，都念小学四年级，放晚学回来的路上斗嘴，斗了斗的就打起来。仇腊生的孙子鼻尖上破了点皮，吃了点小亏。仇腊生见孙子受伤，便与儿子仇云宝火勃勃地吵上王家门。仇腊生二话没说，开口就叫儿子打。仇云宝拎起王巧芝的儿子“啪啪”两个巴掌，临了还拿走她家一副水桶。王巧芝从田里做完活回来，摸着儿子的脸哭了又哭，边数落着到北京做建筑工的丈夫。她想来想去咽不下这口怨气，领着孩子摸黑到村支书家。村支书很认真地听，也点头叹气，最后说：“这样吧，今儿太晚了，明儿你找治保主任。”第二天，巧芝找到治保主任，治保主任表示同情：“我问问村长再说，反正事情已出了，急也急不起来的。”巧芝又找到村长，村长说支书也得出面，因为你先找的他，一庙一神，一山一王，乡下老百姓只服书记，只听党的，书记是党的代表。于是，三人去找书记。书记老婆说他出差了，丢一张条儿给村长。条儿上嘱咐了近期的工作。这事儿就搁下来。

阎王好见，小鬼难当。村干部都是小鬼！巧芝心里骂着，又去找乡里。她一下子不晓得找哪个好，就沿着一楼、二楼、三楼，顺序一溜儿找，终于找到具体管理民事纠纷的老桃。老桃没坚持听到底，就说：“乡里不能天文地理拉屎放屁统统管，你回去叫你们村长明儿来……”

事情自然石沉大海。去年卖粮交款，巧芝翻出前年这件事与下来的乡干部顶撞，但禁不住三劝四劝，最后还是答应如数交，说老百姓做事桥归桥，路归路，不像当官的两层肉片翻来翻去不值钱！

来催粮的乡干部脸像灯笼一样地被点红，口口声声说一定把这民事纠纷认真汇报，尽快处理好。

林德明边听边默默抽烟，转脸对村会计说：“你去把你们的民兵营长，还有乡里派出所的几个人叫来。”

摆铁匠铺的仇云宝去县城送铁钉回来刚刚落下屁股，就听说父亲今儿吃了败仗，心里不免一颤。他是仇家唯一成了家的。老婆是从四川过来的“跑滩女”。他花去 4000 块钱买了个人。结婚个把月，四川女在街上想拔脚溜，被仇腊生看出苗头，等四川女买好汽车票，他突然闪出，老鹰叉小鸡一般将她逮住，押回来当面交给儿子说：“煮烂的鸭子想飞，看你敢不敢动筷子搛！”仇云宝正好在拉风箱烧铁，他将火钳烧得红红的拔出来，钳口呈八字形分开又合拢，慢慢朝她心口那儿伸，凶神恶煞地威胁道：“你两条狗腿会溜是不是？老子从你前心烫到后心！”

四川女吓得眼泪滴滴地连声求饶。于是耐着性子跟仇云宝合伙养性命，生了孩子便死心塌地扎根尖庄。

现在，仇云宝让女人把大屋门锁上，小屋门闩紧。小屋连着大屋。他就在小屋里起火拉风箱打铁。风箱旧了，咕——唱咕——唱，一声接一声的，粗且沉重，活像老母猪挨了一刀在绝望地呻吟。

林德明在小屋外叫开门，半天没人应。依然咕吱咕吱地响。

门被敲得激烈些。

“青天白日的，哪个狗日的作怪?”屋内骂。

林德明抬起右脚，使劲一蹬，破门而入，点着仇云宝的鼻子：“你嘴里吃的屎，骂哪个?”

“人不识，狗来问!”

“放你娘的稻草屁！老子来执行公务的，你嘴里再不干净点，别怪我翻脸不认人!”

仇云宝说：“我粮交了，钱也交了……”

“堂堂大男人打人家小孩，抢人家水桶，跟地痞流氓有什么两样!”林德明火勃勃地问，“前年的老账怎么了结?”

“打了，抢了，怎么样？杀掉个头不过碗大的疤!”

“有种!”林德明喉咙阔亮些，“我代表菱湖乡党委政府向你宣布：一、立即归还水桶；二、公开向王巧芝赔礼道歉；三、水桶你用了三年，每年付10块钱，一共30块，今儿拿出来。不拿，村会计从你上交款中扣。”林德明摔过脸来对村会计把话说死：“下个月乡财政所派人来查，没有扣，就扣你们村干部的!”

门外叽叽喳喳一片议论声。

仇元宝手执火钳敲得风箱咚咚响。

“把火钳放下!”林德明扫一眼派出所的人，“敢动手，就给他点厉害，我负责。”

仇腊生挤进来：“姓林的，你敲了老子敲儿子，一点面子也不留?”

“面子？夹里也一样地撕。养不教，父之过。老仇，你来了正好，你也有责任。”林德明浅笑道。

外面有人说：“龙养龙，凤生凤，老鼠的儿子天生会打洞。”

“听听群众评价吧。仇云宝，你今儿必须按三条办，不办，明儿就罚，这铁匠铺子的营业执照工商所来注销……”

仇元宝的三弟悄声道：“老大，你就听林委员的吧。”

“你这个仇家的叛徒，什么时候喝的迷魂汤？跟在当官的屁股后面舔、转，他们给你什么好处?”仇云宝眼珠儿突突的。

林德明说：“你这话又颠倒了，说公道话、做正确的事都要给好处么?”

仇腊生过来搡他一把：“三子，当心老子抽你的筋!”

三子边往外走边淌眼泪：“尖庄没我们蹲身的地方了……”

仇云宝一屁股埋在风箱上，一只手抓起篓子里的铁钉，又叮叮当当地丢下。

四川女把一副水桶拎到林德明面前，硬弄出个忸忸怩怩的高贵样儿：“我还嫌脏呢!”

林德明来了气:“你嫌脏你不要拿,我又没有叫你拿!”

仇云宝重重地刺一眼女人。

四川女怯怯说:“我拿吧。”

林德明道:“一人做事一人当。仇云宝,你拿! 你怎么拿来的就怎么送回去。”

……

尖庄沸沸腾腾的像过年过节,不知哪个把几支爆竹送上天空,几声脆响格外沉厚。

“卖粮哦——”

通向菱湖镇的尖庄大道上,挑的挑,拖的拖,板车嗒嗒嗒地走,拖拉机噼噼啪啪炸出一路灰蓬蓬的黑烟。

林德明对王巧芝说:“嫂子,事情解决了,你占上风理,也不要去牵人家的痛处,和为贵,找个机会说几句软话,暖暖人家的心,毕竟是一个村上的人,早不见晚就见。”

巧芝眼里水汪汪,赶紧从房里拎出一小篮子鸡蛋,欲泡给林德明他们吃。

林德明挡住:“嫂子,有你这份心意,我们比吃什么都高兴。”

巧芝一抹眼泪:“我今儿就卖粮!”

离开巧芝家,已经十二点出头,林德明饿得心都哔哔哔地跳,问村会计:“中饭准备好了么?”

“他们都吃了,就剩我们几个。”

“有没有蟹壳老黄? 我想抿二两!”林德明半开玩笑半是真。

尖庄村共三个自然村:尖村、北水屯、泥壁梢。尖庄与泥壁梢隔河相望,来来往往都得摆渡。看看名单,泥壁梢也有十多户人家不肯卖粮交款。村会计告诉林德明,泥壁梢的人精死鬼,硬逼着刹庄鸿的威风,把他挡道的围墙拆掉,才肯交。可哪个也不敢得罪庄鸿,他本人是党员,乡里县里走得通;他老大又在银行里坐头把交椅。金溪县流传着一段顺口溜:财政爹银行娘,工商税务活阎王,如今搞经济,乡里也退三步让有钱的菩萨……

林德明放下酒杯,“吃过饭去看看,我不信这个邪!”

在场人都赞扬林德明有气魄、有办法。

林德明笑着,几杯酒下肚,话语渐渐豪壮几分,“农村工作其实就那么回事,你不能按上面画的线儿走,定的调儿做,得有荤有素,不是我吹牛……”

庄鸿新砌一幢三层小楼。楼的东西有一条巷弄,庄鸿圈围墙时把巷弄包进去。来来往往的人只能舍近就远绕道儿走。

现在,庄鸿正在院内闷头筑花台,村会计连叫他几声,他才抬眼一睃,旋即目光又落在瓦刀上,叮叮当当地斩砖,刀口间或蹦出一星星火花。

林德明劈口就道:“庄鸿,你今天表现不好。”

庄鸿一惊,把瓦刀丢在地上,站了起来。

"今儿村干部、党员全部在尖庄集中,你是党员,你为什么不去?"

"噢,雷声大雨点小,历来如此,能拿仇腊生怎样?"庄鸿轻蔑地一笑。

其他人正要说话,林德明截住,转脸问庄鸿:"你也学着猴子翻筋斗,跟着巫婆弄鬼神?"

"你是……"

"刚来的,菱湖乡党委委员,林委员。"村会计介绍。

"委员啊?党委书记、乡长他们来也不像你这副中央干部的派头。我粮没交还是款少一分?你这种态度……"

"我这态度是群众的态度。群众反映你的问题多咪!"

庄鸿满不在乎:"多咪,大咪,仇腊生多少年不卖粮交款,反过来乡里年年拿补助,尖庄哪个见他不像见了鬼,反映的问题成箩成筐的,你们为什么睁只眼睛闭只眼睛?"

在场的人就告诉他上午的事儿。

庄鸿不信:"编的吧,除非菱湖水倒流。"

"信不信随你。我来问你,这围墙可是你砌的?"林德明不紧不慢地说。

庄鸿故作一脸惊讶地回答:"犯罪了?"

林德明露个笑脸:"乡下有句老话,叫作好狗不拦路。我并不是拿人比畜,只想说个理儿……"

"自家门前的地,想怎么砌就怎么砌!"庄鸿态度强硬。

"不行!哪一家都没有想怎么就怎么的宅基地。土地为国有,这是土地法,法,懂吗?你拦群众的路,砌这围墙不合情;身为党员,砌这围墙不向房办申请更失理!不合法、不合情、不合理,所以,应该立即拆掉!"林德明盯着他,句句透出威严与强悍。

"你嘴大,我嘴小,说不过你。"庄鸿话音柔弱些。

林德明把他叫到一边,拍拍他的肩胛,轻轻说:"庄兄,人都有错事儿,党员也一样的,今儿看在我面子上,拆围墙让路怎么样?群众会谅解的。你这围墙事儿虽小,但太显眼刺目。其实,比你这围墙事儿大得多着哩,不揭盖子不冒气罢了。如今搞经济,有几个不捞点拿点?朝好处总结登报纸上电视,往坏处归纳蹲几年大牢也不过分……所以,你不要觉得你下不了台,低人一等……"

"不拆。"庄鸿沉默半天突然爆出两个冷冰冰的字。

林德明说:"你再想想。"见他依然不转变,一股火气升腾上来:"你敬酒不吃吃罚酒。我当着院子里的人宣布三条:一、你自己拆,哪怕你先拆掉一块砖,然后我们义务劳动;二、你不动手我们动手,拆完后你付每人 6 块力资,村会计代扣,此是被动;三、我们拆了以后你再砌,我叫房办老账新账一起算……"

庄鸿的妻子说拆就拆吧。

庄鸿说不要你们拆，等几天自己拆。

“不行，非今儿不行！”林德明强调。

林德明瞥见庄鸿示意妻子去拆第一块砖，就说：“知夫莫如妻，一样的。”

围墙很快被拆去一段。围墙外的群众欢笑着。

林德明拉下脸大声道：“你们高兴是不是？庄鸿带头交粮交款，知错改错，没有忘记自己是个党员。你们没有错？错在自己身上不觉着！”

庄鸿过来帮着堆砖，眼里潮湿湿的。

堵死的巷弄又畅通无阻。林德明对村会计说：“刚才我们碰坏不少砖头，你写个报告，我回去跟乡里说说，补贴他几十块钱。”

庄鸿连连摇头：“不用不用。林委员，有你这几句话，我就心满意足了。”递给林德明一支烟：“不瞒你说，我也是要面子的人，村里老把我当落后党员的典型看待，心里憋着火……”

“庄兄，我今儿也有强词夺理的地方，你宰相肚里好撑船，别记恨。”林德明很温和地说。

“我服了你！”

两人几乎同时笑起来。

林德明从尖庄回到菱湖乡，外面已暗蒙蒙的了，街面的上空伸出几盏鹅颈形的路灯，隔好长距离才有一盏。小镇不习惯大放光明，林德明想到了县城的灯火。

传达室老孙头把门“嘎吱”打开一半，边让林德明侧身进来，边笑着说：“打胜仗了？”

“一个菱湖乡斗不过尖庄几个人，岂不翻了天？”林德明话音里流淌着涓涓自豪。

老孙头羊似的哼哼：“胜是败，败是胜……”

“你的话进口的，听不懂。”

“你胜了，就是去过尖庄的乡干部败了，你晓得哪些人去过尖庄？去过的人又与哪些人……下面的，上面的……你刚来你不懂……”老孙头神秘的脸上显得很认真。

“你怎么能这样说？”

老孙头绷紧的脸皮慢慢浸水似的泡出一层笑，“我喝了点酒，酒话不当真。”

林德明的办公室在顶楼，两用，中间用三合板隔道墙，涂层淡淡的草绿，看上去很清爽。后面搁张棕棚床睡觉。今儿一天下来很累很累了，洗洗手脚便躺下，蒙蒙眬眬正欲进入梦乡，电话铃失火一般叫起来。林德明开始不想接，但铃声响了一遍又一遍，只得叽里咕噜地骂着爬起来。来电话的是县里过去一个很有权威的头头，现在说话也响。林德明能下到菱湖乡锻炼,多亏他从中周旋。林德明欠着他的情,嘴里只好软着,顺从着。

头头听他服服帖帖地"嗯""是的",便继续朝高深处展去:"……小林,我在农村干过十多年,红红白白的事情见得多了。一个乡就是一个国务院。一个口子一条线,横一道竖一道,复杂得网似的,你刚下去几天?毛毛糙糙的。怎么好乱用党委和政府的名义发命令?怎么好骂人、踢门、要吃要喝?……"

林德明闭口不言,突然大声叫道:"我听不见,你声音再高一点,再高一点!你那只电话要修一修……"笑着把电话"喀哒"一声切断,气恨恨地骂道:"落市鲢鱼还卖俏!"

林德明往床上一倒,眼睛一眨一眨地痴看天花板。天花板上因渗潮而霉变呈灰黄色,画出一圈地图形状的水渍。他反复想:乡下刚刮一阵风,城里怎么就落雨?

三

菱湖乡大院有了活鲜鲜的话题,霎时都抢着议论。林德明也就成了议论中的一号人物。

县里有人来了解农村工作情况,听了介绍,很感兴趣,回去在县大院一宣传,没过几天便满院风雨。林德明原单位石副局长对手下叽叽喳喳的人批评道:"东席不管西席,各人头上一方天,你们忙你们的!"

局长调走了,原先办公室石主任升为副局长。一年多了,正的位儿空着,石副局长主持工作。当初考察当副局长的人选一共两名,除了石还有林德明。林德明说这是拿他当垫背的。话不知怎么就传到上面。上面也没有批评,对反映情况的人说:"小林开开玩笑的。"后来,有人建议让林德明当办公室主任。石副局长说,文人不大愿意做行政工作,还是让他集中精力摇笔杆子的好。

有人打趣:"石局长,你不也是文人过来的么?"

"我的笔不晓得哪个猴年马月就涩了,不下水了。文人和文人不同。"说着,石副局长好像感到哪儿说漏了嘴,脸颊红了红。他马上说起办公室的环境美化问题。

下乡人员选定后,石副局长与林德明谈话:"小林,你大有前途哩!下去几年,上来正好……"

石副局长几句话有些生离死别的伤感味儿,林德明只好笑嘻嘻地什么也不说。

石副局长又一连亲切地叫几声小林,嘱咐下去要注意什么什么,好像一个成熟的教官传授临场经验。

林德明不想听却不得不摆出个专心致志的样子。石副局长比他还小一岁,反而叫他小林,以前在一个办公室时,从来唤德明;突然改口称小林,开始老大的不舒畅，听惯了也无所谓了，这刻儿不知为什么，听惯了的陡然又变得直刺耳膜。

县大院里传得热闹非凡，上下班的人碰见小碧，都用一种羡慕的眼光看她，和她说菱湖乡的事。小碧说："他呀，书呆子一个，做不成什么大事的。"心里却甜津津的，自觉不自觉地反映到脸上。

乡党委书记杨远和在菱湖乡各单位各村负责人会议上对林德明的评价很高。

林德明表示自己只是尽一个乡干部的责任，解决尖庄这个老大难，得到方方面面的配合，他只不过参与而已。

老孙头给党委这一层楼送开水。跨进林德明办公室，就喜眉喜眼的："老大表扬你了？"一副惊讶的模样。

"做工作又不是为了表扬。"

"你的本事比老大大。不过……"

"孙师傅，你还有别的事吗？"

老孙头依然这么说说笑笑，笑笑说说。

林德明闷头翻看文件。

杨远和拿着一叠材料进门。

老孙头旋即转了话迎着说："杨书记，最近老虎灶的水只有七八成开，是不是买几只电炉子？"

杨远和"啊"了声，然后又"嗯"。

老孙头边说边向门外走了。

杨远和让林德明把尖庄的事儿写成文字材料，一是上报县里，二是发至各村、集镇各单位，好好宣传宣传，推动各方面的工作。

林德明犹豫片刻说："不要写吧。"

杨远和显出不高兴的神色："写不写不是宣传你个人的事，你是代表乡党委下去的。"说完旋即下楼乘车去县里。

林德明心里一阵激动，便埋头立提纲，想要点。抬脸时猛然一颤，仇腊生什么时候碌碡一般竖在面前的？后面站着两个腰圆膀粗的小伙子，估计是他儿子。林德明警觉起来，话语显得热情："老仇，有事么？"

"家里没粮吃，老婆气出病住院了，乡下有句老话，打酒只问提瓶的，找你拿钱拿粮呢！"仇腊生边说边往办公桌这边凑。

"缺钱缺粮找民政，你摸错了门。"

"他们都说只要你嘴里落几句话。"

"黄瓜藤牵到茄子架上，乱搭了。"

"哦，收粮收款你说了算，比老虎还凶；现在老百姓要补助，你乌龟头缩进去不动，日你娘的！"仇腊生突然"呼"的一拳踹过来。

林德明躲闪不及，嘴巴重重地挨了一记，满嘴里顿时渗出殷红的鲜血；几乎在同时，他倏忽一撅而起，一个巴掌狠狠地横扇过去，“啪”！仇腊生脸上腾起五条明显的指印；趁对方几个没回过神来，林德明风似的夺路出门，直至楼下办公室，让人打电话呼叫派出所。

仇腊生站在空荡荡的大院中央的水泥坪上大喊：“共产党的干部打人啦！林胖子，你这个细狗日的，你有种你出来！老子不报这个仇，就在菱湖乡倒爬三圈！”

乡大院的干部趴在阳台探出上身朝下看，都不响。

派出所的连吓带骗哄走仇腊生和他两个儿子。

杨远和傍晚时分回到乡大院，听人反映这件事，他并没有批评林德明，而是说农村工作复杂，干部也是人，按上面的条条框框做事儿，脚好比伸进坛子里，一步展不开。临了体贴地吩咐：“林委，仇腊生还会来的，他这个人三缸清水非闹出四缸浑，横着呢！你先回县城避一避，避一避不等于怕他。”又让小车司机送林德明，再三关照：“小车不去接，你就在家里休息休息，这几天够辛苦的。”

林德明非常感动，陡然间觉得一股温情流遍了全身，增添了无限的力量，他握着杨远和伸过来的手，坚定地表示：“我不会影响工作的。”

天擦黑，金溪县城变得细致文静，一反白日的喧闹与纷争。

林德明和小碧身子探出窗台望着子雅河的夜景。他们已经将这份闲情丢失好久。河对面商业大厦一片辉煌，灯光折射过来，像从水底穿过来，又像从水面上浮过来的，在远处却又分明地落在眼前——一束拉花似的金色光带，变幻出绿蓝白黄几种色彩，细浪颤动，闪闪烁烁，犹如随时会蹦出水面一般。

林德明感到一种前所未有的轻松、宁静。他把下乡的感受说给小碧听，小碧一声不响。他觉得小碧有些醉。他没有把后来的事说给她听，那样会破坏今晚的心绪和情调。

两人正想休息，朋友小陈叫开了门，说：“你家来亲戚了，认不得门，正好局里晚上开会，我就把他送来。他说过年了，给你们送点土特产。”

“人呢?”

“在楼下，我去叫他，就不上来了。”

林德明听见有脚步声上来，头探下去，顺着楼道口提醒来人：“当心，当心，没有路灯!”

等仇腊生拎着麻袋出现在面前时，林德明愣住了。

“下乡一顿饭，进城一番站么?”仇腊生话里带着明显的挑衅味儿。

“什么事?”林德明努力使自己镇静，“仇腊生。”

“没事就不能找你么?”仇腊生硬是闪进门，把麻袋朝墙旮旯一扔，“过年了，我还是跟你要吃要用……我摸了，你老婆在档案馆做事儿，儿子今年六岁，机关幼儿园中二班……我反正这么长这么大，什么也不在乎的。”自个儿坐下，边用眼光在两人脸上贼溜溜地扫。

小碧晓得发生了什么事，不由得朝仇腊生面前凑一步："仇叔，我家德明捧公家的碗，就得做公家的事儿，你这些话中听，摊牌说，我们比你年轻，两只手也不是绣花的！"她板着脸，硬拿目光凶狠起来。

仇腊生呆了呆，笑笑："一回生两回熟，乡下人，没带什么东西，一点土特产。"

林德明说："拿走。要不，我交给乡里。"

"随便你。"仇腊生起身出门。

"不送！"林德明带着愤恨啐出两个字。

小碧专注地看着他，默默无语，但那欣赏的眼光，又分明在说，像个男人！

林德明想看看仇腊生究竟送的什么，那么沉甸甸的。解开塑料袋，不禁大吃一惊，几块火黄的九五砖，一把两尺长的竹篾刀刮得精光薄滑。林德明内疚而不安："连累你了，小碧……"

"不就是吓吓人吗，他当真敢行凶？"

说罢，小碧半个脸颊贴住丈夫厚实的胸脯，娇娇地说："要说怕我也怕，事情到了这一步怕也怕不了，不壮壮你的胆，你腿子会软的……"

第三天上午，杨远和派车来接林德明，还有两个派出所的随车而行，其中高个儿说："从今儿开始，我们就跟着你，防止仇腊生可能出现的过激行为，老大安排的。"

林德明内心扑腾不已。杨书记体贴关心下级，细枝末节都考虑周到，他应该壮起胆子继续干工作，没有任何理由瞻前顾后，中途撒手。他感到有一股强大的力量支撑着他，浑身有使不完的劲。

党政联席会上作出决定：仇腊生的粮一粒不退。不能让闹的孩子多吃奶，让老百姓指着脊梁骨骂乡干部吃软怕硬！

杨远和问还有什么不同意见时，窦乡长吞吞吐吐说："我谈一点不成熟的想法……"

未等窦乡长把话说到底，杨远和像误吞一只苍蝇，厌腻得连连摆手："散会散会，我再重复一遍，以后不成熟的想法不要在会上说。浪费时间等于谋财害命！"

窦乡长满脸血红，使劲展出一张似笑非笑的脸。他觉得杨远和曲解了他的意思，散会后一直跟在杨远和后面唠唠叨叨地解释。

"晓得。"杨远和终于驻脚，"你呀，乡长当到胡子白，腰都弯着。"

窦乡长一副心悦诚服的模样。

正好林德明走来，杨远和说："你好好学学林德明，他是怎么说、怎么做的？"

窦乡长朝林德明看看，林德明也朝窦乡长看看，两人的目光都有点异常。

杨远和一个电话，请来县公安局与检察院的头儿，林德明介绍了具体情况。隔日，他们分别找仇腊生谈话，进行威严神圣的法制教育，结果意见一致：仇腊生属于亡命之徒，天生天不怕地不怕。虽然目前他还没有过激的行为，但找几条拘留他也可以，判一两年刑也不是做不到。但江山好移，本性难改，关键问题是他出来后，极有可能与你玩命，所以抓又抓不得……

乡大院刚上班时最闹忙兴旺，这时，各个办公室的大门一律洞开，走廊里的人来来往往像过节，大家串联串联，说一些工作上有联系的事，或者扯些各地新闻和马路消息。半小时一过，便三三两两或单人独马，推着自行车直奔工厂或乡村去开展工作，调查研究，大都到下午下班前出现。所以，中间这段时间各个办公室的大门都关得铁紧，乡大院冷冷清清的像座孤庙。来乡大院办事的首先要摸清这规律，否则，常常扑空。

仇腊生摸透了规律。这天下午四点半钟刚过，他像一个巡警似的在楼上楼下的走廊里晃着，间或脖子伸进大门扫一眼，没发现目标旋即缩回去，或者问一声："林德明呢？"

办公室里的人大都不声不响，各人匆匆忙忙地收拾自己的一摊子事。

仇腊生走进杨远和办公室问林德明哪儿去了。杨远和顺手从桌子上拿起一支烟，看了看，又换一支"红中华"丢给他，然后说不晓得，他找他有事也不见人影。

仇腊生想埋下来等。窦乡长正巧跨进来，便拽拽他的膀子："杨书记正在忙，来，到我办公室说话。"

杨远和懒得抬头，自顾看面前的一份与香港合资的消音隔热材料论证报告。

窦乡长眼神里含着遗憾，不觉多朝杨远和望一眼，他这刻儿多么希望杨远和能抬头对他笑一笑。虽然不说话。

窦乡长与仇腊生说了许多道理，许多动情的话，仇腊生铁石心肠不转弯，只是反复一句话："我老婆住院没钱花。"

窦乡长沉吟片刻，爽气地说："这样，你去请人写张申请补助的条儿，我批 40 块钱给你。"

仇腊生就站起来，但没有开口说感谢一类的话。

"家家门前有块滑石头，哪个吃了五谷不生灾呢？"

仇腊生好像没听见，仍然没回话。

窦乡长苦笑笑，心里咒骂自己天生一只弯腰大虾姑，处处热脸贴人家的冷屁股，八辈子没出息！

仇腊生出去兜一圈，很快拿来一张纸条儿。窦乡长举笔刚要落，仇腊生盯着他说，人家都说你窦乡长菩萨心，窦乡长迟疑一会儿就写了 50 块，然后让他去财政所找会计。

仇腊生拿了钱出了门一路说，他老婆看病的钱乡里全报销了，跟乡里国家干部一样。

为50块补助的事，林德明与窦乡长在杨远和办公室唇枪舌剑地争得脸红脖子粗。林德明道："尖庄比他仇腊生穷得多得是，也有死人、失火、生病、造房打申请报告的，光我晓得的，你那儿就压了近20份，为什么单独批仇腊生的？为什么批别人10块和20块的，批仇腊生出手就是50块？我林德明放火，你窦大人救火，我小人你君子，我罪人你是观音菩萨，天底下哪有这样工作的？"

"救病如救火，人道主义嘛！"窦乡长朝杨远和看看，绷紧的脸皮又缓缓放松开来。

杨远和待两人都平心静气才慢慢开口，他先批评窦乡长："问题不在于50块钱，而是一次做好人缓解矛盾的机会给哪一个去合适，依我，得让林委员去，这样，对台唱戏的气氛可以松动些，你窦乡长怎么能不想成熟就批呢？"

窦乡长眼里掠过一道微弱的泪光，却仍旧笑着："就算我个人给他的，我去财政所交50块钱。"

"你想交就交，不想交就不要交，事情反正出来了，"杨远和不高兴，"说气话给哪个听呢？"

两颗饱满的老泪顺着窦乡长的面颊淌着，他用手背一揩，等他抽泣着踢嗒踢嗒地下楼，杨远和才向林德明浅浅笑笑："老窦大小是副乡长，又是尖庄那个片的片长，按规定，50块钱的签字权是有的。再说，他也是出于好心，稳住仇腊生的情绪，自古冤家还宜解不宜结呢。"

林德明听后感到不能苟同，便微微地表露出来："我有话放不住的。"

杨远和边往他茶杯里续水边说："你不能与窦乡长比……我仅仅说说而已。"

窦乡长心里憋着一股气朝家走，快临粮管所大门，对面巷子里又闪出仇腊生。

窦乡长骂道："你狗日的寻死作活，要上天非得老子下地狱，非得老子扛梯子给你是不是？"

"你骂我我不会还嘴，打我我不会还手。"仇腊生异乎寻常的温和使窦乡长惊讶地睁大眼睛，他继续说："窦乡长，你是个好人，好人才站在夹板墙里两头受气。其实这50块钱是个药引子，冲着你嗤嗤嗤地响哩，不走，就炸你！听乡里不少人说，开过年改选，你的位置挪给林德明了，说你太老实，不适应现在形势……"

"眼睛一闭，瞎天瞎地！我不信。"

"无风不起浪。你呀，脑瓜子太整，不透气儿，当心被人家垫背。"

窦乡长心里直打抖，却仍然不失镇静自若的风度："你少说说。我们党委政府是团结的。"扭过身子走出去几步又踅回："老仇，快过年了，一个钟头后到西街徐庭保肉墩头拎一只猪腿回去，记住，不要咋咋呼呼说我给的。"然后漫不经意地回头，心里却响着警报。他感到危险，不由得联想翩翩的，仇腊生的话是一种预告，而他的面前像有一口深不可测的老井，他的双脚就立在水光溜滑的井沿边，稍不当心，非栽进去不可。

黄昏时分。仇腊生一根杨树扁担搁在肩上，前面一只大篮子，篮口盖得严严实实，后面半截麻绳吊着一只三四十斤的猪腿，悠悠然回尖庄。

仇腊生绕道从村中央走。有人问搭讪，无人问也搭讪："没什么稀奇，过年了，乡里照顾的猪肉，还有些杂七杂八的年货。"说着，换换肩。

到家，火娣揭开前面一只篮口盖的布，问："石头朝山上挑，你力气没地方用。"

"娘儿们懂个屁！力气出掉一夜就长出来。"

火娣傻乎乎地咧着嘴。

尖庄的人你传我，我传他，传得有鼻子有眼睛，都说仇腊生这棵老树根深着哩，挖不绝割不断。传话时脸色都有些神秘和畏惧。

仇腊生跨进家门，头昂昂地问："听到外面的风声么？"

火娣惊诧地问什么风声雨声的。

"娘儿们是笨猪！"仇腊生大笑不止。

四

石副局长一上班就遇仇腊生夫妇来访。昨天，他已经注意看了信访局转来的尖庄的几封人民来信，心里一直不能平静，该管一管林德明了，要不然一摊鸡屎坏一缸酱，影响整个局的形象。他毕竟是从这个局下去的。

仇腊生一二三地诉说。她女人陪着流泪。

"石局长，林委员原来在你手下的？"

"石局长，林德明根本不把你放在眼里，那回下去催粮，以酒三分醉，说县长也能当，假如他当你这个局长，比你当得好……我说半句假话，五雷劈顶！"

"天下不平，赌咒不灵。"石副局长凝神想了想，说："我们要下去调查。"送走仇腊生夫妇，对秘书感叹："林德明不简单呀！"

"少年得志，太狂。"秘书表示气愤。

石副局长带着秘书及纪委办公室主任、县政府的窦科长驱车赶到菱湖乡大院。

菱湖乡很快传得风风雨雨的：县里派人进驻乡大院，清查林德明的问题了。即便是在乡大院，一些支持过林德明的干部也开始怀疑自己以前的认识，重新审视和判断他的所作所为。他真的是为工作，还是个人英雄主义？是脚踏实地，还是好大喜功？是想达到镀一层金回县里好被提拔的目的，还是想在菱湖乡当老大？……

石副局长他们请杨远和先谈谈。杨远和很有分寸地婉言推辞："先听听乡大院其他干部的。不是我不肯先说，而是我不好先说，先说了你们会带印象和框子，反而不利于工作。"

乡大院干部的反映归纳起来有几条：一、林德明有年轻人敢冲敢闯的精神，工作确有成绩；二、工作方法简单粗暴，不会做过细的思想政治工作，缺乏领导艺术；三、自高自大，不把别的干部放在眼睛里；四、喝酒不分场合和对象……总之，目前还不能适应农村工作。

最后征求杨远和的意见。杨远和抬眼睃睃壁钟频频跳动的红箭头，开玩笑一般地嘻嘻哈哈："我怎么说呢？说好，会否定大多数的意见；说不好，我还没有随波逐流的习惯。走，吃饭去，我们边吃边说。"

吃过饭，睡一觉，约莫三点半，乡广播站呜里哇啦地喊几遍，把林德明从村里叫上来。

石副局长对林德明教导说："小林，杨书记老农村了，过的桥比你的路多，经验丰富，你要好好学。"转过脸对杨远和道："火车跑得快，全靠车头带。"

杨远和表示不赞同这种观点："没有哪一个能带出哪一个的。吃龙自下海，打虎自上山……小林大有发展前途！"

"杨书记看中小林做接班人。"石副局长也轻松一句。

杨远和顿了顿，满不在意地说："只要首长真心忍痛割爱，我这位置让给小林。不过……"

秘书悄悄拉拉他的衣角，石副局长这才注意品赏杨远和话中的味儿，旋即更换话题，扯起发展菱湖水上旅游事业，吸引外商投资的开发计划。两人的设想都很美丽，令人感到新鲜和振奋。

临走前，石副局长又关起门来与林德明单独谈了好久。屋外，能听到他俩时高时低的争辩。门拉开，阳光一拥而进，刺得人眼花。石副局长宽厚地道："小林，本来我个人不想与你说这些，组织上关心，我代表组织与你谈的。"

林德明笑道："谢谢领导的美意。"

夕阳西下，乡大院里融进一层轻轻薄薄的金光。而走廊里，披挂遮阴的绿玻璃钢瓦挡住了阳光，显得灰暗蒙蒙的，与大院形成冷、暖两种不同的色调。

石副局长头从车窗里伸出来，朝三楼招手："小林，上车吧，还好挤一个人。"

杨远和也拍拍车窗玻璃喊："我车上也好坐一个人，走吧。"

林德明说今儿不回城。

两辆小车各自牵着一溜青紫色的烟雾缓缓驶出大院，一拐弯，呼呼地直奔而去。

大院里空空荡荡的。荒凉与孤寂的气氛包围了林德明整个身心，愈缠愈紧，使他生出一种莫名的压抑和痛苦，他凭栏遥望西方天陲的火烧云，视线滞留在一点上。不久，两挂清泪滚出眼眶，沿着瘦了一圈的面颊流动着，然后他用手使劲抹去，男儿有泪不轻弹！

翌日一上班，仇腊生夫妇就摸上门来。

林德明让座，从未有过的客气使仇腊生陡然兴奋，那模样似乎看到拖拉机把粮运回尖庄的壮观情景。林德明晓得他要说什么，偏偏与他绕弯子。仇腊生才感到林德明并没转变态度，而是他自己想得美滋滋的。于是，只得开口说无事不登三宝殿，找你林委员还是解决老问题。

门外陆续有乡干部走过，见林委员与仇腊生说话，就笑着点点头说等会儿再来。

林德明耐下心来，继续和风细雨地与他说道理。

仇腊生自然不是“省油灯”，回敬的也是一套一套的理儿。

林德明长叹一声：“老仇啊老仇，你不比别人少手少脚，儿女一大帮，有本事你就领着他们富起来，何必老做硬头叫花子让人轻看呢？”

“牛吃稻草鸭吃谷，各人各活法。我老仇能跳龙门，也能钻狗洞哩！”仇腊生闷头一刻抬起下巴颏，“林委员，乡里哪个干部像你这样认真？认真的人从来两头不讨好。上面来调查下面在拱，你像菱湖里的破船早晚要翻。我先透个信儿，你哭的日子在后面呢！”

“你的粮坚决不退，这是乡党委乡政府的决议。我嘛，生成的眉毛长成的骨，改不了。”林德明平缓的话中透示着强硬的态度，使仇腊生感到沮丧和绝望。

仇腊生哭兮兮的一张脸：“有理树都是你姓林的栽的？”

林德明说：“你仔细想想，乡里为什么一再克制、宽容，并不是怕你，就因为你可以推一推也可以拉一拉。你写恐吓信、诬告、带凶器、妨碍公务，要抓你只怕五时等不到六时；你进去了，子女就一辈子也抬不起头直不起腰。一人犯法一人当，那是说说的官话，多多少少有牵连，所以拼命拉一拉你……”

“我怕个屁！活不成，你也别想活，杀掉你！我杀不掉还有我的儿子！”仇腊生两道目光野野地刺过来，“信不信？”

林德明一副稳坐船头不怕浪颠风摇的姿态，悠悠道：“你真的想杀人，我也有两只手，论力气我比你大，还比你灵活，你毕竟黄土埋到胸口的人，凶什么呢？你动手我也动手，你还没有杀掉我，只怕我先杀了你！我是正当防卫，可以立功受表彰。假如我被你杀掉，我是烈士，老婆儿子有人照顾；而你是杀人犯，枪毙了，一家大小还是杀人犯的家属。这是其一。其二，共产党人怕杀么？过去，千千万万的共产党人被杀，可曾怕过？不照样打下江山！其三，杀了我林德明，还会有李德明、王德明，菱湖的天下还是共产党的，容不得你仇腊生胡作非为、无法无天！”林德明激动了，立起来指着他诘问：“你狗日的没完没了地闹，真的想进监牢尝尝滋味？！”

仇腊生脸像一张菜叶被霜刷过一遍而病恹恹的，虽然嘴依然硬得如一块石头。

看到丈夫败阵，火娣便又嚎又叫，死了人一般的伤心裂肺，把整个大院都震响了。

林德明怒不可遏，抓起桌子上的茶杯扬手一摔，“砰”的一声碎成八瓣儿：“死你娘的，这是党委办公的地方，再鬼哭狼嚎的，老子喊派出所的人把你捆起来，送公安局！”

火娣回头瞅瞅脸色灰白的丈夫，声音矮下一截，只落得低低呜咽。

仇腊生夫妇下楼时，林德明带着歉意说：“老仇，我今儿火气太大了。”而后送他们出大院，临了道：“假如你们准备勤劳致富，搞承包什么的，有困难，只要看得起我，不记恨我，我多多少少能帮一把忙的。”

仇腊生像一根砍不倒的桅杆，昂首径直朝前走。

仇腊生再找林德明，脸上已一扫往日的蛮横与傲气，像生人进大院那样显得拘谨，也许彻底的绝望使他生出崭新的想法。他迟迟缩缩的，先敬一支烟，终于一吐就吐：“林委员，我想请你喝酒，赏脸么？”

“喝‘蟹壳老黄’？”林德明随口应允。

餐馆里，仇腊生说：“小老弟，我真正服你这个共产党！”

“不打不成交嘛。”林德明调侃一句。

“我这个穷出来的点子，饿出来的主意，弄得人不人鬼不鬼的……”仇腊生重重地叹息懊丧，“往事不提，狠苦修行。我想承包十里滩的20亩鱼塘，你能帮我说说话，帮着联系鱼花花么？听说你妹夫在县养殖场……”

“一句话。”林德明满口承诺。

春去夏来，秋阳冬雪，未等仇腊生拉网起鱼，林德明要回县城的消息已传得沸沸扬扬，只是林德明自己全不在意，认为不可能的。上个星期杨远和还与他谈话，乡里马上开党代会，他已经与组织部门通了气，准备让林德明当专职副书记。当时，林德明表示一定好好干，并一再感谢杨远和的提拔重用。杨远和笑着说，不要谢他，大胆使用优秀人才是菱湖乡党委一直坚持的，他不过是党委一分子。

消息越传越真，林德明努力沉住气，外人看不出他内心波动的情绪。他不找杨远和问，那样太浅露。他得让杨远和看到：菱湖乡党委准备提拔的人才禁得住风扑浪颠，关键时候从从容容。

杨远和终于主动找他谈话：“林委，大院里风风雨雨的，你怎么看？”边说边用一种热辣辣的目光审视。

“我根本不往心里去。”

“不，我在上面也听说了。”

“不可能吧，怎么可能呢？你不是刚说……怎么可能呢？”

林德明笑着，以为杨远和开玩笑或者考验他，头却蓦然间一阵眩晕。

“你不要激动嘛。”杨远和笑微微地责怪他，“尖庄的事你受了不少冤气，我受的气不见得比你少。人家说我是你的后台你才敢那样‘三斧子’的。后台就后台，没后台的骂后台，有小后台想大后台，如今哪个不攀个后台？有后台撑着前台的就好放开手脚，前台后台拴在一起，戏就精彩了……不过，你想走也得事先通个气嘛，眼看要开党代会，你突然要走……我们好好歹歹在一起工作了这么长时间，你这不是釜底抽薪么？对我个人有意见不要紧，党委一直支持你、信任你的！”

林德明第一回面对杨远和无话可说，失神的眼睛痴迷而茫然地盯着对面视觉中的杨远和。

“怎么可能呢？我从来没有……从来没有提过‘走’字。”林德明两眼湿润了。他晓得等待他的是什么。

“走就走吧。菱湖再大，留得住你的人，也留不住你的心。”

调令果然下来了。临走的前两天，杨远和过来打招呼，他明天随县里去深圳考察，不能送一程了，有关事情都安排好了。话音里含着恋恋不舍的伤感味儿。说好第三天上午开欢送会，中午聚一聚的，谁知一大早，小碧单位的车就开进了乡大院，林德明说下午乡里安排车子送，又把上午的活动告诉她，叫小碧先回县城，小碧沉着脸：“你呀，男子汉的血气哩，没吃过这顿眼泪饭？”小碧边说边把林德明的行李朝外拎：“鬼地方。庙小妖风大，池浅王八多！”

林德明脑颅中“轰”地炸开，却忍了又忍，压着火气说：“你说话怎么能不掂掂轻重？”

大院里又是空空荡荡、冷冷清清的。夜里一阵急雨，把水泥地冲洗得湿漉漉的，还没人走过，很干净。

老孙头过来问：“走了？”

“走了。”

“不吃早饭就走？”

“就走，麻烦你跟窦乡长说一声。”

“我不过说句客气话，给你一个空心汤团。你呀，嫩着呢！”老孙头笑一笑，说，“我以前跟你说过么？”

“孙师傅，我走也走了，你何必……”

“唉，在大院十五六年了，什么事瞒得住我的眼睛哟！”

老孙头照旧晃晃圆太阳般的脑袋：“绸不搭布，水不留火，菱湖，你蹲不住的……”

车出乡大院，大院里依然冷冰冰的没有声息。林德明不觉回头远远地望着，神情有些凄然。

“无官一身轻。”小碧清秀的眸子里闪着星星泪光，她轻轻推丈夫一把，声音又恢复原先的柔和。

林德明又回到局里玩会议通知、报告、总结、计划等的文字，还是如以前一样熟练。有人猜测他下乡镀了层金，不久就会提拔的。正局长的位置不还空着吗？有人怀疑说不见得会提拔，听说他太露太傲，不适合做领导工作，也有人肯定说菱湖乡不要他，局里也不想收，组织部门发了火，才恢复他原来的工作的。不管怎么说，林德明还是从前的林德明，只是增添了些老成持重的模样，文字也做得越发的老练、漂亮了。

一九九二年八月盛夏一稿

九月二稿于金坛长荡湖畔

（选自《上海文学》1993 年第 1 期）

葛安荣

笔名一格。1954 年出生，江苏金坛人。1977 年毕业于南京师范大学中文系。历任中学教师，文化馆副馆长，乡政府干部，现任金坛市文联主席、常州市作家协会副主席。1982 年开始发表作品。1993 年加入中国作家协会。主要作品有长篇小说《都市漂流》《人间烟火》《玫瑰村》，中篇小说集《花木季节》，短篇小说集《小镇天子》《黑眼睛》等。小说《走出困局》《窑火》《花木季节》《黑色无错》《空洞》《情感世界》《乡村妹子》等先后被《中篇小说选刊》《新华文摘》等刊物转载、改编或翻译成外文。长篇小说《都市漂流》获江苏省第三届“五个一工程”入选作品奖。

美满姻缘

孙少山

文 君

一

阳光照在小村的土墙上。在中国大地，这是第一个给阳光照亮的村庄。

这个小小的矿村只有八十多户人家，却有一个辉煌的名字——东方红。东方红距俄罗斯土地只有一河之隔，那还是一条极浅的小河，挽挽裤腿就可以蹚河出国，河对岸长着茂密的柳树丛。

早晨刚四点钟，太阳已经在山凹上升得很高。王姮把锅底下最后一根正燃烧得轰轰烈烈的木柴抽出，狠狠地插进灰里去。熄灭了火焰的木柴给憋得屁股后头直冒白气。锅盖上仍然热气蒸腾，玉米饼子的香气充满了屋。

王姮走进连生和儿子睡觉的西屋，叫道："他叔，他叔，起来吃饭了。"

连生仍旧在打呼噜，她走上前去推他的肩膀："别睡了，快起来上班儿了。"

连生伸了个懒腰，扬起一只手正碰在了王姮鼓胀的胸脯上，王姮只穿一件薄薄的线衣。她不由得一愣，看着连生紧闭着的双眼，又说："天不早了，快起来！"

"真困呀。"连生坐起来，揉着眼睛。

连生吃过饭上班去了，王姮闻到他的褥单有一股异常的气味儿，准备给他换一条。当她扯下褥单时，枕头下面一只袜子给扯出来，掉在地下，王姮弯腰捡起一看，不由得吃一惊，是自己的一只袜子。大前天她脱下扔桌底下准备洗，后来却怎么也找不见了。一只臭袜子，他怎么压在枕头底下？王姮坐在炕沿上发呆。

"妈，怎么啦？"儿子醒了，伸着乌黑的小脑袋问。

"没怎么的。"王姮拿着袜子走出去。

吃饭的时候，王姮对丈夫连群说："连生得搬出去住了。"

"怎么啦？"连群口里装满了大饼子。

"给他要个人吧，让他搬出去。"王姮说。

"那么容易，不早就成了？"连群努力地咀嚼。

“好，赖，说话了。”王姮说。

二

煤矿的翻车工是个不很累的活儿，在井下的煤车上来之前他们便在煤垛上休息。翻车工共三个人：连生、赵玉良、大宗。这是三条三十开外的光棍汉，在井下推车已干不过二十多岁的小伙子，便到井上来翻车。

赵玉良从嘴上拿开那杆铜锅儿小烟袋，另一只手拿起一块煤说：“这煤，是怎么洗也洗不白的。当年阎王爷到处抓彭祖，老也抓不到，就派两个小鬼儿背一些煤在河里洗，说你们什么时候洗白了，什么时候回来见我。两个小鬼儿就天天在河边洗。有一天，一个白胡子老头儿看见了，问他们这是干什么，两个小鬼愁眉苦脸地说了。老头儿听了哈哈大笑，说：“我彭祖活了八百岁，从来没见过洗炭白。”两个小鬼儿一听，好哇，原来你就是彭祖！铁链子往脖上一套，拉着就走。

连生没听赵玉良的故事，他在望对面正在变绿的山坡，那片翠绿映进他的眼里。右手的虎口处，那一片温软的感觉仍在。这温软通过手臂流进心里，心里就一阵阵漾起甜蜜。

王姮的胸脯虽已哺育过孩子，但仍然挺拔高耸，她每天早晨都是挺着这高耸的胸脯去叫连生起床。那散发出一股特殊甜香气味儿的胸脯就在距连生脑袋不过二尺的上方颤动着。

今天早晨，是他蓄谋已久的。

他细细地品味着那一阵阵涌上来的甜蜜。对面山坡上是一片柞树林子，新发的柞树叶子像绿色的玻璃一样透明。斑鸠求偶的呼唤咕咕传来。

“连生！车来了！”大宗一声叫喊，矿车已在下坡的铁轨上隆隆驶到跟前。连生爬起，手忙脚乱地抓住矿车，双脚蹬在轨道上狠命刹车。矿车总算给拖住了。好险，再往前两米就跑煤垛下边去了。连生双脚蹬在铁轨上努力刹车的时候，他听见了赵玉良在幸灾乐祸地哧哧笑。同时脑袋里出现了矿长刘四那张黑脸，刘四规定：跑下去一个车罚钱两块。连生和赵玉良两个人很不团结。本来是应该一起干的活儿，因为闹别扭，却要各干各的。一台矿车装满煤重一吨还多，要三个人一齐用力才能掀翻，但是他们每人给自己准备了一根木杠子，居然用尽吃奶力气可以自己撬翻。

连生把杠子插进车底，用力扛的时候，老粗的木杠狠狠地压他的肩膀，他觉得眼珠子要冒出来了。矿车翻倒，大大小小的煤块儿哗啦啦地滚下煤垛，他咣啷一声放下矿车，长出了一口气。他看见王姮向这边走过来，他吓一跳，慌忙在矿车后面蹲下。他听见自己的心咚咚直跳。我他妈的这是怎么啦？他骂自己。

“哎——”赵玉良对着煤垛下面大声喊。

“哎什么？猫咬着了?”王姮挑衅地对站在煤垛上的赵玉良说。

看着王姮走了过去，赵玉良才喊:“好颤呀!”

“你干眼馋!”王姮又回头扔过一句。

连生听了脸上一阵发热，从矿车后面站起来，看见王姮穿一件粉红的上衣，两只胳膊一摆一摆地走过去。他突然感到这个女人和自己血肉相连地亲。右手上那种温软的感觉更加清晰。他低头看着手虎口那儿，再看看王姮那一扭一扭的背影，有一种东西把手虎口那儿和那粉红色的背影粘在了一起。绿色的山坡上，有一条小路，像一条黄色的带子垂挂下来。王姮就攀着这条带子一步一扭地上去了，翻过山是河西村。

十年前连群闯关东时对弟弟连生说:“你在家，好好看着，我挣了钱就回来。”当时哥俩都有打光棍儿的危险了。哥哥一去不返，在东北成家立业了。

王姮家是地主，老爹每天开会都要挨斗，她家就在河西村。王姮嫁给了贫下中农连群，全家都觉得很光荣。等到七年后贫下中农连生也从关里跑来时，贫下中农已经不那么吃得开了。再也找不着一个地主的女儿愿意嫁给他了。他便打起光棍儿来。这地方管打光棍儿的人叫得挺难听，“跑腿儿的”。

三

吃晚饭的时候王姮从河西村回来，看着低头吃饭的连生说:“连生，我去给你说了个人儿，就是个儿小点，明天来验。”

“我不要。”连生赌气似的说。

“不要也得要!”王姮把筷子往桌子上重重地一拍。连生不再出声儿。连群抬头看看老婆，再看看弟弟，也一声没敢响。五岁的波儿吓得咬着筷子头儿，忽闪着眼睛望叔叔。连生把鸡蛋剥了皮递给他:“吃，快吃。”

验对象的时候，波儿牵着连生的手把他从矿上叫回来，他衣服也不换，一脸灰就进了屋，对着坐在炕上的一个陌生女人说了声:“来了?”就红着脸坐在板凳上。这女人大约觉出有些不对头，转过脸对王姮说:“现在新社会了。也没有什么不好意思的，你们自己谈吧。王姮你说是吧?”

王姮说:“可不，连生，这是徐文君，你们头一次见面，互相了解一下。”接着，把一个孩子从身后拉出来，推到连生面前。连生吃一惊，知道刚才弄错了人。

“这是我的同学，文君的姐姐。”王姮又说，两个女人拉着手走出屋去。

连生很奇怪，原来以为这是邻居家的小姑娘，没在意。看她那个子像六七岁的孩子，可是近前仔细看，发现她岁数可不小了，眼角竟有些细碎的皱纹。她站在桌子跟前，下巴到桌沿，估计在一米二左右。

“坐吧。”连生松了口气，觉得很好玩儿。

这小女人也不客气，踮起脚尖儿一跳，坐到了一把椅子上。连生差点儿笑出来，几乎要问：“你这么点儿，能做老婆吗？”她生得虽小，但眉清目秀，连生心里就有了种痒痒的感觉。

“你干的活儿挺累吧？一个月多少钱？”这小女人说话的声音就让连生吃了一惊，特别响亮。

“不，不累，一个月八九十块钱。”连生肃然答道，脑袋里又在想：她这么小，能当老婆吗？

“你在想什么？”小女人问。

“没想什么，什么也没想。”连生竟有些发慌了。

“别说谎了，我知道你在想什么，怕我不能干活儿，我告诉你，我什么都能干！”小女人一派教训口气。连生手心出汗了。

那屋，文君的姐姐对王姮说：“告诉你那小叔子，王姮，丑话咱说在前头，文君只能洗洗衣服、做做饭，别的都不行。”

“咱也没别的要求，看看家、做口饭吃就行了。”王姮说。她忽略了老同学那句“别的都不行”的含义。

“你怎么长得这么小？”连生叹了口气。

“秤砣小还坠千斤呢。”徐文君说。

在摄影室里，摄影师搬过一把椅子说：“把她抱上去。”

连生慌忙捧住徐文君的腰把她捧上去，她轻得像个布娃娃，嘴嚷着：“哎哟哟……”

“哎哟什么？”

“不什么嘛。”她说。

“笑一个，笑一个。”摄影师说。

文君哈哈大笑，连生赶忙用手扶住，怕她摔下来。

四

操办连生的婚事，王姮忙了个晕头转向。新婚媳妇娶到家总算了却一桩心事。不料结婚的第二天早晨一早起来，发现连生蹲在院子里。她问：“你这么早起来干什么？”

“睡不着了。”连生说。

“睡不着了？”王姮好奇怪，望望那贴着大红喜字的厢房门。门关着，静悄悄的，她笑笑说:“别着急,慢慢来,心急吃不得热豆腐。”

连生鼻子里哼了一声,扭过头去。

晚上睡下后,王姮又悄悄披上衣服坐起来。

“你要干什么?”连群问。

“看看去。”王姮说。

“胡闹什么?”连群说。

“闭上你的嘴!”王姮命令他。

踩着满地月光,王姮走到他们的窗户下,听见里面文君小声哭。连生嚷着:“要你干什么?要你干什么?”

“讲好了的,我只管做饭洗衣服。”小女人理直气壮。

“你跟谁讲好了的?谁跟你讲好了的?”

“你嫂子,王姮!我姐跟王姮讲好了的!”

王姮吸一口冷气,悄悄退了回来。

第二天两个男人都上班儿去了。王姮过这边来,拉着小女人的手,像对一个孩子似的,说:“坐下,他婶儿,你们昨天晚上吵嘴了,为什么?”

小女人眼里一下子涌上泪水,委屈地问:“嫂子,我姐没跟你讲好我只管做饭洗衣服?”

“讲过,讲过。”王姮反而发慌了。

“可是,他欺负人……”小女人呜咽了。

王姮觉得以下的话很难出口了。她本打算半开玩笑地把话讲明白,一看文君哭得这么伤心,玩笑是不能开了。

“文君,你不知道男人和女人结婚是要生孩子的吗?”王姮觉得不讲出来是不行的。

“怎么不知道,我又不是小孩子。”文君抽泣着。

“那是为什么?”

“我姐不是跟你讲过吗?”

“是讲过的。”王姮笑起来,“可是没讲过为什么不能睡觉呀!”

小女人红着脸老半天,才说:“我,我发育不全。”

“呀!”王姮不由叫出来。

“你结婚干什么?”王姮有些生气了。

“搭伙过日子,找个人挣饭吃呀。”小女人毫不犹豫地说。

王姮匆匆忙忙地走出来,满院子明晃晃的阳光,她心里一阵发慌。

走在路上,每天都有人问:“连生,怎么样?”

“连生,好吧?”

“好个屁!”连生阴沉着脸,狠狠地说。

赵玉良涎着脸问:“伙计,啥滋味儿? 说说。”

矿车一掉轨,他就阴阳怪气儿地叫道:“呀,把夜里的劲儿留下点儿推车吧!”

两个人头挨在一起抬车,赵玉良又问:“伙计,好受吧?”

“去你妈的好受!”连生变脸了,一拳打在赵玉良的脖子上。两个人先是对骂,又各人抓起一个大煤块儿像要拼命,大宗使出吃奶的劲儿把他们拉开,旁边的人齐声叫道:“干呀! 干呀! 看谁是孬种。大宗,你他妈的不许拉!”

他们毕竟不是血气方刚的小伙子,对骂了一阵就把手里的煤块儿扔在地下了。

什么都不顺心,道岔子夹住脚了,拔不出来,连生解开鞋带儿把脚拔出来,抓起修铁道的斧头,把这只胶鞋放在枕木上一斧一斧,剁得稀烂。

下班儿了,连生最后一个离开煤场。一只脚穿着鞋,一只脚光着往家里走。春风吹着,很暖和,脚底下的小路很潮湿,踩上去觉得冰凉,他只想坐地下哭。

五

文君站在鸡窝上张望,一见连生从小路上走来,翻身跳下鸡窝,嗒嗒嗒跑进屋里去。连生看着她小孩儿样的背影,苦苦一笑。

连生进屋,热气蒸腾,小人儿正往锅里下饺子。锅台高,人太矮,她站在一个板凳上。

“小心呀,别掉锅里淹死。”连生说。

“看你说的!”小人儿奋勇地挥动锅铲搅动翻滚着的锅底。

吃着饺子,连生看她忙得满头大汗的样子,一阵怜悯。问:“你怎么今天想吃饺子?”

“你过生日呀。”小人儿回答。

“你怎么知道我今天过生日?”

“户口本儿上呀。”

“户口本儿上那是瞎写的,连我也不知道自己的生日。”连生说。

“反正得过一个生日。”小人儿说。

连生心里很感动,他很小就死了母亲,还从来没有人给他过一次生日。

吃完饭,他想了想,说:“今天晚上我不在家里睡了,你关上门,自己睡吧。”

“你到哪里去?”文君一脸惊恐。

“我到赵玉良那里去睡,你这么多天一直也没睡过安稳觉。”

文君拿筷子一下一下戳着桌子,没说什么。

天没全黑,灰蒙蒙的,这里虽然是煤矿,但家家都烧木柴。柞树很好闻的烟味儿充满了街道。不时有狗从院子里向连生叫几声。文君虽然长得小,但身体很匀称，皮肤雪白细腻，白天讲得很好，做饭洗衣服，收拾家，但一到晚上脱了衣服，连生就管不住自己了。他把她也折腾得很苦。连生在昏暗的街道上走着。他的希望一个接一个破灭了。他曾经想：不生孩子也可以，只要是个女人就行。她却连个女人也不是。

赵玉良住在村西头一间马架子房里。马架子也叫地窖子，就是在地下挖个长方形的坑，上面用树干支起一个架子，苫上草，在房山上开一个小门儿就成。

推开门，赵玉良还在烧火。通红的灶炕映着他一张脸。连生问："还没吃呀？"

"操！你来干什么？"他显然没忘白天吵架的事情。但是连生不在乎他的不礼貌，从他的背上跨过，径直进到屋里面，在炕上躺下来。

"怎么啦？"赵玉良又问。

"打架了，今晚上我在这里睡了。"连生说。

"什么？不行不行！烧的你！快回去睡，烧的你！"赵玉良跳起来，不由分说把连生推出了门。连生走出了那小院子，还听赵玉良在背后愤愤地大叫："烧的你！"

连生在昏暗的街上走着，从窗户看见人家在明亮的电灯光下说笑，更觉得自己孤单。怨谁呢？怨王姮。不，也不能怨她。毕竟还有个人洗衣服，做饭。

村子太小了，一条小街已经走过几趟，他有几次想回去，可是一想起文君那哀求的目光，那哀求的声音："我不行啊，我不行啊！"就决心不回去了。他找到了一间废弃的牛棚，里面不知谁家放了些干草，他躺在上面，很快睡了过去。许多个夜晚没好好睡觉了，何况已劳累了一天，他一觉睡到天亮。太阳照到脸上他才醒过来。他先发现了盖在身上的被子，一扭头又看见一双黑眼睛扑闪扑闪地望着自己。

"你，你怎么到这里来了？"他坐起来。

"我一直跟着你，让人好担心。"她哽咽着，小小的身体在他身边直抖。

连生心头一热，长长地叹了口气。

连生抱着被子，文君跟在后头，一块儿回家去。满街都铺着金色的阳光，但是没有一个人影儿，这里在春天亮得特别早，人们都还没起来。一高一矮两个影子在街心往前走，静悄悄的。连生迈一步，她必须迈三步才能赶上，一路上她都在跑。

一进院门看见王姮蓬着头敞着怀开鸡窝门。那只大红公鸡第一个窜出来，昂头挺脑拍拍翅膀。王姮抬头也看见了他们，吃惊得睁大了眼睛，张开口要问什么却又没问出来。这两个人也不知该说什么，匆匆逃进屋里。

六

小煤矿有自己的一套规矩，他们这里是十天一个星期日。

连生对文君说："今天休班儿，你去管嫂子要些苞米种子，咱们今天种苞米去。"

自从结婚后，连生就再也不进哥哥那边屋里了。他有些怕见王姮。

王姮正在屋里收拾，也准备下地，忽见院子里扑嗒扑嗒响，又听见文君在喊："快来人呀！快来人！"

跑出屋一看，那只大公鸡正凶猛地向文君进攻。它跳起来向着小女人的脑袋又抓又叨，小女人防不胜防，只能抱着脑袋吱哇乱叫。王姮走上去一脚把大公鸡踢得滚了个个儿。它不服气地逃出几步又回过头来虎视眈眈。王姮把文君拉进屋，说："等清明节就杀了它。"

徐文君讲了要苞米种子的事情。王姮宽慰地叹了口气，说："好了，总算知道过日子了，等我收拾完，帮你们去种。"

"他该着急了。"

"管他呢，他还欺负你吗？"

"不啦。"小女人说，红了脸。

"今天早晨你们去哪儿了？"

"他在牛棚里睡，我去找他啦。"文君说。

文君撑开口袋，王姮把簸箕里的大米倒进口袋，大米像瀑布一样哗哗往口袋里倾泻。这白色的瀑布倾泻完了，王姮才开口问："文君，你亲他吗？"

"不亲！"文君说，噘起嘴。

王姮看她一眼，笑了。想了想说："只要你真的亲他，那就好办，你不妨试一试……"

"你再胡说我给你把米袋子推倒！"文君涨红了脸，气恼地叫道。

"好好好！我不说了，不说了。"王姮慌忙抓住口袋，像文君真要推倒似的。

王姮在一只口袋里倒进三碗苞米种子。文君往肩上一抡，背起就走，到门外，回头说："不用你帮忙。"

"好咪！"王垣意味深长地看她一眼，笑了。

连生拉一辆小拖车，车上坐着他的小女人和镐头，还有苞米种子。这是一条很浅的小山沟，两边起伏着低矮的、馒头形状的山包。山的下半部都给开垦成了田地，只有上头还长着低矮的柞树林子。公社领导把关里来的盲流们派到这里挖煤，并且还要他们一边种地养活自己。这条小山沟里便聚集了世界上最贫穷也最勤劳的人们。他们不仅仅要赤手空拳自己在这里创家立业，还要拼命挣钱养活关里的父母，甚至兄弟姐妹。

春天，他们除了挖煤还要上山用镐头开荒种地，每天要干十三四个小时，一个人累得又黑又瘦。连生在前头刨坑儿，文君在后面把苞米种子撒进坑里，同时用脚埋上。她充分发挥了个子小的优势，也用不着弯腰，金色的苞米种子唰唰地撒进坑里，又快又准确。一会儿就把连生追得满头大汗。

"快呀！快呀！"小女人催促他。

他并不是干活儿的一把好手，结婚之前他是很懒的一个人。他终于认输了，把镐头一扔："歇歇吧。"

太阳艳丽，天气有点热了，连生敞开胸膛躺在田垄上。四周是翠绿的落叶松树林子，浓密得像屏障一样把他们围在中央。没有人声，什么声音也没有，天地间一片寂静，静得天空上的太阳像在嗡嗡响了。这个世界上好像再没有别人，只有他们俩，这一个大男人和一个小女人了。

小女人坐在他身边，专注地看着他一起一伏的黑肚皮，太阳光在上面波动着。小女人突然直起身子，说："你听，什么声音？"

这是交配的季节，树林子里传来斑鸠唧唧咕咕的叫声。声音里充满着强烈的激情。

"它们在干事儿呢！"连生说。

"去你的！"文君的小拳头在他厚实的胸脯上捶打。

"真的！"他把小女人搂在自己身上。

斑鸠们的鸣叫更加急切。小女人的嘴在他的胸膛上亲吻。

她的耳朵边一直响着斑鸠咕咕的叫声，她的脑海里却浮现出了王姮那诡秘的笑容，想起了她的话："——不妨试一试……"

她更起劲儿地亲吻他的肚皮，继续往下……

连生觉得头上的蓝天白云在旋转，在下降，然后像网一样罩落下来，裹住了他的身体，使他不能动弹，他的身体在消融。恍惚间，他听见那小女人像斑鸠那样发出咕咕的呻唤。

那一瞬间到来时，连生发出了一声痛苦的吼叫。

他把小女人的脸捧起来，看着她鲜艳的、湿漉漉的唇。这像带露水的玫瑰花儿一样美丽的小嘴儿微微半开着，露出两排洁白晶莹的牙齿。他突然一阵感动，抱紧她失声痛哭，他喃喃着："难为你了，太难为你了……"

她用小手儿给他拭泪，说："别这样，别这样，我也，我也愿意……"她眼里也闪烁着泪光。

七

连生和他的小女人形影不离了。上山拖柴火带着她，让她坐在小车上。挑水也带着她，牵着她的手。天冷了，坐拉煤的车到县城去，他把小女人揣怀里，司机说："把孩子放驾驶室来，别冻坏了。"

连生说："冻不坏。"

小女人伸出头说："谢谢您了，俺冻不坏！"

两个人弄了一个网到河里抬鱼，走着走着，那一个不见了。连生扔了网，跑过去把她从水里捞出来，她说："这水太深，太深，深得没有底儿……"低头一看，水刚淹到连生肚脐眼儿那块儿。

现在王姮见了文君就笑，一笑文君就脸红。连生发觉了："怎么回事儿？你们俩。"

"她欺负人呗！"文君说。

"我找她去！"连生怒气冲冲。

"别！别！我说着玩儿。"文君拖住他。

连生把锅台下用砖垒起一级台阶。这样文君就不用踩小板凳了。他又把炕帮砌进一块踏板，文君可以很麻利地上炕，再不用跳高，也不用连生抱了。他又去王木匠家借了把锯，嚓嚓地把饭桌的腿儿每条都截去一段。这样文君吃饭就正合适。

临过年时连生突然得了一场猩红热，他拉着文君的手说："我死了，你和大宗去过吧，大宗脾气比我好，不会委屈你，千万别找赵玉良……"

小女人儿趴在连生身上哭得死去活来，嚷着："我跟你一块儿死！我跟你一块儿死！"旁边看的人都掉眼泪。

英 子

一

但是连生没有死，所以文君也没跟大宗，大宗仍然打光棍儿。

大宗长得很高大，性格却温和得像一个绵软的小媳妇儿，见了生人脸就红，没说话先开口笑。煤场下面有一个上坡，每次有拉柴火的拖车拉不上去，大宗就赶忙从高高的煤垛上跑下来帮着拉上来。

如果你在山上遇见打柴的人，说："你装这么一车能拉上坡去呀？"那人就会开玩笑地说："有大宗哪。"

大宗下班看见路上有到加工厂磨米回来的妇女，必定会替人家扛米袋子。大宗到井台打水，要一口气把半大孩子们的水桶都给打满才离开。冬天井台结冰太滑，他怕孩子们掉井里去。

妇女们都质问王姮："王姮，你只给你那小叔子找对象，就不能给大宗找一个？"

那天，王姮把英子和她姐领到家里来了。英子穿一件肥大的红布衫儿，看样子不像是她的。她一张很圆的脸，气色很好，可以说又白又胖。只是两眼的间距比常人大。这就是白痴的特征。她大约是老系不住腰带，每隔十分钟必定要提一提裤子。

“我妹妹有点儿少心眼儿。你要多多担待些。”英子的姐姐说。

大宗嘿嘿一笑，说：“我也不是个心眼儿多的人。”

英子坐不住，老看窗外，忽然从桌底下摸出一个筐来往头上一戴就要往外跑，她姐姐一把抓住，同时悄悄把她流出来的鼻涕抹掉，说：“你好好看看，这就是你对象了，以后你要和他一块儿住，一块儿吃。”

“我要吃糖！”英子说。

“好好，吃糖，他会给你买糖吃。”姐姐说。

“糖还是管得起她吃的。”大宗说。

英子朝他狠劲儿地抽了抽鼻子。

“英子，你愿意吗？”姐姐问。

“你愿意我就愿意，你愿意我就愿意！”英子双手拍着叫道。

“你就要跟他一块儿过日子了。”姐姐又说一遍。

“你也跟他一块儿过日子。”英子吸了下鼻涕说。

大家都装作没有听见，姐姐继续说：“你们的衣服，我给你们做。洗衣服就得你自己洗了，她洗不干净。”

“我洗，一个人的衣服也是洗，两个人的衣服也是洗。”大宗说。

“还有，以后你们有了孩子，我帮照看。”姐姐说。

英子乐得在板凳上直扭屁股。

大宗说：“那敢情好。”心里却想，哪里会有什么孩子呀。

“猫！猫！”英子跳下凳子跑过去，一只猫好似叼一个什么东西从院子里经过。

“你就多担待些了。”姐姐说。

“这就挺好。”大宗说。

这位姐姐其实比大宗还要小十多岁，但她问东问西，完全一种大姐的口气。问大宗关里还有什么亲人，问他为什么这么个岁数还没结婚。大宗难为情地说：“谁会跟咱呀，又穷又没本事。”

“俺妹妹这样儿的，也不敢找一个有什么大本事的人，老实、本分、待她好就行了。”

“这方面，你放心……”大宗说。

外面杀猪似的一阵尖叫。大家跑去一看，英子把脑袋伸进栅栏门子里拔不出来了。大家七手八脚费了不少力气帮她拔出来，耳朵后面已划破了皮。姐姐对大宗说：“你要操心呀，有一年掉河里差点儿淹死。”

临走，大宗和王姮送她姐俩上了大道。

王姮说：“再来玩呀。”

英子摸着耳朵骂：“操你妈，你家门夹人！”

回到院子里，王姮苦着脸问："能行？"

"咱还能要什么样儿的？好样的咱也养不住呀。"大宗说，很高兴的样子。可是一听说英子只有十七岁，他吓白了脸，连连叫着："这不行呀，不行呀！我三十七，整整大她二十岁哪！"

"这有什么不行的？公社里不会有人管，她这样的人。"王姮说。

"这伤天害理呀。我这么大岁数。"大宗痛苦得脸都扭曲了。不管王姮怎么劝慰，大宗一直是惶惶不安。

许多人都向大宗表示祝贺，大宗只是觉得惭愧："人家才十七呀，你说，咱这么大岁数了，不伤天害理？"

"伤什么天，害什么理？她自愿的，十七了，该找对象了。"

沉重的负罪感一直压着他，每天干活儿都心事重重。赵玉良鼓励他："伙计，干！十七了，好用了。"

连生也说："伙计，有就比没有强！"

二

结婚那天是河西村用马车送来的。三匹一色的红马，已经是天寒地冻了，铁蹄咔咔地在冰冻的路上一阵响声，好不威风。英子打扮得是一个像模像样儿的小媳妇。人们都说大宗好福气。

客人还没走，英子已歪在炕角呼呼睡着了，嘴上挂着涎水。客人走了，他近前一看，前胸明晃晃一大片全是涎水。他要拉她起来，炕上也是明晃晃一大片。开始大宗还奇怪，这水从哪儿来的呢？一摸她棉裤，湿漉漉的。

但这一点儿也不影响大宗的情绪，他先铺好被褥，然后小心翼翼地给英子脱光衣服，再把她抱到被子上去。虽然是冬天，屋子烧得很热，英子就这样裸露在被子上。大宗看得发呆了。她皮肤雪白，身体发育得很完美，恍惚间大宗觉得是一只大白鹅躺在眼前。他激动了，这是他第一次看见女人的裸体。他情不自禁地去抚摸她的身体。

突然她像给烫了一下，嗷的一声叫起来："不许动！俺娘说过，不许男人动俺的身子！"

大宗一屁股坐下了。连连说："不动，不动，我不动。"

他想等她再睡过去，可是她来精神了，两眼眨也不眨地盯着电灯。他只好自己在炕的这一头儿脱衣服，准备睡下。他太累了。她却用脚乱蹬他，嚷着："不行！不行！男人不能睡俺炕上！"

大宗只好下了炕，在地下铺了两条麻袋，盖着自己的棉袄躺下来。

只睡了一会儿，他就醒了，坐起来，外面有月亮，月光从窗户透进，照在炕上，他看见了她乌黑的头发。他悄悄走过去。她睡得很安详，浓密的睫毛使她看上去像半开着眼，小巧的鼻翼翕动着。他觉得自己是在做梦。这可能吗？这么漂亮的女孩儿躺在自己屋里？也许天一亮她就会消失得无影无踪。我这是做梦。我没有老婆，这不是我的老婆，我是做梦……

他在炕上跪下，久久地注视着这张月光下美丽的面庞。他不敢呼吸，唯恐一口气吹散了她。一种神圣的感情涌上来，他觉得鼻子一阵发酸。

“我要撒尿。”她忽然张开眼睛。

“我抱你下去吧，太冷。”大宗慌忙说。

她的胳膊已圈在了大宗的脖子上，大宗把她温软的身体从被窝里抱出来。一股热烘烘的气味扑到他脸上，他一阵心跳。他第一次知道了女人的皮肤和男人不一样，细腻，滑润，在手里像要融化似的。

他抱着她在外屋的尿罐里撒完尿，又把她抱回炕上。她头一歪又睡过去了。下半夜，天气愈冷，他抱进一抱豆秸，在屋子中间升起一盆火，拿着她尿湿的棉裤给她烤。闪闪的火光给她的脸镀上了一层金红，这张睡梦中的脸娇艳而生动起来。北风从屋顶上呼啸着刮进院子，院子里一块破木板在呱嗒呱嗒响。大宗觉到了一种从来没有过的满足。他愿意对着这张脸，守着这盆火，永远坐下去，坐到天长地久。

三

第二天晚上，大宗说：“地下太冷，我上炕睡吧，你睡这头儿，我睡那头儿。”

“不行，我能看到你！”英子说。

大宗在屋里转了一圈儿，抱起一只米袋放炕中间，说：“这样就隔开了，你看不见我了，不信你躺下看看。”

英子躺下一看，果然看不见了。他们中间就隔着米袋子睡了一个星期。她每天夜里都要撒尿，大宗也每次都抱她下去。有一天夜里大宗把她放回去之后，她忽然又爬这边儿来了，她主动地抚摸着大宗的光身子。而且一下比一下重。突然她在大宗的肩头上狠狠地咬了一口。以下的事情就顺理成章了。

她不让大宗起床，天已经大亮了，赵玉良拍门：“大宗上班儿了！”她搬一个大草筐把大宗扣底下，打开门对赵玉良说：“大宗没有了，你找吧，他没有了。”大宗光着屁股，在里面也不敢出声儿。

她没完没了地要，有时候跑煤场上去，拖着大宗直嚷：“回家睡觉！回家睡觉！”惹得全矿的人都知道。她每次都要狠命地咬大宗的肩膀。有一次洗澡，赵玉良看见大宗肩膀上青一块紫一块，问："你的肩膀怎么啦？"大宗不善于说谎，脸一红："老婆咬的。"

"啊呀！你们天天打架呀？"赵玉良大吃一惊。

妇女们叫住英子问："英子，你跟我们说说，都是怎么个办法？"

英子就一五一十地对她们讲，还用手比画着。没等她讲完，女人们就笑成一团。

每晚上她都要骑在大宗身上让大宗满炕爬，嘴里喊着："驾！驾！"

早晨大宗做饭，她不吃，大宗上班儿去了，她就做好的吃。她把油、面、水，放锅里一起煮，煮出来的粥居然也比苞米面的大饼子好吃。她的姐姐来看见了，对大宗说："你不能让她这样糟蹋了！"

大宗笑笑说："她吃没了就不会再吃了。"

大宗只觉得很惭愧，没有更好的东西给她吃。大宗要求下井了，他要下井去推大车，因为大车工每天发给半斤"保健"饼干。他就每天把这半斤饼干省下来拿回给英子吃。他很瘦了，吃得太差，精力消耗也大，推大车已力气不佳，脾气再好也没人愿和他一个车搭伙。矿长让他仍旧到井上翻大车。他不上去，把实情对矿长讲了。他说："好年轻呀，怎么能和我一样天天只吃苞米面大饼子！全是这半斤饼干支撑着哪。"说着，要流泪的样子。

矿长想了想说："那你就在井下拉坡吧，和推大车的一样，也发半斤饼干。"

原来拉坡的小伙子滑头，不用力气，大宗换上后拼命拉，像一头不要命的驴一样拉。大家都夸大宗好，舍得卖力气。大宗这拉坡的活儿就干定了。

英子每天看别人下班了就赶忙跑出来在大街上等。看她接过饼干去飞跑回家，大宗就很舒心地笑了。

大宗上班儿走了，英子就竖起耳朵听着，谁家鸡咯蛋咯蛋叫了，她就飞跑过去，看着院子里没有人，她就钻进去，伸手从鸡窝里摸出还温乎的鸡蛋，嗒嗒嗒地跑回家，放锅里，架火，煮熟了就吃。吃完了把鸡蛋皮塞柴垛里。时间一长，她这一切都让邻居看得一清二楚了。谁也没去找大宗，只是各人加紧捡自家的鸡蛋。直到大宗在柴垛里发现了鸡蛋皮，事情才暴露了。大宗拿二十块钱挨门送，谁也没要他一分钱。

这地方太偏僻，很少来卖肉的。明天要过正月十五元宵节了。大宗买了两斤肉。晚上下班回家，英子没在街上接他，进到屋里一看，只见她捧着肚子在炕上叫唤。大宗吓坏了，问她怎么回事，她指指肚子说："肉在里边疼。"大宗下地一看，两斤肉没了，在锅里只剩了点儿肉汤。

到春天的时候，英子的肚子明显看大了。开头大宗还以为是病，不敢相信，河西她的姐姐来看了，才确定地告诉他：有了。有了？大宗欣喜若狂，更加百般照顾。

在街上，女人们见了英子就对她说："你肚子里有小孩儿了，扯上衣服去让我看看是男的还是女的。”英子就露出滚圆的肚皮给大家看。这个敲敲，那个摸摸，说：“恭喜你了，里面有个小大宗。”

英子非常得意，时常露出肚皮给人看，说：“里面有个小大宗！”

四

将到临产期，英子的姐姐怕发生意外，把英子接她家里去住。半夜里英子醒来哭喊着找大宗，一连两夜，怎么也哄不好。他们只好让大宗每天晚上到河西村睡觉，第二天天不亮就赶回煤矿上班儿。

真的如那些女人们所预言的，英子果然生了个男孩儿。大宗的梦想实现了，买了许多糖果分给矿上的伙计们。

三个月后，姐姐才答应大宗把英子接回家来居住。英子不能看小孩儿，大宗便无法下井干活了。矿长叫他去放矿上的那群羊，大宗便每天背着儿子在山上放羊，孩子好吃奶了他跑回让英子喂奶，喂完了奶他再赶紧背起往山上跑。他叫英子一块儿去放羊，英子说有蚊子咬人，死活不去。

大宗跑得很累，总背着个孩子，但是他很高兴。有人开玩笑说：“大宗，你有接班人了。”

“有接班人了，有接班人了。”大宗高兴地笑着说。

背上的儿子一天天长大，大宗一天天瘦下去，人也一天天看老。但他喜气洋洋。

到儿子四岁的时候，开始和他的妈妈争夺吃的和玩儿的了。大宗天天给他们拉架。有一次他捉了一只斑鸠，英子和儿子都要，一个抓住脑袋一个抓住身子，争夺起来，把鸟儿扯成了两半儿，两个人又一齐大哭，大宗哄好这一个再哄那一个。等到儿子七岁时，开始懂事了，不再和妈妈争夺吃的，玩儿起来也知道事事让着她了。

八九岁的时候，儿子开始给妈妈洗衣服了。大宗逢人便夸奖自己的儿子。大家说：“你真的有接班人了。”

“真的有接班人了，真的有接班人了。”

接班人的名字叫作栓儿。

栓儿上学了。老师总是在他的评语上写着：热爱劳动，助人为乐，捡了东西交公……

但是他的分数总在四十分以下。听话，不淘气，学习也努力，可就是不行。大宗买了糖果给他，他舍不得吃，送给同学，请他们帮他完成作业。他把自己家的柴火往学校背，生炉子。他不断地买铅笔和小刀，不断地交公，不断地在黑板报上受表扬。后来老师大约发现了点儿什么，把黑板报表扬改为口头儿表扬了，但栓儿积极性不减，继续捡东西交公。直到后来老师不表扬，拒收。

识字不识字是很次要的事情，大宗不在意那些，重要的是有了这么一个人，人才是最重要的。他抚摸着栓儿的头顶说："老宗家只有你这么一根棍了。"大宗是独生子，大宗的父亲是独生子，大宗的爷爷也是独生子，到栓儿是四世单传。

现在是儿子和大宗共同来照顾英子了，自然就轻松了许多。一家人欢欢乐乐。冬天，父子俩把英子放在爬犁上拉着上山去捡柴火。在白皑皑的雪地上爬犁吱吱响着，英子高兴得手舞足蹈，学着马车老板的架势，挥舞着双臂，叫喊着：驾！驾！吁——父子俩就拖着爬犁飞跑，跑一阵停下大笑一阵。

回来的时候，他们把英子抬到高高的柴火上，下坡了爬犁如飞，把英子给甩下来了，她在雪里拼命嚎哭。父子俩跑回去把她扒出来，她顶着满头满脸的雪粉又破涕为笑。

大宗日子过得很穷苦，但他很满足。人世间什么是幸福？满足就是幸福。

娟

一

赵玉良的小烟袋儿只有一拃长，黄铜锅儿，玉石嘴儿，杆儿是竹的，由于天长日久地烟熏手磨，也像紫铜一样闪着光泽了。

这里的人都用旧报纸卷烟抽，他们说白纸卷了不好抽。他们都不是看报的人，到县城里去买旧报纸。其实这旧报纸和新订的报纸差不多的价钱。独有赵玉良用烟袋抽烟。于是他的烟袋就成了稀罕物。他脾气古怪，不让别人动他的烟袋，如果你想拿起来看看，他毫不客气地劈手就夺回去。

"看看也不行吗？"

"不行。"

"为什么不行？"

"说不行就不行。"他干脆不再抽，把正着的烟磕掉，把烟袋装进口袋里去了。

小伙子凭力气大，两手把他紧紧箍住："你给不给看？"

"不给就是不给！"他异常坚决。

"不给就抢了！"小伙子动武力，抓住他的手。他突然变得勇猛异常，挣脱出去，抓起斧子，叫道："操你妈！我和你拼了！"他脸都紫了，两眼凶光闪闪。

其实，烟袋就是烟袋，一点儿特别的地方也没有。他就是不让人看。

秋高气爽，这高纬度的北方，空气透明度特别好，远的山近的山都看得清清楚楚。玉米、大豆，成熟的气息都吹到煤垛上来。铁轨在艳丽的阳光下亮闪闪的，像两柄刀剑。赵玉良从嘴上拔下烟袋，把铜锅儿在铁轨上哨哨地磕，磕掉烟灰，然后才说："连生，大宗，明天我就回关里家了，记着点儿，这个月我可是一天工也没歇。"

"回关里家？干什么去？"两个人都问，在这之前他可是屁也没放一个呀。

"干什么？你以为你们能说上个老婆，我姓赵的就该打一辈子光棍儿了？"他冷笑着说。

"噢，你他妈的关里家有了？"连生问。

"来信了？"大宗问。

"伙计，睁开眼，看看！这是什么？"赵玉良从怀里摸出一个牛皮纸信封，在手里拍得叭叭响。

大宗、连生要求赵玉良念一段听听。赵玉良打开信纸，刚要开口，又说："念，还念什么？拿去看！"他做了个慷慨大方的架势，把信连同信封都交给了连生和大宗。

信很简单，大意是说已经基本上同意了，要求赵玉良回去看看，顺便领着一块儿回来。署名是一个字，娟。事情进行到这里还正常，当大宗又从信封里抖出一张照片时，两个人的脸色变了。照片上的姑娘打击了他们。他们立时矮下去了半截。这两个人尽管都认为自己的老婆不错，照片上的这姑娘却使他们有了自知之明。他们的老婆明显的是不行，相差太远。赵玉良不出声儿观察他俩，又装出一副十分谦虚的样子把信和照片收回去："咳，也没啥，一般人儿，一般人儿。"

"嘿嘿，装什么！"连生说。

照片有些旧了，但上面的娟的确非同一般。她戴军帽，穿军服，两条齐肩的小辫儿，眼睛大而黑亮，五官端正，真是飒爽英姿。

"这是她在我们公社毛泽东思想宣传队当队长的时候照的。"赵玉良补充说。文艺宣传队的！那还用说吗？当然是出众的了，再说，还是队长哪。

连生和大宗这个下午干活儿再也打不起精神来了。没意思，真没意思……

赵玉良这小子真有两下子，他妈的！

二

一个月之后，赵玉良回来了，穿一身新衣服喜气洋洋地走到井口煤垛上。连生和大宗正在翻车，一见他都扔下手里的活儿走过来。在一起时天天闹别扭，分开一个月不见又觉得很亲热了。连生先捶了他一拳："刚他妈的回来呀？"

"不，回来三天了。"赵玉良说，"抽烟呀。"递给连生和大宗每人一根香烟。

"喜烟呀，也抽一根儿。"大宗笑道，他平时是不抽烟的。

“你住哪儿？把兄弟媳妇领来大家看看呀。”大宗问。

“住鸡房子那儿。”赵玉良说。

“怎么住那么远？”大宗和连生都吃一惊。

“矿上哪有地方？没房子住哪？”赵玉良双手一摊，无可奈何地说。

“是，的确没地方住。”大宗说。

鸡房子原来是河西村的一个养鸡场，鸡没养成，黄了，有三间房子就扔在半山坡上了。那儿距煤矿有六里路，距河西村也有六里路，属于前不靠村后不靠店的地方。只有那孤零零的三间房子。在这之前，煤矿上没有房子，刚成家的人也有在那儿住过的。

公社的头头们把这些盲流弄到这条荒凉的小山沟里来是什么也不负责的。让他们在这里开荒种地，挖煤。然后就向他们要煤，要粮食。别的方面就让他们自生自灭。要生存下去，他们就必须付出比一个别地方的村民双倍的劳动。但他们都觉得这是理所应当的。

赵玉良回去了，大宗和连生都觉得没见到那个娟很遗憾。照片上的娟已深深地印在了他们脑袋里，她的确非同一般。

赵玉良上班儿了，许多人都说：“领来大家认识一下呀。”赵玉良只是说：“没啥可看的，太远。”

“远，你不是天天来上班儿吗？难道伙计们看一眼会吃一块儿去？”连生说。

“是远，她不愿来。”赵玉良很抱歉的样子。

大家都骂赵玉良真他妈的怪。弄了个漂亮媳妇儿藏起来了，谁也不让见，跟他妈的他那支烟袋似的。

大宗说：“看你们如狼似虎的，人家那么漂亮的媳妇能放心？”

大家都承认大宗说得有理，赵玉良是这么样的。连生说：“说不定他根本就没有领上来！”

有一天，大宗和连生商量：“咱俩和别人不一样，咱们该送点儿东西去，谁刚安家也不容易。”

连生点头称是：“再说还可以看看那个娟。”他补充说。

下班后，连生用背篼装上两瓶豆油，小女人又塞上一些她腌的咸萝卜。大宗扛上大半袋玉米面，就向鸡房子走去。

一到秋天，这里就成了全中国最早一个不见太阳的村庄了。大宗和连生在昏暗的山道上走着，蒿草树枝被他们踢撞得哗啦啦响。连生说：“我怎么觉得赵玉良不像搞来了个大美人儿那么高兴呢？”

“人家高兴还得跟你说呀？心里高兴呢。谁像你和我似的？狗肚子盛不住酥油。”大宗说。

“不像，不像。”连生还是摇头。

到鸡房子天已全黑，山坡上孤零零的一座房子，后面是黑压压的一片树林，这座房子就像一只从树林里走出来的怪兽，居心叵测地蹲伏在那里。

连生站住，说："这他妈的不是人住的地方！"

"是呀，他这人真怪，住他那间马架子也比这里强多了。"大宗喘着，把肩上的口袋换了换肩。

房子周围都长满了前呼后拥的艾蒿，到跟前反而找不到路了。大宗抬头看看，房子两个窗户黑洞洞的，他抱怨道："怎么连个灯也不点呀。"

"不对劲儿，伙计，这里面也许没有人！"连生压低声音说，两个人一阵毛骨悚然，一齐站下。

"也许早早睡下了。"大宗说。

"胡说！"连生轻轻地挪动一下腿。

"咱喊一声……"大宗说。

"别……"连生说。

突然，那黑乎乎的房子里传出歌声。是一个女人的歌声，嗓音圆润又哀伤。连生和大宗站在草丛里不动也不出声了，全神贯注地听这歌声。这是当年差不多人人都会唱的一支藏族民歌。

太阳啊，霞光万丈
雄鹰啊，展翅飞翔
高原春光无限好
叫我怎能不歌唱

歌声是最能把人带回到从前的时光里去的。大宗和连生都已经十年没听到这支歌了，他们一下子回忆起了那个逝去的年代，那个他们曾经年轻的年代，回到了他们的故乡，那离别多年的生养他们的地方。悲伤穿透了他们的心胸，他们像生了根似的站在草丛里一动不动了。一阵夜风，胸前身后的蒿草一齐晃动，瑟瑟作响。房后那片树林低沉地呜呜呼啸。

雪山啊，闪银光。
雅鲁藏布江啊，翻波浪
驱散云雾见太阳
幸福的歌声传四方——

只要歌曲是悲伤的，你填什么样的歌词都是无能为力的。歌词失去了本来的意义，也异化成了别种传达情绪的符号。在这片四无人烟的荒山里，天地间充满了黑暗和宁静。歌声停了，那种透心彻骨的悲伤却像水一样无边无际地漫延开来，淹没了树林、荒草、房屋和这两个人。

“我好冷。”大宗说。

“真他妈的不愧是个专门唱歌儿的。”连生说。

黑洞洞的门开了，走出一个人来，“谁在那儿?”是赵玉良。

“我！还有连生。”大宗大声回答。

“干什么?”赵玉良有些惊慌。

“能干什么！来看看你呗。”连生说着就和大宗走到门前来了。赵玉良木头一样站在门前不动。

“兄弟媳妇来了，也没啥东西。”大宗把玉米面口袋从肩上放下来。

赵玉良让开了门。连生进屋就嚷“点灯”。

“没有灯。”赵玉良说。

“点蜡!”

“没有蜡。”赵玉良又说。

“真是的，这个地方连电灯都没有。”一个姑娘的声音在黑暗中响起来。

透过外面微弱的天光，可以看见屋里站着一位高个子的姑娘，长长的头发披下来，她背对窗户站着，面部轮廓看不清，只能看见她背后的长发闪着幽幽的光。

“快请进屋吧。”她温柔的声音非常悦耳。

连生先进了屋，大宗跟着，赵玉良也进来。

“坐这边，这边，你坐那边。”姑娘说着热情地往里让，他们闻到了她身上温暖的气息，甚至感受到了她移动时那长发扇动的风。

“我给你们送来两瓶豆油，别嫌少。”连生说。

“太感谢了，不知说什么好。”姑娘说。

“点个火儿照一下，我放哪儿。”连生说。

“真对不起，火儿找不着了。”还是那悦耳的姑娘的声音。

“玉良，你的火呢?”连生又问。

“我不抽烟了。”赵玉良说，“给我吧，洒不了的。”他把油瓶摸索着接过去，放在一个墙角儿。

“这地方太荒了，能住得下吗?”大宗问。

“住得下，挺好，就是草太多。”那圆润的声音回答。

“嫂子的照片儿我们早就见过。”连生说。

“不好看。”她怕羞地扭过身子去。

“好看，太好看了。”大宗说。

“嫂子唱的歌儿也好听，我们刚才在外面听好长时间了。”连生说。

“好啥呀，让您笑话了。”她说。

一阵寂静，好像谁也找不到寒暄的话了。黑暗中都沉默着。凭声音大家都知道了别人的位置，大宗和连生坐在炕上，娟坐在他们对面的凳子上，赵玉良没地方坐，他就站在门边。

“这样没有个亮儿，真是别扭呀。”连生终于又找到了话题。

“长住下去不是个法儿。”大宗说。

“黑一段时间，长了也就好了。”娟说。

“点灯干什么？点灯浪费。”赵玉良说。

“可委屈人家了。”连生说。

“这算什么委屈。”那个娟说。

“忘了问了，嫂子您姓什么？”连生说。

“姓纪。”娟说。

“叫纪娟？”连生问。

“不，叫纪秀娟。”

“您真漂亮呀。”连生说。

“那是过去了。”娟说。

“再唱歌儿给我们听听不行吗？”连生说。

“那有什么不行的？你要听什么歌儿吧？”娟说。

连生一时竟想不起一支歌儿的名字了，倒是大宗说：“唱个花儿为什么这样红吧，冰山上的来客。”

“那是反动歌儿，不能唱。”赵玉良说。

“在这里谁听得见？除了咱们！”连生说。

娟已经唱起来了。唱得很动情，听得也很动情。谁没有过年轻的好时光？他们都在那生气勃勃的年代里又走了一遭。接下去又唱了好几支歌儿，好像没有什么歌儿是她不会的。歌声使大家都忘记了这是在一个荒无人烟的孤零零的鸡房子里。唱这歌儿的那个年代里，谁也没想到自己会流落到这般地步。

歌声也使照片上那个年代的娟和对面这个黑影融合起来，让人清清楚楚地看见她那么年轻，那么漂亮——那黑眼睛在闪闪发光……

“你们有饭桌吗？”大宗在黑暗中突然问了一句。

“没有。”赵玉良回答。

“菜墩呢？”大宗又问。

“也没有。”赵玉良回答。

“用什么切菜？”连生问。

“在炕沿上。”纪秀娟回答。

“明天我给你送个菜墩来。我家里有两个。”大宗说。

“我给你一个饭桌，还可以当面板用。”连生说。

“你们心这么好，真不知道该怎么感谢你们才好。”纪秀娟在黑暗中说，像要哭的声音。

“唱支歌儿给我们听就足够了。”连生说。

告辞出来，连生回头望望那黑洞洞的鸡房子，恨恨地说：“真不知道赵玉良用什么办法儿骗人家来的。”

“也许人家原来就好。”大宗说。

三

除了菜墩、饭桌，连生和大宗还带了些别的：一把砍柴用的斧子，一把铁锹，一把炊帚。走到半道上，连生掏出一个打火机，啪的一下打着了，对大宗说：“还带了这个。”

“你别胡闹。”大宗知道他要干什么。

“怎么？他还不让看一看呀？”连生说。

“等她到矿上来你还看不见呀？她早晚也得到矿上去。”大宗说。

“你说，他为什么不让咱们看呢？”连生问。

“也可能是真找不到火柴了。”大宗说。

“好吧，算你说得对，今晚上他再不点灯我可就给他点了。”连生说。

“随你的便吧。”大宗说。

这次刚走近鸡房子，纪秀娟就从屋里走出来迎接了，她站在门口，好似还蒙着一块头巾，欢快地说：“我说来人了，他还说没有。我听见你们的脚步了，他就是听不见。”

赵玉良也出来迎接，说：“女人耳朵就是灵，我真的没听见。”

“你还没点灯呀？”连生进屋问。

“没时间买，又收拾炕又拖柴火，蜡也没去买。”赵玉良说。

“是呀，要过冬了，你要多打些柴火预备着，这房子冬天要冻死人的。”大宗说。

“都说东北有多么冷，我看有这么多的柴火，再冷也不怕。”纪秀娟说。

“对，我哥从山上往下拖，我给你带来一把斧子，你就狠劲儿劈吧。不知道嫂子会不会劈柴火。”连生说。

“不会慢慢学呗，我也不是没干过活儿。”纪秀娟说。

“听说嫂子过去在文艺宣传队演过戏，对吗？”连生问。

“那是过去的事情了。”

“怪不得唱歌儿这么好听。”连生说。

那边，大宗和赵玉良在谈矿上的情况。赵玉良说明后天把房顶修理一下，大后天就去上班儿了。大宗说，歇几天吧，急什么。

“嫂子这么大老远地从关里家来，头一次见面，也该给咱点棵烟呀。”连生说。

“没有火柴呀。”纪秀娟说。

“有就给点吗？”连生问。

“那还用说。”纪秀娟说。

“那好哇，我这里就有——”

赵玉良和大宗都听见了连生的话，打断了交谈，竖起耳朵。

只听见“啪”的一声响，电光一闪，屋里一片光明。同时间，连生“啊”的一声尖叫，像有一种巨大的力量把他一下子弹出门去。屋里一片黑暗，连生在门外大叫：“鬼！鬼！鬼！”

赵玉良跟着冲出屋去，两个人在外面厮打起来。赵玉良骂着：“你他妈的昏头了，她是有病，麻风病！不许你胡说，我掐死你！”

屋里一片死寂。在火光一闪的刹那间，大宗也看见了那张脸，他动不了。纪秀娟对这种情形已习惯，她站起来，走到门外说：“对不起，吓坏你们了。我也没办法儿。但是我告诉你们，我在病院里住了五年，已经完全治好了。这都是有证明的，不会传染了。”她的声音很平静，依旧是那么好听。

“你们走吧。”赵玉良说。

大宗和连生恢复了理智，但不知怎么办才好。他们已确信看到的是一个被麻风病菌毁掉的脸。其实在以前他们也见过类似的脸，这次，太突然了。

“不走？坐下吧，我再唱歌儿给你们听。”纪秀娟说。

她又唱了，这次都是大宗和连生从来没有听过的歌儿。他们听得心都要碎了。

大宗说：“你别唱了。”

她还是唱。

连生说：“你别唱了。”

她还是唱。

赵玉良说：“我求求你了，求求你了！”

她停下的时候，外面起秋风了。房后的树林子里一片飒飒的落叶声。

四

赵玉良划火柴点烟袋，纪秀娟马上背过脸去。大宗和连生心里都感到一阵不安。赵玉良把他的铜烟锅儿点着了，把火柴扔地下踩灭。在烟袋上的红火一闪一闪中，开始了他的叙述。

一切都是那枚毛主席像章引起的。

那一年，北京第一批下来进行革命大串联的红卫兵在赵玉良家过一夜，他们送给赵玉良一枚毛主席像章。在后来，这种像章是极普通的，但那时候很少，除了北京的那个工厂，别的地方都不敢制造。这像章是一个很神圣的东西，珍贵得是多少钱也买不到的，拿在手里时，赵玉良心都咚咚直跳。

他立刻想到了要送给纪秀娟。他一下也没戴，用纸包了三层，放起来，除了纪秀娟，谁也不配戴。别人他连看也不让。

纪秀娟当然不认识他。她在公社毛泽东思想文艺宣传队，没有人不认识她。赵玉良听过她唱了一次歌儿之后，就开始到处跟着她走了。她到哪个村演出，赵玉良就跑到哪个村去看，不管多么远。半夜再返回家，天亮了还得推小车。

他跟着她跑遍了全公社每一个村庄，但一直没有机会接近她。他把像章装在衣兜好多天，一直寻找一个单独见她的时机。在王庄演出的时候，会场距纪秀娟住的那户人家很近，并且她的另一个女伴儿的家就在王庄，人家回家去住，自然只有她一个人了。这一切赵玉良都打探明白。那一天晚上演出完了，纪秀娟自己往回走。等在一条小胡同里的赵玉良突然走出来，要把毛主席像章送给她。她吓坏了，拒不接受，赵玉良急了，抓住她的手强行往她衣袋里塞。撕扭过程中，他崇拜的心理发生了变化，他抱住了她。地下很滑，那天刚下过雨，他们又滑倒在地上。纪秀娟大喊救命。赵玉良被抓住。

他受到了拷打。他已无法把事情讲清楚。他被关押起来。本来是有可能被判刑的，幸运的是后来刮起一阵砸烂“公、检、法”的风。能判他的人自身都难保了，他给稀里糊涂放了出来。无法在家乡待下去，他就跑到东北来了。

纪秀娟和一个支左的小军官订了婚。但在第二年就得了麻风病。她主动要求退了婚。其实她的麻风病属于遗传，只是原来没有发作罢了。她的母亲很早就死于麻风病。

虽然她在麻风病院治愈，但她已经不复是原来的那个纪秀娟了，她不仅仅五官毁了，手指和脚趾也全烂掉了。她成了一个废人。出院后，她接到了一封寄自东北的长信。信中详细地叙述了那天晚上发生的事情的来龙去脉。之后，她给这位名叫赵玉良的人寄来了一张当年的照片，以作纪念。

赵玉良原来在关里家生活得还不错。跑到东北孤苦伶仃过了许多年，他一直记着纪秀娟。当关里的伙伴来信告诉他纪秀娟已经出院，他立刻萌生了当年还未敢有的念头。他写了一封信，解释那件事情。接到回信，他哭了。

“出事那年，我二十五岁，她刚十八岁。十年过去，她病成这个样子，我他妈的老成这个样子了，这就是命运。”赵玉良把抽透的烟灰在炕沿上磕掉，又装上一锅子。只见红火一闪一闪，赵玉良不再说话。

纪秀娟说：“本来，不到东北来，我也能生活，我们这种人属于国家救济人员。我对付对付还能做顿熟饭。我想，就来给他看家、做饭吧，权当，权当……再说，他喜欢听我唱歌儿……"

赵玉良在炕沿上狠狠地敲敲烟袋锅说:"我知足了,这辈子知足了! 大宗,你! 连生,你! 都应该知足了!"

"知足,知足。"大宗连连点头。

"我从来没说过我不知足呀,我当然知足了。"连生说。

草木在外面继续飘落。无边无际的黑夜,温柔地拥抱着这三条历尽沧桑的汉子,"幸福"的感觉充满了他们的心胸,浸透了全身每一个细胞。他们都在心里默默地感激着上天给予的生命的快乐。谁也不再说话,唯恐打破这千金难买的时刻。

"还是我来唱歌儿给你们听吧。"纪秀娟说。这次,她唱的是一些欢乐的歌儿,每唱完一支他们三个就一齐给她鼓掌。

"不早了,回去吧。"大宗说。

在黑暗中,他们分手。彼此都能感到一种恋恋不舍。

大宗和连生爬上对面的山坡,回头一望,谷底被一层薄薄的白色雾气罩住,朦朦胧胧,缥缥缈缈,头上一片星光灿烂,连生说:"真他妈的好哇! 活着。"

突然,一声女人的尖利的叫喊穿透那层白纱样的雾云直射向天空。大宗惊慌地说:"出事了! 快回去看看!"

连生跟他跑出两步,忽然站住,大喊:"站下! 你真他妈的傻! 她能不喊吗? 你想想,在这荒山野外她为什么不放开嗓子喊? 反正没人会听到。"

结　尾

在北边,在那个荒原的孤寂的深夜,三个汉子为自己有了"家",感到了那样的"知足",那样的"幸福"。

他们怎么不知足不幸福呢? 作为不被社会承认的盲流,有了家,意味着他们被社会所承认,被接纳。

几千年来,中国人奋斗的最终目标,就是必须有个家。家,表明了做人的最初意义和最起码的价值要求。从家,引申出来了观念、道德,乃至舆论、公理、法律。中国封建社会几千年,家的含义、观念、道德标准和法律,不断被深化和强固,家其实是封建社会的浓缩影。

人们要千方百计去创造这个家,保护这个家。知足,固囿自守。家,给他们满足的同时,也给他们束缚和负担。

几乎在产生家的同时,开明之士已经看出了它的相反的一面。因此就有了那么多的故事、悲喜剧、正剧、名著,有了那么多的改革行动。

这样的冲撞还在继续着。

如果说我们不遗余力地追求文明，以经济的发展促进文化的发展，促进观念的更新，促进文明，那么，要使改革深化，改革的成功，是不是跟改革家有关系呢？中国政治体制的改革，经济体制的改革，跟家有没有千丝万缕的联系？要冲突，从哪里冲突？从这个最基本的组织、最基本的观念突破？

那三个汉子虽然没有想到这些问题，但他们在“知足”“幸福”的同时，有形无形的沉重感、窒息感，难道他们潜意识中不也在思索这个问题么？

（选自《北方文学》1992年第12期）

孙少山

1949年出生，山东胶南人。1984年曾就读于北京鲁迅文学院，1986年又就读于北京大学作家班，1988年毕业。任黑龙江作协专业作家，1981年开始发表作品。1985年加入中国作家协会。著有短篇小说集《八百米深处》，中篇小说《盲流》《黑色的沉默》《大鱼》《要塞》，短篇小说《陡坡》《我们的老六》《出关》《皮子》等。短篇小说《八百米深处》获1982年全国优秀短篇小说奖、全国煤矿小说奖、东北三省文学奖。

激流勇退

常庚西

一

××同志：

……中国有一句俗话，“每逢佳节倍思亲”，我们却是“到了难处倍思亲”。真的，我们遇到了无法解脱的困难，自然想起了你。不过，我首先得郑重申明：这封信，我是背着石坚写的，但是，你会看在我们俩，特别是石坚的情分上去不遗余力地协助我们渡过这一难关的。这一点，我坚信不疑。

你可能已经听说，地委决定调石坚到岐山县工作。为此，我们夫妇愁肠百结，已经两夜没合眼——这在他三十多年的工作历史上是不曾有过的。旧社会都讲“千里之外去做官”，他却要回到自家门口去当县委书记。我俩仔细算了一下，我们共有能沾上边的亲戚三十多户，每家半年找我们一次，一年就有七十天不能工作。以我之愚见，他要是真到那里工作，出路只有三条：一是完不成任务被撤职；二是累病累倒；三是被告倒。这绝不是危言耸听，你想象不到那个县的复杂……你是个文化人儿，大概看过那出《追女婿》，我从鹿山追到辛沙，从辛沙追到洛镇，从洛镇追到万井，现在又要从万井追向岐山，我已经筋疲力尽，彻底丧失信心，决心不再追了……我思之再三，认为最要紧的是对党的事业不利。你一直在省直工作，熟人很多，无论如何向有关领导申述理由，收回调令。你一向热情，想必不会使我们失望……

这是万井县县委书记的妻子给县委书记一位老战友的信。虽然他的那位老战友充其量不过是一介文弱书生，穷酸秀才，三十几年来，因为生性耿直，直言不讳，一直是革命的对象，实际上办不成什么大事，但还是被那封情真意切、娓娓动情的信深深感动了。他确实有一副热心肠，当天晚上就硬着头皮，直奔常委宿舍大院，一改过去怕别人议论他依附于某一领导而尽量不见大人物的初衷，居然找到他过去的一位老领导、现在已是省委常委的门上，直言不讳地替县委书记说项、求情……

石坚同志

……嫂夫人的大札捧读，虽然心情激动一点，看来还是从工作考虑的。我同意她的观点。所以，你切不可因她背着你给我写信而过分指谪（天字第一号的书呆子）。昨天晚上，我拜访了我的那位老领导，遵照嫂夫人的旨意，“不遗余力”地替你说情。我真替你高兴，他说你是你们地区最好的县委书记，是全省好县委书记之一。从“四人帮”倒台这些年来，你的调动确实频繁一些，但都是工作的需要，而你也是到一处胜一处，从来没打过败仗。他笑着说：“石坚同志称得上‘常胜将军’，这次调他到全区有名的老大难岐山，是有战略意义的……”当我提出你是岐山人，回家乡工作有诸多不便时，他一愣，说：“石坚同志早有‘鹿山坚石’之称，他一直是鹿山人，怎么说是岐山人呢？”当我提醒他你们那个乡早在去年春天即划归岐山，而且离县城不足十五华里时，他沉吟片刻说：“啊！是这样，那么，你转告他，暂不要报到，稍等一下，我和有关同志商量一下再说……”

老唐把信亲自投到邮筒里以后，如释重负般地舒了一口气。他自以为给老战友办了一件棘手的事，连晚饭都觉得比往日吃着香甜。然而，四天以后的星期天，石坚竟然找上门来。

“啊！县太爷驾到，蓬荜生辉。”老唐断定石坚是来向他致谢的，便大大咧咧地说，“登门拜谢不携带夫人，不能不说是一大缺憾。”

“什么？‘拜谢’？我是专程来向你问罪的。”

“县太爷明鉴，老夫何罪之有？”

石坚把老唐的信往写字台上一扔：“你老兄办的好事！”

老唐顺手从抽屉里取出石坚妻子的信，说：“请阁下把嫂夫人的信拜读一遍，两封信加以比较，大概就可以理解我的举动了。她的信使我这样一个所谓的文化人也深受感动，如果没有高手指点，你足可以引为骄傲。”

石坚匆匆把妻子的信看了一遍，说：“文字倒还通顺，她平时也喜欢舞文弄墨，只是用不到正经地方。我说老唐啊，你怎么能跟着她的指挥棒转呢？”

“这么说，她给我的信你当真一无所知？”

“我要知道，岂能让她发走？”

老唐见老战友如此严肃，也不由认真起来，说：“可我却认为她也是为了工作，提出的问题还是有道理的。”

“如果与党的组织原则相悖，根本就不成其为道理。我们有什么权力要求一级党组织收回成命。”

“说得好！这么说，嫂夫人提出的问题是替古人担忧，你并不认为到岐山工作有什么困难?”

“恰恰相反，我想到的困难比她信上提到的要大得多，难应付得多。她忽略了最重要的一条：岐山是老革命根据地，中央许多老领导都在那里住过；本县在北京工作的只副部长以上的就有十几个，任何人进京上访都能带回领导干部的批示，只这一点就能搞得你焦头烂额。”

老唐看石坚心情有点压抑，便想把气氛搞活跃一点，说：“好啊，你这叫‘泰山压顶不回头’‘越是困难越向前’。”

“不敢当，我还没那么大的气魄，如果我不是县委书记，不是共产党员，我很可能当了逃兵。”

老唐不解地问：“既然你承认有实际困难，为什么不可以向组织提出来呢?”

石坚低下头，沉默了许久，才又慢慢抬起头来，沉思着说：“我思之再三，提困难的目的无非是请求组织照顾，不到岐山工作，继续留在万井，轻车熟路，好不逍遥！不！不能!”他更加认真地说，“老唐，你哪里知道个中的复杂因由。”

“有意思，我简直如坠五里云雾了。”

石坚一本正经地说：“我决定无条件服从的理由有三：地委已经决定，我走以后由邹县长接任县委书记。老邹比我大两岁，已经五十有四，再不提拔怕是没机会了。我不走，岂不挡住了人家，此其一。我到岐山以后，岐山的吴书记要调唐河县，而唐河的老吕要调任地委副书记，我不走，又影响了老吕，此其二。最重要的是第三，若是托你的后门真的达到目的，可能打乱地委的整个战略计划。而且，现在的干部变动，已经无法保密，如果大家得知我怕困难托人说情换了地方，其影响怕也不好挽回。”

老唐神情专注地听着，频频点头，简直佩服得五体投地。待石坚说完，便由衷地赞叹：“好！高度的党性原则终于战胜了怯懦和私心杂念，激发了战斗的信心。石坚终究是石坚，我相信，你会像过来那四个县一样，节节胜利，激流永进。”

石坚心里说：“书生气十足!”苦笑一声，说：“谢谢老兄的鼓励。我倒没那么乐观。”

二

虽然石坚的家乡划归了岐山，但这个县对他来说是陌生的，许多传言是令人生畏的。全县人口不到四十万，面积却相当于平原上的一个地区，宽五十里，长三百余里，十分之八是山区。据说，解放以后的历任县委书记，没一个能走遍全县每一个村庄，有的甚至连五十五个乡都没走遍。石坚暗下决心：不管遇到多大困难，也要把全县每一个村庄走遍，亲自调查一下群众的实际生活水平。好好体察一下那些久居深山，有的一生没出过山、没进过县城、没见过汽车的人关心的是什么，心里想的是什么，希望的又是什么。对县里的工作，不要急于表态，深入下去，多走走，多看看，掌握了大量的第一手材料，才能有针对性地发言。

这是他多年做县级领导从正反两方面总结出来的经验教训。

石坚坐在县委小礼堂的讲台上，一面集中精力阅读那些近两天如潮水般涌来的各种通知、通报、指示、汇报，一面不时用眼角瞟对面墙壁上的挂钟。八点半，他立即把卷宗合住，立起来，咳嗽一声。

“同志们。”他很坦然地开始说话了，炯炯的目光在每一个人脸上搜寻着。他不光是想从他们的面部表情上探索出每个人的内心活动，更重要的是，他想在很短的时间内把每一个人都认准，都记牢。

与此同时，台下的百十双眼睛也在更加专注地凝视着他。今天是县直机关部局级以上的干部会，大家都带来了钢笔和记录本，都怀着好奇和探索的心情来听新任书记的施政演说。

“今天把大家请来，只是见个面，互相认识一下……”

正在这时，一个人蹑手蹑脚地进了会场，低着头，惶惶不安地寻找座位。不想石坚却大声说：“请你到前边来。”

那个人惴惴不安地来到讲台前，站住。

“请通报姓名和职务。”

“县政府办公室主任，何伟。”

“通知你几点开会？”

“八点半。”

“现在几点了？”

“差十分九点。我昨天晚上给……”

“我不想听你的解释。到左边站着听吧。”

他接着讲话时，又陆续进来三个人：水利局长，税务局长，工商局长。石坚都用同样的办法，让他们和何伟并排站在一起。

“听说咱们岐山开个三级干部会两天半才能集中，开个乡党委书记会一天半才能集齐。县直干部大会总要比原定时间晚一个小时开始。这可能是言过其实，如果有这种情况，我请大家和我一起彻底加以扭转。今天，因为我初来乍到，同志们还算赏脸，最晚的才迟到二十二分钟。即使这样，我还是要委屈几位一下……”

下边一阵骚动，有的在交头接耳，有的发出轻轻的笑声。站着的那几个，尴尬地笑笑，低下了头。只有政府办公室主任何伟，挺胸昂首，脸色冷冷的，眼睛直视着房顶。

“同志们，如果我没猜错的话，大家来是要听我的就职演说的，请原谅，我使同志们失望了，刚来两三天，什么情况都不了解，有什么可说的?”

下边又是一阵骚动，轻轻地议论着:“真新鲜。”

“我只告诉大家三点:第一，在近两三个月内，我不准备抓具体工作，主要想下去走走，多了解一些情况。这一点已经征得几个常委的同意。工作嘛，你们该怎么干还怎么干，按原来的计划进行。第二，听办公室说，有的部局正在给我写上半年工作总结和下半年设想。免了吧，我不愿意看那些冗长的、刻板划一的总结，我准备到各局看看，到时候咱们自可以随便谈谈。至于有什么典型材料，自然可以随时总结。第三，我的办公室兼宿舍的门是白天黑夜敞开着的，欢迎同志们随时找我交谈。散会！除了边上的那五位同志，别的同志可以走了。”

一次县直中层干部会，只用了一个小时。

石坚把那五个人领进自己那里外两间的办公室兼宿舍里，请他们坐下，每人面前摆了一杯茶水，语气温和地说:“咱们随便拉拉吧，我很想听听你们迟到的原因。”有四个人说了原因，作了检讨，只有政府办公室主任仍然仰着头，绷着脸，一句话不说。

石坚只好把那四个人送走，返回身，凝视着何伟，说:“老何，如果你没什么可说的，可以回去了。”

何伟不满地嘟哝着:“刚才我想说，被你顶回去了，现在说你也不可能想听。”

“刚才和这会儿不一样。刚才说耽误百十人的时间，这会儿只咱们两个，你说能一样吗?”石坚不再催他，又掀开卷宗。

这一来，何伟却非说不可了，他低着头，用眼角瞟了石坚一眼，说:“这么大的事，县里主要领导人都躲远远的，只我这个小卒子应付。昨天晚上给地委写材料写到下三点……”

“什么大事?”

“解放四十多年来最大凶杀案。已经惊动了中央和省地市，咱县算出了名。你一来就赶上了。看吧，麻烦事多啦。”

“这样的事自有公安机关依法办理，有什么麻烦的?”石坚坦然地微笑着，“交给公安机关调查处理，政府和县委不要干预。”

何伟苦笑一声:“道理很明白，说起来也很轻便，但……”他停了一下，意味深长地看了石坚一眼，“我看你是个痛快人。石书记，不妨直言奉劝，你刚来，完全有理由不过问、不介入此事，慢慢看热闹吧。”说完匆匆地走了。

这回轮到石坚苦笑了，他自言自语地说:“作为县委书记，县里出了‘惊动省地’的大事件，怎么能不过问、不介入而等着看热闹呢? 真不可思议。”

天已近中午，初秋的阳光还很暴烈，似乎要把它的热量一齐洒向大地。石坚看着桌子上那一堆有的空洞无物，有的八股气十足，有的虽然提出了问题但没有分析、没有见解的报告和汇报，感到一种无名的烦躁。他又把卷宗合住，信步走出办公室——工间操时间到了，他想到院里走悠一会儿，让纷乱的思绪清醒一下。

一到院里，远远看见大门附近围了几个人，一个女人正在嘶哑地呼叫："你们不能拦我，我要见新来的县委书记，我要见……"

"县委书记还没到任，你回去吧。"

"不，你们在糊弄我，一次次地糊弄我，他来了，来三天啦，我只向他说两句话。"

"疯老婆子，县委和县政府的门槛都叫你们给踩烂了，再不走，叫公安局来人把你关起来。"

"关吧！关我也不怕！"说着又要往里冲。

"什么事？"石坚来到人圈外，围观的几个人很快给他闪开一条缝，使他一下和那个女人站了个对面。只见她面黄肌瘦，衣衫褴褛，蓬乱的头发上沾着草屑，像经过长途跋涉似的显得疲惫不堪。

"我是新来的县委书记石坚，大嫂，有什么话尽管跟我说吧。"

那女人一双痴呆的大眼里立即闪出一种半是惊喜半是恐慌的光芒，扑通一声跪在石坚面前，头如捣蒜般地磕着地："我儿子是被打得没法活命时还手伤人的，他是我的独根苗苗。求书记高抬贵手，留他一条活命，哪怕让他老死在监牢里，让我能隔着窗户看他一眼就行了。他才刚满十七岁啊，求书记做主……"泪流满面，惨不忍睹。

石坚敏感地想到，这可能就是何伟劝他不要介入的"惊动省地"的那件大事的当事人之一。他急忙把她扶起来，毫不犹豫地说："走吧，到我屋里说话。"

石坚走在前边，那女人拐着双腿紧跟在后边。院子很大，从北头走到南头，足有二百米，石坚不得不停下等她，最后竟搀扶着她慢慢往前走。

在场的县委机关的干部和一些勤工人员，都用惊喜的目光盯着他们。住在院子西边办公室里的刚由县人武部长提为县委副书记的吕茂昌，打开窗子，脸色铁青，用阴沉的目光远远观望，待石坚和那女人进了办公室，才冷笑一声，砰的一声把窗子关住。

"石书记和那疯老婆子整整谈了六个小时，中午饭都是石书记给她买的。"炊事员以无限惊讶的语气作为一个特大新闻在县委大院里传扬开来。

"真的吗？少有，没见过这样有耐心的县委书记。我看，肯定是个清官。"司机班长老丁以观察家的语气发表评论，"体察下情。只这一点就能说明问题。"

石坚与那个女人交谈时，隐约地发现窗外不时有人影晃动，有时竟假装捆鞋蹲在地上窃听。每当这时，他总是大声鼓励那个女人："大嫂，不要慌，慢慢说。"

更使石坚没法理解的是，每谈到关键时刻，总有人进来以请示工作或递送文件为名加以打扰。最后他不得不大声通知办公室主任："小晋，我正在与人谈话，不管什么人为什么事找我，一律挡回去。”他的声音很大，他相信，整个走廊都可以听到。

送走那个女人，日已偏西，一抹橘黄色的温柔的阳光爬在窗棂上，办公室里的烟雾在阳光的照射下显得分外浓重。石坚刚刚坐下，县委办公室主任小晋把着门框，探进脑袋，小心翼翼地说：“石书记，文化局的肖凤章同志一定要见你，等了老半天了。”

“请他进来。”

话音未落，一位近四十岁的瘦高个子一步跨进来。原来他紧跟在小晋后边。

“石书记。”他把一摞稿纸捧在老石面前，“我写了一篇东西，想请你看看。”

石坚赶紧推辞：“这可难住我了，不管是文学作品还是通讯报道，对我来说都是擀面杖吹火——一窍不通。你怎不找宣传部长老胡？”

“早请他看了，好歹不说，只是不让发出去，说须经吕书记审查同意以后才能发。”

“这就奇了，向报纸杂志投稿，怎么要经分管公检法的书记审定呢？”

肖凤章哭丧着脸，吞吞吐吐地说：“这就很难说了，反正……反正我是实事求是，有感而发，没半点虚的。石书记，还是请你看一下吧。”

一方面是盛情难却，另一方面老石极想弄清是一个什么内容的稿件，宣传部长都不敢拍板。他接住了。

三

摆在石坚面前的是一篇长达万言的报告文学。题目是：

《困兽犹斗》

——郝山牛行凶杀人始末

单凭题目，石坚就被深深地吸引住了。他点燃一支烟，聚精会神地读了下去。

如果把这篇长达万言的报告文学加以缩写的话，应该是这样的。

……一天清晨，沉睡的山村突然被一阵枪声惊醒了。一会儿，大队民兵连长汪辰河一手提着半自动步枪，一手提着两只被打死的大母鸡哼着小曲进村了。没走几步，就被山牛他娘追上了：“辰河，你怎么把俺正下蛋的鸡给活活打死了？”

“你的？你试试能叫应吗？”

“明明是俺的，俺刚刚放出来。”山牛娘带着哭声，“俺全家三口指望它下蛋变零花钱哩，你怎么这么手狠？”

“好啊，你把鸡放到村外祸害队上的庄稼，不光打死白打，还得罚款！”说完，扬长而去。

十六岁的郝山牛从家里追出来，大声喊道："汪辰河，你欺人太甚，什么共产党员！"

汪辰河头也不回，说："我就是这号共产党员，有本事告我去！"

"你慢走！"山牛说着就要往前追，被好心的乡亲们拦住了，大家劝他："算了，咱惹不起怕得起。"

汪辰河在村里张口闭口自己家是革命家庭，全家九口人，六名共产党员，叔父是支部书记，大姐是妇女主任，大姐夫是村委会主任，大哥是公安员，他本人是民兵连长、支部委员。却闭口不谈全家五口人都是在"反击右倾翻案风"的火线中入党、"登基"的。汪辰河复员回来后先入党后当民兵连长。从此，成了碾庄一霸，一天到晚拿着半自动步枪在村外山坡上乱窜，见啥打啥。几年来从不出工，却记着满分。

一天，他在村外山脚下打死了一只又肥又大的看羊狗，拉回家里，吃了三天肥狗肉，把闪着光泽的狗皮贴在墙上，准备熟了给当支部书记的叔叔做褥子。

三天以后，汪辰河到县城卖猪回来路过邻村磨庄时，被三个虎彪彪的小伙子拦住了：

"姓汪的，请留步。"

"什么事？"汪辰河放下独轮车，不耐烦地顶着那三个人，"我的时间很宝贵。"

"好，那咱们就有话直说，你随便枪杀看羊狗，使我们的羊群昨天夜里被狼叼走三只。你该当何罪？"

汪辰河两眼发直，不知如何回答。

又一个人说："定你个破坏畜牧业生产罪，判你三年五载，一点也不为过。"

汪辰河瞠目结舌，愣怔了许久，说："这完全是误会，你们那只猎狗特别像狼，我才……"

"白日说梦！干脆，是到法院评理，还是就地解决？"

汪辰河完全软下来，赔着笑脸说："三里五乡的，低头不见抬头见，当然就地解决。但不知什么条件？"

"拿八十块钱，我们到长城脚下的驯狗场再买一只。"

"啊！我哪来那么多钱？"

"我们早调查清了，你的猪一定卖了不少钱。卖猪钱还狗账，入情入理。"

"我的猪刚卖了五十元，再说家里还等着急用。"汪辰河摊开双手，一脸哭相。

"那不要紧，把这辆独轮车搭上。"

几经交涉，最后把五十元卖猪款留下，才放他回村。

从"文革"以来，哪受过这样的窝憋气？汪辰河满腔怒火，无处发泄。

回到家里，他三弟辰江提醒他说："二哥，郝山牛姥姥家是磨社的，咱们杀狗的事，肯定是他告密的。"

汪辰河深信不疑，咬牙切齿地说："好小子，过了初一过不了十五，你等好吧。"

机会终于来了。

郝山牛觉得在村里既苦闷又没有熬头，决心报名当兵，带兵的一眼就看上了他，经过谈话、体检，告诉他不久就要到县里集中。然而，集中时却没有他了，换上了汪辰河的三弟汪辰江。性子憨直的山牛自然不肯罢休，先找公社，后找县人武部。公社书记于凤岐家的六间石头房子是汪辰河的叔父、大队支部书记汪盛海带着全家人，用村上的石头、木料盖起来的，连于凤岐穿的军大衣都是汪辰河的大姐买布给轧的。他面对山牛义正词严的质问，装傻充愣："这件事情我不清楚，你去找人武部吧。"

人武部部长吕茂昌在部队时曾是汪辰河的教导员，转业到县，"文革"期间与辰河一家过往甚密，逢年过节，至少要给他送整扇的猪肉。山牛找到吕部长，碰了个软钉子："小同志，你积极报名参军，精神可嘉。到底该谁去，领导自有安排。你这次去不了还有下次，机会总是有的。"山牛不服，质问他为什么勾掉他换上汪辰江。吕部长脸色一变，严厉批评他，二人你一来我一去地争吵起来。

兵被带走以后的一天夜里，汪辰河召开了一个青年民兵大会，第一句话就是："咱碾庄出了个坏小子！"恶狠狠地扫了山牛一眼，"不让他参军，他找公社，找县里，大吵大闹。我警告他，今年当不了兵，明年后年仍然当不了。碾庄有我一日，他这辈子别想当兵！"

太露骨、太霸道了！郝山牛忍无可忍，随口说道："你是什么东西！"

汪辰河拍案而起："扰乱会场，给我抓起来！"原来他们早有安排，汪家四五个人一拥而上，连打带踢。山牛人单力薄，预感到情况不妙，一个鲤鱼打挺站起来，冲出包围，撒腿就跑，临出门时，大声喊道："我到上边告你们！"

汪辰河手提上了刺刀的半自动步枪，带领他的两个叔伯兄弟，一口气追到山牛家里，杀气腾腾地说："郝山牛，有种滚出来！"

其实山牛没回家里，山牛爹芒种迎出来，"他没回来，找他有事？"

"我要他的小命！"

芒种也是个宁折不弯的耿直人，冷笑一声，说："他即使犯下死罪，自有政府处治，你也不敢捅他一指头。给我滚！"

汪辰河向前跨了一步，说："不只你儿子我要管，连你也一样敢管！"说着一刺刀穿在芒种膀子上，血顺着袖筒流下来。芒种哪肯示弱，用手捂着肩子，向汪辰河奔去，一脚踢在他的小肚子上，汪辰河把枪扔掉，两手捂住肚子，蹲在地上。他的一个堂弟拾起步枪，一连向芒种刺了七刀，使他倒在血泊里。

从此，山牛和他娘开始了漫长而艰难的上访告状。

找到乡里，乡党委书记于凤岐说："你们回去吧，我明天就到你村，查明情况再作处理。"第二天，山牛娘正好在街上碰上他。原来他刚从支部书记家吃饭出来，喝得满脸通红。

“于书记,求你去看看俺他爹的伤情。”

“我又不是外科医生,看看顶啥用?”

“那么,这事你怎么处理?”

“我管不了,他是民兵连长,应由县武装部管,你找县上吧。”

母子俩带着干粮找到武装部吕部长,没容他们说完,吕部长便说:“应当先找乡里,由他们处理,解决不了再报到县上。你们不能隔着锅头上炕。”他们哪里知道,于书记和吕部长早在电话上商量好了应付的办法。

他们返回乡里找到于书记,于说:“我眼下很忙,你们不能不让我工作吧。”

“行喽,你工作完了再说,俺们等着。”

下班时找到他,他又说:“我忙累了一天,你们总不能不让我吃饭吧?”

“好,你吃饭吧,俺们等你。”

吃完饭找到他,他显得疲惫不堪,几乎是用恳求的口气说:“我工作了一天,脑子乱成一锅粥,得让我看一会儿电视,清醒清醒。”

“看去吧,俺们在大门口等你。”

此时,清冷的月亮爬上山头,一阵阵山风吹来,广场上的落叶在他们的脚下翻卷,娘儿俩偎在一起,一面吃着被风吹得梆硬的干粮,一面怀着渺茫的希望等待着。丈夫躺在炕上没钱治疗,母子俩整天外出上访,地里的庄稼也没作务好,粮食都快断顿了。山牛娘愁肠百结,心焦如焚,说:“你爹躺在炕上,饭都吃不到嘴里,咱老在外边可耽误不起啊。”

山牛吞下最后一块干粮,说:“娘,以后你留在家里,我自己出来,一样能把狗日的们告倒。”

娘叹息一声,说:“你不会说话,性子又烈,娘总怕你惹事。”

“怕什么,有理走遍天下……”

电视散了,人们陆续从院里走出来,山牛和他娘急忙站起来,分两边站在门口等候。然而,一直等到人们走光,也没见到于凤岐的影子——他从后门溜走了。

山牛果然是个烈性少年,发现上了当,便冲到院里大声吼叫:“姓于的,你身为书记,为吗骗人?我看你和凶犯穿一条裤子,凶犯给过你什么好处,俺早知道!甭当我们上头没人,再不管我们上北京,连你姓于的一起告……”那带有童音的吼声,在夜空山谷间飘荡。

月亮偏向西南,已经到了深夜,山牛只好扶着娘爬山越岭摸回家里。

八个月过去了,山牛母子往回于乡和县城一百零三趟,行程近两千里,毫无希望。

一个雪花飘飞的深夜,大队喇叭上突然传来了山牛一家盼望已久的声音:“郝山牛,郝山牛,请到大队部来,村委会要解决你们的问题,村委会要解决你们的问题……”

山牛急忙穿上棉袄，一阵风似的向大队奔去。一会儿，他娘也悄悄地跟了去。

一进大队办公室，山牛就惊奇地发现，屋里除了民事调解员以外，全是汪家子弟。他们围了个椅子圈，让他站在中间。

调解委员干咳一声，用眼角扫了山牛一下，磕磕巴巴地念道：“碾庄村委会，关于汪辰河和郝山牛打架一事处理意见如下：第一，汪辰河持枪伤人是错误的，应作深刻检讨；第二，汪辰河讲话时虽然提到‘碾庄有个坏小子’，但并未点名，郝山牛主动接腔，引起争端，责任不在一方。为此，村委会调解如下：郝山牛父亲的医药费自负；郝山牛上访告状误工八十二天，由汪辰河负担一半，每个工值按碾社最高时七角钱计，共二十九块四角。此案就此了结，如若不服，限八小时内……”

山牛火冒三丈，一蹦老高，没待念完就大声呼喊：“你们这是捏估好了欺负人……”此时，电灯咔嚓一声熄灭，门呼隆一声闩死，四周的人一齐向他扑来，拳打脚踢，很快把他放倒。他们压低声音，边打边说：“砸折他的腿，看他还能不能上北京告状……”每一个字都像从嘴里挤出来的。山牛疼痛难忍，一边在地上打滚，一边杀猪般嚎叫。他滚到哪里，那里就有人狠劲地踢他。

山牛娘赶来了，听见儿子呼喊，一边大声擂门，一边哭叫：“你们杀人不眨眼啊！我老头不知死活，你们又向我儿子下毒手！”

调解委员乘机开开门，一边往外溜一边愤愤地说：“咱碾庄是汉子的世界。”

山牛乘乱冲出门去，他娘却扑了进去，和汪家一伙扭打在一起。

山牛返回大队部，喊了一声：“娘，你在哪里？”手持杀猪刀子冲了进去，悲剧就在这一瞬间发生了……

后半夜，乡亲们一伙一伙到山牛家里：“辰河死了，他妹、他嫂重伤，住了医院。孩子，你为咱碾庄除了一害，快远走高飞，逃条活命吧。”说着把三五斤粮票，十块八块钱轻轻地放在炕头上。

“不！我等他们来抓我，一人做事一人当，我要看看，行凶伤人到底有没有人管。”

第二天清晨，一辆警车嘶叫着开进村里，郝山牛从家里迎出来，从容地伸出双手，戴上铐子，向含着眼泪围观的乡亲们惨然一笑，一抬脚上了警车。

随着一声刺耳的鸣叫，山牛娘晕倒在街上……

石坚看到这里，掩卷沉思。好像事件本身逼迫他进行一番思考。首先，他忘记这是一篇写实的报告文学，它几乎和上午那个老太太反映的情况一模一样，简直是那位老太太口述的记录。

四

县委纪检书记封江文晚饭后在食堂门口碰到石坚，说："石书记，县直各局分管纪检工作的书记正在开会，传达省委第三次纪检工作会议精神，同志们希望你讲讲话。"

"我没什么可讲的，倒是有一份材料请你们看一下，研究研究。走，你跟我去取。"

两个人肩并肩地从食堂向石坚的宿舍兼办公室走去。在走廊里，正碰上县委办公室主任晋金棠和文化局的肖凤章。他们显然是在等他。石坚说："都进来吧。"

"不了，你和封书记有事，俺们一会儿再来。"肖凤章说。

"不，一块谈谈。"

石坚给一块儿进来的三个人每人一支烟，面向肖凤章说："你的报告文学我拜读了，很感人。"肖凤章神情紧张地盯着石坚，说："够不上报告文学，只能算是一篇写实的报道，不知石书记有什么感觉。"

"我已经说了，很感人。不知事实全核对过了没有？"

"完全属实。前些日子，我和文副县长在碾庄所在的甸上乡抓三夏工作时，对事实进行了全面的、反复的核对。如有出入，我完全负责。"

"那么，你让文副县长看过了吗？"

"看了。文副县长还帮我改了几处不准确的地方。他还找县委周书记和分管公检法的吕副书记建议过，认为县委应当从这场恶性案件中总结经验教训，找出酿成这一事件的真正原因，尤其应当和清查工作结合起来。"

"周书记已经走了，吕茂昌同志有什么意见？"

"吕书记很……"他看了封江文一眼，"我闹不清楚，请石书记找文副县长直接谈谈。"

"那好。你的稿子发往什么报刊，是你的自由，任何人无权干涉。你还有底稿吗？"

"有，我复写了三份。"

"那么，我这里一份不给你了。"说着把已经签上意见的稿件递给江文。江文匆匆看了一遍，只见石坚签书的意见是：

杀人案件自然由公法机关审慎公断。建议纪检委组织力量认真查清酿成这一案件的主要责任者，严肃处理……

小晋和肖凤章从石坚屋里出来，回到他自己的办公室。肖凤章说："老同学，石书记为什么当着封江文同志的面和我谈稿子的事？"

“傻蛋!”小晋不屑地瞪了肖凤章一眼,“那还不清楚,石书记是让纪检书记明白,他是支持你的文章的。这是策略。”

肖凤章十分钦佩,连连点头。

送走纪检书记封江文,县委办公室主任又找来,说:“石书记,一位老大爷找你,说是你舅。”

“怎么晚上来了?”石坚皱了眉头。

“我也这么问了,人家说怕白天来见不上你。”

“让他进来吧。”

“啊,大坚,见你一面真不容易啊。”老人一见面就大大咧咧地说,“我来过三次,都被衙门口挡了驾,不得不在晚上来捂你。”

石坚把一杯茶水捧给老人,说:“舅,那不怪同志们,是我安排的。那几天会太多,不接见自家的客人。您老别见怪。”

老人又说:“你既然回到咱家门口做官,怎么连回家打个卯也没有?你妗子可对你有意见了,说你把咱们忘喽。”

“哪里的话,妗子自小就把我当亲儿子看承,怎能忘了呢?只是初来乍到,一切都不摸门,实在脱不开身,我想安定住再去看他们。还得请舅舅在妗子面前替我解释解释。”

石坚亲自给老人打了饭,刚一吃完,县委办公室主任小晋就探进头来,不安地说:“石书记,你把机关里所有工勤人员都派下去突击种麦,连给客人打饭也得自己去。你为吗不喊我?我就在小会议室看电视。”

“你去看吧,我有事再找你。”

“我刚才给招待所打电话安排了客房,什么时候把客人送过去?”

“不用,请你打电话退掉。客人只住一夜,就睡在我床上,我在沙发上凑合一宿。我们几年不见了,也好拉拉家常。你去休息吧。”小晋刚一转身,石坚又叫住他,“请你打听一下文坤同志在哪里,改日我去拜访他。”

小晋说:“文副县长是个农业、水利专家,人们都叫他‘地老鼠’,一般都不肯待在县里。我问清楚再告诉你吧。”

屋里安静下来,石坚瞅着老人的脸色,和颜悦色地问:“舅,你找我有事吗?”

“有一点,事也不大。”老人满不在乎地说,“咱们县木材厂来了好多等外材,听说县头头批个条就卖给。你二拴弟明年就要结婚,盖房、打家具都得用。你批个条……”

“木材有的是。”没等老人说完,石坚便接过话头,“我家院里有好几棵大树,你想用哪棵挑哪棵,随便。”

“那树是湿的,一时半晌不能用。”

“放几个月就可以用了。”石坚直截了当地说,“舅舅,您老应当体谅我。刚到任就批条给自家办事,影响不好,大家都在盯着我。一句话,这条我不能写!"

老人看来还比较豁达,他认真地听完了石坚的话以后,立即做出反应:"啊?是喽,是喽,共产党最注重影响了。为孩子盖窝晚几天也不吃劲。那么,第二件事,还是免了吧,说出来也叫你作难。"

"说说吧,如果既合理,又可行,能办的还得办。"

"还是不说为好。"

"说说也无妨。"

经过石坚再三询问,才弄清是怎么回事:

舅舅有三个儿子,都在家种田开石,老大和老二连小学都没毕业,也就心安理得了。老三高中毕业,虽然高考时名落孙山,老人却不忍心把他窝在山沟沟里,连个媳妇都说不上。老人不知求了多少人,送了多少礼,才拐弯抹角求到吕茂昌书记名下,答应替他说一句话,到县粮食局粮食加工厂当协议工。事情眼看有了眉目,吕书记却在三天前突然通知老人,新来的第一把手放出话来,县里干部任何人不许依仗职权随便往厂里介绍人,厂里确实需要人,可以通过正式渠道选优招考。如果有确实需要照顾的,也得集体研究。

老人急了眼,一气之下,不管不顾地说:"如果新来的第一把手同意你给咱办哩?"

"那当然就一顺百顺,什么问题也没有了。你们那里是旱庄,土地又少,也是应当适当照顾的。不过,咱们新来的书记不会轻易表态。"

"这你放心!他是我外甥,我是他舅,我去找他,让他帮你说一句话,约莫他也不至于呛我的老脸。"

"啊!真不知道你们还有这么一层关系。"吕副书记显得极其惊讶。沉思片刻,又说,"大叔,你就不必再找了,石书记初来乍到,你们又沾亲,他确实不好表态。这样吧,我记着这件事,再遇机会我保证给你办。还有什么困难,你可以随时找我。"

老人信心百倍地说:"不能再等机会了,我这就去找大坚,一定得让他帮你说句话。"

石坚用比刚才拒绝批木材的口气更加明确、更加爽快地说:"舅,这件事不但我不能办,也不同意吕茂昌同志办。据我了解,县直机关至少有二百多名待业青年没有安排工作,我一到任就让自己吃农业粮的亲戚出来工作,群众会怎么评价咱们?"

老人被外甥的挚诚感动了。虽然他初来时的一腔热情被浇了一盆冷水,心里总感到有点不是滋味,但石坚的话俱在情理之中,使他无法反驳。沉吟许久,才感叹道:"唉,看起来,当共产党的官更不容易。那么,我怎么回复好心的吕书记?"

石坚令人费解地笑笑:"这好办,明天你就去找吕书记,说他的情你领了,但孩子工作的事不用他结记了,家里离不开他。"

"嗯,只好那样回答人家了……"老人的两点希望一旦落空,好似一点牵挂也没有了,心里顿时平静下来,工夫不大便发出轻轻的鼾声。

石坚发现老人进入甜蜜的梦乡,原来想好的一些安慰老人的话只好暂存起来,他感到有一种无可名状的惆怅之感。老人怀着满腔希望,奔波三十里山路找到县里来,却一无所获,真有点于心难忍。然而,不这样处理,还有第二个折中的办法吗?没有,绝对没有!他透过窗玻璃,盯着那清冷的新月,回味、思索着到岐山这几天来遇到的大大小小的事情,辗转反侧,没一丝睡意。老人翻了个身,梦呓般地嘟念着什么。他下意识地把目光移向老人,心里说:这些亲戚原本都是通情达理的,只要把话说透,什么问题都可以解决,并非自己原来想的那么严重。想到这里,他下决心明天抽空领老人在县城转转,给妗子买点必要的礼物,然后再高高兴兴地打发舅舅上路……

转天早晨一睁眼,屋里空荡荡的,床上的被子叠得四棱四角,床单扫得干干净净,舅舅不知什么时候不辞而别了。

石坚急忙穿好衣服,擦了一把脸,连牙都没顾上刷就往外赶。走到当院,正好碰上了办公室主任小晋,拦住他说:"石书记,我昨天晚上问准了,文副县长在汲水乡渡槽工地上。我告诉他你准备去拜访他,他却一口拒绝了。"

石坚心里一惊:"为什么?"

小晋说:"他说,'不要叫石书记来了,他的时间比我的更宝贵'。他还说,'他眼下来了我也没空向他汇报工作'。"

石坚关切地问:"果真那么忙吗?"

小晋说:"是很忙。听人说,文副县长尝到了干旱给种麦工作带来的苦头,决心把原计划明年春天完成的渡槽工程提前在今冬竣工,误不了明春播种。他白天黑夜长在工地上。"

"小机灵,你的消息倒挺灵通。"一高兴,竟忘记出来找舅舅的事,又问,"你刚才找我吗?"

"你不是在找我吗?"

五

出师不利。第一天下乡就遇到茫茫大雾。吉普车在山脚下的地方公路上如蜗牛般慢慢蠕动。放眼窗外,连大山的轮廓都看不大清。石坚心急如焚,问小晋:"照这样走下去,跑三个乡,还能不能再到渡槽工地上去?"

"困难。"

"那咱们今天的任务就完不成了?"

"可能。"小晋不解地瞟石坚一眼,"石书记,一天完不成两天,你干嘛老是火急火燎的。”

石坚不想给小晋解释，只是轻轻地告诉司机：“老丁，尽量快点。”

大胖子丁师傅好像倒挺理解石坚的急切心情，说了声“是！”便瞪大两眼，加快速度。

尽管如此，赶到第一个乡卧虎寨，已近中午，该是吃饭的时间了。

车开到乡政府大院，却没碰上一个人，院里静悄悄的。丁师傅按了几声喇叭，仍不见人出来。小晋跳下车，急忙朝后院跑去。石坚朝四周的房子扫了一眼，见大都锁了门，他感到欣慰。心想，这个乡大都是旱地，种麦工作遇到困难，一定是都到下边去了。

一会儿，小晋领来一位四十来岁的大高个，向石坚介绍：“这是吴宝才乡长。”

吴宝才赶紧说：“石书记，前几天在县里开三干会时，听过你的报告，没说过话。”

石坚与吴宝才握手，问：“你们的书记呢？”

“书记？”吴宝才好像有点吃惊，心里说，县委书记怎么连我们高书记的去向都不知道？当然，他很快想起来了，高敏的升调是在石书记调来之前就定了的。便解释说，“我们的书记已决定调县里任组织部长，县委决定让他协助文坤副县长完成渡槽工程以后再到任。这会儿，他敢许在工地上。”

“呵，呵。”石坚轻轻地应着，随吴乡长来到小会议室。老吴把一碗茶水捧到他的面前，说：“石书记，乡里没人了，连大师傅都回家了，我已经安排粮站给你们准备饭，一会儿就熟了。是吃了再谈工作，还是现在先说着？”

“说着吧。先谈谈你们的种麦情况。”

吴乡长稍一愣怔，信口说道：“基本……接近完成。”

石坚笑了，说：“‘基本’‘接近’到什么程度，我希望听到具体数字。”

“数字嘛……”吴乡长有点慌神，“前天统计上来的最新数字……”急忙从上衣口袋里摸出个揉皱了的笔记本，用蘸上唾沫的大拇指不停地翻找着，“啊！在这儿，全乡种麦任务一千四百亩，已完成八百一十三亩……今年天旱，种麦任务比较艰巨。”

石坚的眉峰稍稍耸动了一下，说：“连百分之六十都不到，怎么能说‘基本’和‘接近’完成呢？乡里静悄悄的，同志们是不是都帮助各村突击去了？”

吴乡长把头扎在胸脯上，许久抬不起来。

“你为什么留在家里，秘书呢？”石坚又补了一句。

“没到各村。吕书记说，同志们突击了一阵，辛苦了，从今天起，放假三天。”

“吕茂昌同志什么时候来过？”

“没来，是昨天晚上电话通知我的。这个乡是吕书记的点，他经常在电话上指导工作。”吴乡长见石坚脸色铁青，又吞吞吐吐地说，“吕书记听了我的进度汇报，说眼下土地承包到户了，催不催一个样，不要搞得太紧张了。”

这时，粮站的大师傅来叫他们吃饭。

石坚随吴乡长来到粮站，一个小伙子从厢屋里迎出来，兴高采烈地说："表哥，你来了？"

石坚仔细一端详，是舅舅家的老三。几年不见，果然长成大小伙子了。他急忙握住小伙子的手，说："毛毛，你怎么到这里来了？"

毛毛愣住了，扑闪着一双英俊的大眼睛，费解地盯着石坚："表哥，你怎么不知道？"

"我怎么能知道！"

"是吕书记安排我到这里粮站工作的。"毛毛眉飞色舞，喜不自禁，"吕书记叫我好好干，以后还要给我转正。这里的人们都说，吕书记是看了你的面子才给我安排的。"这个山村小伙子满腔热情，充满了青春的活力。"表哥，你只管放心，我绝不给你和吕书记丢脸。"

石坚虽然心里很不是滋味，却无论如何不愿给面前这个充满希望的年轻人当头浇下一瓢冷水。等他走到小食堂门口时，才扭回头说："毛毛，得空到县里找我一次。"

"那是啊，等忙过这阵，我一定到县上看望表哥。"毛毛显然又误解了他的意思。有什么办法呢！

吃完饭，石坚又问吴乡长："既然吕书记批准放假三天，你怎么还留在乡里？"

老吴憋吭半天才不好意思地说："不瞒石书记说，小麦种到这个地步，明年夏收怎么办，心里不踏实。你来那会儿，我正自个儿在屋里发愁呢。"

石坚笑了，说："你的这种想法，和吕茂昌同志说过没有。"

"我没……没说。"

"好了。"石坚语气坚定地说，"今天下午，你把所有休假的人都请回来，明天清早全部下到各村，帮助农民突击种麦。两天以后直接在电话上向我汇报。"

吴乡长立即有了主心骨，信心百倍地说："是，一定完成任务。"

"今天就是寒露，节气不容人。"石坚定定地瞅着他，似乎要从他的外表看透他内心里对一定完成任务到底有多少把握，"你应当知道，寒露以后的晚麦是要减产的。"

"我知道。"

"那好。"石坚到底笑了，握住吴乡长的手，用力掂了两下，"我听你的好消息。"

吉普车来到灵山脚下，便无法再往前开了，先是几条大大小小的沟谷横在面前，沟那边才是一条弯弯曲曲的山路。远远望去，已经可以看到迷雾中的渡槽工地。

石坚很吃惊，问道："这样的路，怎么往工地运材料？"

小晋说："县交通局吵吵了好几年说要修这一条路，可一直没修成。运东西只好绕道从东边走。咱们也绕到东边吧,可以直接开到工地上。”

“得绕多远?”

“大概有二十多里吧。”

“不,咱们步行上去。”石坚说完,大步向沟岸奔去,小晋不得不一溜小跑紧跟在后边。

工地上静悄悄的,连个人影都看不见,只有那一排溜小而简陋的工棚静静地躺在山脚下。石坚怀着狐疑直接向东头那间挂有“工地指挥部”牌子的房子走去,连门也不敲就冲了进去。

小屋很暗。一个矮小而清瘦的壮年正背对门口低着头聚精会神地看一张图纸,听见身后的脚步声,连头也不回。

“文副县长。”小晋不得不打破僵局,介绍说,“石书记看你来了。”

文坤急忙转回身,怔怔地看着石坚,一时不知该说什么好。石坚端详着文坤那憔悴而消瘦的面孔和那双忧郁的大眼睛,向前跨了一大步,紧紧握住文坤的手,主动说话了:“文坤同志,你辛苦了。”

“不!不!”文坤有点拘谨。

“我虽然知道你很忙,还是没打个招呼就来了个突然‘袭击’,请你原谅。”

“哪里话。恰恰相反,这两天,我却真正闲在了。”

“为什么?听说你们正在加快速度突击施工,想在上冻前完成任务。怎么连一个人都看不见?”

这位民主副县长惨然一笑,迟疑半天才说:“一言难尽。我这个工地总指挥严重渎职,应当撤职查办。”

“不是严重渎职,而是指挥不灵,也可以说是有职无权!”不知什么时候,肖凤章抱着一捆材料闯了进来,不管不顾地接上了文坤的话茬。或许是由于义愤,他一改过去见了当官的就拘谨、畏缩、不安的旧习,大大咧咧地说,“石书记,你真是及时雨,正在节骨眼上赶到了。”

石坚握住肖凤章的手,说:“你这个秘密记者,又跑到这里来搜集材料了。”

“叫你说对了。”肖凤章很豁达地说,“作为县委书记,你应当表扬我不是那种不顾党的威信,只图讨好领导而只报喜不报忧的无聊之辈。”

“好,有胆识,有见地,我完全同意你的见解。咱们还是言归正传,快说说工地上到底出了什么事。”石坚用鼓励的目光盯着文坤。

文副县长仍然迟疑,不时向肖凤章投以求救的目光。

肖凤章立即领会了文坤的难处,毫不犹疑地说:“既然文副县长‘一言难尽’,我就不畏风险,作为第三者向石书记汇报一下。不过,我首先申明,尽管我还是坚持既报喜又报忧,但绝对实事求是,绝对公允。”肖凤章满脸通红,真是一种仗义执言、替人受过的英雄气概。

说来也很简单，文坤为了加快工程进度，经过调查研究，征求了下边的意见，提出了个分段包干的办法，有奖有罚，谁先完成任务就可提前收摊。

副总指挥高敏极力反对，说："这不但会影响工程质量，也是对民工们的一种变相体罚。"二人各执己见，争执不下。指挥部一般同志都认为文副县长的办法可以提前完成任务，希望副总指挥支持文副县长的意见。高敏一气之下跑回县里，一下住了三天，昨天带回吕书记的口头指示："渡槽工程是下游二十三个受益乡共同负责的工程，不经这些乡党委的同意，不要急于搞承包，而且还应注意民工的劳逸结合，不宜过度紧张。"根据吕书记的指示精神，不但分段承包的意见被否决，高敏还擅自宣布回家换季，放假三天，今天是第二天……

这时，隔壁屋里的电话响了，乘文坤去接电话的当儿，肖凤章很激动地说："石书记，恕我直言。我认为醉翁之意不在酒，吕书记和高敏嫌老文给我腾出时间调查了碾庄杀人事件的真相写成文字发出去，已经怀恨在心，不但在工作上卡老文，还进行人身攻击。至少有七个乡的带队的同志向我反映，高敏亲自跟他们讲，'姓文的连党员都不是，五七年也不是一点错误没有，甭听他指手画脚'。想想，老文一九五五年林学院毕业自动到咱县刚刚二十二岁，在深山林场跑跶了两年就被打成右派遣送回家，到底有多少错误。眼下都快五十的人了，为改变咱山区面貌，一年四季长在山里，扑下身子苦干。咱们这样对待人家，撇开党性和党的原则不说，作为一个普通人，于心何忍！"肖凤章是个容易动感情的人，说着说着激动起来，眼眶里滚动着晶莹的泪花，"别看他照样扑下身子工作，心里其实很痛苦。前天夜里，我亲眼见他向县委写报告，请求调回山西老家。写了两次，自己又撕掉了。我认为，吕茂昌的做法不只是对准文副县长一个人，是在破坏党的统战政策……"

文坤进来了，满头大汗，一脸阴云，忧心忡忡地说："老肖，拉水泥的汽车又出问题了。"

"怎么啦？"

"水利局的司机来电话说，高副总指挥把车扣住，说明天要给县里几位老同志拉煤，水泥以后再说。明天水泥拉不来，后天就要有大几百人停工待料。这时间可实在误不起啊。"

好像眼下这已经是文副县长心目中最重要、最急切的问题了。他在屋里转了几遭，猛地转向石坚，说："石书记，我搭你的车回县一趟，无论如何得想法借个车，明天一定得保证四十吨水泥。"

"你不用回去了，拉水泥的问题，我回去解决。"在这短短几分钟的时间里，一个补救的办法已经形成了，石坚平静地说，"文坤同志，县委一定支持你的工作，我决定把晋金棠同志留下，做副总指挥，当你的助手。他的行李和任命书马上就派人送来。"

文坤上前握住石坚的双手，激动地说："石书记，太好了，我实在太感激你了。"

石坚说:“不!你应当向我提出严肃的批评,我来得太晚了。今天时间不允许了,我要另找时间和你畅谈。”

“不必了,不必了。”几分钟以前压在这位副县长心里的焦虑、惆怅、痛苦和困惑,好像已经烟消云散、一扫而光了。他心里非常愉快,好像一切都十分正常,都合乎情理。“石书记,请放心吧,我工作上没什么困难,你关照别的大事吧。”

肖凤章看着文坤那副不能自已的神态,既可怜他又有点恨他。心里说:“书呆子,经不了一个枣核甜!”

六

马拉松式的县委常委会从晚七点半一直开到午夜零点。石坚走出烟雾弥漫、令人窒息的小会议室,如释重负般地舒了一口气。仰望星空,感慨万端。

来到宿舍门口,发现屋里还亮着灯,他暗自怪怨自己粗心,可能是早晨离开时忘记关灯了。推门进屋,才发现小晋正孤独地坐在屋里。一见他进来,便忙站起来揉着布满血丝的双眼,说:“石书记,我从七点半等你到现在。”

老石不安地问:“怎么,工地出事了?”

小晋说:“拉水泥的车只送了两趟就不再去了。工地上已经停工待料。文副县长让我回来催催,顺便把行李取走。”

“原因在哪里?办妥了吗?”

“办妥就不再找你了。”小晋苦笑一下,“我找到水利局的司机,人家说高副总指挥关照了,运送水泥的任务暂且停下,等他回到工地再具体安排。再怎么说,人家说也得听老高的。我怀疑,可能有人在背后说了话。”

“谁?”“吕副书记。因为他对我突然到工地任副总指挥很那个……”

“不要想那么多,都是为了工作。你找到高敏了吗?”

“找了,机关没有,又找到家里,家里说他昨天清早就到碾庄了。”

“啊!碾庄……”石坚沉吟片刻,说,“小晋,你赶快回宿舍休息,我亲自给碾庄挂电话,让高敏明天清晨赶回来见我。”

小晋站起来,往石坚背后的墙上一指,说:“石书记,你看那字,多带劲。”

石坚扭头一看,见雪白的墙壁上挂了条一米长的条幅,“激流勇进”,四个苍劲浑厚而又放荡不羁的大字映入眼帘。在石坚看来,这四个字不只是与他日前的实际处境极不相称,甚至有点讽刺意味。他浓眉微皱,轻声问道:“这是谁送来的?又是谁挂上的?”

“他说是你的老战友,随省里几个参加学术讨论会的同志来咱县参观白水泥厂顺便送来的。你那位老同志真逗,在屋里四下扫了一眼,把鞋一脱,跳上床去就挂在墙上了。临走时还摇头晃脑地看看正不正。”

“小晋,你说,这四个字是什么意思?”

小晋两只大眼一扑闪,说:“那还不明白,说你富于开创精神,工作雷厉风行呗。”

“乱弹琴。”老石苦笑。

小晋不解地睁大眼睛:“怎么? 你不喜欢它? 我替你摘下来吧。”

“算了吧,今天太晚了。”石坚摇摇头,心里说:挂着吧,讽刺实际上也是一种鞭策。再说,老战友说到底也是为了给我鼓劲,只是不清楚这里的实际情况罢了。

小晋走后,石坚盯着那四个大字,又想起开了整整半宿的常委会。他想,如果真如老战友意料的那样,自己能驾驭一切、激流勇进的话,常委会岂能开成那个样子!

石坚到任之前,地委纪检书记曾亲手交给他几份揭发岐山县几个中层干部弄虚作假搞家属和子女农转非的材料,叮嘱他尽早处理。他到任后的第一次县委常委会上,就把材料拿出来请大家传阅,发表意见,并当场拍板,责成县纪检委负责调查。不到一个月,问题查清了,与揭发材料完全相符。为这些非法农转非签字督办的是分管公检法工作的县委副书记吕茂昌同志。在刚才的常委会上,老吕拿着最后查证落实的材料和原来的揭发信,反复观看、分析,又经过很长时间的凝神沉思,才不冷不热、轻描淡写地检讨道:“事情虽然是下边经办的,可字是我签的。我作为分管此项工作的副书记,负有一定的领导责任。我的最大的失误是深入群众不够,被假情况糊弄了。这是个沉痛的教训,以后好好吸取就是了。”说着,把材料轻轻推到纪检书记封江文面前。

经过很长时间的沉默,宣传部长胡山猛地把手里的烟头拧灭,像下了决心似的说:“茂昌同志初步认识到自己负有领导责任,是值得欢迎的。但是,但是……”他抬起头,真诚地盯着吕茂昌,“如果只是认为深入群众不够被假情况糊弄了,怕也不是实事求是的态度。”

吕茂昌不屑地瞟了胡山一眼,冷冷地说:“何以见得?”

胡山仍然和颜悦色地说:“于凤岐同志三年前是你提议从‘五四三’办公室调到甸头乡当书记的,给他的妻子和孩子办农转非时,他到任才一年零三个月,而上报材料却说他担任乡党委书记已经超过三年。这一点,你是清楚的。”

“啊! 这一点,我确实疏忽了。”

“还有,石坚同志带来的材料,据我所知,半年前就递到前任书记周良同志手里。周良同志是交给你查办的,一直没有动静。很明显,反映问题的人认为县委解决不了问题才又向上反映的。”

“啊! 对对对,我想起来了!”吕茂昌好像恍然大悟,“后来我与周书记交换了意见,统一了认识。我们认为,这几个同志是我们县的骨干,风里来雨里去,苦把苦掖地干了十几年、二十来年,为他们解决后顾之忧,也是情理之中的事情,即使有点小小不言的作假,从关心和爱护干部的角度考虑,县委也应当承担责任。我不但同意周书记的意见,也很佩服他的胆识。"

周良同志调任地委农工部长以后,已经在三个月前患脑充血病故,吕茂昌随机应变,妄图把这件棘手的事情变成无头案。"狡猾的家伙!"石坚感到吃惊。然而,他相信大多数常委的党性、良心和分辨是非的能力。他说:"作假、违纪已经查清,眼前的问题是要研究如何处理。请大家充分发表意见。"

令石坚吃惊的是,竟没有一个人肯仗义执言,更谈不上慷慨陈词。有的只是用不安的眼神互相观望,有的只是闷头大口大口地抽烟,小会议室一片混浊。吕茂昌大腿压在二腿上,悠闲地吐着烟圈。胡山猛地站起来,打开窗子,站在窗前,呆呆地望着无边的夜色。

不知过了多久,吕茂昌又说话了:"我看,既然前任书记已经表了态,咱们还是维持原来的结论,给地委写个报告,给反映问题的人做做工作,下不为例。"

石坚已经不能再沉默了。他甚至担心,如果有几个人随声附和,同意了吕茂昌的提议,以少数服从多数的原则加以通过,工作量就更大了。于是,他不等任何人发言就站了起来,说:"我认为,我们应当用党的政策来检验这起违纪事件的性质和它在群众中造成的影响,不能用前任书记的一句话、一个表态来推卸我们应负的责任。再说,周良同志没留下一点文字依据,对群众反映的问题并没有进行调查核实,怎么能称得上结论呢?"

这几句话显然起了点作用,胡山首先表态:"我同意石坚同志的意见,应当毫不含糊地注销户口,对当事人给予必要的处分。"

年已五旬的县委农工部长单琦,一向以稳重老练著称。石坚发现,自会议开始以来,他虽然一句话没说,但眉峰紧皱,嘴角痛苦地抽动着,看来一定有什么心事,他决心抽时间找他谈谈心。不想胡山话音一落,他就不失时机地插话说:"即使县委过去形成的决议,发现错了还可以纠正,何况只是一两个人的随便议论,如果这样的问题都不能严肃处理,岐山县的端正党风工作将从何谈起呢?"

"说得好!不要忘记,违纪的三个同志都是我们的中层干部。"

然而,到此为止,其余六个人(包括吕副书记)再没人发言,如果表决,不知有几个人弃权,谁胜谁负,还很难预料。石坚决心已定,绝不让这种局面维持下去,他冒着有可能被人指控为"武断专横"的危险,慷慨陈词,力排众议。经过近两个小时的较量,终于取得了一致:那三名违纪干部除注销家属户口外,一个撤职,两个受党内警告处分,同时要通报全县。至于对签字督办的吕副书记,石坚有意留出一条缝隙,好让他自思、自省。这件事一旦论定,他就急忙转换话题,讨论干部问题。

第一个议题,是石坚提出的:渡槽工程副总指挥高敏调回原单位,由县委办公室主任晋金棠代替。高敏在工地上所犯错误,由吕副书记找他谈一次话,责令其检讨,视态度好坏再研究处理意见。

吕茂昌万万没有想到,石坚在处理与他有关的违纪问题时,那么轻易地放过了他,这既使他余悸未消,又疑虑重重。所以,开始研究干部问题,他的心思还没转过弯来,及至石坚点到他的名字时,他才猛地清醒过来,不知所措地问道:“石书记,你是说……”

石坚知道他根本没听明白他刚才的话,只好又重复一遍。这回,他听明白了,把石坚的话在脑子里迅速过滤了一遍,才想好如何回答。他认为,小晋虽然不是他线上的人,但兼任渡槽工程副总指挥,不是提拔,除了劳烦一点,根本没有什么实际利益,实际上也起到了“清君侧”的作用。再说,去掉姓石的一条臂膀,只能增加他的工作量,或者说减少他一个耳目,何乐而不为? 他自然顺水推舟,当即表示同意。不过,他也绝不放弃一个对新任书记表示关怀的机会。他说:“石书记刚来不久,情况还不太熟悉,小晋同志不但工作态度好,笔杆子也硬。把这样一个同志打发走,势必增加书记的工作量,我看……”

石坚一笑,说:“不要紧,办公室还有别的同志。”吕茂昌很满意,他想,新书记总算领情了。

对于免掉高敏工地副总指挥的问题,他虽然十分窝火,在这个时候,他却不好公开表示反对。他怀疑是文副县长打了小报告,除了暗自埋怨高敏不注意方式方法以外,只是移恨于那位非党副县长。至于与高敏谈话的问题,他不想接受石坚的指令,他不想让新书记对他指手画脚。再说,怎么谈呢? 高敏在工地上的所作所为,他是知道的,或者说大多是他支持的。还有,高敏可不是省油的灯,他思路敏捷,能说善辩,让新书记在小高面前碰个软钉子,也许能挫挫他的锐气、傲气。

“石书记,高敏这个人说干也能干,说捣蛋也能捣蛋,平时我没少批评他,可我在他眼里已经成为老教条,我的话他几乎听不下去了。”吕茂昌那么谦恭地笑着,“我看,你亲自和他谈一次吧,也好灭灭他的傲气。”

吕茂昌又没想到,石坚竟如此畅快地答应下来:“可以,我和他谈一次。”

第二个议题,是宣传部长胡山提议提拔肖凤章接任刚免职的县广播局局长的问题。这一个建议,好像捅了吕副书记的肺管子。当胡山介绍完肖凤章的政治历史情况和现实表现时,吕茂昌便迫不及待、不管不顾地加以反对:“使不得使不得,这个人根本不适宜做领导工作。”他扔掉手里的烟卷,扳着指头屡数肖凤章不可重用的理由,“第一,他不拘小节,嘴没把门的,随便乱说,从来不注意影响;第二,太好挑毛病,稍一不碰心思,就横挑鼻子竖挑眼,贬起人来尖酸刻薄,最影响团结;第三,恕我直言——我认为,他不能算个笔杆子,只能算个好舞文弄墨的旧式文人,他写出的东西,十有八九是给县委捅娄子的……”

“是的,前些日子他写的那篇《困兽犹斗》还没寄出去就因怕‘捅娄子’被枪毙了。”胡山忍无可忍,只好反唇相讥。他认为,吕书记的发言不是在评论干部,倒像是批判会上的发言。他接着说，“捅了什么娄子，应当具体分析，如果只许报喜，不让报忧，那党内的正常批评也就不复存在了。还有，什么是旧式文人？什么是舞文弄墨？什么是爱挑毛病？他提批评意见到底伤了哪些人？我们看一个人应当看他的主流……”

“好了，好了！”吕茂昌知道自己刚才的话有些过分，不敢和胡山正面交锋，只好打哈哈，“常言说，‘武装干部的腿，宣传干部的嘴’，老胡，你是宣传部长，我哪能说过你？其实，我与肖凤章同志毫无个人恩怨，完全是从工作考虑。”说着，脑袋往沙发上一靠，无限感慨地长叹一声：“不要忘记，什么是不团结的因素哟！”

石坚静观事态的发展。然而，吕、胡二人的意见针锋相对到如此地步，竟没有第三个人发言。他看了一眼耷拉着脑袋的谷平，只好点名了：“老谷，你是组织部长，对肖凤章这个同志，你是怎么看的？”

谷平尴尬地笑笑，又转向农工部长，说：“我和肖凤章同志接触不多，老单，你们一块儿下过乡，还是你先说说吧。”

其时，单琦正在思索。去年春天，肖凤章曾在省报上批评县农业局挪用植棉专用款的做法，他这个农工部长也作了检查，使他一度很不舒服。他想，为什么不先跟我谈谈？然而，平心而论，那个批评还是实事求是的，正确的。对这个人，他感到很矛盾。不想，他正要发言，石坚又说话了：“老谷，我问的是你，你却又拉老单。我很想听听组织部长的意见。”

谷平被逼上梁山，无法再推辞了，只好说：“我个人认为，肖凤章是个好同志，能胜任广播局的工作。不过，既然吕书记提出了一些问题，我看今天先别定了，我们再考察一下，下次再议吧。”

好，不偏不倚！几个没发言的常委一致同意。

这是个打破相持局面的最好的办法，也是个使问题无限期地拖下去的最好的托词。

七

清晨，一抹阳光爬上窗棂，石坚伸伸腰，做了个深呼吸，从椅子上站起来，迎着阳光来到窗前。他轻轻地推开窗扇，遥望沐浴在阳光下的如波浪似的连绵的群山，心里说：今天要去的双界岭到底在哪里？听说山路崎岖，行走艰难，应当早点启程，而且，必须带上行李，如果必要，就在那里过夜。想到这里，他又急忙回到座位上，继续处理案头的各种请示报告和省、地的文件。他有个习惯，不论多忙，凡到他手里的文件，绝不能超过三天。因为今天要下去，他四点多就起床，想在早饭前把所有应看的东西都看完，一件件做出批示，责成有关人员办理。

早饭铃响了，他正好处理完毕，分门别类地归入卷宗，匆匆奔向食堂。

一回到办公室，吕茂昌就兴冲冲地进来了，说："老石，那起轰动一时的恶性案件总算结案了。这是县法院的判决书。"说着递给石坚，石坚瞥了一眼，随手扔在桌子上，说："怎么，一个十七岁的孩子判了无期？"

"是啊，这完全合乎法律依据。正因为他不到成人，才判无期。如果再大一岁，必然是死刑。"

"郝山牛服罪？"

"他认为量刑过重，上诉中级法院，昨天下午被驳回申诉，维持原判。总算了却了一件麻烦事。这样一来，随着时间的流逝，人们就会平息下来。"

石坚语气沉重地说："表面上平息下来，实际上却留下了永远填不平的鸿沟，使几代人心灵深处留下宿怨。"

吕副书记冷冷地说："法律只能管当代凶犯，却管不了几代人的事。"

"可我们共产党人却要为以后的几代人着想啊。"

吕茂昌有点语塞，迟疑一会儿才说："那，我们只好认真接受教训，防患于未然。"

"怎样才能接受教训？"石坚又追问一句。

"不徇私情，绳之以法，实际上就是接受教训。对吧？"

石坚说："那只是一个方面。"

吕茂昌不解地问："那么另一方面是什么？"

"惩罚凶犯，理所当然。但是，还必须查清酿成这一恶性事件的主要原因，特别是要查出主要责任者，加以严肃处理，这样才能真正地接受教训。"

一丝阴影掠过吕副书记的面孔，他甚至有点沉不住气了，狠狠抽了一口烟，说："不管怎么说，事情已经由法律机关严肃处理，我认为，今后应当多做团结工作，不宜再揭伤疤。"

石坚一步不让地说："如果不把酿成这件事的主要责任者查出来给予适当的处理，团结工作就无从做起。"

这几句话，一下说到吕副书记的痛处，他有点不能自已地说："老石，你是不是指碾庄的支部书记老汪？他虽然有点袒护他的侄子汪辰河，但他毕竟没有行凶伤人，我们还怎么查人家？"

"我不管老王还是老张，谁在背后鼓动就要查谁。"

"我不同意这种做法，实际上也没这个必要。"

"很有必要，非查不可！"石坚眼盯着吕茂昌，一板一眼地说，"已经责成纪委去查了，回头到常委会上再发表你的意见吧。如不同意，可以保留。"

石坚说完，大步流星地向停在大院的吉普车走去。刚走到院当中，从收发室门前闯进一个人来，离老远就朝石坚喊："他姨父，他姨父。"

石坚一看，是他妻子的姐夫，他自然要随着妻子的称呼说："姐夫，你来了，有事？"

"有事，有事，还是急事呢！"他的一担挑说着奔到跟前，"我家的草驴丢了。"

"草驴……"

"对对对，还怀着驴驹呢。"

"草驴丢了找我干啥？"说着就走开。

"是这样，他姨父，是这……"石坚的姐夫尾随在他的身后，想把事情说得更清楚一些，"已经有了线索……"

石坚似乎根本没听进去，也不想听，没等人家说完就截了回去："这样的事别找我，找我没用。回去找村里，村里解决不了再找乡里。"说着就要上车。

来者在这样一位县太爷面前，显得异常拘谨，赔着笑脸说："好，那……那我就回去啦。"

石坚似乎也觉得有点冷落了姐夫，从车窗里伸出脑袋，嘴角挂上一丝微笑，说："姐夫，我要到远处去，今天可能回不来，不能陪你了。"说完，汽车飞也似的冲出县委大门。

石坚要去的，是距县城三百华里的山区边缘乡双界岭。

第一次就到双界岭，不只是因为那里是最边缘的深山区，还是因为他依稀记得，省里一位老领导曾向他说过，双界岭的人民在抗日战争时期为我们出过大力，解放以后，再没人去过，群众说共产党进城以后把他们忘了。如果说那里的人民还处在食不果腹之中，也不过分。石坚一直想尽快到那里看个究竟。所以说，此行他是怀着急切和内疚的心情动身的。

当吉普车由平坦的水泥路驶入坎坷不平的山间公路时，石坚的姐夫也垂头丧气地回到村里，一路上，他反复思忖：怪不得人都说如今当官的难见面，难说话，看来不假，亲戚尚且如此，何况不沾亲不带故的平头百姓。

一进门，妻子见他蔫不唧的样儿，情知任务没完成，便斥骂他说："笨蛋，白跑了？"

"没有白跑，他让我先找村里……"

"别说了！我亲自去。"

男人赶紧劝阻她："别别别，他姨父不在城里，到远处去了。"

"不用找他我也能把事办成！"说着，几步跨到院里，抓住丈夫放在房檐下的自行车，长腿一骗上了车子，猛蹬几下，飞也似的奔出村去。

一进县公安局，风风火火地要找公安局长，局长不知来头，试着问："你是……"

"我是石坚的大姨子，是他让我来找你的，不信就打个电话问问，我叫……"

"不用，不用！"局长不免一怔，"有什么事？请讲。"

"我家怀着小驹的草驴被人偷了，不经公怕他死不认账，这才来麻烦你们。"

公安局长忠于职守，当即派几个人陪她前往。

很快，案子侦破，驴归原主。

虽然是一个小案子，县局不得不作为这一年度的成绩，向县委副书记做了汇报。副书记吕茂昌诡秘地笑笑，一言不发。

山路越来越窄，路面越来越不平，速度不得不慢下来。晌午过后，笼罩在烟雾中的双界岭慢慢显现出朦胧的轮廓。双界岭乡十八个自然村漫散在双界岭的山脚下和两面坡中，唯有岗坡村在山顶上。这个地处一千一百米高顶上的岗坡村，是抗日战争时期的老根据地。在一九四二年“反扫荡”的艰难岁月里，这个只有八十户人家的小村，就有三十六个优秀青年扔下镐头，扛起枪杆，投入抗日战争，有二十四人牺牲在抗日前线。这一年冬季“反扫荡”时，岗坡村的乡亲们协助分区独立团和县大队在这里打了一个漂亮的歼灭战，事后来报复的鬼子杀死四十多人，把房子全部烧掉。岗坡村的人民并没有被吓倒，又输送二十多名青年上了前线。

随着速度的减慢，司机终于把车停下，说：“石书记，晌午过了，咱们是不是到附近村子派饭吃？”

石坚仍在直勾勾地盯着渐渐清晰了的岗坡村，说：“不太远，再坚持一下，争取赶到岗坡村吃饭。”此刻，他想起了人们的议论：即使到了双界岭下，谁也不肯上岗坡去。“非一鼓作气上去不可！”他在心里说。

汽车又慢慢启动了。快到山脚下时，见一位白发苍苍的老太太坐在路边悲痛地哭泣，一位年轻姑娘正抱着她的胳膊，连拉带劝。

“停车。”石坚下车，和颜悦色地问，“大娘，你们是哪村的？出了什么事？”

老太太仍然泣不成声，那姑娘却说：“俺们是岗坡的。老太太思念她的儿子，自个儿下了山要到县上寻找，我是赶来劝她回去的，因为她儿子已经不在县城，就是她沿路讨要，也找不到。”

“她儿子是干什么的？”

姑娘欲言又止，似乎难以启口。

司机老丁插嘴道：“这是咱们县的县委书记，你们有什么难处就说。”

一听是县委书记，老太太立即停住哭泣，怔怔地盯着石坚。姑娘先是睁大那双秀气的大眼，无限信赖地看着石坚，很快便禁不住热泪盈眶：“书记同志，你们这是……”

“是专程来看你们的。”

姑娘抹了一把眼泪，毫无顾忌地说：“他的独生儿子去年被判刑，刑期是五年，已经从县城转移到二监狱。她无论如何也走不到那里，所以我要劝她回去。”

石坚问：“姑娘，说了半天，你是她的什么人？”

“我……”姑娘面颊飞红，没有回答。

石坚已猜出个八九不离十，便不再盘问，转向老太太，说："姑娘说得对，今天不要去了，想去，改天坐我的车，到县城再买票。走吧，咱们同路，坐我的车回去。"说着就去扶她。

姑娘赶紧推辞："不不不，走不了三里地就该爬山了。"

"别说三里，就是一里也得请你们上车。爬山时咱们一块儿扶老大娘走。"石坚不由分说就把她们拉上汽车。

果然，刚走出三里路就到了高高的双界岭下，一条羊肠小道，弯弯曲曲地伸向半空，令人望而生畏。车，一步也不能走了。

石坚毫不犹豫，说："把车锁住停在山下，咱们扶老大娘上山。"

老丁下了车，用探询的目光看着石坚。

"放心吧。"县委书记信心十足地说，"这里是老区，完全可以相信群众的觉悟。"

开始爬山了，令石坚吃惊的是，老太太不但不要他们搀扶，一开始就远远地走在他们前边，她和那位年轻姑娘还不得不停住等他们。石坚自嘲地说："老丁，你看，两个女人把两个男人远远落在后边，我的脸真有点挂不住。你呢？"

"我也是。难怪历任书记都没敢到这里来。"

"不能这么说。"石坚笑着说，"不能说人家不敢来，只能说我们敢来。加油吧。"

加油！经过三个多小时的艰难跋涉，太阳偏西才爬到山顶，石坚舒了一口气，擦了一把汗，才敢回头观望。啊！半山坡上，从上到下，完全是蛛网似的沟谷。沟谷下边，是一片片白色的新石，梯田不复存在，没被刮走的树木根须裸露，东倒西歪，狼藉不堪。石坚当然明白，这就是去年那场泥石流留下的痕迹。"惨不忍睹啊！"石坚的心在一阵阵下沉。

"石书记，先到我家弄点饭，凑合吃一点。"这时石坚才发现，老太太和姑娘已经悄悄地站在他背后。

"不啦，我们还是先去找支部书记，回头再去看你们。啊，对啦，现在的支部书记是哪一位？"

"还是柴贵。"姑娘说。

"还是柴贵？"石坚吃了一惊，"他该七十出头了吧？"

"都快八十啦。石书记，你认识他？"

"不，我是在一个材料上看到的。"

"好！我去告诉他一声。"姑娘飞也似的朝村里跑去。

八

去年初秋，双界岭遭到一场由连绵大雨酿成的泥石流。首当其冲的是岗坡村，赖以生存的梯田和刚刚成林结果的果园，一扫而光。水果和秋粮一点没收。照说，他们可以伸手要补助；可以离乡背井，请求政府帮助迁移；顶不济可以撤下山，各奔西东，或做生意，或投亲靠友，寻条活路。然而，这里的人们既不会做生意，又不肯抛离故土，只好在村里苦熬。

去年冬天，有百分之八十五的人家断了炊烟。支部书记柴贵站在村头，望着狼藉不堪的梯田和果林，望着朦胧的群山，长吁短叹，心焦如焚，潸然泪下，他没有回天之力，只感到对不起全村的父老兄弟。回到村里，他把全村九名党员召集在一起，研究解救办法。

有的党员说："很简单，写报告，请求救济。"

"对着哩。"有人附和，"想当年，咱岗坡为革命出过大力。战争结束上级就把咱忘了。咱们找上门去讨要。"

"可不敢胡说。"柴六指是 1931 年和柴贵一块儿入党的党员，他截住刚才发言的那两个人，"那时候，咱们党的方针是农村包围城市，现在工作重心转到了城市，自然就顾不上来了，怎说把咱们忘了呢？"

那两个人不服，问他："六指大伯，叫你说，眼下的难关怎么过呢？"

"这就靠咱们共产党员了。"六指毫不犹豫地说，"咱们每人先拿出点粮食来，匀给断顿的人。"

柴贵当即表示支持："这办法好。"

又有人提出："这能坚持几天？"

"'克俭'一天说一天呗！"

这个办法确实不能维持多久。

在走投无路的情况下，有几个原本很好的青年，铤而走险，向犯罪的道路一步步靠近。他们先是小偷小摸，恪守"兔子不吃窝边草"的信条，到邻近的山西省偷庄稼，刨山药。地净场光以后，就到山下路边截车。拉货的汽车靠近以后，一个人往路中间一躺，几个小伙子爬上车去，有粮往下扔粮，有煤扔煤。凡偷回村的东西，绝不独吞，总要和那些困难户一样，该分多少分多少。

到年底，终于惊动了公安部门……

柴贵两手捧着石坚的手，热泪盈眶，泣不成声："回来了，终于回来了。是咱们八路军共产党回来了？"

石坚眼圈湿润了："是的，柴贵同志，我是代表党来看望你们的。"

"唉！真担架不起。老婆子，快闹饭，快闹饭！"

老太太站在一边，惶恐地瞅着他。

"还愣着干什么，有啥做啥。这是当年的八路军游击队，不会嫌弃的，你忘啦？1941 年聂司令和咱们一块吃菜粥。"

工夫不大，饭端上来了。一小盆蒸土豆，一小锅莴苣叶玉米面粥。极不协调的是石桌上放了四个雪白的煮鸡蛋。

柴贵见石坚和老丁狼吞虎咽地啃土豆，喝菜粥，谁也不肯摸那四个鸡蛋，把脸扭向一边，又偷偷流出了眼泪，哽咽地说："石书记，我们过得太穷了。我对不起党，对不起乡亲父老，对不起那五个坐监牢的年轻人啊！我算什么共产党员，我这支部书记是怎么当的？呜呜呜……"他终于失声恸哭起来。

男儿有泪不轻弹。石坚忍不住也流出了眼泪，他说："柴贵同志，这不能怪你，应当怪县委，特别应当怪我。"

柴贵被县委书记的挚诚感动了，忙说："你看我，本来是不爱流泪的，一见亲人就忍不住了，没出息。"说完，竟用力笑了。

刚刚平静下来，那位陪老太太下山的姑娘从门洞里探出头来向他们张望，被老支书一眼看见了："桂枝，瞧什么，进来吧。"

一旦被发现，桂枝就展展样样地来到他们跟前，顺手拉过一个小蒲团坐下，说："石书记，今晚该到俺家吃饭了吧？"

没等石坚回话，柴贵又说："石书记，桂枝的未婚夫李柱子也被判了五年。我刚才说了，这五个人都是好小伙子，都谈好了对象。可除了桂枝以外，都另找了婆家……"

"柴贵大伯，你别说这个了。"

"我还没说完呢。桂枝不光不退婚，还到婆家伺候因为思念儿子愁病了的婆母。"

石坚弄明了姑娘和那老太太的关系，顺口赞道："真是个好姑娘。桂枝同志，你是不是认为李柱子他们太冤？"

桂枝正色道："不！我认为他们罪有应得。我所以等他，是因为我相信他能改好。还有，他爸是抗美援朝牺牲的，我不能眼瞅着贫病无援的老太太不管。"这位聪敏过人、口齿伶俐的姑娘往石坚跟前挪了挪，说："我来找你，是想求你一件事，不知该不该说。"

"有什么事，请说。"石坚用鼓励的目光瞅着她。

"俺们岗坡人心眼死，保守，饿死也不肯离开这座穷山。可这样苦熬下去也不是长法。书记能不能给俺们盘算点生产门路？"

石坚极为欣赏这个姑娘的想法，而且相信她早有了某些设想，便鼓励她说："啊呀，咱俩想到一处了，你还有什么更具体的设想，请讲。"

桂枝也不推辞，说东山坡下有许多蛭石，听说那玩意儿外国都需要。她们想借款盖几间房子，买点必要的机器，组织人开采蛭石，请县上给找找销路。

石坚满口答应，并随手记在小本上，桂枝高高兴兴地走了。

石坚又问柴贵，和他一块儿入党的老党员还有几个。柴贵说："只剩下柴六指了,那可是个硬汉子,有骨气的党员。只是被苦日子磨得锐气大减,净生闷气。"

"咱们去看看他。"

两个人一进六指家的门,见他儿子正在院里忙活,两个人谁也没注意他在忙活什么。柴贵问他:"正样,你爹哩?"

正样只顾忙活,并不抬头,说:"被我气得闷在屋里不出来了。"

"去把你爹叫出来,咱们县委石书记来看他了。"

一听县委书记,柴正样猛地抬起头,惊恐地看着石坚,稍停片刻,又"咕咚"一下跪在他面前,说:"石书记,柴贵叔,我干这个可和我爹没关系,他想管我,我不听他的。真的,石书记,你们可不能拿我爹问罪啊!"

他们这才看清,正样正在做香。小伙子已把模子摆好,正在搅拌香泥,累得满头大汗。柴六指听见说话,已经从屋里走出来,听柴贵介绍以后,一下扑向石坚,抓住他的双手,满脸羞惭地说:"石书记,你看看,共产党员家里制作迷信品,你做梦也想不到吧?可这是事实。"六指激动起来,"石书记,我还算什么共产党员,连群众都不如!我请求处分,开除我也心服口服。"

石坚也动情了,眼里闪着晶莹的泪花,一时不知该说什么好。许久才说了一句话:"六指同志,你们吃苦了。"

正样被眼前的场面惊愣了,呆呆地站在那里,不知干什么好。

六指气昂昂地训斥儿子,骂道:"浑小子,还戳在那里干什么,快把那些东西扔到山下!"柴贵也帮腔:"正样,听大叔的话。石书记要协助咱们找生产门路,不干那行子了。"

待正样把满满一盆香泥往猪圈里扔时却被石坚拦住了:"别扔,我建议,你换个粗眼的模子,做成蚊香。那些榆皮面和其他原料值不少钱吧。"

"三十多块。"六指说,"这小子鬼迷了心窍,说眼下迷信活动盛行,买香的人很多。干买卖没本钱,做香卖总不犯死罪吧。背着我借了三十块钱出去买了原料和模子。家教不严啊。"

柴贵感慨道:"贫穷逼得咱们什么洋相都出。正样原是个好孩子,三十好几啦,连个家也成不了,心里苦闷啊。"

晚上,石坚和老丁住在岗坡。睡觉以前,他召集了党员会,和好几个老农进行了亲切交谈。第二天早晨离村时,石坚郑重宣布:从现在起,双界岭乡和岗坡村就是他包的点,保证最少两个月来一次。

这个消息,如温暖的春风,吹遍了岗坡村的每一个角落。

九

元旦之夜，大雪纷飞，北风呼啸，岗坡村头那几棵枝条干枯的柿子树，被风刮得东倒西歪，不时发出哀鸣般的嗞嗞声。

桂枝正在为老太太熬药，她怕老人顶不住寒冷，把自己的二大衣脱下来披在她身上。每当这个时候，老人就想起坐牢的儿子，自言自语地念道："这么冷的天气，柱子在牢里能不能顶住？"桂枝安慰她说："大娘，他在牢里和在家一样，干活，学习，吃的比咱强多了。你放心吧。"

正在这时，屋门被"呼隆"一声推开了。随着一阵风雪的侵袭，一个生龙活虎的小伙子闯了进来。桂枝眼尖，喊了一声："柱子——"就扑了上去，两人紧紧地抱在一起，久久不肯分开。一向稳重娴静的桂枝，竟忘记婆婆还在跟前，哭一阵，亲一阵，用拳头在李柱子背上捣一阵。这是很感人的场面，应当让他们保持长久一点。然而，桂枝可能很快记起是在婆婆面前，一下清醒过来，急忙把李柱子推开，抹了一把眼泪，说："怎么，刚住一年多就让你们探家？"

"哪里话！"李柱子可能一进屋就暖和起来，不像坐过牢的人，倒像刚刚走亲访友回来，"我们被释放了。"

"真的？"桂枝和娘同时问道。

"那还有假，我再不走了。"

"是俺娃表现老好，提前释放。"娘说。

"不！我们五个全回来了。"李柱子不由描述起他们归心似箭的急切心情来，"从县城换上西来的汽车，太阳已经偏西。到横岭，天不作美，下起雪来。到沟岸镇，太阳落山，天眼看着黑下来，鹅毛大雪越下越大，算算，离家还有三十里地。我们谁也没说二话，憋住劲就往回跑。在路上，我还给他们鼓劲，'漫天皆白，雪里行军情更迫'。这不，一口气就回来了。"

"唉啊，只顾说话，药溢出来了。"桂枝忙着去端药锅，老太太说："闺女，不用煎了，扔掉吧，俺娃回来，我这病就好啦。"

三人同时开怀大笑。

笑罢，李柱子却神色郑重地说："娘，桂枝，实话告诉你们吧，我们回来，比在那里住下去也不轻松，心里总不是滋味。我们是戴罪回来的。"

桂枝说："不错，你们是有罪的。"

李柱子心情沉重地点了点头："这次回来，是要用实际行动回答党和政府对我们的关怀。什么是实际行动，就是下苦功夫改变咱岗坡的穷困面貌。娘，桂枝，我觉着我有这个信心。劳教一年多，胜读十年书，千真万确。"

停了一会，李柱子又以无限感激的心情问："你们猜，是谁替我们说话，替我们奔跑获得提前释放的？"

桂枝脱口回答："是县委石书记！"

李柱子惊得瞠目结舌："你怎么知道的？"

"两个多月以前我们就认识了。他来咱村时，还帮助我把大娘扶上山来。"

"真有你的！"李柱子兴奋地说，"石书记真是个不寻常的人，为我们几个山野粗人，不但亲手写了报告，还三番五次找省地的政法书记。放我们出来以后，还找我们谈了话，教给我们怎么干。听他那口气，还要从县城协助咱们贷款，赶快搞采蛭石场。"

桂枝说："这些我知道一点，可没想到这么快。"

"我们五个人在路上合计了，从明天开始，下着雪也要去东坡干活，先为蛭石场开辟场地，准备盖房的石头。"

老太太喜不自禁，却一直插不上话，待儿子说完才说："咱那石书记，打第一眼我就看出是少见的好人。"

这时，李柱子突然问道："娘，我走这一年多，你欠了多少债？"

娘说："什么花项都是桂枝打发的，要不是桂枝，说不准欠多少外债哩。"

"那就好，那就好。"李柱子说着掏出一卷钞票，"我们虽是监督劳动，每月除吃饱肚子，还发给四块零花钱。我舍不得花，一年多攒了五十多块，这回可派上用场了。"

娘不解地问："你要买什么？"

"我要还账。去年正月，我在山北岩庄最东头一家偷了堆在门口的好几车煤。后来听说，那一家也很困难，那几车煤也是借钱买来的。所以，一到下雪天，我就想到那一家的难处，心里很不是滋味。明天一早我就把这五十元钱给那一家送去，向人家赔礼道歉。"

娘打心眼里赞成，连说："俺娃想得对。"

石坚又抽空跑了几个边缘村，回到县里，已近春节，虽然大部分县直干部已开始慌年，神不守舍，他还是准备在放假前召开一次部局长以上的干部会，向大家汇报一下下去搞调查、现场解决问题的好处。

回到办公室，见桌子上堆满了文件、信件和各种汇报材料。吃过晚饭，他告诉小晋，今天晚上不论谁找，都要请他挡驾，他想连夜把这些东西看完，想再了解一下上边的精神和下边反映上来的问题，以便理出几个急需解决的问题，在县直干部会上一并提出，请大家讨论解决，当时解决不了的，再提到县委常委会上研究。

在一大摞通知、指示和汇报材料的夹缝里，石坚发现一件从省城寄来的已经启封的信，信封上写着他和副书记吕茂昌的名字。信文如下：

石坚、茂昌同志：

久疏问候，近况若何？无时不在思念之中。二位想必记得，你县县委办公室主任晋金棠“文革”中带头抄我家的问题，确切无误，不可以为已经查过而放松再查，因为当时的调查是极不彻底的。把这样的人留在县直领导岗位，是一种潜在的危险。

李殴东

十二月三日

李殴东是他的前三任县委书记，现在省直一个厅任副厅长，连地委许多人都曾经是他的同事或部下。石坚到这个县任职前，地委分管组织的章副书记曾委托他到任以后尽快抽空把晋金棠的问题查清，也是为了向李厅长交差。石坚查的结果，与李厅长反映的情况恰恰相反，石坚向地委章副书记做了汇报，请他向李副厅长解释，可他根本不信。

“文革”期间，晋金棠刚十八九岁，热情，单纯，看问题非常天真。他是县委书记李殴东的服务员，把县委书记看成是党的化身，既崇拜，又尊敬，时时处处维护他的威信。“文革”开始以后，造反派去抄县委书记的家时，他冲进家里制止，被当作“保皇狗”轰了出来。事后有人向李殴东反映，说见过晋金棠和造反派一块儿从他家出来。

“文革”后期，李殴东被结合进来，当了县革委主任，晋金棠提成他的秘书。有一天中午，小晋给县革委主任往小套间里送西瓜时，突然发现主任脱得赤条条的正和刚提为外贸局副局长的范大妮搂在一起。他抱着西瓜转身就跑。回到他的住处，他的心好像要跳出胸腔，他紧张，他害怕，他不敢想，也不能想，他心目中的县革委主任好像立即变成了另一个人，他在感情上无法接受，他感到既委屈，又痛苦，终于倒在床上发出了嘤嘤的哭声。

不知什么时候，李主任进来了，他一只手搭在小晋的肩头，一只手拿扇子轻轻给他扇着，轻言慢语地问道：“小晋，你怎么哭了？”

晋金棠猛地抬起头，睁着一双泪汪汪的大眼，说：“李主任，你不该，你不该……”

“你全看见了？”

“我看见了，我全看见了，我知道你们那是干什么。”说着又哭起来。

李殴东居然坐在他床上，沉寂许久，说：“是的，我错了，我经不住她的引诱。从今以后，我保证改掉。我接受并记住你的批评。你要是能原谅我这一回，是不是就不再跟别人讲了？”

晋金棠完全相信了他的话，彻底原谅了他。他深深地点了点头，说：“只要你改了,我绝不向任何人讲。”

然而,这一类桃色新闻往往传得很快,不到三个月,就在县直机关里沸沸扬扬传开了。当然也传到了李殴东的耳朵里。

李殴东气恨交加,他怀疑是小晋传出去的,但又没有确切的依据。

正在这时,在县工会组织的娱乐晚会上,一向爱好京剧的晋金棠在大家的欢迎下,来了一段京剧清唱。在场的李主任清楚无误地听到,有一句唱词是:“红绫被里把官封……”

李殴东心里一激灵,敏感地认为,这是对准他的,他认为,他竟敢在大庭广众之下当面奚落他,还不敢把他看到的一切讲给别人?

于是,他一心恨上了晋金棠。

然而,李殴东的作风问题没人告状,自然也没人过问,大家嚷那么一阵子也就慢慢过去了。

李殴东调行署当副专员时,以关怀的口气向晋金棠说:“小晋啊,我想让你下去锻炼几年,然后提上来担任实职。”

晋金棠自然是感恩不尽:“全凭主任安排,我到哪里都可以。”

“那好,到一定时候,我自然会和县里领导同志打招呼的。”

就这样,晋金棠挥泪告别李主任,老老实实地到了一个边远乡当了秘书,一待三年,还是上一任县委书记经过考察,选拔上来先当了县委办公室副主任,去年才提为主任。

这一切,吕茂昌副书记应当是清楚的,可他却在李厅长给他和石坚来信的右上角批道:“老领导的语气是诚恳而严肃的,我意先把晋金棠的职务免掉,以后再仔细调查。当否,请石书记定夺。”

石坚把信不屑地扔到一边,又继续批阅文件。一会儿,文件堆里又露出一封群众来信,来信的题目是长长的一串《坚决揭发被包庇下来的打砸抢抄分子晋金棠》。石坚看了看邮戳,信是从省城寄出的,邮戳的时间和李厅长给他们的信相同。石坚想,这种配合虽然及时,却极为拙劣,漏洞百出。

石坚沉思许久,便把李厅长的信和群众来信订在一起,提笔写道:“请茂昌同志组织人再查一次,等把问题全部弄清以后,再研究处理意见。”如果查不出问题,看他们作何解释。

本来石坚是一向反对为工作上的事情互相踢皮球的。然而,在上下夹攻下,不得不采取这种方法,这也可以叫“以其人之道,还治其人之身”。他违心地微微一笑,便把这两封信装入信封,准备派人给吕茂昌送去。

这次石坚把晋金棠拿到渡槽工地,虽是应急措施,却也抱着厚望。小晋果然不负众望,不惜力气,一心一意配合文副县长工作,渡槽工程果然在上冻前圆满完成。这件事,不但在本县是个不大不小的震动,还得到行署分管农田水利的副专员的表扬。这对吕茂昌和高敏来说，简直是往眼里揉沙子，也使他们认识到，小晋到工地，是对他们的排挤；完工以后又回县委办公室，是对他们的威胁。这一切，对晋金棠的旧案重提，实际上起了一种催化剂的作用。

难怪人家紧锣密鼓。

石坚继续批阅文件。最后几件将要阅完时，又发现夹在文件中的一封来信。信是从双界岭乡岗坡村寄来的。还没拆封，他的心就震颤了一下，他想到，两个月快过去了，还没到双界岭去，绝不能食言，放假前或放假期间一定去一趟。想着，他便迫不及待地看信。

石书记台鉴：

给您拜个早年，并祝您春节愉快。

两万五千元贷款已到，请您放心。我们早在阳历年后就已动工，可望在元宵节投产。我们和柴贵叔算了一笔账，即使按最保守的估计计算，两年以内我们全村可以基本脱贫。至于我们五个，即使有了个人收入，在短期内，也要向因我们过去的错误而受到搅扰的户还账。我们能有今天，完全是党和政府对我们关心的结果。我们没有理由不走正路，没有理由不实干苦干。请石书记放心。

听柴贵叔和桂枝说，双界岭和我们岗坡村成了您的点，这是我们全乡全村的福音，我们非常高兴，因为解放以来，没有哪一任县委书记把我们这个边远贫困的山村当过点来扶持。

还有，听说您每两个月保证来我们乡一次，这当然是求之不得，但是，这恐怕不好做到，您毕竟是全县的书记。

致以诚挚的敬礼！

双界岭乡岗坡村　李柱子

石坚掩卷沉思，心一下飞向那群山环抱的双界岭上。许久，他才把心收回来。前边的一封首长来信和一封群众来信搞得他心情不佳，思绪烦乱，虽然作了违心的处理，但总归不是滋味。双界岭的来信，又给他带来了心理上的平衡，心绪也稍稍好了一点。

文件终于批阅完毕，石坚伸了一下懒腰，在屋里踱了一遭，看看手表，已到午夜零点二十分。他推开窗扇，眼看满天星斗，思绪万千，心潮起伏。世界上的事情如宇宙间的群星一样繁杂，使他难以理解的是，我们共产党内的事情也变得使人无法预测的复杂。

不管他有多么充分的思想准备，也不会预测到有多少艰难险阻在等待着他。

十

开春以后“三干”会一散，石坚下去检查了一下春播进度，就一头扎进几个重点企业，进行深入的调查和剖析。越是深入，越令人吃惊，他在实地调查中了解到，生产增长速度和经济收入金额，与年终统计局报上来的数字竟然有惊人的差距，他沉重地感到，自己是受骗者也是骗人者。这是党纪和国法所不能容许的。

作为全县先进企业的国营针织厂，这方面的问题尤为突出。他索性住了进去，每天深入到车间、班组、科室，参加生产，参加各种会议。

半个月以后，一直把他甩在一边不予理睬的厂长池青山终于找上门来。这位精明强干的地区劳动模范笑容可掬地说：

“石书记，你来的第一天我就该来给你汇报，可是老让我到地区开会，虽然是地区重点厂子，地委牛书记十分重视，每一次开会都找我个别谈话，可我总觉得是徒有其名。”

“是的，名不符实。”石坚毫不留情地说。他想，何必拿地区和地委书记为自己壮胆？他不给他喘息的机会，问道：“去年，你们上缴利润是多少？”

“石书记，你当时就看到了，还表扬了我们，为我晋升一级工资。纯利一百三十万，上缴九十一万。”

“啊，是一项不小的收入，能不表扬？能不晋升工资？”石坚话锋一转，单刀直入，“据我所知，你们的账面上爬着一百一十万的亏空。这如何解释？”

池青云浑身颤动了一下，但他毕竟机敏过人，很快又冷静下来，坦然地说：“那是历年亏空的综合……”

“不见得吧！”石坚截住他说，“这你不必担心，自有说清的时候和地方。我还要问你，你们前年盖的大仓库到底用了多少钢材？”

池青云越发吃惊，他不得不惊叹石坚的才能，不得不被石坚侦破案子的神速而叹服。他说：“这用不着我具体抓，详细数字不清楚。”

石坚说：“可我已经清楚了，你们购买钢筋一百二十吨，盖仓库只用了五十吨，那七十吨哪里去了，你必须给我说清楚。当然不是现在。咱们先谈到这里吧，池青云同志。”

石坚就这样离开厂子，再不露向。

他又用同样的办法走了几个大厂，用同样的办法了解到比针织厂或轻或重的这样那样的问题。

经过几天的分析和思考，他决定从人上下大功夫，动大手术，彻底改组。为了能够比较顺利地实施，本着增强透明度的原则，他除多次在常委中加以渗透外，还不止一次地向地委书记和分管组织、分管工业的副书记汇报自己的设想。

不管是渗透还是汇报，说者津津乐道，听者态度各异。有的频频点头，有的轻轻颔首，有的沉默不语，有的哈哈大笑。

不管是什么态度，都不影响石坚的决心，他认为，他将采取的措施，是完全符合党的改革整顿精神的，是使企业逐步好转或走向正轨的必经之路。

然而，他哪里想到，早在他渗透、汇报之前，就有人纠合在一起，先他一步开始活动了，有的上地市，有的上省，有的上中央。有的不惜重金，宁可把几年来非法获得尽数拿出，甚至把原有的家当也贴上一些，为挽回败局，使出了浑身解数。

常委会倒是开过几次，每一次都因为议题太多使石坚的整顿措施未能出台。夏收夏耕，征粮售粮，计划生育，夏季、秋季造林……中心工作一个接一个。那几个有问题的企业，但因为触动了一下，至少得收敛一些。石坚想，索性种上小麦，农闲以后再整顿也不迟。

秋收种麦接近尾声时，地委副书记章华突然光临岐山县委。他虽然谈笑风生，幽默诙谐，妙语连珠，可因为一向城府很深，仍然具有领导干部的风度。

石坚把他迎到办公室，笑道："章书记也不来个电话，搞突然袭击。"

"不是搞突然袭击，而是不速之客。这种人一向是不受欢迎的，对吧？"

"恰恰相反，只怕是请也请不到。怎么，是先传达上级精神还是先向你汇报工作？"

"慌什么？让我先宽松一天，休息休息。你有兴趣陪我吗？"

石坚不相信地委副书记有这样的雅兴，试探着说："那么，是不是先去洗个温泉澡，解解乏？"

"那是当然，咱们这就去。"

"好，我先去安排一下。"石坚刚走几步，就被章华叫住了，说："请转告大家，我这次来，是专为慰问大家的。经过近两个月的紧张突击，咱们县在全区最先完成了种麦任务。我代表地委和行署向大家表示祝贺和慰问。"

地委副书记的尼桑小车在通往西北大山的公路上飞驰。在车里，章华的幽默和诙谐突然不知跑到哪里去了。他用眼角瞟了石坚一眼，无话找话地问道："老弟，今年五十挂零了没？"

"已经挂三个零了。没什么蹦蹬头了。"

"是啊。"章华感叹一声，"自然规律，是无法抗拒的。想当年，咱们风华正茂时，是何等的意气风发。你可记得，咱们在县里工作时，1948 年，让你往太原前线为支前队伍送粮票，那时候铁路被破坏，全凭两条腿，你刚十六岁，一天一夜竟跑到阳泉。"

章华的话，激起了石坚的战斗豪情，他接着说："是啊，当天晚上，我一顿吃了六个大馒头，睡一夜起来，一样赶路。那时候，根本就不知道什么叫累。"

"现在呢?"章书记不失时机地问。

"现在?现在不行了。尽管远道有车,奔波一天,一回到住处腰酸腿痛,骨头架子都快散了。"

章华认为,机会终于来了。这才是顺理成章,瓜熟蒂落哩。他立刻把话转到正题上,语气婉转地说:"正是考虑到你的年岁和身体情况,地委准备变动一下你的工作。"

石坚这才恍然大悟,他真恨自己脑子迟钝,跟随人家绕了这么多弯子。然而,他毕竟是个经过阵势的人物,尽管他知道这个突然变化无法接受却又无可改变,还是轻松地说:"章书记,我毫无精神准备,这是个突然袭击吧。"

章华语气严肃却又无可奈何地说:"石坚同志,我是为了使你容易接受才在适当时候告诉你的。你这次调回地委,是省里一个领导同志的意见,地委也是完全同意的。这对你实际上也是一种照顾。你已经五十有三,扑下身子在下边苦干了这么长时间,也该回地区换一下环境了。"

石坚老认为这些话言不由衷,他的犟劲又上来了,照直问道:"章书记,咱们先后在一起工作了近四十年,你是了解我的。我明显地感到,我的工作调动不大正常。是不是有人告了我?"

话一出口,石坚就感到有点不妥,是不是太唐突、太直露了,不由自主地瞟了章华一眼,想探索一下他的反应。

使石坚完全出乎意料的是,章华好像早就知道他要提出这样的问题,神情坦然地呷了一口茶,慢条斯理地说:"怎么说呢?本来我是来专门谈你的工作调动问题的,实际上做不到。这样吧,咱们撇开上下级关系,变成同志间的谈心好吗?"

"不胜惶恐。"

"那么,你有什么根据说你的工作调动不正常?"

"第一是突然,没一点透明度,这是我参加工作近四十年来从没遇到过的情况。"

他见章华微闭双目,频频点头,便又毫无顾忌地说:"第二,我到岐山县还不到两年,并没为党做多少工作。情况刚刚熟悉,大幅度改革方案刚刚成熟,而且也向你和其他书记作过汇报,你们谁也没提出异议,怎么刚要行动就这样迫不及待地调我走?再说,地区农业局长的工作并不是非我莫属。"

"那么,岐山县委书记的位子就非你莫属了?"

石坚一时语塞。

"唉!真拿你没办法。"章华苦笑一声,"确实有人告了你。难道你没一点觉察?"

"这一点自信还是有的,因为我没有做可以被人拿来告状的错事,所以,也无暇去留意、觉察什么。"

“没有一点觉察才是真正的不正常。老弟,人家告你有四大罪状。”章华说完,死死地盯着石坚。

这回轮到地委副书记吃惊了。他原想,一说“四大罪状”,石坚不是暴跳如雷,就是目瞪口呆。没想到,他却无动于衷,好像与他无关似的站起来说:“走,该洗澡了。我陪你。”

“你不想知道一下内容吗?”

石坚只好停住,说:“不是不想知道,是不急于知道。因为我相信,一条罪状也成立不了。”

“你这家伙,倒跟我拿捏起来了。”章华扳着指头数道:“第一,你到岐山县脚未站稳就暗示县里某领导为你的表弟安排了工作。人家质问,作为县委书记,你不会不知道,县直许多吃商品粮的待业青年都安置不了,你的远在山村的表弟却那么容易地进了粮站工作。”章华看石坚要站起来说话,便按住他。“你指使你的大姨子大闹公安局,立逼局长派人去给她破丢草驴的案子。人家说,公安局是为他一家开的?”章华看石坚毫无反应,款款坐在那里,眼盯着房顶,一言不发,便一口气说下去:“第三,你无视法纪,居然亲自找省地政法书记,为五个严重犯罪分子说情,为他们减刑释放;第四,你唯我独尊,给你的点吃偏饭,一次就要贷款两万多元。别的书记的点,一个镚子儿也贷不上。”

章华原以为,待他说完,石坚会像个一触即发的将军,立即跳起来质问、争辩、解释。恰恰相反,他显得近似麻木,从容不迫地呷了一口茶,微笑不语,完全是一副超然的神态。

地委副书记被他的神态弄得莫名其妙,甚至感到有点被愚弄的意思,不得不有意刺他一下:“怎么,这四条还不够分量?”

“很够分量,足可以开除我的党籍。不过,我只问一句,地委查证了没有?”

“当然是查了。不过……”

“不要绕弯子了,我替你说了吧,‘事出有因,查无实据’。为了便于工作,避避锋芒,还是调动一下为好。章书记,咱们挑明吧,有那四条我得调,没那四条我也得调,这就叫武大郎服毒——死也得死,不死也得死。章书记,你的任务完成了,我无条件地服从,明天就到地委报到。”

“好!真是快人快语,这是你的一贯作风。”章华说完,沉吟片刻,又苦涩地一笑,“石坚同志,我相信,过一段时间,肯定还会有新的转机。”

“我不想那么多了。”

返回县城的路上,两个人都感到了暂时的轻松。尼桑车在河边的国防公路上撒欢似的飞奔,公路两边的树木和小村,一闪而过。章华仰靠在座背上,闭目养神;石坚眼盯着河水出神沉思。一会儿,一叶白帆顺流而下,与汽车并行。石坚捅了章华一下,说:“你看。”

章华为使石坚的心情宽松下来，说："不错，蓝天彩云，碧水白帆，别有一番景致。"

石坚说："我没有你那种诗人的情趣。我赞美那白帆应该是，顺河而下，多么合乎潮流，多么悠然自得，多么无牵无挂……"

章华大笑："你倒真成个作家了。"

回到县里，石坚和章华正在洗脸，办公室主任小晋进来了。他一脸阴郁，好像预感到了什么，看看石坚，又看看章华，说："石书记，有点事需要向你汇报。"

"说吧。"

"岗坡村昨天来了五个小伙子，一直等到现在，说见不上你不走。"

石坚一边擦脸一边说："章书记，这就是我目无法纪，极力保释的那几个严重犯罪分子。"

章华笑了，说："是吗？果真是过从甚密呀，怪不得人家告你，看来还真有点藕断丝连。"

石坚说："小晋，你不能跟他们谈谈吗？"

"谈了，他们还带着村委会给乡里的汇报材料，我说把材料留下你们回去吧，他们说没见过你，非当面向你汇报不可。"

"有意思。"章华禁不住问道，"他们汇报些什么问题？"

小晋说："汇报材料上说，岗坡村已经提前脱贫，人均收入达三百三十元。那五个小伙子的收入，除留下生活费以外，大都还了良心债。我看了觉得很受鼓舞。"

章华听得频频点头，一连声地说："好，好，很好。"说着又转向石坚，"应该见一下。"

许久，石坚才说："请告诉他们，让他们先回去吧，三个月以内，我一定去看他们。我下午事情太多，实在不好脱身。"

午饭后，石坚打发章华休息，独自回到宿舍，也想轻轻松松地睡上一觉，他是多么想见见那五个失足青年一面啊！然而，心里烦乱如麻，辗转反侧，说什么也睡不着……

石坚回到地区，一些老同志去看他时，见他的卧室新挂了一张字体苍劲、装帧精美的绫边条幅：

欲为圣明除弊事
敢将衰朽惜当年

尽管他一向坦荡豁达，但有人问到这条幅是谁写的、谁赠的时，他却秘而不宣。

（选自《长城》1990 年第 3 期）

常庚西

(1932—2000)。笔名耿西。河北鹿泉人。1948年毕业于获鹿师范。历任中共获鹿县委文书、办公室干事,获鹿县团委秘书,《河北青年报》记者、文艺科长,《河北日报》校对,中共石家庄地委农办资料员,《河北文学》编辑。河北省文联第五届委员,省作协理事。1951年开始发表作品。1988年加入中国作家协会。著有长篇小说《男儿泪女儿情》,中篇小说集《风流庵》,短篇小说集《大红马》《换亲记》,儿童小说《战狼记》《挎枪的少年》等。《激流勇退》获1991年金牛奖。

欣逢佳节

和军校

一

腊月二十三，水芹回了趟娘家。水芹嫁出门后，每年的年根儿，都要回娘家，给妈缝补浆洗。妈半瘫着，无力做这些活计。按理，这些活该水芹的嫂子干，嫂子却不干。嫂子长一身下坠的懒肉，总嘟哝着给妈亮耳朵："咋不死呢，害人！"水芹恨嫂子，却不敢表露出来。这一日，水芹的侄子一旦恰好回来了。一旦从省农业大学毕业后，撇了专业，先在县政府做了三年秘书，又回到沟岔乡当了三年乡长，今年年初，被提升为县政法委书记，且进了常委班子。所以，一旦很是比不得从前了，穿西装，扎领带，披呢子大衣，腆着肚子仰着头走路，说话爱夹带"嗯"呀"呀"呀的。一旦对水芹很亲切，姑长姑短地叫。

太阳红彤彤，又没有刮风，水芹坐在当院里洗衣裳。一旦一边摆弄着一架照相机，一边跟水芹扯闲。

"你媳妇咋没回来？"水芹问。

一旦的媳妇是城里人，现在商业局当会计，这个话题一旦已经回答过好几遍了。姑是好心，一旦也不想扫姑的兴，就耐着性子说：

"嫌咱屋里没暖气，她怕冷。"

水芹说："城里人就是娇气。"

一旦说："可不是呢。每天晚上洗脚，洗脚水都要用温度计量一量。"

水芹和一旦都咧着嘴笑了。

"姑，年货备停当了没？"一旦信口问。

水芹说："城里人过年呢，咱乡里人过难呢。"

一旦听出了水芹的话里有了生分的味道，抬头望了望天，把烟蒂朝一只正在觅食的麻雀弹去，麻雀叫着飞上房椽。一旦笑着岔开了话题：

"姑，你知道我最爱吃啥？"

水芹说："你如今在显亮处，净拣好的吃。你见日吃的，姑恐怕都没听过，咋知道你爱吃啥?”

一旦也不隐瞒事实,说:

“也是的。这几年,天空上飞的,野地里跑的,水里游的,能吃的都吃过了。不过,我觉得还是豆豆面最好吃。”

水芹微笑着说:

“豆豆面有啥好吃的?充饥哄肚子的饭。”

“我就是爱吃。”一旦认真而充满感情地说,“姑,你还记得不,我念高三那一年?一个星期六,雪下得铺天盖地,没眉没眼,我从学校跑到你屋里,你给我擀的豆豆面,我坐在热炕上,一口气吃了两老碗。到现在,我都记着那顿饭的颜色和味道,那顿饭真是太香了。”

水芹一边揉搓衣裳,一边在脑海里搜索那个下雪的星期六,死活想不起来——哪一年的冬天没有雪?哪一年的冬天一旦没在她家里吃过几十顿?当然,这是一旦念高中那阵儿的话。

这时,门外传来三声清脆的汽笛声。紧跟着,头门“吱扭”一声响,闪进来一个大胖子。大胖子扛着一个纸箱,腰很夸张地弯着,吭哧吭哧喘气。他很艰难地扭头看着一旦,说:

“电话打到县上,才知道你回来了。郭乡长怕家里年货不够,让我送一些来。”

一旦一边帮胖子把纸箱放在院落,一边打趣着说:

“这老郭,心比黄河还长。”

胖子点头哈腰,连连说:

“土特产,土特产,一点心意,一点心意。刘书记、郭乡长想请你搓几把呢。”

一旦摊摊手,为难地说:

“你看,刚进家门……”

胖子说:“有车呢,误不了你晚上睡热炕。”

一旦沉思片刻,说,恭敬不如从命啊!一旦又冲厨房里喊,妈,我到乡里去一趟,吃饭别等我。一旦的妈在厨房里叮咛,早些回来。

一旦很威风地抖了抖肩上的呢子大衣,拍着胖子的肩膀,两个人一道儿走出头门。

一头猪哼哼着迈向纸箱子,水芹轰走了猪,想把纸箱子抱进厨房去。嫂子一阵风似的从厨房旋出来,从水芹手里夺过纸箱,甩着肥硕的大屁股扭进厢房。不知咋的,水芹的心里就溜溜的酸。嫂子的架子越来越大了,看水芹都是冷板着脸,怕沾了她的光似的。

水芹叹了口气,端着盆子去后院倒污水。一只母鸡跳出下蛋窝,涨红着脸,呱呱叫。水芹捡一块土疙瘩,打飞了母鸡,心里骂:“下了个蛋,就张狂得不知姓啥为老几了!”

水芹掏出那只鸡蛋，鸡蛋还带着余温。水芹极快地在粪堆上用手刨了个坑，埋了那只鸡蛋，又踩了一脚，心里说："叫你也不得好过!"

水芹做完了这一切，突然被自己的行为吓了一大跳：我这是咋了？为啥呢？水芹慌慌地走出后院，又坐下去洗衣裳，心砰砰砰地跳得乱。

那头打算进攻纸箱的猪此时在墙根根睡着了，扯出均匀响亮的呼噜。几只鸡咕咕咕叫着在麦秸草里刨食。水芹一边洗衣裳，一边寻思过去的事。那几年钱短，粮也短，日子凄惶。一旦念高中了，竟然还没有穿过一件买来的衣裳。全是粗布缝的，一年染成黑色，改年染成瓦蓝色。有一年，水芹卖了一头肥猪，手头宽裕了些，见侄子一旦可怜，走不到人面前去，心疼了，咬着牙给一旦买了一双花格格棉袜子。一旦很高兴，房檐上挂冰凌的大冷天，一旦把棉裤的裤脚绾起来，把袜子很显赫地呈裸在外面。一旦进水芹家像进自己家一样气长。有时，一旦放了学，不回自个家，却一径进了水芹家。进了家门，挖土拉粪，喂猪垫圈，担水锄地，脚后跟都长着眼睛。干罢活，水芹做啥饭一旦吃啥饭，从不挑食，端起饭就是一个饱。有一年寒假，学校组织学生补习功课，要交十块钱。一旦家没有钱。一旦很伤心地哭，红肿红肿的眼睛。嫂子骂哥哥："×娃不管娃！没球本事，供不起娃念书!"哥哥说："没钱就不念球了。"嫂子说："放你妈的屁!"哥哥扇了嫂子一鞋底。嫂子抠破了哥哥的脸皮。最后，水芹卖了二丈布，给一旦交了补习费。一旦真争气，考上了。临走，水芹给了一旦三十块钱的盘缠，煮了二十个鸡蛋。一旦哭了，吸溜着清鼻涕，对水芹说：

"姑，我一辈子报不完你的恩。"

水芹说："傻话！你就我这一个姑，我就你这一个侄子，谁跟谁呢。往后，别忘了来看姑一眼，姑就知足了。"

一旦念大学期间，每学期放了假，都要看水芹几回，总还得带点什么小礼物。一旦参加了工作，来水芹家的次数渐渐少了，且都是来去匆匆。一旦当了乡长后，便再也没来过水芹家。水芹不怨怼一旦，一点也不。水芹知道，一旦干公家的事也劳心费神，南里北里要检查，昼里夜里要开会，早里晚里要出差，连家都极少回呢。水芹从未到县里找过一旦，更没有求一旦办事，怕给一旦添麻烦。

第二天，水芹打算早早地赶回去置办年货，一旦却诚心诚意地挽留她：

"姑，你再住两天嘛。"

水芹说："屋里还有一河滩活呢，啥啥都没拾掇，不敢住了。"

水芹出了门。一旦望着水芹的背影，突然觉得姑老去好多，瘦棱棱的，像一根快要糠心的萝卜，心头随即涌起一股复杂的情感，有依恋，有怜悯，有歉疚。

"姑……"

"……"水芹收住脚步，回了头。

“姑，你多注意身体……”

“姑的身体好着呢。”

“姑，过了年，我去你家，看看我姑父，还有东瓜、南瓜……再给你们照几张相，彩色的。”

这太突兀了。恁这些年了，水芹没再想过一旦去她家的事。而今，一旦主动提出来要去她家。水芹激动了，扶着门框的手颤抖着，张了几次口，却不知该说啥好。终于，她结巴着说：

“你来，来，姑给你杀鸡煮肉。”

“姑，鸡也不要杀，肉也不要煮，我就吃你擀的豆豆面。”

“大过年的，姑就是砸锅卖铁也要给你弄顿好吃的。”

“我就是吃豆豆面，别的啥也不吃。”

“成，成，姑给你做上一锅，叫你一顿吃个够。”

二

高天无云，阳光冰凉，泔河没有结冰，清冷冷的河水喧嚣着湉湉流入泾河。急性的娃们早早地点燃了迎春的爆竹。“叭——”这炮声给沉闷的山村增添了许多活气。一冬无雪，土路上淤积着麻钱厚一层细尘，踩上去像踩在雪地上一样，咔咔咔响。但这绝对妨碍不了水芹迈大步走路。水芹浑身上下的每一根神经都紧绷着，兴奋着，双腿显得格外有力，步伐格外坚定。水芹盼望着早点回家，把这个天大的喜讯告诉丈夫宁宁。

人逢喜事精神爽。二十里曲里拐弯的山路，仿佛打个喷嚏的工夫，就从脚下溜了过去。水芹推开家门，看见了宁宁，心里涌起一股酸楚。她捋了捋刘海儿，不由得叹了口气。

宁宁圪蹴在房台台上，两腿间放个辣子碟碟，手里捏着两个冷蒸馍，在辣子碟碟蘸蘸，送进嘴里，又掰一块蒸馍，又在辣子碟碟蘸一蘸，又送进嘴里。咀嚼着，腮帮子鼓得很高。

“咋吃冷蒸馍蘸辣子?”水芹走近宁宁，心疼地问。

宁宁抬起头，脸阴得像一只蔫茄子。他见水芹红扑扑的脸，额上浮一层雾样的细汗，没有吭声，继续埋头吃自己的冷蒸馍蘸辣子。

宁宁是个民办教师，早先教语文，自从那次被打断半截门牙后，吐字就不太清晰，“哧哧哧”露气儿，就改教体育。每天早晨，天还麻眼眼黑，宁宁就领着学生在操场跑操。宁宁一边跑一边吹哨子，也喊“一二三——四!”学生们跟着喊“一二三——四!”底气很足，在岑寂的山村的上空回荡好久。宁宁还教美术，在一块小黑板上画个光芒四射的太阳，或者五角星，或者向日葵，让学生们照着画。学生们画完了，宁宁就打分，80分，90分，没有不及格的。宁宁也教地理，四大洲五大洋讲得嗓子眼儿冒烟，问，听懂了没有？学生们呆呆地望着他，没人举手，没人回答。这时，恰好下课铃声响了，宁宁就说，下课。学生们拥出教室，欢呼雀跃。宁宁也没啥负担，他教的全是参考课。

自从那次宁宁被打断半截门牙以后，宁宁就不去丈母娘家了，宁宁说丈母娘一家是喂不熟的狗。宁宁也反感水芹去。水芹执意要去，宁宁也不阻拦，却要拉几天蔫茄子脸。

水芹知道宁宁的心思，就谨慎地讨好：

"我给你擀面去。"

"饱着呢。"宁宁闷声闷语。

"南瓜呢？"

"耍去了。"

水芹拿个小凳子放在房台台上，坐下，问：

"这几天，你跟南瓜咋吃呢？"

"一口一口吃呢。"

"一旦回来了……"水芹观察着宁宁的脸色。

"一旦回来了咋？又不是邓小平南巡回来了，有啥大惊小怪的！"宁宁说，一副无动于衷的神态。

"吃了炸药咋的！"水芹不满地顶撞了一句，咽了口唾沫，缓和着口气说，"一旦给我说，年后，他要来咱家里呢。"

宁宁止住咀嚼，凝眸望着水芹，惊讶地问：

"他来做啥？"

"看看你这当姑父的嘛。"水芹脸上浮出笑意。

"哼，他一旦如今翅膀硬了，用不上我宁宁了，认得我宁宁是谁！"

水芹挪了挪凳子，靠宁宁近一些，然后翻宁宁一眼，温声说：

"净说气话。一旦做公家的事也难缠呢，不容易脱开身。这回，下决心要来给你这做姑父的拜年。"

后院里的猪大声哼哼着。宁宁站起身，把辣子碟碟放在窗台上，拿着猪食盆进了厨房。水芹一阵喜悦，她知道，宁宁心里的疙瘩松活了。这时辰，水芹才觉得胳臂、腿、腰都隐隐作痛，毕竟没息气地干了两天活，又赶了几十里山路。水芹吁口气，甜滋滋地思考着迎接一旦将要做的准备工作。

水芹没念过书，没出过远门，没见过大世面。水芹却是个聪明人儿。她知道，只要一旦踏进这个门槛，将会给这个家庭带来些什么。从今后，她水芹和宁宁也要抬头挺胸背搭着手哼着秦腔在人面前走路了。

猪很瘦，皮包骨头，嘴挺细，不好好吃粗食，哼哼着拱盆子，宁宁心烦意乱地踹了猪一脚。不知咋的，这阵儿思想总跑毛。

“姑父，多亏了你。”一旦说。

“一家人呢。”宁宁说。

“等我长大了，做了大事来帮你。”一旦说。

宁宁笑了。宁宁不是奔着“要报答”来的，也没指望一旦报答。都是亲戚，手心手背连着筋的肉，谁能没个难？

乡里人一辈辈也就三件事：娶媳妇，盖房子，埋老人。

一旦他爸名叫糊涂。糊涂是个犟牛脾气，生叮冷撑，爱跟人吵架，将全村人得罪了一遍遍。糊涂盖房子时，没人帮忙。于是，宁宁就来了，三伏里的天，坐着不动身上都滚汗豆豆，何况是下苦的活呢。拉土、和泥、运砖、扔瓦、摞胡基，全是宁宁的。那一回，除过尻子蛋，宁宁的身上褪了一层皮。这是早先的事，一旦还是个初中生。

如果一旦没做大事，一旦说过的话或许就成了过耳清风。一旦却真的做了大事，成了县里的常委，宁宁的心里就不是味道了：“你当了大官了，就把我宁宁往眼里不磨了，别说帮忙，看也不来看一眼，说话还是放屁？!”

冬日天短，太阳怕冷似的极快地缩到了唐王陵的山背后。这时，山村里升腾一团又一团的浓烟，整个天空刹那间被烟雾所笼罩，一切的一切也都变得朦朦胧胧，隐隐约约。这是山里人在烧炕呢。

水芹本想多歇一歇，等南瓜回来烧炕，可到了这时分，还不见南瓜个人影影。水芹极不情愿地去抱柴，嘴上埋怨着南瓜：“十八岁的大姑娘了，净知道东里西里疯跑，毛手毛脚的，啥啥事都指望不住！烧一回炕吧，前半夜烙屁股，后半夜冰冰凉。走出走进的都在哼哼歌，情呀的，爱呀的，哥呀的，妹呀的。脸不要！”

水芹烧完炕，南瓜掐着时间似的走进了家门，哼着歌儿。水芹气愤地质问：

“弄啥去了？”

“逛。”南瓜轻松地回答说。

“逛逛逛，一点正经没有，年后你一旦哥来了，看不笑话你。”水芹以教训的口吻说。

南瓜怔了怔，撇撇嘴，轻蔑地说：

“谁笑话谁呀！”

宁宁圪蹴在房台台上抽旱烟，听水芹和南瓜打嘴仗，也不劝阻。宁宁很欣赏女儿南瓜的口才，更多的是为南瓜惋惜。连考两年大学，连打两个绊子，一年差 2 分，一年差 7 分。唉，多聪明的姑娘，却落得土里刨食的命。

煤油灯的火苗不安分地跳跃着，映黄了两张爬满皱纹的脸。水芹坐在炕西头，宁宁坐在炕东头。宁宁侧歪着身子，勾耷着脑袋，抽烟，沉沉地思想着心事。水芹袖着手，看了看宁宁，说：

“明日把屋里好好拾掇一下。”

宁宁抬抬眼皮，翻个白眼珠子，没吭声。

水芹又说：“一旦要来，总不能让一旦说他姑屋里跟猪圈样的。”

宁宁直直身子，没怀好气地大声说：

“就这猪圈，他以前三天两头来，咋没臭死他?!”

水芹嗔怒地说：

“你看你，一说话就上墙，谁欠你八斗粮咋的!”

宁宁“哼”一声，又歪斜了身子，生闷气。

过了一会儿，水芹岔开了话题，十分关切地问：

“听说年后又有转正的名额?”

“转个球正!”宁宁恨恨地说，“八省要下我的民办教师呢。”

“为啥?”水芹大吃一惊。

“为啥？明着说是嫌我口才不好，其实还不是为那回打架的事。你没看出来，八省一直寻茬子整我呢。”

水芹想着那回打架的事。

那天早上很冷，白花花的霜。糊涂来钱村卖豆腐。糊涂的豆腐做得好，白生生，嫩嫩乎乎，水分少。几嗓子吆喝，招徕了许多的人。快卖完了，八省披着羊皮袄袄来了，拿起一块，拧身就走。糊涂眼睛贼，看见了，拽住羊皮袄袄的下摆，说：

“还没称呢。”

八省斜棱着眼睛盯糊涂，说：“称？我在钱村买东西，啥时候称过?”

“不称不行。”糊涂执拗地说。

八省不想为一块豆腐大发雷霆，找了个下台的台阶说：

“赊账。”

“我不赊账。”糊涂很犟，认死理儿。

四周围了一圈子看热闹的人，八省认为这个卖豆腐的伤了他的面子。八省心里说：“不治治他，往后叫我咋在钱村说话呢?”八省慢慢地转过身子，盯着糊涂，一字一句地说：

“不赊账？好，好，好！我八省就教会你赊账。”

八省把那块豆腐在手上掂了掂，突然一扬手，那块豆腐就在糊涂的脸上开了花。糊涂不是善茬茬，吃不得亏，当下就撕掉八省的羊皮袄袄，在上面跳着骂：

“土匪！我操你个土匪!”

八省是钱村的支书。八省在钱村跺一脚，钱村就得晃三天。八省有两个儿子，一个叫狮子，一个叫豹子，名副其实。狮子、豹子闻讯而出，扑向糊涂，对糊涂拳脚相加。少顷，糊涂鼻里口里净是血了，却还在叫骂“土匪”。

此时，宁宁放学回来，看到丈人哥挨打，匆匆跑过去拉架求情，被狮子一拳打在嘴巴上，“叭喳”一声，半截门牙掉了。宁宁捂着嘴，哀怜地望着八省。八省瞪瞪宁宁一眼，“哼”一声，扬长而去。

从此，宁宁成了钱村的臭狗屎，人们都躲瘟神似的避着宁宁。宁宁书教得好，却评不上先进，入不了党，转不了正，还常常平白无故地挨校长的训斥。

糊涂对宁宁怨气重重，责怪宁宁是个软蛋，屙不出硬屎，不早点上手帮他打架，害得豆腐担子也被砸了。

宁宁里外不是人了。

水芹用发夹拨掉灯光，房子里顿时亮堂了许多。顶棚上的老鼠闹腾得厉害，“吱吱吱”的叫声。水芹说：

“你得设法转正。”

“放屁的话，”宁宁说，“难道我不想转正？”

“这回有门道。”水芹肯定地说。

“有球的门道！八省跟乡里的马专干穿一条裤子，我能转正？”

“我有个好主意。”

“啥主意？”

“一旦不是要来吗？”

“一旦来了能咋？”

“一旦来的那天，咱把村里的头面人物都请来。”

“请他们做啥？”

“真真是个猪脑子！你想，他们见了一旦，知道了一旦的身份，往后还敢在你跟前骚情吗？”

宁宁感到心里挺别扭，嗫嚅着说：

“这不是狐假虎威吗？”

水芹说：“管他是啥呢。”

宁宁想了想，这倒不失为一个主意，又问：

“都请谁呢？”

“你们学校的曹校长，”水芹嘎嘣脆地说，“上回你迟到了屁大会儿工夫，他都扣了你五毛钱，明摆着是舔支书八省的尻子，还挡你转正的路。”

“还有谁？”

“八省。”

“八省？他打过你哥，你忘了？”

“哼，正因为这样，我才要请他。我还要把他打我哥的事告诉一旦，让他狗日的下台，让他的砖瓦窑塌火。我就要看他难受的样子。”

宁宁突然觉得胸臆间的气流通畅多了，就点燃一锅子烟，狠狠地抽了一口。突然，宁宁又觉得请客这主意不妥，就说：

“我看还是不请客的好。”

“为啥？”

“你想，买那么多好吃的让他们吃，还不是喂了狗肚子？你看这样行不行，咱先把风放出去，说一旦是县政法委书记，是你侄子，要来给你拜年，大造声势。一旦来了，你再领一旦到村里走一走，他们能不闻风丧胆？”

“这主意好！”水芹在被子上拍了一巴掌。

停了一会儿，宁宁信心不足地说：

“听说今年的名额少……”

“少了咋？”水芹打断宁宁的话，说，“跟你教龄一样长的都转了正，为啥不给你转？轮也该轮到你了。”

“这事由乡里的马专干定砣砣，我跟他不熟悉！”宁宁还是觉得把握性不大。

“他马专干咋？他狗日的吃了豹子胆能不听郭乡长的？”水芹抢白着说。

“听郭乡长的又能咋？郭乡长又不是咱干娃。”

“他郭乡长咋？他敢不听咱一旦的？”水芹很自然地在“一旦”前面冠以“咱”字，显得很亲切，像一家子人。“我看他还巴结咱一旦呢，给一旦送了一箱子东西，全是好吃好喝的。”

“如今的一旦不是以前的一旦，他还认得我宁宁姓啥为老几。说不定还跟八省他们是一伙的呢。”

水芹说：“你别说气话。咱拍着胸膛说心里话，自从一旦走到人面面上，怕影响他的前程，咱还没求过他呢。我娘家人求一旦买椽的，买化肥的，买种子的，买出厂价电视的，多得数不清，一旦都给办了。你这事，还不是咱一旦写个条子说一句话的事，跟放个屁一样简单。”

“就怕人家不写这个条子不说这句话。”

“不给别人办还说得过去，不给咱办可说不过去，咱是谁呀！”

“他不给咱办，咱还不只有对他干瞪眼。”

“一旦不是那种昧良心的人，他记着咱的好处呢。要不，他咋会过年来咱家里呢？”

宁宁觉得水芹言之有理，便缄默不语了。

山村的夜，静阒如死，风把窗棂纸吹得窸窣作响。宁宁和水芹又说了一阵子以一旦为中心的话，水芹才一口气吹灭了煤油灯。这一夜，两口子睡在了一头，做了一回好久没做的事。罢了宁宁说：

"今晚炕热。"

"我身上都淌汗呢。"水芹附和着说。

三

山里人过年有个千篇一律的程序：二十五扫（扫厨），二十六洗（洗旧），二十七蒸（蒸馍），二十八摊（摊煎饼），二十九煮（煮肉），三十包（包饺子），松松活活过大年。腊月二十五，早醒的公鸡啼罢第三遍，水芹就从炕上爬起来，认认真真地打扫了前后院，当她确认扫过的地方光畅得能晾凉粉以后，才直起腰，打算叫醒宁宁和南瓜。这时辰，天际开始出现淡淡的白色和浅绿色，黎明姗姗地到来了。光秃秃的椿树和杨树静悄悄地伫立着。狗还没有彻底睡醒，极不满意地翻水芹一眼，哼哼几声，又瞌着眼皮寐了。水芹走进房子，用笤帚把捅醒宁宁，吩咐说：

"快起来，到学校拿几张报纸去。"

"墙围子不是糊过了么，还要报纸做啥？"宁宁睡意蒙眬地说。

"有用呢。"

"有啥用？"

"擦尻子。"

"满后院的土坷垃你不用，偏要用报纸，狗吃蒜苗——装洋（羊）。不知道报纸有多金贵，街上卖四毛六一斤呢。"

"又不是我用，"水芹说，"一旦来了，要是上茅房，你还叫人家用土坷垃？用报纸文明些。"

"一旦跑你屋里上茅房来了？"

"万一呢？"

宁宁心里说："还是水芹考虑得周到，不怕一万，只怕万一。"宁宁翻了个身，想抽一锅烟，一摸烟袋，没烟了，情绪就起了变化，又在心里说，"真他妈的，人跟人不一样了，擦尻子的玩意儿也不一样了！"

宁宁想到了一件事。有一年宁宁参加教师培训班，地点是县教师进修学校。那里的厕所是水泥做的，比乡下的房子还牢固，绝对不怕风吹雨打。坑与坑之间竖起一道矮墙，也是水泥砌成的。宁宁第一次上这种厕所，没有经验——没带纸。等屙完了，才发现没有擦尻子的东西。万般无奈时，宁宁把目光落在那道水泥矮墙上，可每一道矮墙的棱棱上都沾着屎痂痂——显然，别人也发现了这个窍门。宁宁侧耳听听没有人朝厕所来，急忙撅起屁股，在水泥矮墙的棱棱上蹭了蹭，慌乱地提起裤子，向教室走去。坐在教室里，宁宁立即把老师正在讲的辩证法与方才的事进行了"理论联系实际"，凡事均包含着正反两个方面，譬如乡下的茅房和城里的厕所。之后，宁宁学乖了，咬牙买了一卷卫生纸。想到这儿，宁宁说：

“报纸硬得能把尻子划破。”

“总比土坷垃软和。再说，用啥呢？”

“卫生纸。”宁宁果断地说。

水芹听了，眉角眼梢净是笑，说：

“对，卫生纸就卫生纸。一旦又不是天天来呢，我这当姑的舍得。咱屋里有呢，用！”

“就你用的那卫生纸，一旦能用？粗糙得像麦秸草。”

“那咋弄呢？”

宁宁心里说：“干脆一不做二不休，豁出去了。”宁宁就说：“买卷高级的。”

水芹想：“不就是擦尻子么，用那么好的纸做啥，不知要多贵呢。”水芹转念又想：“当姑夫的舍得，我这当姑的还有啥舍不得的。”

水芹从柜里拿出20块钱，放在宁宁的枕砖边，敦促说：

“快点起来，先给猪圈拉几车土，满后院全是猪屎，连个下脚的地方也没有。拉完土，你就到集上去买卫生纸，顺便买点肉菜，把钱装好。”

天完全亮堂了，阴沉得重。水芹心里想：“恐怕要落场雪了。”这样想着，水芹到隔壁去喊南瓜。南瓜的房门紧关着，里面传出录音机的声音。

今年秋罢，有媒人给南瓜说了个主儿，是邻村的，小伙子叫骏娃。据媒人说骏娃的家里很富裕——他爸是匠人，南里北里盖房。南瓜和骏娃去见面，骏娃送了2200元的见面礼。南瓜没和谁商量，就用200元钱买了台小录音机，还有几盘磁带，没黑没明地听。为这事，水芹和南瓜吵了好几回。

水芹在外面喊了几声，南瓜硬是不吭声。水芹威胁道：

“听，听，再听我就给你把那破匣子砸了！”

“你砸录音机，我砸锅！”南瓜不软不硬地说。

水芹咽下一口气，说：

“你都是有主儿的人了，该帮妈做些事了。你看你，你一旦哥要来了，你却一点眼色也没有。”

南瓜腾地火了，“啪”地关掉录音机，提高嗓门说：

“一旦要来咋的，他早该来了！他是你侄子，来看你是天经地义的，有什么值得大惊小怪的，兴师动众？”

“你这是说的啥话？”

“老实话！”

水芹犟不过南瓜，又好言相劝：

“你一旦哥要是有了娃，说不定还会叫你去看娃呢，吃好的穿好的，还住楼房，雨淋不上，太阳晒不着。听说赵村一个姑娘在城里给她叔叔看娃，看了一年，连户口都转成了商品的……”

南瓜软硬不吃：

“咱可不巴结人家。他有权有钱，他住他的高楼大厦，咱没本事，咱住咱的土屋泥房，心里踏实，没皮没脸地舔人尻子，贱！”

“我不跟你打嘴仗，快起来干活，把我往死里累呀！”

“我不舒服。”

“啥不舒服？”

“不舒服的地方不舒服。”

“前几天不是见不舒服过吗？”

“这一阵乱着呢。”

水芹觉得热脸遇上了凉尻子，心里酸溜溜的，眼窝窝也随之潮湿了。心里说：“我辛辛苦苦，我低三下四，还不是为了这个家，还不是为了你们一个个能活得像个人样子，不遭人下眼观，可……”

吃罢早饭，宁宁推出自行车，打算到集上去买卫生纸。临出门，水芹又唤住宁宁，叮咛说：“把钱装好，买卫生纸时你多挑一会儿，别把烂的买回来。”宁宁说：“知道。”水芹又说：“你顺便叫东瓜来一趟。”

东瓜是宁宁和水芹的儿子，娶了媳妇，生了儿子，分家起了灶了。儿媳妇叫虫子，是个厉害主儿。东瓜搬出家后，刚开始还隔三岔五来一回，送些汤汤水水，后来就来得越来越少了。起初，宁宁和水芹还怪是儿子东瓜的病，嫌儿子不孝顺，骂儿子娶了媳妇忘了娘。后来才发现，东瓜来一回，脸上就出现几道血印印。这时，宁宁和水芹才恍然大悟，原来病根根生在儿媳妇虫子身上。虫子怕宁宁两口子拖累他们。为此，宁宁和水芹很是伤心过一阵子，伤心过后，也便想通了，让儿子儿媳奔他们的前程去，不求他们。于是，两家人显得很生分。可今日，水芹叫东瓜又是为啥呢？宁宁投去疑问的一瞥，终究还是顶了一句：

“老鼠舔猫×——没事找事！”

水芹说：“一旦说，他来要给咱们照相，他们不来，这全家福咋照？一旦会咋看？还是先给东瓜打个招呼好。”

宁宁想反驳几句，却没有想出得力的词语，就跨上车子，叮叮当当远去了。

约莫过了一顿饭工夫，东瓜才慢慢腾腾地来了，脖子上架着儿子，胆怯谨慎的样子。他知道快过年了，而过年是需要钱的，他怕妈和爸给他出难题。水芹正在拾掇碗筷，东瓜忐忑地问：

“妈，你叫我？”

“嗯。”

“有啥事呢，妈，你快些说，今日扫厨，我还忙着呢。”

“妈不拴你，一句话的事，怕啥！”

东瓜绯红了脸，讷讷着说不出话。水芹见东瓜狼狈的模样，心疼地问：

“吃了没?”

“吃了。”

“吃的啥?”

“茶(白开水)泡馍。”

“天天吃茶泡馍，不怕胀死!”水芹懊恼地说。

“常吃也就惯了。”东瓜无奈地说。

虫子是个懒人，在吃饭问题上，一贯坚持凑合政策。东瓜没本事，倒腾不来钱，被虫子竟日里指东戳西，也屙不出块橛橛屎来。水芹说：“你们能惯，我还怕我孙子不习惯呢。”说罢，盛了两碗剩粥，让东瓜和孙子吃。

黄灿灿的稀粥热气腾腾，香气袭人。东瓜咽了口口水，心里想：“莫不是……妈，我也紧巴呢，何况，我主不了事。”以防吃人的嘴短，东瓜就说：

“妈，我饱着呢。”

水芹十分清楚东瓜心里那几个小九九，说：

“妈经管了你二十年，还不知道你？吃吧，妈不要你一分一文。”

东瓜稍稍喘了口气，也羞赧了脸，端起碗，垂着头，狼吞虎咽起来。水芹看着儿子和孙子的馋相，心里很过意不去，关切地指教儿子：

“快过年了，也不知道给娃剃头。”

东瓜说：“急啥，离过年还有几天呢。”

水芹说：“屎憋不到尻门子你不急。”

东瓜不好意思地笑了。水芹接着说：

“你一旦哥过年要来，还说要给你娃照相，带彩的。你趁早把娃拾掇干净，肮里肮脏，惹你一旦哥笑话。还有，你这几天得空儿了就来帮帮手，好好把屋里打扫一下，妈叫你过来就说这事。”

听了水芹一番话，东瓜心里很难受，香喷喷的稀粥也变得没滋没味。东瓜和一旦同龄，一旦比东瓜大生日。两个人一搭儿耍大，一搭儿念书，一搭儿参加高考，结果，一旦金榜题名，东瓜名落孙山。东瓜很遭亲戚的笑话。东瓜为此也不走任何亲戚，怕亲戚把他和一旦扯在一块儿作比较。唉，这就是命，曾经一搭儿趴在煤油灯下捉虱子，一搭儿偷生产队的西红柿，一搭儿用弹弓射击人家的鸡腿，一搭儿趴在茅房外看女人撒尿……如今，却一个在天上，一个在地下。没考上大学的东瓜回乡当农民了，娶妻生子，成家熬日月。起初，东瓜不习惯这种懒散的日子，爱穿制服，爱往上衣口兜里插钢笔，爱梳偏分头，爱把手插在裤兜里走路。早晨起来，不刷牙不动筷子。妈骂东瓜：“嘴里有屎呀，刷！刷！刷!”“不刷牙对牙齿不好，容易脱落。”东瓜耐心解释。“你六爷一辈子没刷牙，临死还能啃骨头!”东瓜就不刷牙了。但高中毕业生东瓜并没有改掉爱卫生的习惯，妈又骂了一回：“你当你是啥？你当你是香包包，其实你是臭狗屎！”东瓜彻底失望了，心灰意冷了，他明白：他没飞出这土窝窝，飞出去了就是金凤凰；飞不出去，就是打鸣下蛋的鸡。没一年光景，东瓜变了，书不看了，制服不穿了，偏分头不留了，钢笔不插了，里里外外都变成了一个和村里任何一个年轻农民没有异样的农民。

“人比人气死人！”东瓜想。

东瓜懒懒地说：

“鼻涕眼泪擦不净，照啥相呢。”

水芹说：“娃都三岁了，还没照过相，不照咋的？”

东瓜情绪十分低落，索性不再开口。水芹继续说：

“你一旦哥今年来了，我求他给你在县里找个临时工，挣多挣少总比在屋里闲待着强。”

如今分田到户，不平整土地，不学习开会，整天闲着，忙也就忙那么一阵阵，有钱人打麻将赌博，没钱人打扑克消磨时光，定定等候着太阳从东头挪到西头。东瓜属后一类人。东瓜想这倒是个好主意。

“妈，我回去了。”东瓜说。

铅云褪尽，太阳像个红苹果。走在太阳下，东瓜突然豁然开朗了，一面走，一面颠着脖子上的儿子，一面念信口编的顺口溜：

“光光头，花衣裳，大姨二姨来照相！”

傍黑时分，宁宁从集上回来了，风尘仆仆的样子。宁宁买的菜有：两棵白菜，五斤胡萝卜，四斤洋芋，三斤肉，一挂鞭，一卷卫生纸。宁宁歪巴着脑袋吃剩面条，水芹依柜站着，抚挲着卫生纸。

“嗳，你说把卫生纸放啥地方呢？”水芹突然问。

“放柜里。”宁宁信口说。

“不行，放柜里一旦咋知道呢？”

宁宁停住咀嚼，抬头望着水芹，眨巴着眼睛，思忖了片刻，说：

“放在饭桌上。吃完了，撕一点擦嘴，要上茅房的话就多撕一点。”

“这不行，”水芹反对道，“把擦尻子的纸跟馍呀菜呀放一搭儿，想起来多恶心。”

“那，就放茅房里……”

“对，就放在茅房里。一旦一进茅房就看见了。不过，放在茅房的啥地方呢？”

“给墙上掏出窝放进去。”

“不行，鸡会飞进去下蛋。”

“那就在茅房里放个凳子，把卫生纸放在凳子上。”

“风吹跑了咋办？”

“用土坷垃压住。”

“土坷垃脏。”

“那就用瓷碗压住。”

“对，咱屋里的瓷碗多的是。”

水芹和宁宁的意见高度一致了。

吃罢饭，宁宁想起年后要进行的转正考试，焦急起来，从柜里翻出参考书，准备复习功课。水芹却发现炕边有一条缝缝，要宁宁和点泥糊了它，宁宁烦躁地说：

“不糊。”

水芹说：“不糊咋行呢。冬天这么冷，一旦来了肯定要坐热炕，你不糊它，弄得满屋子都是烟雾，一旦咋坐得住？”

宁宁虽然认为水芹言之有理，但推迟到明天干也不是不可，就解释说：

“年后就要考试，我想好好复习功课呢。”

“复习顶屁用！”

“不复习能考好？考不好能转正？”

“你年年好好复习，年年考得好，年年咋就转不了正？还不是上头没人替你说话？转正根本不是靠成绩，是靠面子。往年咱不说，今年咱有一旦呢，怕啥？”宁宁心里像塞了一把麻雀毛，憋乎乎，乱哄哄，火辣辣。书在手中捧着，书上的字全变成了一个个小蚊虫，在他的眼前乱飞狂舞，一个也不认识，一个也捕捉不住。

四

这一天，醒来得最早的是南瓜。她一醒来，就把录音机的音量拧到极大，然后站在房台台上“咕叽咕叽”刷牙。这声音，对宁宁和水芹来说，比剐锅杀猪还聒耳，犹如一把老锯子，在一下又一下锯着两个人的心。当初，东瓜也是这个样子，被骂乖了。可南瓜却骂不乖，你骂你的，她充耳不闻，仍我行我素。骂得急了眼，南瓜就顶嘴：“猪才不讲卫生呢。”水芹说：“你没看村里人都在笑话你？”南瓜说：“笑话我的人都是猪。”水芹无奈，就哀叹：“我哪辈子亏了人，遇上这个冤家！”

南瓜今日要到东堡子的骏娃家里去一趟。先前说好了，今年骏娃要来。南瓜去和骏娃掐定一下具体日子，还有来时要买的礼品。这本是媒人的差事，南瓜却不愿意在她和骏娃之间插个媒人——她觉得媒人是身上的臭虱，完全彻底是多余的。但一些乡风陋俗，拗是拗不过的，只得入俗。

南瓜和骏娃是高中时期的同班同学，又是同桌，念书时就眉来眼去递条子，志愿表上所填的志愿都一模一样，可惜两个同病相怜的高中生双双落榜，成了土里刨食的农民。出了校门后，他们偷偷摸摸在泔河畔幽会了几回，拉手手，亲口口，摸奶奶，说悄悄话，私订终身。时间长了，骏娃怕闹腾出乱子，反倒对他们不利，爽性悄悄请了个媒人在两家老人中间说合。两家老人都为自己高不成,低不就的后代发愁,一听正合茬,满口应承了。一切都按乡俗进行。见面那天,南瓜和骏娃被推进一个房子相互"了解情况",两个人搂抱着差点笑破肚皮。

水芹趿着鞋,睡眼惺忪地走出房门,见南瓜把镜子放在窗台上,正照着镜子给脸上抹雪花膏,说:

"恁大的姑娘了,眼里没活。看那被子脏的,你一旦哥来了,连个盖的也没有。你停一会儿就拆洗被子。"

南瓜继续用两只手在脸上揉,无动于衷地说:

"我有事呢。"

"啥事?"

"东堡子去。"

水芹打个激灵,脸上的肉抽搐了几下,逼近几步,质问:

"到东堡子干啥?"

"有事呢。"

"有啥事呢?"水芹嗓门提高了几分。

"有事就是有事,不该知道的就不要问,问也白搭。"

"啥事不该我知道,咹?!"水芹愈加气愤了,"大姑娘了,又没过门,整天跟人家眼皮底下窜来窜去,也不怕人家说闲话。"

"我名正言顺光明正大地来去,谁说啥闲话?"南瓜把头一扬,像只好斗的小公鸡。

"你跑去做啥?"水芹追问了一句。

南瓜懒得再说下去,心里说:"告诉你你又能咋?"南瓜一面收拾化妆用品一面说:

"问一下他初几来。"

这一句提醒了水芹。这几天忙糊涂了,差点忘了这码事。原先定好骏娃要来,那时候不知道一旦要来,那么,这个年头的头等大事就是招待骏娃了。如今一旦要来,就不能再按既定方针办,一切都得改变。水芹用权威性的命令口气说:

"去也用不着你去,还有媒人呢,还有你爸和我呢,宝鸡的风箱——走得慢,扇得紧。今日我就让媒人把话传过去,让他别来了。"

"为啥不来了?"南瓜吃了一惊。

"你一旦哥要来,他还能来?"

"一旦要来,他就不能来了? 各来各的,井水不犯河水。"

"放屁也不拣个地方! 你说说,是一旦重要还是他重要?"

"……他重要。"南瓜犹豫了一下,肯定地说。

"你个死皮不要脸的!"水芹脸色变得煞白,戳着手指头,狠狠地骂道。

“妈，”南瓜却显得格外的镇静，“你不觉得自己可怜吗？”

“可怜？”水芹气咻咻地说，‘我不讨吃讨喝，不是叫花子，我可怜啥了？”

南瓜吁口气，摆出一副不屑辩论的神情，甩下“悲剧”两个字，转身进了厢房，“咔嚓”一声插了关子。

水芹痴愣愣地站在房台台上，不知所措。这时，鲜艳的红太阳跃上屋脊，整个院子霎时铺满一层金。水芹失魂落魄般走了，她先去打开鸡笼，十数只鸡扑腾着满院子跑，抖翅，追逐，觅食，鸣叫。看着快活的鸡，水芹不觉心里一酸，滚下几串眼泪：“我把你一把屎一把尿拉扯大，没功劳也有个苦劳。可你个昧良心的，翅膀一硬，就跟我对着干了，还没过门，就胳膊肘朝外拐，向着人家说话……我是为啥呢？”

东瓜和媳妇虫子牵着儿子走进头门以后，看见水芹正在抹眼泪，吸溜清鼻涕。小两口极快地交换了一下目光。还是虫子机灵，奔过去，搀扶住水芹的胳臂，盯着水芹的脸，焦急地问：

“妈，咋了？”

“不咋。”水芹用袖子拭了拭眼睛，淡然道。

“是不是我一旦哥不来了？”

“不是的，”水芹说，“恁大的姑娘了，一点事不懂，净添乱子。”

虫子在心里暗暗嘘了口气，劝慰道：

“妈，别生气，当心伤着身子。”

听了这话，水芹竟然有点不自然：自从虫子踏进这家门，啥时候说过这么孝顺的暖人心的话？今日这是咋了？

宁宁正在洗脸，勾头瞥见院子里的一幕，纳闷着在心里嘀咕：“怪球了，今日这日头从西边冒出来了？”

虫子回头见东瓜还傻站着，眼珠子一转，为了转移水芹的注意力，使她从伤感的情绪中解脱出来，就提高声音呵斥东瓜：

“看热闹咋的，跟个木头桩桩的，不知道去干活！”

“干啥活嘛。”东瓜嘟哝了一句。

“活把你的眼睛能戳瞎！”虫子越说嗓门儿越大，“房麻眼不塞能行？一旦哥来了，满房麻眼都是麻雀，拉了屎下来咋办？吵得人能坐住？厢房里的老鼠洞不堵能行？一旦哥来了，他能看得下去？”

东瓜闷着头和泥去了。水芹走进厢房，一面拆被子，一面暗想：“还是虫子有眼色，考虑得周全。唉，南瓜要有虫子这么富于心计该多好呢。”虫子跟进厢房，从水芹手里抢过被子，说：

“妈，你歇着，我来。”

宁宁百思不得其解，给水芹使个眼色，两个人跟着进了厨房。

“这是咋回事?”宁宁问水芹。

“啥咋回事?”

“我看不对劲啊,”宁宁歪着脑,想着说,“这两口子咋想给咱帮忙了?恐怕是黄鼠狼子给鸡拜年!嗳,你昨日对东瓜说啥来?”

“我说他在家里闲也是闲着,他一旦哥来了,求一旦给他找个临时工让他干去。”

“怪不得呢。”

“再不孝顺也是娃呢。”

宁宁叹口气,忧虑重重地说:

“一旦又不是你跟我,嘴一张就能顶事。万一办不成,你不是给咱惹麻烦吗?”

“你说一旦办不了这事?”

“不是说办不了,就怕人家不给你办,如今的干部都讲廉洁呢。”

正说着,只听一阵噼里啪啦的鞭炮声,鞭炮声中又夹杂着一声声巨响,是大炮的声音。水芹和宁宁走出厨房,恰好看见东瓜挑着水进了头门,水芹问:

“谁恁早地放炮?”

东瓜兴奋地说:

“八省在试炮呢,说是看炮干不干,声音脆不脆。听说八省今年还要搞‘基瓦杯’篮球赛呢,他掏钱,管吃管喝。邀请了许多村参加,凡是参加的人都发一件红背心。”

“看把他烧的!”水芹哼一声,心里说:“叫一旦撤了他狗日的支书,叫他的砖瓦窑开不成,看他狗日的还烧!”

八省家办了个砖瓦厂,雇了三十多个民工,赚了不少钱。学校盖教室,八省捐了八千元,乡里的广播里就整天呐喊八省是农民企业家,是广大人民群众发家致富的带头人,是致富不忘发展农村教育事业的好党员。

水芹心里说:“你狗日的打了我哥,我哥老实巴交,我哥却生了个灵醒娃。他要报仇呢,他要整治你个狗日的呢,他要叫你狗日的啥啥都不是。八省,你眼睛放亮些,兔子的尾巴长不了了!”

这样想着,水芹就渴望日子过快点,盼一旦能早日来到。

吃中午饭的时候,南瓜还躺在自己的厢房里没出来,水芹、宁宁、东瓜、虫子四个人都是黑鼻子黑眼睛,脸上抹了灰,头发上也沾着蜘蛛网。水芹做的是酸汤挂面,可大家的食欲都不强。正吃着,水芹突然问宁宁:

“割了几斤肉?”

“三斤。”宁宁说。

“肥瘦呢?”

“匝厚的膘。”

水芹有点不悦意了，说：

“你光想着自个儿，一点也不为一旦想想。”

“我咋没为一旦想了？”

“一旦如今是县上的人，肥肉都吃腻了，光爱吃瘦的。”

宁宁愣怔着，说：

“一旦不是说光吃豆豆面吗？”

“亏你几十岁的人了，”水芹连珠炮似的说，“一旦说吃豆豆面，你就光给一旦吃豆豆面？你端上去，你那张老脸往哪儿搁？大过年的，你还不让一旦喝几杯酒？喝酒能不要下酒菜？炒下酒菜没有瘦肉能行？”

虫子也附和着说：

“妈说的对呢，不能让一旦轻看了咱。”

“明日再买两斤瘦肉。”宁宁赌气说。

“光瘦肉就行了？”水芹还不满意。

“还要啥？”宁宁烦躁地将筷子放在桌面上，瞪着眼问。

“不要菜？”

“买了菜呀，萝卜、白菜、洋芋都有呢，要下酒的话，炒个鸡蛋，炒个白菜，炒个洋芋，切一盘凉肉，切一盘萝卜丝就行了，过年的天，人肚子里的油水厚，能吃多少！”

“你打发叫花子咋的？”水芹也有些上火。

一直埋头吃饭的东瓜放下筷子，用袖子在油嘴上揩了揩，不满地咕哝：

“又不是接待国家总理……”

虫子立即上了茬，打断东瓜的话：

“你个井底之蛙，就盯着眼前那一点利益，鼠目寸光！”

东瓜显得不屑争吵的神情，打着饱嗝儿走出去。虫子给宁宁泡了杯水，放在宁宁面前，乖甜地说：

“爸，妈的想法对着呢。你想想，我一旦哥一年能来几回？再说，往后，咱用人家的时候还多着呢。”

宁宁点燃一锅子烟，不好跟儿媳妇犯犟，就闷着头暗自盘算：“再买一斤韭黄，唉，韭黄比肉还贵，放在嘴里咋咽得下去？再买两斤藕。不，要不了两斤，够拌一盘菜就行了……”盘算了半天，宁宁还吃不准究竟买些啥。问水芹，水芹也拿不定主意。关键时刻，虫子又一次显露了自己的聪明才智：

“爸，妈，我说您二老也别犯作难，干脆把大放叫来，让大放开个菜单，咱去买菜。我一旦哥来了，再请大放做下酒菜，弄排场点儿，像过事一样。”

水芹一拍大腿，眉飞色舞地说：

“对，就这么办！”

宁宁倒吸了口凉气，悄悄乜斜了一眼儿媳妇，心里说："这女人心眼稠，也毒，为了达到目的竟然不择手段，舍得花血本！"宁宁更在心里叫苦："难道我不想要人？难道我不想大操大办？可得有钱啊！我宁宁现今就 30 元钱，全花出去，我这年还过不过？开春后的化肥还买不买？浇地的水费交还不交？买盐灌醋的钱哪里来？这么弄下去，30 元钱还不一定够呢……"

大放是个复员军人，在部队时当炊事员，学会了一套做菜的本领，村里人过红白大事都请大放去掌勺。

宁宁把烟锅头头在鞋帮子上磕了磕，站起身，反剪着手，找大放开菜单去了。

大放是个痛快人，听完宁宁的话，满口应承，当即开了菜单，递给宁宁，然后问：

"初几的事？"

这一问，倒把宁宁问了个懵里懵懂，稀里糊涂。是呀，究竟一旦哪一天来呢？宁宁急匆匆跑回家问水芹。水芹眨巴眨巴眼睛，说：

"我也说不准。一旦光说他来，没说他哪一天来。"

宁宁说："大放要个准确日子呢，年前年后过事的人多，大放总不能啥事不干，干坐在家里等一旦来吧？万一他被别人请了去，一旦又来了咋办呢？"

水芹一时也没了主意。

宁宁见水芹作难，心里隐隐生疼，牙一咬，说：

"你看这样行不行？咱把大放包下来，让他在家里死等，一天给他 2 块钱，做饭的那天给他 10 块钱，从初一算起。"

水芹心里一阵蜇痛，揪心地问：

"得多少钱呢？"

宁宁说："算上买菜，大概得 100 块。"

"咱屋里只剩 20 块钱了……"

"借，借！"宁宁果断地说，"只要一旦高兴，吃得好，他姑父舍得，舍得！"

"借、借了拿啥还呢？"

"不怕，不怕，"宁宁胸有成竹地说，"咱再从牙缝里往出抠，咱的 4 只母鸡还下蛋呢，咱那小壳郎猪也快长大了，不怕！"

水芹深情地望着宁宁，视眼模糊了。

两口子又合计了一阵，然后分头行动。宁宁找大放说定，水芹去借钱。

又一个夜晚降临了。

东瓜一动不动地在热炕上半躺着，眼皮耷拉着抽烟。虫子从柜里拿出 50 元钱，将食指压在舌尖上蘸了蘸，正数一遍，反数一遍，先拿出 30 元钱，想了想，又看了看东瓜，见东瓜无动于衷，一副死猪模样，就又拿出 10 元钱，把剩下的 10 块钱放在柜盖上，又蘸着唾液把那 40 元钱点了两遍，才递到东瓜面前，以命令的口吻说：

“送过去。”

“送哪去?”东瓜翻了翻眼皮。

“送你爸妈那儿去。”

“送这么多钱弄啥?”

“一旦来了不花钱?你爸妈干得要屁没蛋的,咱不送谁送?”

东瓜一骨碌直起身子,说:

“你疯了!咱屋里也就50块钱的过活,你送去40块,咱这年还过不过?礼品还买不买?亲戚还走不走?”

虫子是个鬼精精,哪会干赊本的买卖,当下就说:

“这叫舍不得娃娃打不住狼,也叫吃小亏占大便宜。西头的敬敬也是个临时工,可他家的三轮车、鼓风机、蒸笼、圆头铁锨都是哪来的?还不是从厂里弄来的。你要是当了临时工,还愁弄不来40块钱?所以咱们要好好表现,一旦来了,让妈多美言几句。要是把一旦招呼不好,他给你办临时工?给你办个球!”

东瓜把当临时工的未来思索了一下,觉得很诱人,也就不再心疼那40块钱,喃喃道:

“那,咱这年咋过呢?”

“咱还过啥年,”虫子说,“今年过年的一切都要以一旦为中心。”

“礼品不买了?”

“不买了。”

“亲戚不走了?”

“不走了。”

“你娘家也不去?”

“不去。”

东瓜想:“女人有时比男人犟得多,认准的路,三头牛都拉不回来。固然,她们很多时候自以为正确的东西都是大错特错的。”

空旷的村街上万籁俱寂,一阵寒风掠过,东瓜不由打了个寒噤,他加快步伐,急匆匆朝父母家中走去。

头门虚掩着,东瓜推开门,“吱呾”一声,狗吠起来。东瓜厉声喊:“叫啥呢!”狗就哑了声。东瓜在厢房外喊:“爸,妈——”却没人应。推门进去,房子里没个人影影。东瓜就去敲南瓜的门。南瓜早听见了哥的声音。

“门开着呢。”南瓜说。

东瓜走进南瓜的房子,嗅到了一股檀香味。妹妹南瓜正靠在被子上看小说。

“爸跟妈呢?”东瓜问。

“我又不是他们的影子,咋知道!”南瓜很有点看不起这个自暴自弃的哥。

“你还看书呢?”

“书是毒药,咋的不能看?!”

“南瓜,”东瓜语重心长地劝妹妹,“这脾气往后要改呢。”

“哥,”南瓜反过来教训哥哥,“往后,你得学着有骨气点,别像爸跟妈样的……譬如,一旦要来,来就来嘛,看他们那下贱的样子,看了叫人恶心!”

“咱求人家呢。”东瓜深沉地说。

“哥,你记住,不论干什么事,靠别人是靠不住的,只有靠自己。”

平日里,东瓜最头疼跟妹妹南瓜说话。南瓜性子倔,不服输,问题的症结是往往她是对的。可是,亲爱的妹妹,你知道不,对的,不一定能行得通。你还嫩,等你长大些,再长大些,在社会上碰几回钉子,摔几回跤,你就知道人该咋做了,事该咋办了。

头门响了。狗又吠起来,传来一声具有威慑力的咳嗽,狗住了声。东瓜听出来,妈回来了。他无可奈何地看了一眼南瓜,悄然地退了去,站在房台台上,喊:

“妈!”

为借钱,水芹很是费了一番心思的。首先是找谁去借。水芹也是有几个说得来的朋友的,岁岁媳妇、九泉媳妇、军产他妈、六川他妈,可这些人都是常常端着灯盏借油的穷杆杆,没哪个人能借钱给她。当然,村里不乏有钱人,可如今这世事,有钱人跟有钱人打交道,跟没钱人是不沾边的。你找她借钱,她不但不给,反而会假惺惺地给你哭诉一番穷。水芹在心里把村里的有钱人排了个队:支书八省、木匠老蒋、公办教师树德、翠萍……末了,水芹把希望寄托在了翠萍身上。翠萍的丈夫叫蒋存正,在县粮食局当主任,有钱。蒋存正年轻时犯过作风上的错误,所以十多年没提上去,回到村里,对男女老少都很和气,一张笑眯眯的胖脸,丁点儿架子没有。对,就找翠萍借去。

大过年的借钱,这口咋张呢?人家要问咱啥时候能还?咱咋说呢?

水芹想好了一套对策后,忐忐忑忑走进了翠萍的家。翠萍和蒋存正坐在热炕上看电视。

蒋存正显示出了极大的热情,请水芹坐炕上去。水芹推辞说不冷不冷,就在脚地的一张方凳子上落了座。

“年货备好了?”翠萍问。

“备啥呢,忙了个鬼吹火。”

“你今年又不娶媳妇又不嫁姑娘,忙啥?”

水芹叹了口气,哭丧着脸说:

“我侄儿要来呢。如今,我侄儿在县上当干部,听说还是啥常委,害得我非好好准备一下不行。我又不知道你们干部爱抽啥烟爱喝啥酒,才跑来问问你家掌柜的。”

蒋存正一脸肃然，瞪大了眼珠子，问：

“你侄儿叫啥名字？”

“刘一旦。”

“刘一旦是你亲侄儿？”

“我亲哥的娃，你说亲不亲？”水芹愉快地笑着说。

蒋存正急忙从炕上下来，拉着水芹的胳膊让她坐炕上去。水芹拗不过，就坐在了炕边沿上。蒋存正又拿出水果糖让水芹吃，水芹拿了一颗，她瞥见翠萍阴沉着脸，拿眼瞪蒋存正，蒋存正喜滋滋地说：

“我和你侄儿见过面，他抽啥烟喝啥酒我知道。这样吧，你也别破费了，你侄儿来了，你让娃来叫我，我把烟酒带过去。”

水芹正了脸，说：

“这是啥地方话？”

蒋存正依旧满面喜色，说：

“烟酒不分家，不分家。”

水芹想这一招果真灵。她不敢接触翠萍那含火带怒的目光，硬着头皮，望着蒋存正，讷讷道：

“眼下我有点紧，你若宽展的话，借些钱给我，过罢年我就设法还你。”

翠萍脸阴得能拧下水来，急忙接过话头，说：

“我也紧呢……”

蒋存正打断翠萍的话，说：

“行，行！你需要多少？200元够不够？”

说完，蒋存正从上衣口袋里掏出两张100元面额的票子递到水芹面前。水芹接钱，连声说“够了够了”，就退出房子。

黑洞洞的天，含着泥土的腥味的空气很是凛冽，伫立在翠萍家门外，水芹如释重负般地嘘了口气。这时，隐约传出翠萍和蒋存正的争吵声。

“你为啥借钱给她，是不是想打她的歪主意？”

“小点声！她那么老，还没你长得水色，我打她的主意？笑话！”

“她有个姑娘才十八岁，长得水色，你快去吧！”

“你真真是个长头发，短见识。你知道她侄子是谁？是政法委的书记，县常委委员，平时我跟人家连话都说不上。他这回来，我好好跟他套套近乎，定粮食局局长时，他能不为我说句话？天助我也！”

水芹听着听着，泪水在脸上汹涌。翠萍，你的嘴也太馋火了，不就是借了你200元钱吗？我又不是不还你，你这么作践我一个老太婆，还有我未出阁的姑娘。

水芹拭了拭脸颊的泪，稳定了一下情绪，摇摇晃晃地向家里走去。

走进家门，水芹听到儿子东瓜的叫声，怔了一下，一面往厢房里走一面问：

"恁晚了,咋还不睡?"

"虫子让我送40块钱来,说我一旦哥来了花销大。"

"钱我借下了。你们也紧巴,留下用吧。"水芹望着揉得皱皱巴巴沾着汗渍的40块钱,推诿说。

"虫子说,咱一家人不说两家话。"

水芹觉得儿子很窝囊,没个主见,张口闭口"虫子说"。水芹却没骂儿子,而是伸手接住了那40块钱。捏着这40块钱,水芹觉着像托住了千斤重担,更像托着一颗随时都可能燃烧爆炸的炸弹。

五

集市上熙来攘往,宁宁拎条蛇皮袋子,拿着大放开的菜单,一摊儿一摊儿看菜的成色,问菜的价钱,却不买。他在心里做着比较。他要等到半下午才开始买。现在,集市刚开,人又多,啥菜贵得都像蝎子尾巴。半下午,赶集的人陆续回走的时候,菜价就会跌下去。宁宁懂得这个窍道的。宁宁在集市上磨磨蹭蹭,东转转西逛逛,到吃饭时在小饭馆门前徘徊了好久,最后还是没走进去。终于等到半下午,菜价果真往下跌了些,宁宁按菜单上开的一一买了,才骑着车子往回赶。等宁宁风尘仆仆地赶到家门口,太阳已坐在唐王陵的山顶顶上等着回家去憩息了。这时候,拾掇家里的水芹、东瓜、虫子也累得精疲力竭。虫子见宁宁推着车子进了家门,就去倒洗脸水。她把洗脸水放在宁宁面前,说:"爸,看热的,快擦把脸。"虫子话语乖甜,声音脆得像五月天的嫩黄瓜。宁宁刚洗完脸,虫子又捧来一壶酽茶,说:"爸,你先喝茶,我弄饭去。"说完,拧过身子,一颠一颠地进了厨房。

宁宁喝了几口茶,确实很酽,浑身的疲乏陡然褪去许多,心里却说:

"把他家的,亲爸呀,亲妈呀,算个球,还不如一个一旦呢,这二年……"

水芹进了厢房,身后跟着笑盈盈的军产他妈。军产他妈手上捧着个大老碗,盛着冒尖儿的搓搓面。军产他妈对宁宁说:

"我后晌搓的,油泼辣子下锅菜都调好了,你快吃吧。翻啥眼珠子呢,咱隔一堵墙住着,吃吃喝喝算个啥!俗话说,远亲不如个近邻呢,你说是不?"

宁宁咽了口口水,不知所措地搓着手。这女人平常架子大得了得,见了宁宁从不拿正眼看,更别说打招呼了。今日这是咋了?宁宁向水芹投去询问的目光,水芹说:

"军产年后就复员了,是志愿军,军产他妈想让一旦说句话,好给军产分个好工作。"

"你咋知道一旦要来?"宁宁问军产他妈。

“哟,村里都摇了会了,说水芹她侄子是个大官官,跟县长差不多呢。今年要来给他姑和他姑父拜年,全村谁不知道呢?嗳,你是他姑父,他肯定看你的面子,你到时候可得多说几句好话哟!”

军产他妈又说了一阵闲话,就告辞走了。端着那碗搓搓面,宁宁一点食欲也没了。他责备水芹:

“一旦又没来,你到村里瞎煽乎啥!再说,一旦就是来了,也不一定能给人家办。”

水芹可不这么认为。今日,有好多的人来求水芹,门槛差点被踩断了。水芹乐意接待这些人,乐意从他们眼里看到那种羡慕、尊重、讨好、乞怜的目光。她认为,家里那种枯燥沉闷的气氛被打破了,她堂堂正正是个人了,旁人再也不敢小看她了!

“这又咋了?”水芹不以为然,“就是一旦不给他们办事,他们敢把我咋?!”

吃罢饭,天也就黑扎实了,那些烦缠人的事也烟消云散。宁宁坐在热炕上,一面品着酽茶,一面笑着问水芹:

“你猜我今日到集上碰着谁了?”

“碰着谁了?”水芹问。

“马专干。”

“碰上马专干有啥高兴的,还嫌他狗日的把你没整够!”

“你听我说嘛。我刚买完菜,就见了马专干腆着个大肚子过来了,我赔着笑脸喊了一声马专干。我想跟他打听打听转正的事儿。马专干像平常一样,一副爱搭不理的样子。我说您也逛集啊。马专干斜着眼瞅我买的菜,说,买这么多菜,日子过得挺滋润嘛。我急忙解释说,咱乡里人哪敢这么铺张浪费呢?是我婆娘他侄子要来,才多买了些菜。马专干在鼻子里哼哼了两声,说,你婆娘他侄子又不是啥外人,还需要买恁多菜?看来还是你的日子过得不错。我赶紧说,不是的不是的,马专干,我婆娘他侄子在县上工作,又是个领导,不常来,所以就……马专干听到这儿,你猜咋着?他看我的目光摆正了,问,你婆娘她侄当啥领导?我说是县政法委的书记。马专干的眼睛瞪大了,好像我哄他似的催问,你婆娘他侄子叫啥名字,我说叫刘一旦。马专干的眼睛光芒万丈了,紧紧抓住我的手摇晃着,说,你个宁宁,你个宁宁,咋不早说呢,咋不早说呢!我糊里糊涂,不知道说啥才好。马专干这时却十分关切地说,看把你热的,走,到办公室喝茶去。我想推辞不去,马专干不容分说,帮我扎紧蛇皮袋子,帮我把蛇皮袋子放在自行车后架上,帮我推着自行车到了他的办公室。马专干把我按坐在椅子上,给我点上烟,是带把把的纸烟,又泡了一杯茶放在我跟前叫我喝。我不敢喝马专干的茶水,怕马专干不高兴。我小心谨慎地问马专干,今年转正的名额多不多。马专干笑着说,前两三年我都想给你转正,可你村里支书八省不同意，八省不同意倒没啥，他跟郭乡长是一伙人，郭乡长就说话了，所以才没给你转。你放心，今年无论如何都给你转正，哪怕只有一个名额也给你。我一听心花怒放，恨不得趴在地上给马专干磕三个响头。马专干却说，宁宁，咱两个谁跟谁呀，对不对？过完年，你把我带到你婆娘他侄子，不，是刘书记，带到刘书记那儿逛一逛，我给他汇报一下咱乡上的教育工作，行不行？我说，行行行。马专干又说，到时候你可得替咱乡上的教育工作多说几句好话啊。我说，没问题没问题。又说了一阵话，马专干看天色不早了，才放我回来了，临出门，马专干还给我耳朵上夹了一根带把把纸烟。你说怪不怪？”

“怪啥?”水芹说，“他在舔你尻子呢。”

“他舔我尻子?”

“他还不是想通过你跟咱一旦说上话。”

“是这茬理……”

“这下不用为转正操心了吧?”

“我咋总觉得有点玄?”

“有啥玄的，睡!”

六

一家人忙忙碌碌了几天，这个简陋甚至寒酸的农舍里里外外像洗过一样干净整齐了，这时，三十夜也一步一步走到了。屋外的爆竹声翻天覆地炸起来。而这个家就显得清冷多了，两口子坐在炕两头，袖着手，守着一盏孤灯，这个家没蒸没摊没煮没包，一位尊贵客人把这个家几十年遗传下来过年的程序打乱了。

“砰!”一只碗碎了，声音从隔壁传来，南瓜摔的。

南瓜别扭好几天了，水芹一直忍着没发作。此刻，她不得不教训教训南瓜了，以防一旦来了她闹出不愉快。水芹下了炕，推南瓜的门，门关着，她说：

“逮着梯子上墙，给脸不要脸!”

“过年呢，要吃没吃，要喝没喝，要穿没穿，要脸做啥!”南瓜反诘。

“天天都吃都喝呢，年年都过呢，又不是没吃没喝过，又不是没过过，有啥稀罕!也不怕人笑话!”

“人家拿尻子笑话咱!”

“谁拿尻子笑话咱？咱有你一旦哥这体面人，他谁家有?”

“咱有一旦，咱却没了尊严!”

“啥尊严不尊严的，咹?!”

任水芹在窗外絮絮叨叨，骂骂咧咧，南瓜却不接话茬，不吭一声。水芹觉得索然，吓唬说："你一旦哥来了，你再惹是生非，看我不撕烂你的嘴！"而后，怏怏不乐地又坐到热炕上去。

听着母女俩的吵声，宁宁心里很不是滋味儿。往年，再紧巴，也有几颗糖，几把瓜子，几颗干枣，几颗核桃，一家人有说有笑地坐一搭儿，一边吃，一边包饺子，有时是豆腐馅子，有时是萝卜馅子。没有更好吃的，却融洽、团结，有笑声，有希望，有年的气氛，今年……唉！

"要不，包点饺子……"宁宁嗫嗫嚅嚅，试探着说。

"不包！"水芹果断地说，"就那一点菜，咱吃完了一旦来了吃啥！"

宁宁不再作声了，下巴抵在胸口上，一副霜打过的蔫样子。

东瓜和虫子抱着儿子拜年来了。往年，都是东瓜孤个儿来，今年全家出动了。东瓜把一瓶酒和两盒卷烟放在柜上，水芹说：

"来坐坐就行了，花钱做啥！"

虫子说："爸，妈，这是我们做晚辈的一点儿心意。"虫子把儿子放在炕上，说，"快给爷爷奶奶磕头！"

小孙子跪在炕上，一边磕头一边咿呀着说：

"爷爷过年好！奶奶过年好！"

宁宁抱起孙子，心疼地在他的脑袋上抚挲着。他知道，该给孙子发压岁钱了。可买了两包高级烟一瓶好酒后，仅剩一毛钱了，装在烟包里。他急忙拿过烟包，取出那一毛钱，抖了抖纸钱上的烟末，说："来，爷爷给乖孙子压岁钱！"宁宁暗自庆幸还剩这一毛钱，挽回了他的老面子，否则，咋有脸扶起跪着的孙子呢？他把孙子举到脸前，咬紧嘴唇，强忍住将要涌出的眼泪。"乖孙子，爷爷活得窝囊啊！"宁宁心里说。

水芹显然没有想这么多，她满脑子都是一旦。她见孙子穿戴簇新，全然是过年的打扮，就责怪说：

"一旦来了要给娃照相呢，老早把新衣裳穿上，弄脏了咋照呢！"

虫子反应极快，忙赔着笑脸说：

"我给他穿上是看看合身不，待会儿回去了就脱了，等我一旦哥来了再穿。"

纷乱的鞭炮声渐渐变得稀稀落落。一家人坐着无啥吃，无活干，无话说。虫子说了几句空洞干巴的话后，就和东瓜抱着儿子告辞了。水芹望宁宁一眼，宁宁望水芹一眼，都没有说话。水芹一口吹灭了煤油灯。

七

春天是被鞭炮炸醒的。

大年初一，东瓜和虫子拖着儿子早早地来了，儿子果真没穿新衣裳，脸上挂着两道泪痕，显然是哭闹过。

南瓜这一天也起了大早，穿着崭新的衣裳和鞋，站在房台台上引吭高歌：

谁能与我同醉
相知年年岁岁……

水芹骂了一声南瓜。南瓜看都没看水芹一眼，抬头挺胸扬长出了头门。

水芹站在脚地，俨然像个战场上的指挥官，她问宁宁：

“大放靠牢实了？”

宁宁说：“靠牢实了。”

水芹又吩咐东瓜：

“你到村口口等着，望着你一旦哥的影影，就跑回来报信。”

“大年初一，谁走亲戚！”东瓜嘟哝。

“东瓜说的对着呢。”宁宁也附和着。

关中这地方，除过“新坟”（年内死了人），大年初一是不待客的，自然也不会有亲戚来。

水芹说：“你一旦哥是国家干部，才不信这些封建迷信呢。”

虫子也说：“对对的，城里人都是大年初一拜年。”

东瓜说：“要说走亲戚，人家也先走他舅家，还有他丈人家，咋能先来咱家呢？”

水芹想了想，觉得东瓜说的也在理，却说：“万一你一旦哥来了呢？”

话说到这份上，东瓜也不再嘴犟，把儿子架在脖子上，极不情愿地领命“望风”去了。

水芹继续安排：

“虫子，你去把豆子泡上，泡毛豆，不要泡豌豆。嗯……把面也和好了，和硬一点。”

虫子乐呵呵地进了厨房。

水芹又对宁宁说：

“你把凳子搬到茅房去，把卫生纸也拿去，拿个瓷碗压牢。”

宁宁说：“急啥呢？一旦来了干也不迟。”

水芹说：“一旦来了，咱忙忘了咋弄？”

宁宁也不再啰唆，去了。

水芹又思考了一会儿，看把啥事忘了没有，当她确信万无一失后，才去抱柴，准备烧炕。

太阳升端了，还不见一旦的踪影。一家人凑合着吃了顿茶泡馍。匆匆吃完，水芹又打发东瓜去执勤。东瓜早上受了风，头痛，打喷嚏，淌清鼻涕，不愿意去，说：

“这时候了，肯定不来了。”

水芹说；“万一来了呢?”

东瓜说：“万一来了，他又不是不知道家门。”

水芹说：“万一忘了家门呢?”

东瓜还想说啥，虫子在他的胳臂上拧了一把，他才闷闷不乐地去了。

这一顿，南瓜没吃茶泡馍。等别人吃完了，她才剥了两根葱，拿个冷蒸馍，站在房台台上一口蒸馍一口葱地吃。水芹看着眼气，说：

“就那几根葱，你吃了，你一旦哥来了吃啥?”

南瓜气哼哼地摔了葱，说：

“咱干脆把嘴扎住不吃算了！又不是猪，吃多少！”

水芹气得浑身打战，说：

“恁大的姑娘了，嘴边连个把门的都没有，白吃了十八年五谷！”

水芹还要扑过去撕南瓜的嘴，被虫子拉着进了厢房。虫子劝水芹：

“妈，大过年的，让旁人听见笑话。再说，万一我一旦哥这阵来了，看着了咋想?”

水芹这才咽了这口恶气，只是脸色煞白。

太阳是个红球球，被唐王陵山吞进了肚子。东瓜回来了。水芹还没死心，又跑到村口口眼巴巴地望了一阵，才悻悻地回了家。

晚上，全家人吃豆豆面。这一顿饭，他们都吃得很香，也吃得很沉重。

大年初二，水芹一家没有异样地重复了大年初一。不过，也有两个小插曲，一是南瓜一整天不知去向。二是吃早饭的时候，蒋存正的小儿子来了一趟，问：

“我爸问，刘书记来了没有?”

大年初三，天刚一放亮，水芹家就爆发了一场战争。

原因是水芹去茅房倒尿盆，先是发现放在凳子上的卫生纸被撕去了一截儿，参差不齐的断口，其次是发现干干净净的茅房里很扎眼地堆着一坨坨冻屎。不用问，准是南瓜干的。这几天，水芹和宁宁已商量好，为了保持茅房的干净，两个人都跑到家外没人的野地里去屙屎。即使在茅房里撒尿，撒完以后，也要立即用新土掩埋了。南瓜却不知道这个协定。

南瓜正在刷牙。

水芹走过去，气咻咻地质问：

“卫生纸是给你买的，你用?”

南瓜漱了口，一副爱搭不理的神情，口气却很硬：

“我不用谁用!”

“那是给你一旦哥准备的!”

“卫生纸又不是吃的,他能用多少!”

“你还嘴硬?”

“我为啥要嘴软?”

“屙屎也不拣个地方,”水芹换了一个问题,说,“净净个茅房,让你弄得脏成啥样子!”

“茅房就是屙屎的,又不是擀面板,要那么干净做啥!”

“你不会拿土垫一垫?”

“谁爱垫垫去!”

“你屙的叫谁垫?”

“谁想垫垫去!”

南瓜欲走,水芹一把扯住南瓜的袖子。南瓜挣脱了,水芹顺手拿起一把笤帚,没头没脸地打将过去。南瓜就跑,水芹就撵,一个在前,一个在后。前面的边跑边说风凉话,后面的边追边骂。于是,鸡也飞,狗也叫。这时,东瓜和虫子进来了,虫子把水芹拉到厢房里,耐心地劝导着。水芹在啜泣。

这时,突然传来了“笃笃笃”的叩门声。水芹一蹦子站直了,拢了拢头发,揩了揩泪眼,说:

“快,快,你一旦哥来了! 快!”

东瓜跑过去,拉开头门,只见笑容可掬的蒋存正站在门口,又是点头又是哈腰,问:

“刘书记今日来不来?”

随后赶来的水芹见了蒋存正,泄气了,对蒋存正说了几句模棱两可的话。蒋存正点头哈腰一番,走了。

水芹回到厢房,又安排虫子去泡豆子和面,东瓜去村口口望风。

东瓜不满地说:

“天天等,天天不见来,村里人都笑话我呢。”

水芹说:“笑话啥呢? 等你一旦哥来了,看他们还笑话!”

东瓜说:“我感冒了。”

虫子说:“感冒了也得去! 你不去谁去? 爸去吗? 妈去吗?”

东瓜不敢顶嘴,乖乖儿地走了。

宁宁袖着手,蔫乎乎地坐在炕上。

水芹倚着门框,唏嘘一声。

水芹想:无论如何,一旦今天都会来的。轮也该轮到我这个姑了。初一走丈人家,初二走舅家,初三不走我这姑家走谁家?

可是，初三这一天，一旦没来，水芹一家又吃了一顿豆豆面。

八

大年初四，鸡刚啼过三遍，水芹就踹醒了宁宁，敦促他快叫大放去。一整夜宁宁都没睡踏实，梦魇连连。此刻，他摸黑点燃一锅子烟，抽了一口，吐出去，说：

“我看咱是剃头匠的担担，一头热。”

水芹说：“净说屁话！昨晚我做了一个梦，梦见咱一旦来了，披着呢子大衣，黑皮鞋，高仰着头走路，可威武呢。八省狗样的跟在咱一旦尻子后头，赔着笑脸，净说好话。可咱一旦呢，连招也不招他。最后咱一旦就撤了八省的支书，狗日的八省哭得跟个蜡人似的。”

宁宁淡漠地说：“做梦日×呢，净想美事。”

水芹说：“我想过了，咱一旦如今是人面面上的人，给他拜年的人肯定多，所以他初一就没脱开身子走亲戚，初二才去了他丈人家，初三去了他舅家。今日初四，他再没有比咱重要的亲戚了，他不来咱家做啥去？”

宁宁说：“驴球敲肚皮，自己给自己宽心。”

水芹说：“别再说二杆子话了，快起来叫大放去，老早准备着，省得咱一旦来了，又慌三慌四的。”

宁宁继续泼凉水，说：

“瞎子点灯——白费蜡。”

水芹沉不住气了，怨艾地说：

“你这人就是消极，一点恒心也没有！”

几天的折腾，使宁宁的情绪很低落。他也不想和水芹打嘴仗，觉得是白费口舌，他知道，起决定因素的不是他，也不是水芹，而是刘一旦。

宁宁赖着睡了个回笼觉，直到窗棂纸上隐隐透出了些亮色，他才磨磨蹭蹭地穿衣裳。

街道上孑无人迹，清静得很。大放家的门紧闭着，他敲了敲，见无反应，就喊：

“大放！大放！”

少顷，大放媳妇惺忪着睡眼开了门，问：

“弄啥呢？”

“大放呢？”宁宁问。

“支书办篮球赛，半夜就把人叫走了。”

“叫去弄啥？”

“还不是做饭。”

“他啥时回来?”

“今日恐怕回不来了。听说支书这回大弄呢,县里和乡里的干部都要来祝贺,摆好多的席面。”

“大放不是跟我定了不给别人做吗?”

“党的政策还灵活机动呢。再说,你一天给10块钱,人家支书一天给50块钱,钱咱都不说,你那当官的亲戚还不一定来呢,闲也是闲着,还不如多赚几个呢。”

宁宁木愣着,脑袋嗡嗡作响:“八省,你咋处处跟我别扭呢?”

宁宁缓缓地转过身子,低一脚高一脚地往回走。大放媳妇在身后喊:

“嗳,等你的那几天工钱啥时给?”

宁宁没有回头,也没有搭腔。

天已大亮,街道上有了人影,不时有人与宁宁擦肩而过。有一个人搭讪着问宁宁:

“你婆娘他侄子来了没有?”

宁宁顾自走着,喃喃道:

“大放钻钱眼眼里了,大放钻钱眼眼里了。”

突然,麦场上锣声鼓声大作。宁宁一惊,清醒了许多,抬头望去,只见彩旗猎猎,一堆蚂蚁似的学生。宁宁明白了,这是学校的仪仗队在操练,为篮球赛的开幕式做准备。宁宁顾不上看热闹,得先回去给水芹通风报信,——狗日的大放!

拐过墙角,却与一个人撞了个满怀。“狗眼……”被撞的人欲骂,抬头见是宁宁,嘿嘿笑了,说:“我还当是谁呢!你咋没帮忙去?”这人是支书八省。

“帮啥忙?”宁宁糊涂。

“篮球赛呀。村里的头面人物都去了。这群蠢猪,咋没叫你呢?你去吧,就说是我叫你来的。”

“支书……”

“别啰唆了,快去吧,一天2块钱,还管饭呢。”

八省说完,风风火火地走了,剩下宁宁傻站着。他不知道去还是不去。自个儿掂量了一阵,决定先回去跟水芹商量商量再说。

宁宁回到家里,见水芹正在扫院。他知道东瓜又去望风,虫子又在泡豆子和面。宁宁吞吞吐吐说了大放的事,水芹立即火冒三丈:

“大放他狗日的狗眼看人低,见钱眼开,不得好死!”

宁宁说:“我刚才回来,碰上八省,他叫我给篮球赛帮忙,说是一天2块钱,还管饭呢。”

水芹说:“叫咱帮忙,看把他娃两担了!不说一天2块钱,一天200块钱咱也不去!他狗日的挖我的墙角子,我看他这支书还能当几天,我看他还能张狂几天!你去把员动叫来,让他当厨师,我看他比狗日的大放强百倍!”

宁宁就去请员动了。员动也是厨师。俄而，宁宁又垂头丧气地回来了，说：

“员动也到支书家去了。”

“舔尻子货！舔尻子货！”水芹咬牙切齿地骂。

虫子从厨房走出来，绵羊般温驯地说：

“妈，你别急，急上了火，火烧身呢。咱村里的厨师多的是，又不是大放和员动两个，我看曹二杠的手艺还不错呢。”

这一句提醒了水芹，她急忙对宁宁说：

“快，快去叫曹二杠。”

宁宁有些为难，曹二杠是个能豆豆，雁过拔毛。

水芹不耐烦地挥挥手，说：

“快去快去，他要是拿架子，咱一天给他 50 块钱都行。”

这时，村里的高音喇叭尖厉地响起来，没响两分钟又停了，紧跟着传来了八省的声音：

“广大社员同志们，来钱村走亲戚的客人们，‘基瓦杯’篮球赛就要开始了。这次篮球赛共有 14 个村的 14 支代表队参加，县领导和乡领导将到场表示祝贺，这是我村有史以来获得的最大荣誉……同志们，机不可失，时不再来，欢迎光临，欢迎指导！下面，再播送一遍。广大社员同志们……”

八省的声音刚落下去，曹二杠兴冲冲地迈进了宁宁家的门槛儿。

坐在村口口望风的东瓜也听到了八省在喇叭上的讲话。他本来不愿意傻不拉几地坐在这儿等刘一旦。见了面咋说呢？那将是一个多么令人尴尬的场面。此刻，他更坐不住了。在学校时，他就是篮球场上的活跃分子，如今不打了，但这个一饱眼福的机会不可错过。他朝篮球场奔去。

篮球场上，人山人海，锣鼓喧天，鞭炮连天，“基瓦杯”篮球赛开幕了！

突然，东瓜看到了一个熟悉的身影，是刘一旦。刘一旦笑容满面，一边鼓掌一边款款地走到麦克风前。东瓜木讷着，他又一次听到了那些曾经使他恶心过的字眼：“八省同志是一位优秀的农民企业家……是带头人……是好党员……”

东瓜挤出人群，一溜烟奔进家门，上气不接下气地对水芹说：

“妈，他来了……”

“谁来了？”水芹问。

“刘一旦！”

“啊！人呢？咋不叫你一旦哥进来？”

“在篮球场鼓吹八省呢。”

“叫去，快叫去！”

“让我爸叫去。”

正在择菜的宁宁也有些激动，究竟没白等。他问东瓜：

“你去叫咋？”

“你是他姑丈，面子大，你去。”

宁宁懒得再跟东瓜拌嘴，掸了掸身上的土，叫刘一旦去了。篮球场外很多的人，比赛已经开始。宁宁绕场子转了一圈，没见一旦的面，就拉了拉站在外围的一个小伙子的袖子，问：

“刚才，刚才讲话的刘书记哪去了？”

“支书家里呢。”小伙子头也不回地说。

宁宁进了支书八省的家门，立即嗅到了一股诱人的馨香。支书家里很阔气，前大房，后大房，中间夹四间厢房，青的砖，红的瓦。此时此刻，厢房内滚出一阵阵笑语欢声，厢房外站两个强壮小伙。这两个小伙子是村里的基干民兵，也是二杆子，也是宁宁教出来的学生。

宁宁忽然觉得腿肚子有点发软，刚准备靠近，一基干民兵走过来，堵住他的去路，低吼：

“出去！”

宁宁说：“我找……”

“找啥？这儿有你找的啥？”基干民兵说出的每一个字都像枪杆子里射出的一颗枪子，“影响了领导吃饭，打你的腿！”

支书八省闻声走了出来，见是宁宁，说：

“你……”

“我找……”宁宁木讷着，不知选择“一旦”“刘书记”“我婆娘他侄子”哪一个称呼更贴切一些。

八省呵呵笑了，说：“看球赛去吧，刘书记就不用你劳心了。”宁宁还想说一句话，八省已随端着菜盘的年轻漂亮的团支部书记一搭进了厢房。

宁宁被基干民兵推出了八省的家。

水芹撅着尻子一拧一拧地擀面，见宁宁悄没声息地回来，忙问：

“人呢？”

“在八省家喝酒呢。”宁宁说。

“咋不叫着来？”

“我想叫人家来，就怕人家不愿意来！”宁宁丧气地说。

过了一会儿，水芹又说：

“你再去叫，就说他姑叫他吃豆豆面呢。”

“我不去！”

“怕啥？是我侄子还是他八省的侄子？”

“是你侄子？是你侄子咋跑到八省屋里去了？”

曹二杠用锅铲把锅沿一敲，说：

“谁家吃还不一样！他不来，咱自个儿吃！”

宁宁和水芹都嫌有外人在场，吵吵闹闹的惹人笑话，都闭了嘴，默不作声地为曹二杠打下手。都想：等饭菜做现成了叫也不迟。

时间过得真快，放个屁的空儿太阳就升端了，上午的篮球赛结束了，满街的嚷嚷声。水芹家里的菜做好了，豆子煮好了，面条切好了，就等一旦来。

一旦还没来！

水芹在围襟上拭了拭，对宁宁说：

“你再叫一回去。”

“我不去！”宁宁说。

“咋？”

“我怕人家不来。”

“他敢！”

曹二杠自个儿弄了点吃的，边吃边对宁宁说：

“你去叫一回又咋？能缺了胳臂少了腿？叫去叫去，就当尽心呢。”

宁宁就去了。

老远就听见稀里哗啦的洗牌声，两个基干民兵依然像白杨树一样伫立在厢房门口。宁宁理直气壮地走过去，对基干民兵说：

“我找刘书记！”

基干民兵说：“支书吩咐过，谁也不能打搅，出去！”

宁宁急了，说：

“我是刘书记他姑父！”

支书八省很及时地出来了，把宁宁拉到门外，压低声音说：

“刘书记这阵儿手气正红呢。”

宁宁说：“我婆娘擀了豆豆面，叫他吃呢。”

八省笑了，说：

“这二年又不是解放前，谁还吃豆豆面！你快回去吃呢，刘书记在我这儿吃过了。”

“我想见见他。”宁宁固执地说。

“唉！你这人咋不开窍呢？”八省说，“刘书记夸了海口，说他今日非赢一杆子不可。我跟郭乡长都成全他，你能拆他的台？”

宁宁回了家，拉着个蔫茄子脸。

水芹赌气说：“等！等着他！他不来咱就不吃！我就不信他眼里没我这个当姑

的！”

宁宁说：“人家就把你这姑往眼里没磨！”

东瓜和曹二杠在院子里下棋。

虫子跟儿子在房台台上玩抓石子。

水芹在院子里踱来踱去，不时到门口张望几眼。

宁宁坐在灶旁闷着头抽烟。

下午的球赛开始了。

下午的球赛结束了。

一旦还没来！

水芹等不住了，走进房子拾掇了一下，自个找一旦去了。刚走到八省门前，八省从屋里走了出来，看见水芹，笑着说：

“这地方邪，刚说找你去，你就来了。刘书记让我把这两瓶罐头给你。”

“刘、书记呢？”

“走了。”八省说。

水芹蒙了。

水芹不知道自己咋从那条漫长的街道走过，不知道咋进的家门。水芹记得身后有一阵阵的惊叫声，水芹还记得进门后听到了一支歌：

北风那个吹
雪花那个飘
雪花那个飘飘
年来到……

（选自《清明》1993 年第 6 期）

和军校

1963 年出生，陕西礼泉人。1982 年毕业于长庆石油学校物探系。历任长庆油田地调处调度员，长庆油田团委干事，长庆油田职工医院宣传干事、政工师。1984 年开始发表作品。1997 年加入中国作家协会。著有长篇小说《千万别说我爱你》，中短篇小说集《和军校小说选》《人心朴实》《寻找一个人的一句话》，短篇小说集《一不小心》，报告文学集《石油人的家》。电影文学剧本《小村无故事》《欣逢佳节》（均已拍摄发行）。中篇小说《欣逢佳节》获甘肃省第四届文艺奖、第二届敦煌文艺奖。

割草的小梅

叶蔚林

一

他说：

你们这个城市，嘈杂得厉害，好像所有的东西都在互相碰撞、挤压。我知道这是一种活力的表现，但我感到烦躁，来了之后一直失眠，看来今晚怕也难得见到周公。忽然十分向往一小块远离尘嚣的僻壤，有阳光、泥土、青草和水浆的气息，风吹过，树叶儿飘飘坠落。看样子你也睡不着，来，给我一支香烟，听我来讲点陈年往事吧。

五十年代末，由于一场众所周知的政治误会，我被迫离开大城市，流放到南方的远山远水。有一段时间，我住在一处叫云湖镇的地方。云湖镇有半截街筒子，几家商店，是个农村墟场，仍属生产大队建制。这里民风淳朴，人们善良而富于同情心，知足常乐，安于田园。这里的大队干部颇有人情味，并不像后来许多小说描写的那样作威作福，作奸犯科。对于本地管辖的“分子”，他们眼睁眼闭。应付上面的办法是外紧内松，阳奉阴违。因此，有那么大半年时间，他们为了“保护”我，“勒令”我去镇外河那边的沼泽地割草。于是我便认识了一个长年在那里割草的女孩子。她叫小梅——极普通的名字，姓沈。

二

出云湖镇东头，有条不大不小的河，叫谷河。沿谷河上行五六里，便看见一棵缠绕寄生藤蔓的老樟树，浓荫荫着一个渡口。渡口宽两丈有余，五级埠头一色长条麻石砌成。虽说有些石块已破损移位，石缝间生了狼筋草，但仍见棱见角。据说这渡口旧时颇为繁忙，后来上游20里处建起一座水泥大桥，有汽车往来，这渡口便基本荒废了。如今除了偶尔有人过河打柴割草，三日两日难得有人喊渡。一条破渡船似乎永远靠在对岸。艄公是个天生聋哑人，你喊是喊不应的。喊不应不要紧，樟树干上靠有一根长竹竿，竹竿顶端系块白布。你举起竹竿大幅度左右招展，那边渡船便咿呀桨动了。倒是风雨无阻，招之即来。

这是公渡，不收渡钱。

对岸渡口自然就极冷落了。没有埠头，一脉河滩，杂草夹卵石。河坡灌木荆棘丛生，向外一递递倾斜，连接两山之间一大片灰苍苍的沼泽地——据说原来是个湖。远望沼泽地，雾霭沉沉，面目模糊，晨昏有一群群乌鸦临空徘徊寻觅，夏日则有一种说不出的气息四溢，仿佛是酒糟、泔水和粪便的混合。

灌木荆棘包围中有两间小屋，一间土墙瓦屋，一间篾箔草棚。

土屋住着小梅和她的父亲。

草棚住着聋哑摆渡人旺古。

可以肯定，许多年以来，河岸上下十几里内只住着这三个人了。不，起先是有第四个人的，那是小梅的母亲。可是小梅八岁上，母亲去沼泽割草，就死在沼泽深处。好久以后才发现她的尸体，那已是一把皮肉零落的枯骨。小梅的母亲倒在一泓死水的边缘，水面不宽，布满开紫花的水浮莲，野芋与荷叶杂生其间，荷箭高高支起，清新挺拔，鹤立鸡群。死者的姿态依然明显，下身齐胸陷入泥淖，上身前倾，右臂竭力伸出，直探荷箭。小梅的母亲死于夏末，其时荷花正盛开。母亲是想采支荷花，带回小屋，让寂寞的小梅高兴一阵吗？人们猜测；是的，小梅坚信。小梅不放声号哭，只是默默流泪。没有了母亲，以后谁给她梳小辫呢？谁给她讲故事呢？谁教她识字读书呢？谁给她带来许多意想不到的欢乐呢？没有了，一切只能靠自己了，小梅想。母亲就埋在屋旁豆梨子树下，坟包和小梅睡觉的地方只一墙之隔。静夜梦醒，风在枝叶间走过，小梅仿佛听见母亲的呼吸，以及她偶尔叹息一声两声。

小梅爹本来话贵，喜欢独坐冥想。母亲死后，爹更难得掏一句话。爹和旺古邀伙在河坡上开垦荒地，种苞谷、种粟子、种茄子辣椒。一切都在无声中进行。歇息时两人像木菩萨，你望我，我望你。爹的目光藏在眼镜片深处，时时关注小梅，目光贮满慈爱也浸透湿淋淋的哀伤。哀伤催他衰老，才 40 岁出头的人，须发花白，咳嗽连连，腰背迅速弯勾下去，像风吹草茎，像火烤蜡烛。

白日里河水潺潺，鸟雀啁啾，蚱蜢子在草丛间蹦来跳去。到了夜间，沼泽时不时传来莫名的种种声响，唧唧哝哝，如话如诉，叮叮咚咚，如磐如罄。有了这些声响，河岸越发显得死寂。

三

在云湖镇好些人心目中，小梅是个不幸的孩子，生不逢时错投胎，不该在土地改革正热闹时，降生沈家大屋。捞出脚盆，裹成蜡烛包的当儿，她爹正跪在河边旷地的土台子上挨斗。接着，小梅便随同父母被逐出云湖镇，逐出沈家大屋，逐过谷河那边的土屋里。亏了沈家祖上积德，举办义渡的同时，一并盖了那间土屋，为的是让艄公有个遮阳避雨的所在，也便于渡客打尖小憩。何曾料到如今却庇荫了后人。否则这一被扫地出门，何处去安身？这就是命啦！命是一根绳，是长是短，或粗或细，前世结就，可遇不可求，能认不能记啊。所以富贵者不必骄人，贫贱者无须自艾。若小梅早生十年八载，岂不是金包银裹的沈家小姐？

谷河是天然的隔离带。小梅的母亲至死未返云湖镇。小梅的父亲则不得不来应卯，向大队干部汇报思想或出席“分子”会。但他即来即去，从不逗留，影子一般出没。旺古倒是隔三岔五常来云湖镇，买盐、买煤油、买火柴以及其他生活必需品。但旺古是聋哑人，不便沟通信息。一晃七八年，云湖的人差不多将沈家夫妇遗忘，对小梅更是毫无印象。小梅母亲的死，自然也曾引起云湖人们一阵议论、喟叹唏嘘，但很快也就淡然了。

母亲死后第二年，小梅有生以来头回去云湖镇，倒真是引起一阵小小骚动。那天正逢农历初一，云湖镇开墟。街上人头涌涌。从广西那边来了耍猴戏的江湖班子，河边旷地上，锣鼓响得风风雨雨。小梅怯怯地跟在旺古身后。小梅对眼前所见都感到新奇，但并不特别兴奋。小梅最感兴趣的不是别的东西，是人。小梅不能想象：同一地点，同一时间，怎么可能聚集起那么多人？男男女女，老老少少，穿着打扮不同，走路姿态不同，讲话声调不同。小梅时不时站下来看人，嗅着人体散发出来的气息。小梅心里好感动，忽然想哭，但忍住了。

云湖镇的居民们终于发现跟着旺古的小梅了，并且一下就注意到小姑娘有点说不出的特别。她黑黑瘦瘦，并不打眼漂亮，但五官搭配得十分周正、整齐、干净利索，好像经过能工巧匠冥思苦想设计制造出来。一双眼睛又深又亮，眸子静静转动，里面似乎藏有许多神秘的念头。

“这是谁家的小女子呀，好乖雅呢。”

旺古出手出脚比画一番，人们终于明白这就是当年降生沈家大屋的女孩了。

“哎，怪不得，十足像她娘呢。那么懂事的样款。”

“可怜小小年纪就没了娘。”

“女子，快长大吧，长大嫁户好人家就跳出苦海啦。”

妇女们一边议论，一边摸摸捏捏小梅，心肠软的，眼眶就潮红了。小梅抬眼望着众人，眼神温婉，天真无邪。她爱听人们说话的音调，至于说什么与她无关，她不感到自己身世的不幸，这样就越发使人倍加同情和怜悯了。

旺古是划渡船直接来镇上的，现在也划船返回。上船之前，旺古给小梅买了一串糖油炸糍粑，一串四只，焦黄油亮，糖香四溢。小梅一下子就坐到船头，背对旺古，双脚垂向河面。小梅有点害羞，不愿让旺古看见自己的食相。五月里的天气很好，阳光灿烂，松软的河风融着土气草息，阵阵迎面敷过来。两岸白毛草参差排列，摇曳欢欣。洋姜花盛开，簇簇倒垂，如金耳环悬吊，黄得不能再黄了。船头逆水，偶尔碰溅起一片两片浪花，打湿小梅的赤脚板、小腿肚，凉丝丝好惬意。小梅是头回吃糖油糍粑，她审视糍粑如审视珠宝，心里思谋应该怎么个吃法。小梅先伸出舌尖舔糍粑上的糖浆，尽量让糖浆浸润整个舌面，然后慢慢咽下去。糖浆舔尽，小梅绷紧嘴唇，上下两排牙齿对齐，小口小口噬那雪白黏软的粉团。每噬一口，她都将粉团从左颊移到右颊，再从右颊移回左颊，细细嚼烂，与唾液充分搅拌，感觉着怎样滑下喉管，进入胃囊。由此而产生无限享受、绵绵幸福，只有小梅自己才能体会。这样直到船靠岸，小梅才吃去两只糍粑。剩下两只留给父亲，不是吃不完，是小梅一开始就盘算好了的。

四

小梅从小就渴望到沼泽去，独自一个人去。夏秋两季，云雾较少，远眺沼泽，浓绿一片，淡绿一片，其间点缀好些野花组成的色斑。不规则的水洼，这儿那儿在阳光下闪亮，犹如镜子碎块，随便抛掷。这时沼泽上空瓦蓝纯净，好像水洗过的大瓷盘；总有一只两只老鹰，风筝似的慢吞吞左移右移；叫天子则动作急躁，骤起骤落，起落叫声不绝，如箭如丸……可是父母从来不让小梅到沼泽去，哪怕只离小屋十几步，父母就急切加以制止。母亲去沼泽割草，更不肯让小梅相跟。倘若小梅痴缠，母亲就急得发脾气，毫不容情地将小梅关进小屋，板门倒扣。临了，等母亲走远，父亲才将她解救出来。父亲对小梅说：

“小梅乖，不跟妈去。那里日头晒，有蛇、有毒虫咬人啊。”

小梅不信父亲的话。事实上，母亲每回割草回来，从不曾被蛇虫咬伤过。母亲从沼泽回来，总少不了给小梅带回好吃好玩的东西，比如黑的酸草莓，比如白的芦根；或者火柴盒装几只花斑的小甲虫，头帕兜几只鹌鹑蛋。母亲死前不久，曾给小梅逮回一只小野兔，赭黄皮毛夹白条纹，眼睛像红金石，耳朵尖长，竖起像两面小旗，可爱极了。小梅掐来鲜草嫩叶喂它，逗它玩，抱它睡，乐趣无穷。可是不几天小野兔到底还是跑了，跑回沼泽地去了。小梅想，小野兔为什么要跑呢，必定是沼泽地比任何地方都要好吧。

母亲的死，自然使小梅悲伤。但悲伤缓解后，小梅并不感到沼泽可怖，并不以为母亲的死与沼泽有必然的联系，她那童稚的心反而想象更多，欲望强烈。小梅听说母亲死在沼泽某处一泓水边，那里荷花朵朵，荷叶田田。小梅渴望看见那些荷花，究竟以怎样的美丽诱惑了她的母亲。还有那跑了的小野兔，如今它藏在沼泽哪个角落？

在小梅心目中，沼泽永远是美丽神奇的所在，生灵活跃的世界。事实上，那边是她唯一可以向往并到达的地方了。面对沼泽，满怀幻想，小梅时时觉得风从背后紧紧吹来，她的身子像鼓满的帆，随时要离岸远航。

秋天某日下午，大队来人通知小梅爹去云湖一趟，旺古立即划船送他走。他们刚走不久，天上几朵灰云移动，接着便落下一场太阳雨。雨丝匀匀细细，闪闪发光，犹如一道巨大的珍珠帘幕，斜斜地从东向西拉开，跨过河的上空，漫向沼泽地，很快就化成水沫，一片迷蒙。这时太阳已稍偏西，阳光从云湖镇那边跟踪而来，在水沫中溶解散射，搅拌出一道七彩长虹。当时小梅站在小屋门前避雨，彩虹竟离她那么近，就在眼前十几步开外凌空拱起，弯成一个大弧，另一头则远远地插入沼泽深处。触手可及的色彩，朦胧而缤纷，让小梅惊喜若狂，呼吸急促，怦怦心跳。她蹑手蹑脚向彩虹靠拢，想置身其中，染一身绚丽。然而当她临近时，彩虹却淡化了，失色了，周围只有无数水沫，尘埃一般在阳光中旋转飞舞。仰头看，彩虹还在，只是升高了，仿佛有意躲闪，不让小梅轻易接触到。于是小梅不由自主地顺着彩虹坠落处走去，走向沼泽。但没走出多远，阳光被一朵浮云遮挡，彩虹完全消失了。小梅想：这彩虹就像一条河吧，红红绿绿流入沼泽底部去了。小梅继续向前走。

开头小路白白的，被细雨打湿，没有浮土。小路两旁遍生茂密的含羞草。不像别处的含羞草那样低低匐地，它们一律长起齐膝高，枝茎有小小的尖刺丁儿。但无论它们长得多么高大，性情依旧敏感害羞。小梅离开小路，踏入含羞草丛，随着她双脚交替倒动，含羞草一律收敛起细密的叶片，枝梢儿低垂下来，显得那么柔弱，那么娇媚，那么楚楚可怜。于是小梅回到小路上，不忍心去践踏它们了。

小路变成灰褐色，步步向下倾斜，铺满腐叶，赤脚踩上去，软湿阴凉。很快小路就被各种杂生植物所淹没。周围成了车前草、通腥草、地菜子和马齿苋的世界。它们都贴地生长，吸足水分和养料，绿成苍黑。唯独金樱子那串满白花粉花的柔软枝条，这儿那儿拱起一蓬蓬，突出在一派苍绿之上，酷似一只只高贵的花篮。每走一步，都会惊动蝴蝶、蜻蜓和粉蛾子成群飞起，而丸花蜂一直绕着金樱花嗡嘤，跳着黑色的舞蹈。不知从哪儿飘泻过来蒲公英绒球，悠然蹁跹，跳起白色的舞蹈。阳光在这儿被滤去热力，空气仿佛浓缩。小梅觉得凉飕飕的，皮肤变得光滑。整个人似乎瘦小了许多，结实了许多，轻捷了许多。

没有路又到处是路。在一片静谧中，小梅想起母亲，不知她是否来过这里，她的脚曾经踏在哪棵草上。小梅站住了，回头后望，隆起的地面挡住她的视线，看不见河，看不见小屋了。小梅知道自己已经走得很远，现在该返回了，否则父亲和旺古回来看不见她会焦急的。但正在这时，小梅突然看见一只野兔在两蓬金樱子之间一掠而过。小梅心里一动，趋前寻找。那野兔竟然没有跑开，安闲地蹲在草地上，举起前脚胡乱“洗脸”，三瓣嘴急促蠕动。小梅一眼就看出或者说认定，它就是那只跑走了的野兔。一点不错，它同样有赭黄夹白条纹的毛皮、尖长的耳朵和红宝石一样的眼睛。当然，它长大了，肥硕了许多。这意外的重逢，叫小梅满心欢喜。小梅一边向野兔走近，一边说：小兔，小兔，你认识我吗？我是小梅，来，过来，让我抱你回家去……野兔放下前脚，审慎地打量小梅，突然身子一缩，耳朵支起，转身就跑开了。小梅喊一声，什么也没顾及，撒腿追了上去。野兔好像存心和小梅嬉耍，并不打算彻底逃逸。它不跑直线，左纵右跳，有时还往回兜圈子。追追停停，小梅几乎跑到沼泽最低洼处了。后来野兔终于一下子失踪了，仿佛钻入了地底。小梅停步喘息，懊恼之余，举目四望，发现自己不知身在何处了，身后是杂乱的芦苇芒栋草，前面展开寥廓荒芜的水草地，而她的双脚已陷入滑腻的污泥中了。但是小梅一点不害怕，或者说不晓得害怕，不明白这水草地便是可怕的深渊，会不留痕迹地将人吞没。它有极大的迷惑性，别有一番景致。参差的草壕与参差的水面犬牙交错，却又吻合得天衣无缝，好像拼起来的一大块七巧板，当然它只有白绿两色。草墩大部分生长着龙须草、席草、蒲草和灯芯草，叶片细长，攒集成束，好像竖起一柄柄软毛刷子。水面呢，浮漂散碎，卖油郎屈起细长的后腿匆忙穿梭其间。绿底红边的睡莲，平展如大小圆盘，一只小泥蛙蹲伏在一只大圆盘当央，怡然午睡。残荷支起断梗，招来蜻蜓栖息尖端，一只红蜻蜓与另一只红蜻蜓，两尾弯曲相接，飞起来又半沉入水，不知做的什么游戏。这时阳光又西斜了许多，穿过芦苇丛，长箭般射向水草地，溅起金光万点。这景色令小梅着迷，只有小梅看到，只属于小梅。

小梅费力地从污泥中拔起双脚时，发出很大的声响，就像拔出那种软木瓶塞。小梅辨认着自己的脚印，拨开芦苇芒栋往回走，叶的锯齿在她的手臂上划出血痕。走不多远，无意间小梅发现在积水的一丛芦苇根部，交叉搁着两把镰刀，是那种专门用来割草的阔口镰刀，一把柄短，一把柄长。小梅十分熟悉这两把镰刀，连木把上的节巴她都认得。小梅拾起镰刀，抱在胸前，转身朝水草地高声大喊：

“妈妈，妈妈——”

远方传来沉沉的回响。

返回小屋时，天已擦黑，父亲和旺古还没回来。小梅决定不告诉他们她已经去过他们不让去的地方。小梅为自己的远行暗暗兴奋。

小梅将两把镰刀小心藏起。

五

在认识小梅两年之前，我就认识地主分子沈同生了。因为我与他同是“分子”，有机会坐在一起“学习”或接受训斥。但出于忌讳，我们从未说过话。所以不知道他有个女儿叫小梅。前面说过沈同生很少过河来云湖镇，平时是难得见到他的。不过沈同生的外貌特征突出，令人过目不忘。脸上那副深度近视眼镜和瘦长弯曲的身形，与云湖镇众生相格格不入。还有就是他的神情，大多时候淡漠，偶尔却异常专注。有一次开完“分子”会，沈同生便匆匆拔脚回家。但刚出街口，他猛地一顿，却在河边站定，身躯蓦然挺直，久久出神远眺。时值黄昏，西天的落日反射东方堆积的云朵，叠叠如大海波涛，继而慢慢蠕动，拉长、扭转，分离又黏合，塑出种种奇形怪状，如山如陵，如兽如禽。沈同生是被这幻景迷住了，忘情地咀嚼心头的感受。这时我正站在沈同生身后不远，我也在观赏云景，忽然产生和他交谈的愿望，但还是抑制住了，一是不想惊扰他，二是为了避嫌。

云湖镇的老百姓大都阶级立场模糊，对沈同生缺乏阶级仇恨。沈同生七岁丧母，随父亲的一位好友外出读书，先在省城，后到北平，毕业于燕京大学哲学系。接着便在北京结婚，一边闲居岳家，一边找职业，根本没打算回云湖镇。解放前一年夏初，老父去世，沈同生不得不携妻南归奔丧。丧事料理完毕，内战正紧张，北京已和平解放，中原烽烟四起，沈同生只得留在家乡云湖镇，静以观变。转年夏天，这里就解放了，接着就土改……云湖镇的人说：

“沈同生是地主不假。不过他是读书人，不探事。他和他老婆都为人和善，不要格。叫花子上门讨吃，他们夫妇总吩咐给饭给菜，还舀一瓢搁了砂糖的绿豆汤……”

这年夏初，大队派定我去谷河对岸沼泽地割丝茅草，时间半年，定额五千斤干草。我虽然没割过草，且听说沼泽是个烂地方，但我还是爽快地领下这任务。我知道这是大队干部有意照顾我，否则我就得去公社水库工地抬石头。割草自然比抬石头轻松多了，何况还可以独来独往，少受许多白眼。我打心眼儿里感激云湖镇富于人情味儿的大队干部。

割草第一件事要准备镰刀，于是我去了街上的铁木生产合作社。不料沈同生正好也在那里，他是为镰刀回炉加钢来找铁匠师傅的。在这种场合，我们互相打了招呼。沈同生先来一步，我谦让他先办完事，然后我再和铁匠师傅说话。我说我要打两把镰刀。铁匠师傅问我打什么镰刀，做什么用的。我说是割草的。铁匠师傅又问，在哪里割草，割哪一种草。我不懂在不同的地方割草以及割种类不同的草所使用的镰刀是否有所区别。不过看铁匠师傅认真的态度，不像开玩笑，拿我出洋相开心。于是我老实回答，大队派我去沼泽地割丝茅草。铁匠师傅说，明白了，我照沈同生的镰刀做吧，三天以后你来取吧。

我和沈同生相跟离开铁木社，走到街上。沈同生走在我前面，他迟疑了一下，转身推推眼镜问道：

“你真的要过河去割草吗？”

我说是真的，大队派的任务。

沈同生高兴地说：“这可好，小梅可有伴了。”

我问他小梅是谁。他说小梅是他的女儿。小梅从 12 岁开始割草已经整整割了五年，接着他又说：

“小梅割草有经验，你有困难她会乐意帮助你的。另外，你中午还可以在我那里搭伙吃午饭。晚上在那里歇夜也行，带着被席就是，免得来回过河……”沈同生对我表示出难得的热情，推推眼镜，竟然很明亮地笑了一下。

几天后，我就在谷河的对岸看见了小梅。

六

云湖镇的老百姓都相信一种说法，清明节出生的人，大都性格温婉，心地纯良，玉洁冰清，但就是命苦，尤其是女孩子。这当然不会有任何依据，不过想想清明时节，春雨淅沥，春风轻拂，青草如茵，空气中流溢青蒿和艾叶淡苦味的情形，无疑觉得大自然所创造的氛围，的确是对生命走向的某种暗示。

这一年清明早节，小梅满12岁。

果然有雨，纷纷细雨中，河那边有两个人喊渡，旺古划船将他们摆了过来。来人一老一少，老的是老陈，小梅认得，小的却陌生，五年前就是这位老陈伯伯来找沈同生夫妇，开门见山说：他是县城一家手工造纸作坊的师傅。解放前作坊一直出产一种很有名的纸，叫玉箔纸，和宣纸一样，是用来画画写字的。原料就采用此地沼泽生长的龙须草。但是解放后再没人割龙须草，加上别的原因，玉箔纸便停产了，最后北京来了一位大首长，他早年做地下工作时在县城中学教过书。当他知道玉箔纸已绝迹时，表示惋惜，对县里的领导说，这种就地取材，具有地方特色的文化产品，应该努力保留，并发扬光大才好。于是县领导雷厉风行，指示有关部门迅速组织原料，恢复生产玉箔纸。

“所以我就找你们来了。”老陈说，“你们住得近，割起来方便，一天割一点，积少成多。我们是少量生产，一年有一万斤干草足够了。总之，我是请你们支援来了……”

老陈态度平和，说话间完全是平等商量的口吻。沈同生夫妇受到这种待遇，很是感动。

老陈接着又说：“我们按质按量，单独付现款收购，不打入大队的劳动工分，统一分配。如果你们不要钱，也可以按国家牌价兑给你们粮食……这事我已经通过公社和你们大队联系好了，你们不必有顾虑，这是社会主义需要，不算资本主义……”

老陈有备而来，事情办得那么周到，何况条件那么优惠，沈同生夫妇商量一下，便欣然同意了。

小梅记得当下老陈就和母亲一起，到沼泽地察看龙须草生长、分布情况去了。

后来老陈还来过两次。一次是当年冬天来收购第一批龙须草，借用旺古的渡船运走。老陈没多说话，递给小梅母亲一张证明，说凭证明可以到公社粮站兑现一百五十斤米。老陈第二次来，是在小梅母亲死后。老陈先到小梅母亲坟前鞠躬致哀，对沈同生表示深深的内疚，叹气说："唉，我是始作俑者……"然后，将小梅母亲生前割下的龙须草，悉数打捆装船运走……

沈同生对老陈突然来访，虽然有点纳闷，但他是欢迎的。荒凉的河岸，无人问津，老陈曾经来过三次，算得上老朋友了。

沈同生急忙迎上去，让老陈和那同来的少年一块进屋坐下，又叫小梅赶紧烧水泡茶。

老陈摸摸那少年的湿漉漉的头发，对沈同生说："这是我儿子，满 15 岁了，快叫沈叔！"

那少年很乖地叫沈同生"沈叔"。

从一开始，小梅就注意到跟着老陈从岸上走过来的少年。他有多大，比自己大几岁吧。他没打伞，没戴斗笠和帽子，短头发被细雨打湿，鸡冠似的竖起来。他穿一件旧军大衣，大衣很长，盖住他的套鞋鞋面。于是他的身姿，他的步履，便显出做作的威风。走近了，便看清他那新鲜红润的脸蛋，黑眉毛和亮眼睛。这亮眼睛其实在远处就注视着小梅但逼近时却迅速闪开，看向别处去了。恰恰由于这迅速的躲闪，给小梅留下很深的印象。

现在小梅半跪在灶前烧火，虽然面向漆黑的灶口，但她明显感觉到小陈在后面看她，正好背对阳光，仍然感觉得到它的热和光一样。柴草有点潮湿，只冒烟不起明火。小梅鼓腮吹半天，弄得眼泪淋漓，火仍然烧不起来。于是小陈就主动拢来帮她。他拿过小梅手中的吹火筒，连连猛吹，吹得柴草滋滋响，"嘭"的一声，火舌蹿起来，蛇信子似的乱舞。他们相视一笑。小梅看见他的上唇有一抹毛茸茸的暗影。小梅想：他长起胡子了。

喝着茶，老陈和沈同生有一搭没一搭地扯些闲话。沈同生很快就意识到老陈此番来意了。

果然，老陈瞧着小梅说：

"小梅长大了，能做好多事了。"

沈同生接口说："她能做什么呢，满打满算才 12 岁，今天清明，恰好是她的生日。"

老陈说："是吗？早晓得应该给小梅带点礼物才好。小梅，陈伯伯下回来再补。"

于是就沉默喝茶。沈同生沉吟一会，觉得还是把话挑明好些，相信老陈是通情达理的，不会强人所难。

"老陈，承你看得起我……我明白你的来意，造纸需要原料。可是我真的爱莫能助啊！我身体不行，旺古摆渡是公家指派的，小梅实在太嫩……”

老陈连忙说：“我知道，看见了，所以张不开口。为了割草，小梅她妈……唉，什么也不说了，我会另想办法的。这次我来，也不完全为割草的事，到了云湖镇，就顺便看望你们来了。”

沈同生松了一口气：“那么，以后还要来啊！”

老陈站起身说：“会来的，我来不了就叫儿子来。”说着就拍拍儿子的肩。

小梅看见小陈和老陈几乎一般高矮了。

老陈告辞，沈同生留他父子吃饭，老陈不肯打扰。

当老陈父子俩出屋门，走向依然细雨迷蒙的河岸时，小梅知道，他们不可能再来了，从此再见不到他们了。一瞬间，小梅心里有被掏空的感觉，产生了留住他们的强烈愿望。小梅眼睁睁地目送那穿着军大衣的身影，一摆一摆地上了河岸，往下一沉就消失了，只见旺古扛着桨片还站在高处。

就在这最后一刻，沈同生捡起老陈遗落在小桌上的打火机，交给小梅：

“快，给陈伯伯送去。”

如果没有这个打火机，小梅不会追到河边，不会再见到老陈，不会和老陈说话。以后的事情也许会完全另一个样子。谁知道呢？

小梅似乎在河边停留很久，才回到屋里来。小梅红着脸，兴奋地对沈同生说：

“爸，我答应陈伯伯去割草了。”

这太出乎沈同生的意外，一时不知说什么才好。但他不想责怪小梅自作主张，只是摸摸小梅的头，心情复杂地叹口气。

小梅恳求说：“爸，我长大了，我能割草，我去过沼泽了。”

小梅翻出两把母亲用过的镰刀给父亲看。

七

小梅没有闹钟，更没有手表，也不曾喂只叫鸡——喂不成，黄鼠狼太猖獗。小梅不上学，不开会，不与人约会，不参加社会活动，无拘无束。对于小梅来说，季节的交替无关紧要，时间就像谷河的水流不完。小梅的生活规律完全遵循着自然法则：饿了吃，困了睡，累了歇。大概这是最科学的规律了，因此小梅发育良好，身心健康。

记得最初几天和小梅一起割草时，我时时抠出手表看看，对小梅说：我们休息一会儿，或者说，我们该吃午饭了。小梅就笑，说，我不懂你是肚子饿了要吃饭呢，还是因为手表转到一定的地方要吃饭。真是，这么简单的道理，我可没捉摸过。往深处想想，虽说按时进食无疑是人类一种文明进步，然而又意味着一种羁绊，作茧自缚，到头来甚至弄得本末倒置了。平时不觉得，自以为得计，一旦回归自然时，便显得有点可笑了。于是在云湖镇时，我把手表扔一边，居然似乎少了点累赘，获得解脱感。

大概没有多少人知道壁虎会叫，小梅知道，从小就知道。壁虎在夏夜黎明时分叫，报时的准确性绝对不比公鸡差。壁虎叫得动听，声音清脆结实，活跃兴奋，那急促的嚯嚯声，好像木琴奏响，木鱼频敲。小梅从小爱听壁虎叫，如今更加爱听。夏天是热切的季节，饱满蓬勃的季节，龙须草在沼泽里疯长的季节。壁虎叫出第一串音符，小梅便霍然醒来，没有伸腰呵欠的过程，双眼一睁开就像水洗过的玻璃珠子那样明亮。壁虎的叫声就是小梅的晨乐、晨钟和晨号。

小屋内三合土筑平的地面，光滑而湿润，赤足贴在上面，如薄荷般挥发清凉。门闩有点紧，用力一拉，两扇薄木板门便自动左右大开，那是夜风夜色汹涌使然。屋外旷野的空气又浓又鲜，吸一口有吞咽的感觉，胸腔仿佛一下子被扩张开来。小梅连跑带跳，一边解脱裤带，褪下裤子，随便找个地方蹲下撒尿。当饱胀的膀胱热热地缓解时，小梅彻底轻松了。头上晨星依然闪烁，河岸那边低垂一钩残月；沼泽有薄薄的雾气，两边的山丘轮廓分明，好像铰出来的剪纸。屋旁豆梨子树上的猪屎鹊已经跳出巢，试探地喳喳一声两声。这一切都预示今天是个好晴天。小梅喜欢晴天，晴天可以割下更多的龙须草。

小梅开始磨镰。小梅磨镰动作熟练，有板有眼。前腿跪，后腿蹲，前手捏镰尖，后手握镰柄，双臂环如抱月，身子微微俯仰。镰刀在磨石上贴紧，平平地推出，平平地拉回，正几下，反几下。然后再泼水，重复一遍，镰刀便磨好了。

小梅有两块磨石，是旺古替她找来的。一块红砂石，一块青砂石，红砂石粗糙，青砂石细腻；粗石磨铁，细石砺钢。只有经过两道磨石的磨，镰刀才能锋利无比，所向披靡。新磨的镰刀，在黎明中映出一道水银般的弧线，明媚而温柔。小梅用指头刮刮镰刃，满意地笑了。

现在小梅该回屋里准备饭食了。饭食自然极简单，做起来不难。做好了小梅先吃，留给父亲的热在锅里。小梅轻手轻脚，尽量避免响动吵醒父亲，免得他醒早了咳嗽。小梅中午不回来吃饭，带上饭盒，有时也不带，就在沼泽现煮，有一只小铝锅藏在固定的地方。小梅不带茶水，她知道沼泽地里有泉眼，什么水能喝，什么水不能喝。

短柄镰刀握在手中，长柄镰刀担在肩上，小梅向沼泽出发了，投入一天辛苦的劳作。每每这当儿，旺古手里端只钵子站在草棚前等候她，时间算计得那么准确。旺古要亲自替她的手脚抹一种油膏，这种油膏可以防止蚊虫叮咬。其实旺古完全可以把油膏交给小梅自己涂抹的，但旺古不这样做，他仿佛要坚持一种惯例，保留一份权利，借此表达对小梅的爱心。小梅能够理解，并虔诚地接受。她静静地站在旺古面前，任由他那粗糙的巴掌在自己的手足上来回摩挲。这情形有点像进行某种仪式，比如洗礼，比如受戒。

小梅青春洋溢，步态轻捷，向沼泽走去。这时曙色初露，雾气消散，如丝如缕向四方逃逸。灌木和草丛一节节现出来。两山之间沼泽的尽头，灰青色的天幕上晨星隐去；完整的一幅天幕，不觉间好像被镰刀划了一下，割出一道蓝亮的横缝。这蓝亮顽强地上下扩展，好像湖水漫溢。接着蓝色加深，紫微微地颤动。变幻的速度加快，眨眼间，冷色全被驱逐，暖色霸占开来，势不可挡，洋洋得意。于是以橙红两色为主调的雾光铺张了东方天际，辉映四方，整个沼泽新娘子似的罩上红罗帕。

太阳升起来了。阳光迎面斜射，小梅回头看见自己的影子睡得很长，身子躺在白白的小路上，脑袋枕着河岸萋萋芳草。

八

那天下午，我穿戴草鞋斗笠，腰带扎紧，左右插两把镰刀，腋下夹住行李卷，全副武装开赴沼泽去割草。到了渡口，我按照别人的指点，举起那根长长的竹竿朝对岸摇晃。但却不见旺古招之即来，等了好一阵才见旺古匆匆跑下河滩，解缆推船挂桨。船靠埠头，旺古接过我的行李卷，援手拉我上船。旺古抱歉地向我笑笑，比画一番，大概是解释他因事来迟。我摇手说没关系，又指指镰刀和行李卷，努力表白我的来意：今后早晚要请他来回摆渡，中午还可能要跟他搭伙吃饭，夜间跟他搭铺睡觉；总之，要给他添许多麻烦了。旺古认真看我比画，频频颔首，一脸诚朴，他拍拍我的臂膀，表示友好和欢迎。

与沈同生比较，我对旺古要熟悉些。因为旺古常去云湖镇，在街上常见到他。相遇次数多了，旺古大概晓得了我是什么人，便主动向我打招呼，并且抱歉地笑笑，意思是原谅他说不出话来。旺古与世无争，与人无碍，而且有求必应，所以人缘特别好。云湖镇无论男女老少，都愿意接近他，喜欢邀他说话，互相咧嘴歪鼻，指天画地，手舞足蹈的。这种交流方式，新鲜有趣，半懂不懂，自然令人开心。一些青皮后生最喜欢打趣旺古想女人。每逢旺古与某个妇女"说话"时，他们就拢过去，挤眉弄眼向旺古示意，做出一种全球通用的猥亵手势——将大拇指夹在中指和食指之间，一进一退。于是弄得女人满脸涨红，跳脚骂人，追打不休。旺古则不愠不怒，无声地讪笑，接受青皮后生们并非恶意的玩笑。

旺古是孤儿，孤且被弃，两三岁时，沈同生的祖母力排众议，收留了旺古，一衣一食将他养育成人，就当了沈家大屋的长工。土改时，旺古18岁，一个正牌雇农。可是扎根串连就是串不上他。任你舌生莲花，他就是听不见。斗争沈同生时，他竟理所当然地跪到沈同生身边陪同，扯都扯不开，弄得土改工作组好生尴尬。好在旺古天生聋哑，容易做出合理解释，他无法接受教育，提高阶级觉悟嘛，便原谅了他。

土改后，旺古份下分了房屋和土地，还有桌椅板凳之类，但旺古一概不要。沈同生夫妇带着小梅被逐出云湖镇那天，旺古挑担箩筐跟他们走。贫农团的人觉得不像话，派人去拦，旺古放下箩筐，横起扁担要拼命。没办法，只好由他去，顺水推舟做了谷河上的摆渡人，也算是代表贫下中农，监督地主沈同生吧。

旺古自然谈不上监督沈同生，他根本不存在这种意识。他那淳朴的心，大概只认定一个简单的道理，当年沈家不收留他，人世上就不再有他旺古的存在。所以他知恩必报，义无反顾，与沈同生一家相濡以沫。也许这是过时的思想了，但过时的东西未尝就不好。事实上，我们这个世界永远都依仗过时的东西来支撑维持，无论精神或物质。云湖镇的老百姓私下里对旺古的行为给予高度评价：旺古是难得的好人，有情有义有良心。甚至引申说，可惜他天生聋哑，不然入党当干部就好了。当然，人们也觉得旺古太死心眼，一点不晓得变通，傻乎乎多年跟着沈同生受苦。唉，三十大几的人了，连个女人都讨不上，裤裆怕不熬出火来！惋惜、遗憾的口吻中仍透出由衷的赞叹。

渡船靠岸，听见响动，沈同生就从小屋里拱出来，手打遮阳朝前望，眼镜片一闪又一闪。等到看清来人是我时，便勾腰紧走，迎上来和我握手，一副喜出望外的样子。老实说，那时我已经有好些年没有和别人握手了，几乎遗忘了这种文明礼节。沈同生的手粗糙而温暖，握它好像握住一把晒热的河沙，印象极深。在后来的年月里，有机会和无数的人握手，我曾努力寻找这种热切的感觉，然而却再没出现过。这不奇怪，某些体验，在人的一生中往往只有一次。

当天我没有返回云湖镇，借宿旺古的草棚。我想先熟悉一下环境，做点准备，第二天一早便去沼泽割草。旺古的草棚狭小而简陋，单层的篾箔墙，筛子似的透光。想当初必定是仓促搭盖起来的，以后也再没有认真加工修葺过。草棚紧挨土屋，屋角相接成曲尺形。于是两屋之间便框出一小方块空地。站在空地上眺望沼泽，视野开阔，当然也感到扑面的荒凉。土屋右侧有一棵豆梨子树，树上有雀巢，是黑色的猪屎雀，喳喳地叫。

出乎我的意料，旺古的草棚，内部比外观要好得多。地面用三合土筑平，篾箔墙下半截，全用旧报纸糊表。靠里墙一张板床也方正，草荐、席子、棉毯、蚊帐，一应俱全；当然帐子是发黄了，且有水渍。一边搁两张窄条凳，另一边小窗下摆一张自制的白木小方桌，方桌上一只贮水的宽口瓶里，竟插着一束野花，蓝的是矢车菊，金黄的是非洲菊，还有一种长茎细碎的粉花，麦穗似的高挑起来，叫不出名字。窗板支起，阳光映着花束，格外鲜明醒目。毫无疑问，这一切布置与旺古无关，必定出自一个女人的照料。不用说她就是沈同生的女儿小梅了。可是没见到小梅。沈同生说：

“小梅割草去了，天黑前才回。”

旺古将板床上的草荐扯下来铺到地上，而将我的行李卷打开铺到床上。我连忙制止他，大声说，不行不行，我来睡地铺。然而声音再大亦属徒劳，旺古听不见，只管按他的想法办。

沈同生无奈地笑笑说："随他吧，恭敬不如从命。"

后来在大半年时间内，每逢我留宿草棚时，旺古就让出他的床铺给我，自己睡地铺，或者睡到河边渡船上。

傍晚时分，小梅从沼泽回来了。她驮着那么一大捆龙须草，简直如一座绿色的小山。当旺古跑上去接她，帮她卸下沉重的负担时，我看见她的腰肢，像柔韧的青竹一下子便弹直起来。于是十步开外站着一位少女，健壮、秀美、亭亭玉立。她吁一口气，脖子一转，将挡住半边脸盘的黑发甩到脑后。这一动作犹如云破月朗，芙蓉出水，任何人看着也会为之心里一动，眼睛一亮的。

九

小梅喜欢小陈是自然的事，女孩对男孩天生敏感。但说不上小梅对小陈情有所钟。因为小梅当时还小，是一粒毛茸茸的青杏儿。小梅太寂寞，无论什么人造访她的小屋，都会给她带来欢欣、留下印象。实际上，小梅更喜欢老陈伯伯。老陈伯伯已经是熟人了，为人和蔼可亲，说话像河水缓缓流动。老陈伯伯一来，小屋便有了生气；父亲也有了喝茶、说话的兴致。小梅想，如果母亲还活着割草，该有多好，老陈伯伯就会来收草，一年来两次。所以当小梅拿着打火机追到河岸，对老陈伯伯表示她可以代替母亲割草时，唯一的心思是能让老陈伯伯再来，至于其他小梅根本没顾及。果然，小梅达到了目的。老陈伯伯十分高兴，认真地对小梅说：

"小梅，你真是个懂事的好孩子。多谢你帮了伯伯的忙。那么说定了，秋后我就来收草。可是你别太累了，无论多少我都来收。"

小梅对小陈情有所钟、深深暗恋，是在秋后才萌发的。那是个好季节，天高云淡，草白花黄。

重阳过后，龙须草开始黄梢，老化变脆，小梅就停镰不再割了。半年陆续割下来的龙须草，全部及时晒干，剔去杂质，扎成大小相等的一捆捆，整齐地垛起。旺古还专门为草垛搭了棚子，避免草垛受雨发霉腐坏。草垛有一人多高，几乎两丈宽，足够装满一船了。看着草垛，小梅就心情愉快，觉得自己完成了一件杰作。小梅甚至有点惊讶，不太相信这么一大堆草竟是自己一把把割下来的。

小梅急切地盼望老陈伯伯快来，让老陈伯伯看看草垛，给他一个意外的惊喜。

快到冬至时，老陈伯伯没来，小陈却独自来了。小梅觉得奇怪，老陈伯伯怎么不来。仔细端详小陈，小梅立即有了不祥的预感。小陈的神色不对头，不像上次来那样有一股可笑的憨气。这回小陈没穿军大衣，一身单衫的他，显得瘦削了，长高了，似乎也长老了，好像一株苞谷刚蹿起拔节，却缺了雨水和肥料，蔫蔫的不精神。果然，沈同生刚问小陈：

“你爹怎么没来啊？”

小陈立即扁起嘴巴，哽咽说：

“我爹他死了！”

天啊，怎么会这样！怎么会一下子就没有了老陈伯伯。小梅不能相信这个事实，正如当初不能相信母亲死去一样。想起母亲，小梅觉得现在的小陈和自己同是苦麻藤上的两片小叶，霜打来，风吹来，一齐簌簌发抖。于是小梅忍不住泪水夺眶而出。

小陈向沈同生诉说父亲横遭不幸的经过：老陈随拖拉机下乡运木材，返回时拖拉机翻下深沟，司机当场死去，老陈压坍半边肋骨，送进医院昏死两天。后来苏醒了一会儿，艰难地嘱咐小陈：我答应过小梅秋后去收草的，看来我去不成了，你一定要将草收回来啊！小梅割草不容易，别叫她失望……小陈说着，含泪望小梅。小梅又感动又难过，陪着小陈抹眼泪。

这天夜里，小陈没走，留宿小屋。小梅曾企盼过老陈伯伯能在这儿留宿一晚，没想到如今留了小陈。而这个小陈眼下是那么不幸，那么哀伤，那么软弱，让小梅好同情，一种与生俱来的女性温情，好像一张细网在她心中撒开。小陈要和旺古搭铺，小梅坚决不同意，要小陈睡自己的小房。小梅悉心照料小陈，特意烧了热水，叫小陈洗脸洗脚。小梅又细心地将自己的床铺收拾一遍，枕头拍松，稍稍垫高一些。小梅自己蜷缩在灶前的草堆边过夜，听屋外秋虫唧唧，夜风走过灌木丛，很久没睡着。小梅侧耳倾听小陈的声息，开头小陈辗转反侧，后来就安静了，时不时响起婴儿般的咂嘴声。后来小梅自己也睡着了。

天亮时，小陈情绪好转，眉眼开朗黑亮了，见着小梅不好意思地笑了一下。小陈和旺古很快就将草捆一一搬到河岸，装上渡船。太阳出来时，有点热，小陈和旺古都脱光了膀子。小梅看见小陈并不瘦弱，流汗的胸膛鼓起两块肌肉。

临了，一切弄妥，小陈向沈同生告别，交给沈同生25元钱，说是收购款，请沈同生签收。又说，小梅割下的龙须草质量极好，没有一根杂草。玉箔纸还要继续生产，所以辛苦小梅继续割草，明年秋后他再来收购。小梅一边听见，心里好高兴，这正是她一直想知道又不便明问的事。

沈同生接过钱，想了想，又交还给小陈，说：

“这是小梅劳动所得，来之不易。这样吧，明年你再来时，替小梅扯幅好一点的布，让小梅做套新衣吧——小梅，好不好？”

小梅红着脸，点头又点头。

小陈像大人似的和沈同生握握手。

小梅送小陈到岸边。

小陈问小梅："你想要哪样的布？"

小梅望他一眼，低头说："不知道，随你……"

渡船解缆，旺古撑篙，船向后移，船底摩擦卵石，咯咯作响。小陈向小梅挥手告别。小梅忽然向前紧跑几步，一只脚踏入浅水中，大声问道：

"你明年几时来啊？"

"秋后……"

"秋后哪一天？"

小陈一时答不上，又挥挥手。

渡船进入中流，很快就顺水走远了。

十

当我在小梅的帮助下，逐渐掌握割草的技巧，并且领略到沼泽的许多奥秘时，我就不再觉得劳动的沉重、不可忍受了。事实上，半年割下五千斤干草，每天平均割下六七十斤鲜草就行了，任务不重，而且我没有必要显积极去超额完成。何况我相信大队干部们压根就把这事淡忘了，到了冬天很可能队里不会派人来收草，任由它腐烂了之。在那个年代，无效无偿的劳动，司空见惯，不足为奇。因此，在那段时间，我是"闹中取静"，很少感到压力。我时常偷懒，早上太阳老高，我才出工渡河，天未黑齐就收工返回云湖镇。旺古从不耽搁我的往来，那渡船几乎为我所专用。甚至连我割下的草，都不必费心收拾，小梅顺手就帮我晒好、捆好。兴之所至，我带点酒肉过河，与小梅他们共进晚餐，夜里便在旺古的草棚留宿。如果碰上旺古逮住一条鱼或者什么野物，那就有一次"盛宴"了。小梅也喝酒，只要一小杯她就面带桃花，青春光艳照人。

总之，这段时间，我以悠闲的心情贴近了大自然，淡忘了昨天，不计较明天，在自由、平和、宁静的小环境中，窥探大自然的各种恩赐，于是对生命、对人生，便有所感悟，点点滴滴，似是似非。所以事隔多年，我仍然怀着复杂的心情回顾那段日子，其时其地其景其情，嗟叹岁月匆匆，白云苍狗，凡事可遇而不可求。

有时我放下自己的丝茅草不割，跟小梅深入沼泽地，帮她割龙须草。我发现，同样是草，同样是多年生草本植物，丝茅草和龙须草却有天壤之别。前者生相粗贱，参差不齐，干枝混杂，一丛丝茅草酷似一个衣衫褴褛、首如飞蓬的癫妇。后者呢，一律长到四尺高，不生节，不出干枝，纯系几片墨绿叶子从根部集束挺拔起来。离根半尺以下，有茶褐色的鱼鳞叶片精心包裹。到了开花时节，它们仿佛预约似的，齐齐绽出花梗，小花缀生，粒粒晶莹如碧玉细颗。瞧吧，一丛龙须草，便是一个衣饰整饬、青丝如泻、风姿绰约的少女了。丝茅草生长在沼泽周边，实际上离沼泽

很远，割起来是方便的。而龙须草只茂生在沼泽深处，那里虫蚁横行，蚊蚋肆虐，泥淖没膝，甚至陷及腰际。于是我明白自己的轻松和小梅的辛苦了。

我说："割龙须草真不容易啊!"

小梅说："当然，它是龙须草嘛。"

这是为什么呢，难道龙须草知道自己的价值，就远远匿藏吗?

小梅说领我去看花，我便跟着她钻过芦苇丛，大步小步，忽左忽右，孩子跳"格格"似的从一个草墩跳到另一个草墩，提心吊胆地越过大片水草地，来到一处污泥环绕的水沼边缘。举目望去，深黑如墨的水沼里，荷花、石蒜花开得正盛，红白相映，其间还有一种花红得发黑，花梗直立，花形如杯。我说想不到这里会有黑郁金香。小梅说什么玉金香黄金香，是野百合花。三种花高低分出层次，有合有分，就像花王刻意栽培的一个花坛。大自然所创造的美景，真是不可思议。我不禁蠢蠢欲动，渴想摘下鲜花三朵两朵。幸亏小梅早有提防，用力抓住我的臂膀，严重警告：千万别再向前去。好险，眼皮底下就是死亡的深渊，锈色的泥淖东鼓一个气泡，西鼓一个气泡。一脚踏入，便永无天日。

上苍为何如此设置? 美丽而诱人的物事，总是与我们阻隔，总是横亘难以逾越的艰险，总是可望而不可即。

"十五月亮十六圆，十七玉兔睁开眼"。我忘不了坐在谷河岸边草地上，面对沼泽所度过的月夜，好像一方单色木刻拓印在我的心灵深处，黑白分明，反差强烈，永远清晰。那是名副其实的月夜，纯粹的月夜，彻底的月夜。没有星星，没有灯火，没有燃烛，没有磷光，甚至没有一粒流萤，天上地下唯一的光源便是那一轮明月。满世界光辉灿烂，玲珑剔透。谷河凝然无波，流水仿佛冻结成冰。雾气把沼泽填平，那是水银的湖泊。每棵树，每丛灌木，每块石头，全像剥壳的熟鸡蛋，焕然一新，脱胎换骨。微风把沼泽的气息携来，草叶瑟瑟，虫蛰低鸣，白玉鸟便在这轻柔的和弦上婉转高歌。此时此刻，亦虚亦实，似梦似真，怎不教人心如止水，宠辱皆忘。我想，大自然绝不会无缘无故做出这种安排，冥冥中必定有其目的，有其意旨所在。醒悟吧，让我们向大自然顶礼膜拜，感激它的无私、慷慨和公允。它不但同样给予每个人所必需的土地、阳光、空气和水——因而派生出种种衣食，它同样还给予每个人无数额外的享受，比如这月光、这风、这鸟鸣……那么你还有什么可抱怨的呢?还有什么不满足的呢?

在沼泽里，我每每看到新草从枯草中绽出嫩芽，残荷的断梗下，小荷初露尖尖角。这便是生与死的诠释，简洁明了，不必再费神思考了。是啊，为了获得生存的力量，我们需要建立某种信仰。然而信仰往往枯燥，生命的丰满还必须信赖我们心灵感应到的一切。

十一

小梅就这样一只脚浸在水里，目送载草的船渐渐远去，并不觉得初冬的河水已经很凉。渡船仿佛拖一根无形的线，牵扯她的眼睛，牵扯她的心，牵扯她的脉搏。直至渡船消失在下游转弯处，那无形的线才“嘣”的一声断了，小梅明显地听到这一声响。小梅十分羡慕旺古，能够打着双桨，陪伴小陈去县城，水路迢迢40里啊！

从这时候起，一年年，对小陈的回忆和期待成了小梅欢乐的中心。每年秋末冬初，小陈的到来，短暂的驻足，便是小梅期待的结果，又是小梅另一轮回忆的开端。冬季连着春季，漫长的寒冷和潮湿，小梅不再觉得寂寞无聊，难以打发，苦海孤航的海员看见灯塔的感觉，也比不上小梅对小陈的回忆那样温暖明亮。小梅像一个看管篝火的旅人，专心致志，不舍远近，四处寻找，将一些枝枝叶叶收拾起来，加添到篝火上，让它长明不熄。这篝火便是小梅对小陈的回忆。虽然小陈走了，但小梅以为他并没有离去。小屋外的空地上依然有他的影子，他坐过的小板凳没有挪动，他吃过饭的碗筷，小梅久久不加涮洗；他睡过一夜的床，留下他的体温和气息，在小梅的感觉中能够留到小陈下一次的到来。恍惚间，小陈就出现在小梅的面前，人显得又高了些，精干些；眼睛、嘴巴、鼻子，一样接一样交替出现，可是却难以捕捉住，集中起来，凑出一张完整、固定的脸庞。这有点让小梅苦恼，小小的苦恼滋味悠长，恰似嚼一枚青橄榄，啜一碗凉瓜汤。夏日来临，壁虎叫出第一声，成了小梅回忆和期待的分界点。小满过后，沼泽气温迅速升高，龙须草已经长齐，绿油油临风摆荡。小陈嘱咐过：最好此时开镰，纤维成熟啦。所以小梅再无暇回忆，满怀期待，早出晚归，全身心投入辛苦的劳作。小梅埋头一把把割草，轻快得如同撕下一页页日历。当草捆一叠叠不断增高成垛，小梅便知道她的辛劳即将得到补偿。小陈就要来啦！

回忆使人温情脉脉，期待使人热情奔放，回忆是重叠旧的温馨，期待是悬望变化的未知。两者交替，仿佛一个梦去，一个梦来。在梦的去来中，小梅长到17岁。

那么，小梅和小陈之间，有过什么表白吗？有过什么许诺吗？有过肌肤之亲吗？我曾悄悄问小梅，小梅红着脸说：“没有，真的没有，干吗要那样呢？”我相信小梅的话。小梅对小陈的钟情，纯然是冰清玉洁的暗恋。说来奇怪又不奇怪，随着年龄的增长、暗恋程度的加深，小梅对小陈反而似乎是愈来愈疏远了，一年比一年扩大了距离。这情形就像迎风前进的旗帜，速度愈快，旗子愈朝后飘舞。

每年，小陈大约总是冬至前后那几天到来。小陈往往下午到，住一夜，第二天早晨背草捆装船，半上午就随船走了。满打满算，前后不到20个小时，其间还要除去睡觉的时间呢。就在这有限的分秒中，小梅也总是心慌意乱，目光躲闪，期期艾艾。唯有晚饭后睡觉前一段时间，小梅能够充分享受。这时候，小陈和父亲坐在灯光下说话，小梅早早选好位置，坐在灶前一角的阴影里。小陈在明处，小梅在暗处，他看不见她，她可以恣意盯住他。小梅悄没声儿听着，听小陈说些与她完全无关的话题。比如讲龙须草造纸的操作过程，又讲龙须草可以制作许多精致的编织物，席、帽、垫等。小梅把小陈的话，一个字一个字细细咀嚼，连同他的呼吸，一起咽下。小梅的目光在他身上缝来缝去……小梅觉得这就很够了，一颗心满满的、湿湿的，就像谷河涨了桃花水。

小陈每年来，都要给小梅、沈同生和旺古各人带来一两样城里的小东西。小梅始终认为小陈送她的东西最好，最合她的心意。小梅将这些东西小心包裹，又时不时摆开细看，想象它种种可能的含义。其中，小梅最喜爱一只红色的塑料发卡，中间宽，两端尖，弯曲像一把小弓。小梅割草时，我曾看见她戴过，一条缎带似的齐额绾住她的头发，很美。割着草，小梅支起腰对我说：

"小陈送我发卡，他知道我头发老爱往下掉……"

小梅独自偷偷去过一次县城，去看小陈。这是一桩秘密，大概只有我知道。那天是云湖镇闹子日，我没有过河去割草。早饭后，我到街上买蚊香，忽然看见了小梅，确实是她，头发上卡着那只红色的塑料发卡。她站在街口一部拖拉机旁边和司机说话，然后敏捷地爬上拖箱。我刚想喊她，她身子一蹲躲了起来，显然她不愿意让人看见。拖拉机立即开动，向县城方向驶去了。

第二天早晨，我照常过河割草，和小梅一起离开小屋走下沼泽时，我笑着问小梅：

"昨日你去县城了吧？"

小梅微微一惊："乱讲。"

"我看见你了，站在街口，戴着红发卡是不是？"

"哎呀！"

"看见小陈了吧？"

"……看见了。开头不晓得他住哪里，问好多人才找到。他们那工厂真好，伴条小河，有筒车转，水磨轧轧响……他穿件红背心，蓝短裤，使条白毛巾蹲在河边洗头洗脸，呼呼喷水……我就躲起看他洗头洗脸……"

"后来呢？"

"后来我就走了，回来了，拖拉机等着。"

"就走了？"

"唔。"

"不跟他说说话？"

"不要说话，我躲着，他不知道我看他……哎，你莫跟爹学说！"

"我不说。"

"来，拉钩算数。"

“好，拉钩！”

十二

旺古那渡船已经老掉牙，船帮开裂，船头船尾磕碰得凹凹凸凸。最糟的是漏水，要时时勤着戽水，否则三两天会自动沉没。每隔几个月，旺古就要将渡船拖上卵石滩，翻转过来底朝天，敲敲打打，挖去朽木屑，填补上桐油灰。旺古很能干，不要别人帮手，用圆木和撬棍，将偌大的渡船移动上岸。

旺古早就不想当艄公。他曾多次去云湖找大队干部，企图表明自己的意愿。但大队干部弄不懂旺古比手画脚说什么，或者是懂了装不懂。大队干部也有难处，旺古不摆渡又派他干什么好？再说，找遍云湖难得另找到比旺古更适合的摆渡人了。于是大队干部对旺古打哈哈，又拍肩膀，又竖大拇指，将他打发走。旺古不愿摆渡，不是嫌渡船破旧，麻烦费事，是嫌太清闲，无聊得心里发慌。旺古觉得对不起沈同生，特别有愧于小梅母女俩。世上既然有他旺古在，怎么也轮不到她们母女俩苦巴巴去沼泽割草，蚊叮虫咬，日晒雨淋。小梅母亲的死，旺古觉得锥心，始终认为罪在自身：一是没有代替她去割草，二是没有好好关照她。旺古哭得哀绝，泪水成河。他一次次跑沼泽，野狗似的嗅寻，好容易才找到小梅母亲的尸骨。尸骨是他用草席包好背回来的，棺木是他运回来的，坑是他挖的，土是他填的，坟是他垒的。旺古对死者，一片至诚，一往情深。

旺古十分疼爱小梅。在旺古的脑子里，小梅襁褓时的模样，永远鲜活。当初离开沈家大屋，出云湖镇渡过谷河那天，阴云低垂，河风尖冷。小梅窝在母亲怀里，露出的小脸冻得通红，但她却吮着手指，若无其事，那龙眼核似的双眸滴溜溜转动。小小的可人儿，纯洁晶莹，宛如蚌壳里的一颗珍珠。小梅一两岁，母亲教她喊“旺古叔叔”。旺古听不见，只见女孩儿小嘴呶成花骨朵，时不时向他一绽一闭。旺古抱小梅，亲小梅，带她到河岸放风筝，带她下河洗澡，将她赤条条扛肩上，颠颠地跑，逗得小梅咯咯笑，小时候，小梅亲近旺古，比亲近父母更多。到了五六岁，小梅最懂旺古的“语言”，旺古每一举手投足，小梅都能心领神会。常常是父母弄不懂旺古的“话”时，小梅就准确无误地加以阐明。喜得旺古抓耳挠腮，连连击掌。总而言之，在那寂寞的时空里，小梅是旺古的快乐和安慰，心中的太阳和月亮。小梅母亲死后，旺古不但对小梅倍加疼爱，且增添了一层责任感。亡羊补牢，犹未为晚，他可不能再掉以轻心了，必须时刻关注她、保护她。小梅自作主张答应老陈代替母亲去割草，沈同生倒没说什么，只是叹着气嘱咐小梅多加小心，千万别靠近泥沼。旺古却强烈反对，急得嗷嗷乱吼，将小梅的镰刀拿走。小梅不吵不闹，款款地磨缠旺古，努嘴不停喊“叔叔”。临了，还是沈同生为女儿说情：

"旺古,小梅长大了,总是要做事的,就让她去吧!"

旺古只好将镰刀拿出来。

一红一青两块磨刀石,是旺古沿河滩走好远,从千万块石头中选取的。旺古手把手教小梅磨镰。另外,旺古还不知从哪里学来或者干脆就是他的发明,用多种野生草叶,配以山苍子油,熬制出一种气味辛辣、色棕黏稠的防蚊油膏。每天早晨,小梅去割草之前,旺古就用油膏替她涂抹手足,然后替她扎紧袖口和裤脚,目送她上路。直到小梅的身影沉入沼泽草莽中,旺古才怏怏返回河边,守候该死的渡船。在小梅割草的一天中,旺古总是心神不定,眼巴巴等着太阳落山,好让他看见小梅背着草捆,平安归来。像所有聋哑人一样,旺古充分发展了视力和嗅觉,神经也敏锐异常。情之所至,心有所念,远在沼泽深处割草的小梅,一举一动,是冷是暖,旺古都会产生感应。有一次,旺古无缘无故手指疼痛,晚上小梅回来,旺古果然看见她割伤了指头。

一天黄昏,旺古望着沼泽尽头,一群乌鸦从雾霭中飞过,忽然心里惶然不安,觉得小梅似乎出了什么事故,必须立即去帮助她。当旺古匆匆来到小梅割草的地点时,果然看见小梅跌坐在地上,背靠割下来的草堆,头发散乱,脸色泛白,神情惊疑,双腿僵直并拢前伸。旺古慌忙扶小梅起来,但小梅却身子软沓沓往下坠。等小梅站直时,旺古看见她裤子上染有血迹,不禁大吃一惊。

小梅抽抽搭搭地说:"旺古叔叔,我要死了,我要死了!"

旺古立即背起小梅往回跑。但跑出一小段路,旺古蓦地站住了,小梅霎时也止住了抽噎。他们同时意识到了什么,产生异乎寻常的感觉,好像闪电骤然割开夜幕,照亮隐蔽。紧接着,小梅挣扎着要下来自己走。挣扎的结果,使她的身体在旺古赤裸的背部蹭来蹭去。小梅衣衫单薄,柔软的身体热气腾腾。一种从未有过的新奇感觉,使旺古好像被大火炙烤,顿时浑身毛孔张开,汗水淋漓,他手足无措地将小梅放下了。

从那以后,旺古明白小梅长大了,小梅不再是从前的小梅了。小梅变得害羞,时不时毫无道理地脸红。小梅不再蹦蹦跳跳,一无顾忌地痴缠他了。女人的特征在小梅身上一天比一天表现得淋漓尽致。整个人儿有了起伏,有了曲折,有了饱满和圆润,摇曳和轻盈。很容易使人联想到春天泛青的柳条,秋天成熟的豆荚。小梅走路的姿态也变得赏心悦目,脚尖踮起,碎碎地移动,仿佛风吹浮萍过水面。旺古想看又不敢傻看。小梅每一个细微动作,都会使旺古心旌摇动,勾起他对女人的许多好奇,许多真切的欲望。旺古很惶惑,若有所失。尽管小梅仍然喊着"旺古叔叔",仍然温柔体贴帮他做一贯做着的事情,但无论如何旺古是再不能随意爱抚她、抱她、亲她了。旺古终于生出明确的念头,他需要一个实实在在的女人,日里任情看着,夜里任情搂着。旺古瞪大眼睛四路张望,可是荒凉的河岸永远是衰草斜阳,老树昏鸦,不见另外的女人闯入眼底,临了依旧只看见小梅。旺古感到绝望,枯守渡船时，便狠狠揪自己的头发，用力打自己的脸。旺古夜间时时离开草棚，睡到渡船上。浑身燥热难耐时，便赤条条跳入河水泡浸。旺古渐渐瘦削下去，体内仿佛焐着暗火，把他烤得焦干。

十三

小梅的确是个可爱而美丽的女孩子，或者正如某位名人说的：由于可爱而美丽。她的可爱出于她的善良，她的善良植根在苦难与不幸的土壤中，而偏偏她自己却丝毫没有苦难与不幸的感觉和表现。她的美便有一种天使般的圣洁感，令人动心，令人叹息，令人像看星星月亮那样看她。

在刚刚和小梅相处的时候，我常常产生一些远离实际的想象。比如让小梅穿一套连衣裙，再配一双高跟凉鞋，她走路时会怎样地顾盼呢？比如让小梅抱一摞书，走过清华园的林荫道，她将会有怎样的神情？又比如让小梅乘船出海，好风满帆，浪飞潮涌，鸥鸟低翔，她又会怎样兴奋欢笑？然而转念间，我又意识到：这一来，恐怕小梅就不成其为小梅了。小梅只能是割草的小梅。

小梅很沉静，但从来不发愁。小梅很少纵声大笑，但出自内心的愉悦，却时常灿烂着她的面容。特别是当小梅在沼泽割草的时候，她显得美。

说到沼泽，前面我把它形容得那么美妙，那么富于诗情画意；说到割草，轻描淡写，似乎极其轻巧。一方面与事隔多年有关，正如人们在温暖时，容易失却对酷寒的记忆而闲谈雪景。另一方面，我对沼泽的印象，在很大程度上受到小梅的影响，借助了她的目光和心灵，去观察，去感觉，或者说是由于感觉到小梅的感觉而产生的感觉。可以肯定，如果没有小梅的相伴和帮助，沼泽给我的印象必定只留下黯淡无光，阴森可怖，半年的割草生涯必定苦不堪言。

小梅有两把镰刀，一把短柄，一把长柄，长短交替使用，因地制宜。因此小梅割草的姿势有了间歇的转换，可以减轻疲劳。用长柄镰刀割草看起来是比较舒服的，身体可以直立，改深弯腰为腰部左右扭动。但是使用长柄镰刀必须具备一定条件：地面比较平坦，草丛面积较大而茂密。更重要的是需要技巧，动作高度协调，掌握适当的力度。否则事倍功半，弄不好会砍伤自己的脚杆。我曾用过小梅的长柄镰刀，结果是狼狈不堪，出尽洋相，惹得小梅忍俊不禁。

小梅无论使用短柄或长柄镰刀割草，表面看来，她的动作都相当缓慢，仿佛漫不经心。然而一个上午下来，她割下的草起码比我割的多出两倍。这便是举重若轻，得心应手，这便是艺术了。

我紧跟在小梅身后割草，脚下泥浆叽咕，头上烈日暴晒，周围蚊虫正舞，我们的喘息此起彼伏。我忍不住时而停止挥镰，双手扶膝，半支起酸痛的腰杆，观看小梅割草的姿态。她的柔韧，她的线条，她的节奏，她的旋律，使我联想到杂技和芭蕾，联想到提香和安格尔的绘画，联想到斯特劳斯的圆舞曲。而小梅每每听到我的响动时，也就停止动作支腰扭身朝我回眸一笑，说："咱们歇一会吧。"于是她伸长下唇，朝上长舒一口气，吹动散乱的额发。然后用巴掌转圈儿抹一把脸上的汗水，随手一甩，阳光里便闪出几粒亮点。

在割草的日子里，我和小梅中午不回家，午饭就在沼泽地里吃。早上带上饭盒，藏到避光阴凉处，上面再遮盖些青叶，吃时拢堆火烤烤热。饭菜自然简单而粗糙，但肚子饿得透，吃起来格外有滋有味。有时小梅不带饭盒，临时做。饭做好小梅总邀我再吃一点。小梅的饭菜可谓"丰富"，除了热软的米饭，还煮一锅鲜嫩的马齿苋或水蕹菜，而且总有鹌鹑蛋，花斑一堆。鹌鹑蛋是小梅割草时捡集起来的，奇怪的是她捡得到，而我却从未有过此幸运。小梅叫我坐下，然后剥开一只鹌鹑蛋，蘸点盐末，递给我吃；我吃一只，她剥一只。看我吃得惬意，她就笑。等我说吃饱了，吃不下了，小梅自己才吃。小梅吃得慢而细致，咀嚼时嘴巴不张开，牙齿在口腔内磨动，不伸出舌头左舔右舔。小梅绝不是矫揉造作，她压根儿不懂这个。她的端庄优雅与生俱来。吃罢饭，小梅还要掏出一把白嫩的芦根当作饭后水果。她知道我牙齿不行，就只管自己嚼，嚼得索索响。吸着微甜的液汁，她又笑了。

我还要说说沼泽里的"雨浴"。沼泽夏日，气候多变，好好的太阳天，眨眼间风起云来，阵雨骤降，令人猝不及防。起初碰到这种情况，我便张皇失措，狼奔豕突。但四敞的沼泽地根本无处避雨，结果还是成了落汤鸡。小梅应付的办法是顺其自然，雨来时，她索性洗头洗脸。更妙的是她居然备有一小块肥皂，搓出满头白沫，在密密的雨幕中，她像湖中浮出的一个水妖。相信如果我不在场，她很可能脱光衣衫，承受大自然的赐予。雨后，小梅躲到一边，脱下湿衣扭干再穿上，然后就站在草绿无蓝的空廓里缓缓梳理她的头发。她左手挽发，右手持梳，胳膊从头顶拐过来，梳一下头发，甩一下梳子。阳光从侧面照来，给她镀一层金光，勾勒出她那湿润玲珑的身影。这时候，凉风习习，暑气全消，那份轻松舒适，只能属于割草的小梅。

那时我就认定，割草的小梅是幸福的，或者说她的幸福感无处不在，无时不有。我羡慕她，并分享她的幸福。

幸福本来就没有定义、没有标准、没有度量的。幸福并不玄妙，只不过是由对比、反差所产生的效应，而且因时因地因人而异，完全出于当时的主观感受。从这个角度来说，我们很难做出结论：帝王一定比乞丐幸福。

十四

小屋旁那棵豆梨子树，是小梅的母亲栽下的。初来时草草把家安下，她做的第一件事就是栽下这棵树。栽下时认不得是什么树苗，它弱小如一根羽毛。小梅的母亲勤护理，早晚浇点水。开春之后，树苗居然扎住根，绽出几片新叶。后来还栽下另一些树，全枯萎了，唯独豆梨子树亭亭玉立。有一回，小梅的母亲笑着对沈同生说：

"我很喜欢这棵树。哪天我死了就葬在树下。"

沈同生对妻子说："我给你买副水晶棺材。"

没料到玩笑竟成真，只是没有水晶棺材。

豆梨子树树形极美，树干笔直，树冠如塔。它也和同族其他梨树一样，先花后叶，叶呈心形，对生，油绿肥厚，好像上了一层釉。果实蒂长，细小如珠，好看不能吃。待到霜降之后，叶子将落未落时，鲜红如一束火把。这时候，沈同生常在树下徘徊，抬头看红叶片片坠落，低头看亡妻的土坟，神思恍惚，心似枯井。我听沈同生在豆梨子树下低吟李商隐的《锦瑟》，念到动情处，声音颤抖，目有泪光。

我不知道沈同生是否相信命运，我相信他是相信的，当然，他是从哲学的角度解释命运。他曾开导我说，世界上万事万物，偶然寓于必然，个体看是偶然，整体看是必然。所以凡事应顺其自然，不必强求，费心去算计。

重阳过去不久，农历十月初二，是小梅母亲的生辰。像往年此日一样，沈同生和小梅为坟头培土。不烧香焚纸，不供献酹酒，沈同生尊重妻子生前淡泊不重礼仪的习性。沈同生扶住小梅的肩，默默向亲人三鞠躬。旺古则照例跪倒叩头，保留乡间固有的方式。

豆梨子树的叶儿已经开始泛红。

沈同生久久绕坟踱步。末了，抚摸着粗糙的豆梨子树干，沉一口气，慢慢对小梅说：

"小梅，你听着，我是永远不会离开你妈妈的。"

小梅镇定地望着父亲，毫不犹豫地说："那么，我永远也不离开爸！"

十五

那天早晨，我来到樟树渡口喊渡，高举摇晃那根竹竿，但不见旺古摆渡来接我。却是小梅来了。她在对岸喊什么，但听不清楚。小梅就挥动双手做出要我回去的动作，然后她就匆匆离开河岸。

我寻思一定是旺古病了，近些日子他显得软弱无力，气息恹恹的。

我只好返回云湖镇。

旺古病得不轻，且病势来得凶猛。旺古是傍晚时突然晕倒的。当时旺古坐在草棚外面，等候小梅割草归来。远远看见小梅驮草的身影了，旺古起身去迎她，刚迈出两步，就直挺挺扑倒，额角碰在一块石头上，流出许多血。

旺古整整三天三夜昏迷不醒，浑身火烫，呼吸粗重，虚汗淋漓。沈同生和小梅急得团团转，束手无策，摆渡人本身病倒，谷河成了难以逾越的天堑。小梅会游泳，提出泅过谷河去云湖镇喊医生。沈同生坚决制止。这时天已经断黑，何况即使喊了医生，医生又怎么渡河！小梅很后悔，这么多年没有跟旺古学会摆渡。

只好听天由命了。唯一的药是十几片阿司匹林。

小梅三天三夜不吃不喝，衣不解扣，眼睛只看着旺古，寸步不离旺古。小梅没有什么办法，只能用毛巾湿水不断为旺古冷敷。

“旺古、旺古叔，你不要死！睁开眼看看，我是小梅，你从小看着长大的小梅……”

第四天凌晨，沈同生听见小梅号啕大哭，急忙爬起床，从小屋奔入旺古的草棚。她看见小梅趴在旺古床边……沈同生心里猛地往下一沉……

“旺古他怎么啦?”

“他活过来了，刚才睁开一下眼……”小梅话没说完，一头就栽到地上。

七天过去，得不到小梅他们的任河消息。我下决心从谷河上游过桥，绕道60里到达对岸。

在晚霞中，我远远就看见小梅搀扶着旺古站在草棚前向我招手。走近前去，我发现小梅苍白、消瘦了许多，人似乎也长高了一些，眉目间多了一种沉思的成熟。旺古软弱地倚在小梅肩上，像一个孩子，向我艰难地笑笑。小梅欣喜地告诉我这些天旺古死而复生的情形。临了，小梅说：

“七天没割草啦，从明天起得铆劲补上。小陈快要来收草啦。”

时令又到了冬至。大队突然通知我撤回云湖镇，还是上公社水库工地去，不是抬石头，是去办工地广播站，限我三天内报到。

我向小梅、沈同生和旺古告别。告别的当天中午，我们一起吃了一顿饭，有腊肉，有半瓶杂粮酒。小方桌摆在屋前空地上，我们四个各据一方，无声地频频举杯。其时河岸无风，天气晴朗，初冬的阳光温温地暖人。屋侧那棵豆梨子树，叶子正红得鲜艳。远望沼泽，衰草连天，一片苍凉寥廓……由于命运的驱使，我与他们相处了大半年，他们帮助我、照顾我，待我以善意和真诚。我想对他们说几句感激的话，但一时却不知如何表达。我想最好的感激，莫过于在今后的岁月里，记住此时此刻的氛围，自己也能以善意和真诚待人。这样，纷纷扰扰的世界大概会增添一份和平与宁静。他们也没多说话，沈同生和小梅只是反复叮咛：

“以后常来看我们啊!”

旺古也表达了同样的意思。

他们一起送我到河岸。沈同生就在河岸上和我握手告别。他摘下眼镜，揉了一下眼睛。旺古摆渡，小梅送我过河。踏上对岸麻石埠头时，小梅对我说：

"小陈这几天就会来。我真想让你见见他。"小梅眼睛里含着笑意,我完全理解她说这话的含义。

很遗憾,我见不到小陈。我鼓励小梅说:

"你有什么话就对小陈说吧。不要躲闪,不要憋在心里头……"

小梅若有所思地点头,抬起手摸摸头上的红发卡。

我上了河岸,回头望见渡船已经返回河心。旺古从后面拢住小梅,手把手教她划船。

从此,我离开了云湖镇,再没有见到割草的小梅。

天地无垠,生命有限。许多地方我们一辈子只能到临一次,许多相识的人,永无重逢。

十六

他说:

喂,你睡着了吗?喂喂,他妈的,你什么也没听见,我算白说了。

(其实我没睡着,但我不说话,我不想说话)

(选自《特区文学》1993 年第 5 期)

叶蔚林

(1935—2006)。广东惠阳县秋长乡周田村人。历任文化厅创作员及艺术处处长、湖南省零陵地区文联副主席、湖南省作协副主席。1987 年年底调海南省工作。曾任海南省文联副主席、海南省作协主席。

1953 年开始发表文学作品。出版有中短篇小说集《蓝蓝的木兰溪》《五个女子和一根绳子》《酒觞》《割草的小梅》,散文集《海滨散记》等。小说《蓝蓝的木兰溪》获 1979 年全国优秀短篇小说奖,《在没有航标的河流上》获全国首届优秀中篇小说一等奖。

穷乡

何申

小屯乡特穷。

其实小屯乡的老百姓不是特别穷，当然也说不上多富，特穷的是乡政府。乡政府八个月没开工资了。这要是放在县里或县以上早是个事了，非出乱子不可。小屯乡的干部有两下子，头几个月到发工资的日子还打听打听，后来一看新建的合资鞋厂关门了，碳酸钙厂承包人搂大劲犯了事也进去了，晾了多半年的开发区也还给村民种大萝卜了，陈乡长陈宝明急得眼珠子都有点冒蓝光了，大家也就不再问，该干啥干啥去了。县委书记有一次在会上表扬小屯乡干部承受力强，陈宝明私下苦笑一声说：

“不强能咋着？乡镇干部天生受苦受累的命……”

话是这么说，但毕竟是一乡之长，大院内党委政府百十号人，外边还有八十多个吃财政饭的教师啥的，物价又这么一个劲地进步，万一有哪位心窄的想不开，或者急了眼去拦拦领导的车啥的，可都使自己担当不起。陈宝明就给组织部打电话，说快派个书记来吧，我一个人有点够呛。组织部长说我给你露了实底吧，小屯乡又偏远，脱贫的任务又重，旁人都不中，组织已决定你党政一肩担了，过几天就下文，我个人先给你道个喜。陈宝明脑袋冒汗，冲着话机子喊：“你们弄差了吧？我五十四了，过口啦！不符合年轻化呀！”组织部长那边更会说，说五十四在小屯乡就是年轻化了。放下电话，陈宝明敞开怀好一阵发愣，骂道：

“我操的，这电话打的，这不是要我好看吗！”

转天乡干部就都知道了，陈宝明见瞒也瞒不住了，索性把党委和政府两个班子成员都找来。都来了也没几个人，原因是小屯乡是小乡，领导干部职数历来就少，特别这几年干部思想观念都大变了，谁也不恋乡下家里那几间房子，托门子走路子跟头把式地往县城折腾，说将来老了退了做个小买卖也是在县城里强，这么一来就把离县城一百八十里的小屯乡给晒了，都是没办法了才在这待着。原先的书记是个年轻的，还是上面派的，干了不到两年，喊了两年大上，结果人家自己先上去了，到县里当个局长。陈宝明土生土长，从财粮助理干到副乡长、乡长，啥时都是在别人领导之下，这会儿轮到他说了算，手底下班子里的人也走得差不多了。党委那边就剩下个宣传部长王宏儒，小五十了；政府这边多点，在家的有副乡长李援朝、副乡长兼妇联主任郎玉花，还有办公室主任老吴。老吴四十八，干瘦，爱逗，没大没小，一见陈宝明他就嚷：请客请客，当书记得请客。郎玉花也跟着说。她三十出头，头年陈宝明当乡长时提她当副乡长，郎玉花大脸盘大腰板大屁股大脚，是搁哪都让人放心的女干部，原先有个女副乡长虽然脸上有雀屎，却苗条，还爱吹个翻翘头，身上香味熏人。那人工作不错人缘也不错，就是搞对象高不成低不就总扯咧那事，跟书记不赖，书记走后她也要走，陈宝明心想这穷乡当务之急是发展经济，你的之急是搞对象，赶紧把她给输送走了，换了郎玉花。郎玉花酒量特大，天生对酒精没反应，孩子五岁，往家里一扔就知道泼辣工作。她说："早先陈乡长有能力发挥不出来，这回党政合一就好啦。"

陈宝明说："有啥能力，你可别瞎抬我，我知道我自己有多大尿儿。"

王宏儒一向稳重，想了想说："这回你是书记了，可得好好重视一下精神文明工作，得真正两手抓，两手都要硬……"

李援朝正四十五，但这里男人忌讳四十五，他就从四十四一下长到四十六。他肚子发福，鼓鼓的跟女人七八月身孕的态势差不离，兼着乡经委主任，管工业。他对王宏儒笑道："是想硬，拿啥硬？您以为那是想硬就硬起来的事！"然后就抽烟看屋里旁的地方。王宏儒就不干了。因为在这个问题上党委和政府一直意见相左，党委头年年底要开精神文明工作表彰会，还想大张旗鼓造声势，给奖金给奖品啥的，这事主要是王宏儒张罗的。那会儿原来的书记走了，陈宝明是副书记兼乡长，一手托两家，就应下了，可到政府这边李援朝他们就不同意了，说年底了旁的事都扯淡，发工资是第一位的，王宏儒跟陈宝明说士气民心是第一位的，李援朝说没钱就没气没心更谈不上第一第二的，把陈宝明弄得左右为难，后来上面下来工作组检查教师工资问题，陈宝明就坎下驴把表彰的事给拉倒了，为此王宏儒一直对李援朝有意见，认为是他先打的横炮，不然也就干成了。

王宏儒特爱较真章，他严肃地说："李援朝同志，现在我还叫你声同志，如果因为你使我乡精神文明建设滑坡，造成混乱局面，你就是小屯乡的千古罪人，我也不会再叫你同志！"

李援朝叭地拍拍大肚子，说："千古罪人？万古醉人才好呢！我正愁没资金，一醉了啥事都忘了。"这家伙特精，不往正题上说。

陈宝明好半天也没说啥，看着他们瞎戗咕，心里乱麻似的理不出个头绪来。这会儿老吴抽罢一支烟也上了，他说："你们二位别吵了，都是好心，可惜安在小屯乡，都糟心。我最近有了新思路：两手都要硬，经济要先行，企业不好搞，就挖王八坑。

这个王八呀，在北京卖一百多块钱一斤，领导现在都爱吃王八……”

陈宝明马上咳嗽了一声，他深知老吴从王八这开始，不定把话题扯哪去。朗玉花说：“老吴你那王八先放放吧，还是陈书记说吧。”把老吴噎住了，老吴嘟哝道：“放放就放放，不过弄王八是条路。”

陈宝明说：“那我就说说。我说咱们这个小屯乡呀，可咋好呀……”

往下他又说不出来了。他这时确实有些心情沉重，倒不是有意表现出忧国忧民的情怀，实在是武大郎服毒——不好办了。小屯乡二十个自然村，把着县西北境地，老少边穷全占了，老是老区，抗战时有游击队，山大，鬼子不敢进，找不着路，光挨枪子找不着八路军；少是少数民族，满族多，不过多是前两年改的，因为让多生一个孩子，改得特痛快；边是边远，离人多的地方远，离人少的地方近，再往北一溜达就是内蒙古草原，那片草原还没啥草，连羊都不多；穷就不用说了，老百姓吃饭吃饱是个大问题，像人家报纸上介绍的农村就差十万八千里了。要是就这四个特点也算罢了，小屯乡还得加上一条，就是乱，乱表现在各个方面，比如各村的班子吧，有小一半都是说话不灵的班子，有的村干部跟孙子一样，刁民跟爷爷一样，动不动就来一段：“中央减轻农民负担啦，你们干部没有靠山啦，上面要反腐败啦，乡长村长都没脉啦”，弄得还挺合辙押韵的，连他妈的小孩子都会说，快成儿歌了。

陈宝明这么一不言声，其他人也就猜出个七八分。老吴说：“减轻农民负担咱不反对，问题不能把啥都当成负担，老百姓恨不得啥钱都不交，反给他钱才好呀。”

王宏儒在这事上面尽管一向言语谨慎，但也有点看法，他说：“取之于民用之于民的事不能算增加负担吧，比如解决农民看电影难、基层医疗网建设，都是为群众服务的事嘛。”

郎玉花摇摇大脸蛋说：“早先有个标准啥的，下面好歹还给你干，这回没标准了，也没人干了，这情况中央知道不？”

李援朝嘿嘿一笑道：“知道个蛋呀。县委书记还差不多，往上就全是挨蒙了，咱们都清楚，哪次不是预先准备好的，大领导下乡，其实就跟看戏一样……”

陈宝明一看这话题有点走板，忙说：“别说啦别说啦，中央考虑的是全国，咱们考虑的是小屯，小屯不能和全国比，中央的决定到什么时候都是对的，咱们可别乱评价，不好。咱们就想咱小屯乡这点烂事咋办就得啦。”

王宏儒连连点头：“对，这里有个下级服从上级的原则，以后我一定注意不再说。”

李援朝瞥了王宏儒一眼，说：“其实现在也不搞运动，没必要来那一套，实事求是也是党的原则。”

陈宝明说：“这原则是没有问题，问题是咱们班子不能总抱着一股子情绪干工作，埋怨别人不如要求自己，你们说是不？”

众人都说是。于是就理理当前火烧眉毛的几件事，打头的事还是这两个厂子，鞋厂是合资的，是在地区的一次经贸会上由一位领导牵的线，说好了这边盖厂房那边出设备和部分资金。不承想乡里贷款费了牛劲把厂房戳起来了，那边设备和资金连个影都没有，找有关部门打听半天，才知道那边的那家伙是台湾的“倒爷”，他既没钱也没设备，他是在以大陆代理人的身份去蒙有钱有设备的老板，从中得好处。可能是这一次没弄机密，没弄成，就一去不复返了，这边干着急也没法，想找他打官司都弄不清台北的门牌是咋个排法。

对这个事，陈宝明说：“赶紧转产，要不利息就了不得。”

李援朝说：“问题是转什么？我正在研究，联系了几家，都还没谈成。”

陈宝明说：“没谈成接着谈。”

老吴说：“对，就跟搞对象一样，哪有谈一个就成的。”

李援朝说：“你说得轻巧，是那么好谈的事？那些大厂子都发不出工资了，谁还有心思扩大生产？要不，老吴你也别在办公室里憋着了，也跑跑这事。”

老吴忙摆手：“我不行，我不行，我不懂工业，我一沾机器就脑袋疼，我们家买个录音机到现在我也不会使。”

郎玉花笑道：“真笨。你不是手挺巧的，还会扎缝纫机吗？”

老吴说：“那是我媳妇更笨，没办法逼出来的？”

李援朝说：“那就再让她逼一回。”

老吴说：“八个月啦，再逼就得上吊啦。”

这话一说，就说得所有人都脸色沉沉的。陈宝明点点头说：“看来当务之急是发工资，总这么下去不是事。”

王宏儒说：“当务之急是社会治安，派出所说啦，又出了好几封诈钱的信。”

郎玉花说：“要我看当务之急是妇女外流，这一夏天又跑了二十多，那些光棍子成天找我问咋办。”

郎玉花说的这事也怪叫人头疼。人家旁的地方都是人贩子往山里卖媳妇，小屯乡这两年兴起一股风：嫁到口里的女人回来说那边怎么怎么好，这边先是姑娘跟着往外嫁，后来媳妇也跟着跑，跑那边又找一家，好的还通信给男人孩子寄俩钱，赖的索性就没声没影了。要这么闹下去，小屯乡光棍子可就越来越多了。

一说这事陈宝明也急了，说：“这，这是当务之急，小屯乡不能出这些女陈世美呀……”

郎玉花说：“那有啥法，班车天天有，大路又没卡，说去赶集就走了。”

李援朝说：“要我看当务之急是碳酸钙厂。这些日子销路不错了，咱不能把钱白给了小黄，小黄这个月交不上钱，正是个好机会……”

陈宝明心里咯噔跳了一下——碳酸钙厂原来的头头进去之后，厂子就垮了。后来乡里招标承包，本乡的人没人干，都怕沾包。地区报社记者小黄过去常下乡来这，听说了就动了心，后来就停薪留职真给包了，条件是每月交两千块钱。当时乡里还认为这是挺便宜的事，不得白不得，没想到人家小黄这几个月弄得挺好，生产上去了，销路也打开了，这么一来乡里有些人又眼热了。陈宝明开始说咱们不能像小孩子过家家说翻脸就翻脸，咱们遵守协议，后来一看有的乡干部的劲头，就好像认为你陈宝明得了小黄多少好处似的，把陈宝明弄得也有点不敢说硬话了，只得含含糊糊往下拖。现在李援朝又提这事，陈宝明不好表态，站起来说："你们先议着，我上趟厕所。"老吴也站起来："我也得去一趟，肚子不好。"

到厕所里一看没旁人，老吴小声说："宝明，这事要慎重啊。"往下又不说了。陈宝明前列腺肥大尿尿慢，屏住气慢慢等着。老吴打个激灵尿完了就要出去，陈宝明多了个心眼，问："你不是肚子不好吗？"那意思是说你拉屎没拉，很容易叫人家看出是咱俩到厕所里说什么。过去党委会的一些重要事，多一半就是开会半道上厕所泄露出去的。当然也不完全是有意识的，厕所这地方也怪，上下一通气，往下一蹲甭管领导还是群众都是屎拉一条线，领导就很容易和大家打成一片，肚子里话也很容易就说出去，除非大便干燥憋得张不开嘴或者拉稀拉得懒得说话。老吴说："我没带纸。"就出去了，剩下陈宝明还等着渠道打通呢，就听院里开进来车，老吴时间不大又窜回厕所，说："行啦，这回当务之急没跑了，是老四啦！"陈宝明一听心里紧张更尿不出来了，对老吴说："你知道我这毛病，你等我尿出来再说不行啊。"老吴掏出一团纸蹲下，说："对，书记亲自上厕所，不容易。有您这工夫，人家孩子都生出仨了。"陈宝明这会终于尿出来了，精神上放松下来，说："你少跟我贫，老四的事是你负责的，你去接待。"老吴低下头不说话，陈宝明说："你倒是去呀！"老吴扬起细脖："你也得让人把屎拉完了呀！"

老四是上访专业户。他是乡政府所在地小屯村的村民，也四十大几了。年轻的时候当民工修路，胳膊上受过伤，受了伤后在民工团伙房里干过采买，再往后都散了，他也就回乡种地了。要说啥事也没有了，过去掩护八路军牺牲的受伤的都有过，谁也没说没完没了地跟共产党要这要那。陈宝明当副乡长时曾说，老四你小子别一张嘴就共产党长共产党短的，那是你随便叫的？共产党啥也不该你的！干活受伤喝卤水丧命，哪朝哪代都是一个理，何况当初民工团也给你治了，没砸死你就算你命大，老实种你的地吧。说这话是七八年前的事。倒霉就倒霉在有一次省里一位领导到小屯乡视察脱贫情况时，非得自己随便走走，还不让人陪着。要说领导深入群众或者是微服私访是好事，问题是他不明白，你到村里转，真正老实巴交的老百姓是不敢上前的，即便上前了也说不出啥来，大米干饭小猪羔肉炖粉条子不过年都管够，还他妈有啥说的！小屯村村长富贵说我爹给我起名富贵，其实想的就是小米干饭炒盐豆子，当然那是土改时，就说现在奔小康了，你们有能耐说说小康啥样？能比你五间大瓦房一个大院强哪去？当时富贵就这么跟那位领导说的，偏偏那位领导不大满意富贵这些小富即安的思想，就问旁人咋看，老四右胳膊打着弯就上来说应该像人家外国农民有汽车有电话有冰箱彩电，要是再往下说他肯定说有娘儿们而且想跟谁睡就跟谁睡，整宿整宿招呼这一类话，这是村里村外都知道的，这小子没媳妇憋坏了。可偏偏那领导一听爱听的话当即就说你说得不错，把后边那些精彩的给截住了，后来就问老四干过啥，老四就吹在民工团当司务长，负伤回来了，那领导就笑道原来你当过干部呀，那他们得给你治好伤。他说这话其实是随便聊聊，完事就走了。可这头麻烦了，老四到公路上一看这老头敢情有那么多人陪着，上前说话的都瞅着自己脚尖（老四说的），就明白不是一般人，后来他就打听出名姓来，憋了些日子他就弃农经“访”了，先是要求治伤，后是要求恢复干部身份，都是些办不到的事。要说他也苦过，在地区交通局大门口睡过一年水泥地，睡得局长出来进去走后门，后来就宾馆办公室餐厅楼道哪都睡，他黑不溜秋，不洗脸，自打上访以后还胖了，人称铁罗汉，名气愣是不小，逢年过节公安局往回送，好几回公安局的人疲倦地返回市里，人家老四早在老地方又躺着呢。上下拿他都没法，前一段县里通知小屯乡去领老四，乡里说没路费，县里说这回送回去必须管住，乡里说你县里给他娶个媳妇嘛，也超不过十天，他家里没吃的。这事在电话上说说也就拉倒了，乡里也没太当回事。

陈宝明从厕所一出来傻眼了，院里是两辆车，县委齐书记和公安局武局长正跟王宏儒他们握手说话呢，一旁站着老四，还有两个年轻的。陈宝明赶紧上前，把手往裤两边蹭蹭，就跟领导握手，人家齐书记、武局长要说也够可以，眼瞅你从厕所出来也不嫌弃，握得还挺紧，那里边肯定还有点格外关怀的意思。陈宝明就请书记、局长进屋，心里想着该怎么汇报一下工作。可人家齐书记说有急事不能待了，马上要去内蒙古，比小屯还靠北的一个乡因为边界跟内蒙古打起来了，还出了人命。这么一说陈宝明也就不能再留人家了，武局长把陈宝明叫到一边，说这个老四无论如何不能让他跑了，这回他是去省里要拦省长的车，幸亏找错了车号，不然麻烦就大了。齐书记也过来说：“老陈，组织上的安排你也知道了。先把这事弄好，这事事关稳定的大局。”陈宝明这时只能点头，嘴里说是。后来武局长去跟旁人说话，齐书记说：“老陈，好好干，将来组织会考虑你的情况的。”这句话就把陈宝明说得心里滚热滚热的。一个县干部也是成百上千的，能得着县委书记这么句话，也实属不易了，小屯乡再小再穷，你陈宝明如今也是一把手，就像那些非洲小国总统，管的地面比小屯乡也大不了多少，来中国访问照样也是国宾，萝卜不大关键长在背（辈）上，按现在各乡镇党委一把手的去向，当然最好的是提拔进县班子，这样的极少，而且功夫要下得非常大，不是一般出点成绩送点礼能办得到的，这需要走体系遇时机赶势头还得碰运气。其次是安排到县里一些部门当头头。这里又分到哪类部门，是有权的还是有钱的还是全没有就是一个安置，但不管咋说这辈子算是从下边熬上来了，人前人后也有个面子。再次之是这两步都不行，年龄眼瞅也大了，再过两年就得在下面退下去了，干脆趁着还有点活动能量，县里领导再关照一下，在县城边上的队里征二分五的地，盖上房子，慢慢再把户口转过去，把孩子工作安排在县里，自己到了年龄，往城边一搬，关系往老干部局一转，好歹这晚年也算在县城过了。陈宝明掂得出自己有多重，他一直想着这第三方案，原先不是一把手，不好意思请领导关照，没领导关照，二分五的地就批不下来，现在看来有点门了。这么一来他看天天挺蓝，看树树还挺绿，看齐书记愈发感到亲切，于是就说请书记无论如何吃了饭再走。李援朝他们也上来说。郎玉花说："齐书记，是不是怕小屯乡穷，管不起您的饭？"

齐书记说："不是，我是怕跟你喝酒。我这阵不行了，喝残废了。"

武局长笑道："怎么说来着，南来北往喝不过大场，东走西停喝不倒江宁，酒精再纯，难不住小屯……"他说的大场江宁都是些乡镇的名字，县里上下有一大堆有关喝酒的顺口溜。

大家就都乐了。老四过来有点着急地说："齐书记，我们还没吃饭呢，肚子怪饿的，要是没啥事，我们就走了。"

齐书记眉头皱起来。武局长绷着脸说："怎么没事！你们三个人，听乡里的，不许再出去啦！好好在家过日子，有啥事跟乡里说。"

老四立刻就对准陈宝明："陈乡长，领导说了，往后有啥事可就找您了。"

陈宝明当着领导的面不能说啥，就对老吴说："你带他们先去吃饭。"

老吴没动地方，想说什么。齐书记那都是久经场面的，一看这样就连忙上车，挥着手车走了。领导走了这天下就是陈宝明的了，他这才细看看老四，一看老四这回换了装束，西服、运动裤、破皮鞋，又看那俩年轻的，面生不认识。他问老四："他俩是谁？"

老四说："这俩是我的秘书。"

差点把陈宝明的鼻子气歪了。可又不好发作，对上访的态度要好要多做深入细致的思想工作，这是上面常讲的。李援朝问老四："就他俩，没有女秘书？"

老四大言不惭地说："原先有一个，太笨，记不住车牌号，误事。"

王宏儒转身就走，嘴里说："不像话，太不像话啦！"

郎玉花问："陈书记，没事我们走啦，妇女禁赌会正开会呢。"

陈宝明说："好吧，今天的会暂到这，大家按照自己的分工，该干啥干啥。"

结果剩下老陈，老吴和老四他们。老吴问："吃饭好办，账怎么算？"

陈宝明说："谁吃谁花钱呗。"

老四说："我听说您当书记了。陈书记，我们在外边吃饭可从来没花过钱。"

老吴说："老四，你牛×个啥！你是升官了还是发财了？臭显个啥！谁不知道你呀。"

照理说老吴在小屯乡对一些个刁民，甩出这么几句话，咋也能把对方镇住一阵。看来这老四走南闯北的见了点世面，对老吴这一震唬根本没当回事，嘿嘿一笑道："哎噢，爷们儿，别发火呀。我老四这两年可是见过大官，省委书记、省长，市委书记、市长，还有国务院信访办，哪儿也没这么对待咱。当初说我是干部的老领导，还在家请我吃过饭，喝的是啥？五粮液！"

老吴哪能吃这个，乡镇干部大凡一碰着这种滚刀肉就全然不然了。老吴说道："五粮液？还八粮液呢？他请你吃饭他倒是把你干部身份落实啦！你牛×个啥，别以为我不知道，你不就是在饭馆里抓着吃，到候车室摸人双鞋，到澡堂子里偷件衣服吗？你家祖坟蒿子都让你丢脸丢净啦！"

老四也不甘示弱："丢净啦！我光棍子一条，八辈子不洗脸，泥糊得严实丢不了！老子要着吃，吃的也比你们强。红烧甲鱼，油焖大虾，你们见过吗？哼，老子还不跟你们说呢，老子还回城里，闹他个天翻地覆，秘书，咱们走！"

这老四叫上他那俩秘书还真要走。这下老吴没法了，自己干巴拉瘦的想拉也拉不住。院里的干部都围上看热闹，街上的村民也堵在院门口。老四越发得意起来，喊："老少爷们，知道吗，人家城里比咱这强一百倍，那个……娘儿们的衣服是透亮的，电影电视专演上炕的，大坝上都是亲嘴搞对象的，男女睡觉都是开放的……"

村民问："你放了几回？"

老四有点尴尬，说："我，我他妈的放不起，没钱……"

院里院外的人都笑了。老四拔腿就要走。陈宝明着急了，说："老四你别走，有事找你呢。"老四说："陈书记，我可是公民，那个宪法上可允许公民到别处走动呀。"陈宝明点点头："是让你走动，我是说有事找你。"老四问："啥事？"陈宝明说你过来，就小声对着老四耳朵说了几句什么，老四的表情就跟浑身痒起来一样，两只眼睛贼不溜地瞅陈宝明，陈宝明说："要不你就走吧。"老四忙说："不走，不走啦。"又冲着他那俩"秘书"说："上访的工作先放放，回家收秋吧。"那俩说："我俩也没种地呀，收啥？"老四说："爱鸡巴收啥收啥，你们还赖上我啦？"那俩说："当初是你说的，跟着你管吃管住还发工资，你不是转业军人老干部吗？"老四脸涨成紫茄子色，说："我，我啥都不是，中了吧！快回你们东北去吧。"那俩人说啥不走，弄得老四也没办法了，只好求陈宝明，陈宝明细问问，敢情这二位是东北大兴安岭的，说是有一天有个瞎子说他俩财路在京城西北方，还要跟着一个姓陈的干。这俩人就卷巴卷巴奔了京城，到京城奔西北方，稀里糊涂到了门头沟，正赶上那两天北京迎亚运，把老四这号的全给清出来了，老四在门头沟长途站旁的饭馆里弄饱了肚子，出来就碰上这二位，一道名姓，就认了两个"秘书"。这二位跟陈宝明说我们也想回兴安岭了，可我们没路费，我们就跟定老四了。老四哭丧着脸说："我在这咋养得了你俩？你俩一顿能吃二十个馒头，没法我还得带你俩去北京，北京饭馆子多，剩饭多。"

陈宝明心中叫声罢了，小孩摊上厉害的后娘，就得认命了。转身他告诉老吴原则是管饭还管回去的路费，先让他俩离开小屯再说。那俩"秘书"就上前找老四要西服和破皮鞋，说人家政府管我们了，我们的东西你得还我们。东北口音好懂，其中一个上手就把衣服给扒下来，老四措手不及，喊道："慢点，口袋里还有半盒烟呢！"院里院外的人就都笑了。赶到再要皮鞋时老四就不干了，嗖地窜进屋里，喊："这鞋不给！你俩咋这没良心，我还请你们吃过饭呢，兰州拉面，忘啦？"那二位不干，非要不可，陈宝明进屋对老四说："裤子是人家的吗？"

老四摸摸屁股："这是我自己的，里面的裤头是他们的。"

陈宝明皱眉道："行啦，把鞋还给人家。"然后就回自己办公室找来一双半新不旧的布鞋给老四，老四穿上站起来，说："挤脚。"陈宝明说："凑合吧，我还找人给你定做一双咋着？"老四说："挤脚走路费劲。"陈宝明说："正好，省得你到处乱跑。"

老四把皮鞋扔出去，对那俩人喊："收了秋想出去，就上这来找我，到啥时我也是你俩的领导。多带几个也行，最好找一个懂点外文的，好蒙老外。"

陈宝明一把拉老四坐下，说："我说你还嫌乱得不够呀？你小子长个啥心肺，你再闹我可就找派出所了。"

老四一听找派出所就害怕了。乡镇派出所要收拾他那是一弄一个准，偷鸡摸狗看女人洗澡，坑蒙拐骗闹仙闹鬼，这些事不愁找不着老四。人家派出所其实也不打也不骂，像老四这样的给他纸笔找个闲屋让他写几天就行了。老四说："书记，外边不去了，派出所也别去，您不是说要给我找个事干吗？我就给您当个差吧。"

这就是刚才陈宝明小声跟他说的，陈宝明当时也是没法了，怕他又走了。这会儿陈宝明又有点后悔，问："你会干啥？"老四说："我去饭馆子多，我给您接待客人，保证领导吃饱吃好。"陈宝明说："你快拉倒吧，还不够你吃的。"老四说："总吃就不想吃了。"

稳住了老四，陈宝明赶紧把手头上的事安排一下，让人把村长富贵找来，说："老四是你的村民，你把他安置了。"

富贵眼珠盯着房梁，说："我安置不了，爱上哪去上哪去。"

陈宝明说："太狭隘了，太狭隘了！都这么想，都跑北京去，党中央怎么办？咱们得顾全大局，大局你懂吗？"

富贵说："村里的事我还顾不过来，我还顾大局？顾不过来。"

陈宝明说："你村里有啥难事顾不过来的？"

富贵说："老吴媳妇在村里横冲直撞，村里禁赌她带头赌，你们乡里管不？"

陈宝明听说过这事，但没深问过。话说到这也没退路，他只能拉硬弓，说："当然管，一会儿我就找老吴，管了这事你得管老四。"

富贵说："他又没房子又没地了，我咋管？放乡养老院里得啦。"富贵说的是实情，眼下乡下踏踏实实种地的都是年纪大点的人，年轻人走正道的到外边卖力气挣钱，搞歪门邪道的一天到晚连他自己都不知道要干啥，站在道边围着案子捅那破球蛋子，捅着捅着想起点啥扔下杆子就走；像老四这样的把地给旁人种，把房子拆巴了卖瓦卖木头的，哪村也能找出一两个。

陈宝明心里明镜似的，也就不和富贵再较真的，让富贵回去落实农田基本建设，富贵对这倒没说啥就走了。陈宝明这时心里就上火，暗想我现在是乡党委书记了，我得抓大事，比如党建呀理论学习呀经济发展规划呀，上党校学习时上面没少讲了，县里有的乡党委书记就从宏观上抓得挺棒，咱创不出经验，傻子过年瞧邻居，咋也该学着干呀，要不然咋好意思找齐书记批那二分五的地。这么想着他就溜达到王宏儒的办公室，王宏儒正在和郎玉花研究妇女禁赌会的一个上报材料，是郎玉花写的，请王宏儒给改改，可能要上县里开会。王宏儒一沾材料特来情绪，摘下花镜把烟点着，一看陈书记也来了，更像回事地说："你这上半部，有两点不够突出，下半部吧，有一个明显的漏洞……"郎玉花就急着问："那咋办？"王宏儒想想说："好办，你先改着，回头我再给你压压吧。"郎玉花说："太感谢了。"

陈宝明听着这话就有点别扭，但也不能往别处想，就说："二位，咱们商量一下，我得抓大事了，不能总陷在这些小事上。"

王宏儒连连点头："对对，说得太对了，您是书记就是抓大事，像那些小事让别人去干，这样小屯乡才有希望。"

郎玉花说："书记您就只管抓大事吧，抓大事才有大变化。"

陈宝明看自己的主张得到赞许，心里就挺高兴，忽然他想起富贵说的那事，便对郎玉花说："老吴媳妇怎么回事？村里反映那么强烈。"说完了他自己又不由自主地说："嗯，这也是大事吧，关系到乡里的形象。"

郎玉花说："这真是大事。他媳妇特粗鲁，讲道理不管用，老吴在家也是受气包。"

陈宝明想想问："老吴原先在家里不是挺可以的吗？"

郎玉花说："原先可以，现在不行了……"

往下她就不说了，这时办公室有人喊郎玉花电话，她就跑走了。剩下陈宝明和王宏儒，王宏儒说陈书记你可得注意老吴这个人啊。陈宝明问怎么回事。

王宏儒指指脑袋："思想。"陈宝明不解，王宏儒说："老吴最近和他的一个表妹来往很密切，就为这事，他媳妇不干了。"陈宝明想起来这一阵确有一个女的找过老吴几回，老吴还跟大家说过这女的是县科委的，正推广一种獭兔，獭兔的长毛能卖钱，老吴还鼓动大家养獭兔。陈宝明说："那女的不是卖兔子的吗？"

王宏儒说："卖兔子那只是表面现象，实质不在兔子上，谈兔子还至于谈一宿？是搞生理解剖还是数兔子毛多少根……"

陈宝明对王宏儒这后一句话不大满意。这王宏儒有时的话太叫人难接受，可他自己还不觉得，还觉得自己逻辑强分析力透彻。陈宝明在乡下待这么多年了，对男女作风这类事经历得多了，俗话说劝赌不劝嫖，过去运动那么厉害，这类事在山沟子里也没挡住，如今上面都不提这事了，自己何苦操这心，铜帮铁底也使不坏，只要别闹出事来，就睁一眼闭一眼过去了。

晚上回家，陈宝明心里轻松不少。乡里的破事没完没了，你也不能总想，那么着就没法活了。陈宝明站在小院里瞅他这三间旧房子，这房子还是他当副乡长那时盖的，那时才花了七八千块钱。陈宝明的媳妇叫赵桂英，原来就是乡下妇女，后来给弄到供销社卖食品，陈宝明当乡长后把农转非也办了。他们的两个儿子老大上中专，老二正念初三，功课还挺好，赵桂英挺厚道，对这一切很满足。赵桂英做着饭冲院里问："你干啥呢？房顶上长啥了？"陈宝明说："啥也没长，我看看这房现在值多少钱。"赵桂英原来听宝明说过把房盖到县城的话，但一直没当真，总觉得不定是哪辈子事呢，这会儿见老陈认真起来，她就说："要去城里就去，这房子得留着。万一将来在城里过不下去，好歹咱这还有个窝。"陈宝明说："怎么能过不下去？人家能过，咱也能过。"赵桂英说："菜死贵死贵的，回头小屯乡不给寄工资去，日子咋过？"一句话就把陈宝明说懊糟了。陈宝明说："怎么不寄工资呢？退下来还可以易地管理嘛。再者说，工资这事……"他一想算啦，跟她说这些干啥，就不说了，坐在个石墩上掏烟，一掏口袋里是空的。赵桂英从屋里拿出一盒，是石林牌的。她说："小黄又买烟了，这回是红塔山。"

陈宝明问："啥时候？"赵桂英说："今天下午。还有酒。"陈宝明就犯寻思了。要说小黄这小子真有两下子，自己挺好的职业说放下就放下，跑这山沟子里来。平心而论，如果按眼下这厂销路不错，一个月两千块确实让他捡了便宜，可问题是当初，当初是众人都不敢招呼呀，甭说两千，乡里连两毛你也得不着。但是，这是实实在在的经济利益，如果这边继续开不出工资，那边十万八万地挣，你就是挣得有一万个理，也没人认可，相反，人家肯定要说你领导人得了好处。小黄到这里，凡遇到难事就是两大法宝：送礼加请客吃饭。虽然他不可能都打点到，可是在李援朝这儿，按理说小黄不能落下他，可李援朝这一阵对小黄的劲特大，那意思是你陈宝明只要一松口，我李援朝就撕合同收厂子。这里又有点什么文章呢？确实叫人有点猜不透。

陈宝明看天色已经暗下来，他心中忽然紧张起来，他总觉得小黄正提着东西往自己家来。如果真的来了，今天这东西可是不好收，收下了怎么跟他说？这不像当初乡里一致同意包给他，两相情愿，送两条烟四瓶酒表示感谢，收就收了，心里一点负担也没有。老陈这些年也干过给别人送礼的事，像县里领导和一些管钱管物的局的头头，但小屯乡穷，顶多秋下给人家送点牛羊肉啥的，县里领导一般住平房，都有院子，院里又有空房子装东西，你这边跟领导说着，手下的人就搬进去了，人家领导可能也是经历得太多了，都能很得体地说几句客气话就过去了，犯不上弄几条子烟推来推去，至于领导抽的都是红塔山，肯定不是自己花钱买的，陈宝明没送过烟，也不知道旁人送烟是个啥情景。

心里再有事，该吃饭还得吃饭。才端起饭碗，就听院门响，陈宝明一口饭停在

《穷　乡》何　申

嗓子眼没咽下去，扭头一看，是小儿子背着书包回来了，进屋就说："交钱，学校要八十块钱。"赵桂英一边给儿子盛饭一边问："开学不是交了吗？这又是什么钱？"儿子说："辅导钱和什么钱，我们也不知道。"赵桂英说："才给你哥寄二百去……"陈宝明心里本来就烦，说："先吃饭，先吃饭！"三口人就默不作声低头吃饭。吃了一阵，儿子又说："我要山地车，人家都买了。"赵桂英说："你那车子不是挺好的，也不旧。"儿子说："人家都买了，吴成就买了。"吴成是老吴的儿子。赵桂英说："人家吴成他妈会要钱，咱可比不了人家。老陈，你说呢？"陈宝明叭的就把饭碗撂在桌上，说："你们还让我吃饭吗？啊？想气死我呀！"

儿子也不示弱，把筷子一放就走了。赵桂英说："你看你，动不动就发火，说这事有啥犯歹的。哼，将来孩子大了都不理你你就美了。"陈宝明说："我他妈的要着吃，也不求他们。"赵桂英说："有个病有个灾咋办？"陈宝明说："好办，我准备点安眠药，一吃拉倒了，我才不麻烦他们。"赵桂英说："中啦，别说那用不着的，这个月就我那点钱早用没了，这八十块钱咋办？"陈宝明不吭声了。家里的那点底他是清楚的，盖这房子之前，他把沟里老家的房子给卖了，房子多，卖了一万多块钱，盖这房子后还剩三千多，后来赵桂英挣钱了，家里又喂口猪卖俩钱，这两年工资虽然一拖再拖，秋下一炮给下来，无形中也节省不少，加上出差补助，陪客白吃，小得溜的收点礼，手里也就攒了一万多块钱。他不敢把这钱存乡信用社，怕大家议论，都存在县里，定期三年的，让它一点点在那下崽儿。赵桂英这么问，意思很明显，就是说得动银行的钱了。陈宝明打心眼里不同意，这一万块钱可不像那些大款一倒手就挣来了，自己干了小一辈子了，好不容易才有这点积蓄，还惦着搬到县里去住，哪都得用钱。就说到时候能买点便宜的砖瓦木料，你也得花钱，算一算，连地加上盖房，少说着也得五万块，那不是气吹出来的，真得点大团结才行。赵桂英说："不交八十块，你跟学校说吧。"陈宝明一咬牙："行啦，你甭管了，明天我打个电话。"

院门又响了。陈宝明又忽悠一下，不过这时他倒希望是小黄来，小黄来了是否可以跟他谈谈承包这件事，没准能提高一下承包金，捡鸡毛凑掸子，再借点钱把工资开了，那么自己和全乡直的干部手头也都宽裕点。

可进来的是李援朝。李援朝胖脸通红，他喝酒上脸，看样子又是没少灌了。李援朝进屋嘻嘻哈哈说了些闲白，陈宝明就知道他还有话说，就把他让进里屋。这回李援朝就说了，他说："陈书记，您看这碳酸钙厂的事可咋办好呢？"

陈宝明心想这家伙要跟我玩花活了，这是要套我的话呀，便说："这是你主管的，还得你拿主意。"

李援朝点点头说："对，这事是不能让您为难。原先我想撕合同，可一打听不中，弄不好就得打官司，还准输。所以啊，我就想弄一个两全其美的招儿……"

他停顿一下，伸手摸茶杯，也不知啥时剩的半杯水，让他一仰脖给喝下去，又接着说："咱这饭馆太差，大师傅都从盐缸里出来的似的……"

陈宝明忙倒开水，等着他下面的话。李援朝说："对啦，我说弄个新招儿。我想，咱还是提高承包费吧，咱还不费心又多得钱。"

陈宝明就差问这顿饭是不是跟小黄吃的了。这肯定是又让人家给灌好了灌美了，主意就焦熘变成滑溜了。不过，这也不失为一条路，总比这么较劲强。考虑考虑大局，陈宝明把话咽回肚里，想想问："你跟小黄说了吗？"

李援朝说："那哪能，大事得请示您以后才能定。"

陈宝明点点头："好吧，提到多少？"

李援朝说："五千。"

陈宝明心里同意嘴里却说："少点。"

李援朝说："差不多了，翻一番还多。"

陈宝明说："那可得按时兑现。"

李援朝说："这没问题，小黄保证按时给，他舍不得这厂子。"

这事就这么说定了，李援朝就走了，陈宝明心里安稳了一些，五千块钱解不了穷气，快到八月十五了，咋也得让大家见到点钱。

过了一会儿门又响了，这回来的真是小黄了。小黄瘦高个，还戴个眼镜，是提个兜子进来的。进来就表示感谢，感谢陈书记的大力支持，又说李乡长已经通知了自己，自己同意，只是希望能减一点钱，给四千就差不多了。陈宝明一看事到如今也不能心软了，就说小黄你就认了吧，乡里干部不好惹，能接着包下来就不错了。小黄听明白了，也就没再说下去，放下兜子就走，陈宝明自然要客气几句，送到门外，见秋风刮得有些急，落叶沙沙地从暗暗的夜幕里飘下来，小黄打了个激灵拐过树林不见了，陈宝明不知怎的心里有点替小黄难受，暗说你跑这里干啥，你以为乡下人好糊弄咋着。回到屋里赵桂英把兜里的东西都掏出来，是两条烟两瓶酒。赵桂英说："整是下午买的一半，肯定还给了李援朝。"陈宝明说："酒留下，烟你给拿去卖了，正好给小子交钱。"桂英问："不打电话了？"陈宝明说："不打了，省得说我搞特殊。"说完他就想睡觉。他从来不看电视，电视里净是搂抱亲嘴的，图像还不好，脸蛋子快鼓到电视外了，陈宝明说亲个嘴使那么大劲，吹死猪呀。

脱巴脱巴上炕。眼下干部家大部分睡床了，陈宝明说床那东西冰冷还嘎吱响，哪如睡热炕大野地似的管够翻，所以他坚持睡火炕。他还有个习惯就是临睡前趴在炕沿边抽烟，而且是关了灯抽，那滋味很是好受。赵桂英不反对他抽烟，她自己也抽，而且专抽当地产的叶子烟，特冲。这里女人抽烟很普遍，一般是老了气倒不上来才不抽了。她是刷碗扫地喂猪圈鸡后蹲在灶炕前抽，卷手指头粗的大炮，一口口吞下去再吐出来，好像把一天的劳累全消除了。他们夫妻俩正这么抽着，又有人敲门，而且还敲得挺急，赵桂英开门看是老吴，老吴脸蛋子一道子一道子血印，擦萝卜条似的。老吴说："陈书记，这叫什么事呀！还让我活不？"

陈宝明披件衣服问："咋啦咋啦？"

老吴说："王宏儒和郎玉花抓了我媳妇，我媳妇回家跟我干架。我大小也是党委成员，也该提前跟我打个招呼。"

陈宝明把衣服扔在炕上，说："我早想跟你说，你得严于律己，你媳妇总带头要钱，叫咱们怎么说旁人？"

老吴疼得直吸气，说："老陈，你也别跟我上纲上线，打麻将这事，是领导带头，县里哪个领导不玩？到咱乡检查工作，你不是还给他们找麻将吗！噢，一抓起来就抓小老百姓，有能耐你们管官大的，再管我们！"

陈宝明急了："怎么着？不服气？有能耐你也当大官，当大款。当大款还娶小老婆也没人管，谁叫你在这当头头，在这当头头就得听我管。"说完拽过被子就躺下。

老吴站那愣了一阵，自言自语道："噢，我明白了，我明白了，老陈，咱明天再说。"拔腿就走了。

他走了陈宝明又躺不下去了，下地穿衣服出门去找王宏儒，王宏儒家里的说他去富贵那了，到富贵家又说在村部，到村部一看灯光大亮，顺墙根蹲着十来号人，富贵坐椅子上，王宏儒正在训话，说你们这些人也太不知足了，党和政府把你们的日子提高到这个水平，你们不思报恩反而扰乱正常的生产生活秩序，对得起谁呀！王宏儒问："你们难道想吃二遍苦想受二茬罪吗？"众人齐说："不想，打心眼里不想。"王宏儒问："那为啥赌博？"墙根处一人抬起头，是老四，说："还是我替大家说吧，咱这山沟子，也没啥务（娱）乐，大家就是想务乐务乐，没想别的。"王宏儒纠正道："那字念娱，娱乐。"富贵说："是吗？我念了二十多年务了。"王宏儒又接着讲了一通道理，下面的人就互相捅咕，王宏儒问："捅咕啥？"富贵说："给你们讲道理，还不听，不听就认罚。"老四笑道："我们不想听了，认罚。"王宏儒说："认罚也得听，必须从思想上有所认识。"老四说："您快饶了我们吧，您要给我们讲一宿，我们八宿也缓不过劲来。"其他人也跟着起哄。陈宝明在窗外看着来气，就想起前些天有一家子就因为要钱气得妇女上吊了，弄得乡里好几天没消停。他就说："都出来都到院里来。"众人抬头看，吓了一跳，乖乖地到了院里。王宏儒说："老陈，我再讲几句。"陈宝明说："这帮鸟人，你白讲。看我的。"就让这些人都蹲在当院围成一个圈。老四嘿笑着说："书记，饶过我们这一回吧，下回不在村里玩了。"富贵说："哪玩也不行。"老四说："其实也不想玩，就是手痒。"陈宝明笑道："手痒，对，今天我给你们治。听着，就像你们抓一条龙那个狠劲，给我挠地，使劲挠！挠啊！"

众人发愣，富贵上前一人腚上给了一脚："书记让你挠，你们愣着干蛋！挠！"

这院地是三合土，来往的人又多，踩得当当的。老四挠了一把，哭丧着脸说："太硬。"富贵说："废话！不硬还叫你挠。"这些人一看没法了，只好挠起来。也亏了这些人手有劲，挠了一阵还挠起点土来。陈宝明进屋找出个破脸盆，交给富贵："一人挠一盆，挠满了回家，明天交钱。"又指着老四说："他挠两盆。"老四叫："冤枉呀！"

陈宝明说:“冤枉那俩字不是你使的。好好挠,回头我给你安排个活干。”老四说:“你们这叫啥政策呀?”富贵把盆扔到他面前:“装土吧,这就是土政策。”

陈宝明出了村部,王宏儒跟上来,陈宝明说:“咋抓了老吴媳妇?老吴急了。”

王宏儒说:“擒贼先擒王,她是头。”

“她咋不在?”

“说上厕所窜墙头了。”

“干啥让她窜?”

“跑了和尚跑不了庙。”

“影响大局。”

“禁赌也是大局。”

陈宝明说:“哼,你们都是大局,就我一个人是小局。”就拐弯走了,走了几步又回头对王宏儒说:“你去村部再给他们讲讲吧,那土,一人挠半盆吧,老四一盆。”

转天上班陈宝明还真担心老吴有什么举动,就想找老吴谈谈,老吴不在,旁人说他表妹又来了,俩人去村里推销獭兔去了。王宏儒说:“看看,又是这个表妹,总来。”陈宝明说:“来得好,来得好。”然后就去找李援朝。陈宝明想了,你李援朝翻跟头变主意收入多少东西我不管,但你得把自己应下的和该办的事落实下来,像鞋厂的转产,碳酸钙厂还需要帮小黄做点什么。李援朝这会儿也没闲着,弄一屋子人正在开会,研究要新上一个砖厂。陈宝明进来说我也听听,李援朝来了精神,讲道:“陈书记对乡镇企业这一块格外重视,咱们必须抓上去。按现在的形势要求,咱小屯乡必须要超常规发展,要有超常规的规划,超常规的速度,这样才能赶上大流儿。而这一切的最关键部分是上项目,没有新项目,一切都白搭。”

全屋的人都瞪着眼珠子听。因为有陈宝明在场,旁人也不好说什么。李援朝接着讲他这回碰见一个韩国的商人,想投资一百万美元建山间别墅,已经和那商人讲了小屯山清水秀的情景,人家也答应来实地考察,问题是接待需用钱,所以把大家找来分一下工,到各村和各企业去集资,将来别墅盖成了,凡集资的单位可优惠价格卖给你们。

李援朝讲完了,陈宝明就想起当初接待台商,也是这么个路数,当然那事也主要是李援朝张罗的。陈宝明不能当着这么多人的面说援朝你这事不行,就说这事缓一缓再动,我和李乡长要商量个事。众人明白就退出去。剩下他俩,李援朝问:“您看我这想法咋样?”陈宝明摇摇头,又问:“援朝,你这名字是抗美援朝的意思吧?”李援朝嗯了一声,问:“名字咋啦?”陈宝明说:“你这名字得改改了。”李援朝问:“咋改?”

陈宝明伸出手指头说:“我看你头年就该改,改成李援台,就是援助台商,今年呢,你又该改成李援韩了。也不知到底是不是商人,是不是台湾的或韩国的,你就敢引进，你还想给我建个空鞋厂呀。”

李援朝说：“开放引进有啥错？大方向总是对头的吧。”

陈宝明说：“那是两码事。总挨骗赔钱那是方向吗？你别总想一口吃个胖子，你先把眼前的事抓起来，鞋厂半个月内没点成果，咱们就得开会总结总结了。”总结在小屯乡就是倒倒老账，分析分析责任，这是挺厉害的一招儿。

李援朝掂量得出自己这两年给乡里花了多少“学费”，二话没说就点了头，出去对外边的人说：“刚才说那事拉倒吧，那韩国人我咋看他也不像韩国的，中国话比我说得还溜乎。”众人都乐了，说：“就是，哪那么多韩国人，要是鼻子大，准说是英国人了。”李援朝说：“还是琢磨鞋厂，房子不能空着了。”众人都点头。

陈宝明又到其他各屋走走，大家也都挺忙，报表的报表，打电话的打电话，开信的开信，倒是没有一点松垮的样子。陈宝明心里又有些不忍，说难为大家了，我能力不够，工资总发不下来。大家说那是普遍现象，没关系，好歹咱还有点五十年代的工作精神，只要您书记把舵掌好了，有希望我们就挺得住。陈宝明心里热乎乎的，把烟卷扔给大家，说：“抽着，抽着，慢慢干。别累着。”脚下飘悠悠地来到院里，见老吴儿子吴成坐在山地车上等在王宏儒的办公室前，王宏儒涨红着脸说：“我不去！有能耐你叫她来！”陈宝明上前问：“干啥？”吴成说：“我妈请王大爷上我家去喝酒。”旁的屋的人过来说：“宏儒，请你喝酒你咋不去？”王宏儒说：“别蒙我，我懂。想拉拢我，没门！我王宏儒经历过这么多运动，我还不懂这个？”吴成没法就走了。王宏儒可能有点兴奋，就在当院说起来，说得郎玉花从旁边屋里探出头喊：“小点声，我都写不下去了！”把王宏儒的兴奋劲冲淡了不少，陈宝明刚想说点什么，身后上来了老四，老四戴着白手套，说：“陈书记，我也不为难您了，您这干部不少了，我还是自谋出路去吧。”陈宝明连连摇头：“那不行，我说话算数，你那边等着吧。”转身他把王宏儒叫到一边，说：“你这儿的力量确实弱点，特别是接待群众来访没个打下手的人，我给你配一个吧。”王宏儒很高兴：“那太好了，精神文明建设不仅要有财力，还需要人力，给我个谁呀？”陈宝明一指老四：“就他。”王宏儒乐了：“您别逗了，他能做这工作？”陈宝明说：“不是让他做什么工作，是给你当个跑腿的，咱不拢住，他还得走。你就给党委分担了这困难吧。”王宏儒摇头：“不行不行，我不同意。”陈宝明也上来倔劲，心想你王宏儒这两天也太牛×了，就叫过老四，说：“你归王部长领导，一切都听他的。”老四说：“工资多少？”陈宝明说：“你想得倒挺全，我的工资还没发呢。等发时准有你那份。”老四问：“那我吃啥？”陈宝明说：“伙房记账。可先说下，吃冒了你自己想办法。”老四说：“是，我尽量节省，就怕一时适应不了。”王宏儒说：“哎哟哟，你还适应不了，你还是去北京吃大饭馆吧。”转身就去了厕所，老四看看陈宝明，陈宝明说：“你跟着他。”老四就站到厕所门外等着。

这工夫老吴媳妇就进院了，进来就喊王宏儒。老四不知细情，说在厕所里，老吴媳妇就要进去，老四说这是男厕所。老吴媳妇说那我就等着。院里的人一听就知道要有乐子看，全出来了。老吴媳妇等了一阵子喊："掉屎坑里啦！掉大肠头子啦！你出来呀！老娘今天跟你拼啦！"王宏儒先是不吭声，后来就冲外喊："陈书记！陈书记！这事怎么办？她可逼上来啦！"陈宝明就想叫郎玉花上，旁人拽一把郎玉花，喊："王部长，人家逼上来，你就出击吧！"这话都是一语双关的，乡下干部一听都明白，大家哄的一下子全乐了。老吴媳妇知道王宏儒不敢出来，说："对，你昨晚出一回了，老娘没准备，让你得逞了，有能耐今天你再出一回击吧，看老娘咋收拾你。"说着就硬往厕所里闯，亏了厕所门窄，老四又一堵黑墙似的挡着，她才没闯进去，却也把老四脸上挠出几道血印。郎玉花看闹得差不多了，上前一把搂住老吴媳妇的腰，夹柴火似的把她夹起来，夹到计生委手术室，往手术床上一扔。老吴媳妇噌地坐起来："咋着？老娘可节过育了。"郎玉花说："我看你是犯了更年期综合征了。"老吴媳妇笑道："没错，我是更年期综合征，你们有啥法儿？"这屋里还有三个女的，都是郎玉花的兵，早先计划生育工作紧张时，这些人夜里堵白天追往车上抱往床上抬个个身手不凡。郎玉花给她们递了个眼色，其中一个砰地就把门关死了。老吴媳妇还拉硬弓道："咋着？要害巴我咋着？"郎玉花说："给你检查检查身体。那天检查乳腺和子宫癌时你没来，你这脾气，八成是长上了。"老吴媳妇上了圈套，愣愣地问："真的？"郎玉花一摆手："上。"那三个人板着脸上前把老吴媳妇放平在手术台上，脱衣的脱衣，解裤的解裤，转眼就把她剥个精光，两条白腿叉在两边的架上。老吴媳妇喊："太凉呀。"郎玉花叫道："别动呀。"然后戴皮手套，从橱里拿出消了毒的扩张器，一下给插进去，老吴媳妇又喊："啥玩意儿这硬？"朗玉花说："硬还不好！进口的，好好躺着，一会看结果。"四个人转身就到了外屋，把老吴媳妇的衣裤也带出来。郎玉花说："我回去写材料，等我回来再说。"就走了。

那边王宏儒正给老四脸上抹红药水。陈宝明过来看看，说："咋样？是不是忠心耿耿？"王宏儒点头道："耿耿，耿耿，就让他跟我干吧。"老四说："这不算啥，我们上访时往机关里挤，比这厉害。"陈宝明沉下脸说："光彩咋着？一个劲说。要是真有情况去上访，组织上还欢迎呢，像你这样，不就是想捡个巧儿吗？净给添乱。"老四说："以后不说了。"陈宝明说："老四，要想混出个人样来，你把两头可得把住。"老四说："对，上头管吃，下头管尿，旁的事不闹。"看见墙根有铁锨，他拿起来说："请会儿假，给我爹娘坟头培点土，也告他们一声我有正事干了，省得他们惦着。"陈宝明点点头，王宏儒又有点感慨说："等等。"从厨里拿出一瓶酒，还有几块点心，老四黑脸蛋子上一亮，看来还受感动了。陈宝明摸出多半盒烟，给了老四："拿着，当香使吧。"王宏儒又嘱咐："取土别从旁人家的坟上取。"老四说："嗯。就怕太远，也没车。我爹那坟头可能都平了。"就走了。

陈宝明长出了口气，刚要出门，郎玉花手里捏着稿纸进来，问王宏儒："你说下半部的漏洞，我咋找不着呢？"王宏儒说："好找，你过来我帮你找。"陈宝明越听越别扭，瞪了王宏儒一眼，王宏儒却全然不晓，拿过稿子一页页地翻。这时前排房子里老吴媳妇宰猪似的叫，郎玉花说："哎哟，我给忘了，差不多了。"就跑过去。陈宝明一看屋里没旁人，就对王宏儒说："老王你要注意啦，什么上半部有两点不突出，下半部还有漏洞，还要压压，啥意思？"王宏儒一愣，也明白过来，红着脸说："是稿子！是说稿子！你们咋往那处想？"陈宝明说："你净往那上面说嘛，能不叫人想？反正你得注意，小心抓你个思想不健康。"王宏儒不服气："我不健康？我要不健康，全世界就没健康的了。"正说着郎玉花笑呵呵地回来了，问："找着了吗？"王宏儒说："我找不着，请陈书记给你找吧。"就把脸扭向墙。陈宝明哼了一声，说："我才不管呢。"拔腿就走。把郎玉花给弄愣了，只好又求王宏儒："您不是说还要给压压吗？"王宏儒急头红脸地说："可别说这话啦……"

陈宝明要带李援朝和小黄去县里，他觉得这事必须得自己出马了。原因是小黄提出个新建议，想把承包改成股份制，如果乡里能投入一部分流动资金做股，厂子不仅能活起来，而且乡里得到的利益也大。李援朝同意了，陈宝明觉得也不错，听听下面的意见，也都赞成。陈宝明就想挂帅抓这事。乡里有一辆破吉普，稀里哗啦走起来乱响，陈宝明让加满油，又带上一麻袋蘑菇榛子啥的，准备见领导和管钱的人时意思意思。走之前赵桂英从夹袄里把几张到期的储蓄单找出来，告诉陈宝明取出来合到一块再存下去。陈宝明说我想借这机会看看地，能批我可就批了。赵桂英说："批了我也不想去，要去你自己去。"陈宝明说："我去了你可别后悔。"赵桂英说："我不后悔，我们供销社能发工资。"陈宝明心里恨恨地想我要是有的是钱，我非跟你离婚再娶个小的不可。可他没敢说出来，但终归心里别别扭扭，提个兜子去乡里。

乡政府门外停个大车，富贵带着不少村民拿着筐往下取什么。老吴和他那表妹在车上紧忙活，陈宝明上前一看是在分獭兔。这獭兔特白，因为是小兔崽，小雪球一般，挺好看的。老吴告诉陈宝明，说县科委优惠供给种兔和小崽，三个月就长大，一对兔子能卖二百多块钱。陈宝明问："有保证吗？"老吴的表妹说："没问题，要是你们乡里有场地，咱们可以合着搞，兔子我们出。"陈宝明说那就合着搞，进了院子不见李援朝，后来发现他在车里坐着，正翻小本上的电话，陈宝明说你下来，县里你先别去了。李援朝说鞋厂的事还得联系呀，陈宝明说我联系好了，咱们在厂里先养獭兔吧，干别的咱们外行，养兔子没大问题。李援朝不大愿意，陈宝明就不客气了，说："这乡里是听你的还是听我的？我说养兔子就养兔子，你要是能把兔子养好了，把工资解决了，我就找县领导提拔你当乡长。"这几句话挺灵，陈宝明任书记的令下来后，大家就议论谁能当乡长，李援朝自然是人选之一，但这关键是看陈宝明的态度了。

李援朝问："这话当真？"

陈宝明说："当真，可得养出钱来。"

李援朝说:“中,我豁出去天天打草了,也得争这口气。”

李援朝从车里拿出兜子就去找老吴。乡里干部这时也都过来看,有人就提议是不是咱个人家也养一两对,陈宝明连连点头,又把老吴找来,说给咱乡里的干部更大的优惠,要不就由乡里担保,每人赊一对。老吴说找他表妹商量商量,大家这会看出人家表妹还是个说了算的人物,也就不开玩笑,一本正经地跟着过去了。陈宝明看看院里还剩下郎玉花还在啃那材料,就说正好你跟我和小黄上县去吧,关键时刻你酒量行。

破吉普车就在山道上走起来。说来让平原上的人都不大敢相信,小屯乡离县城小二百里地,而且一水的山道还有河滩道,那可真是“山重水复疑无路,拧达半天才见村”,要是在平原,早跑出两三个县了。陈宝明坐在车里想,这可真是一个娘肠子爬的孩子养起来还有偏爱,老天爷造这地球时咋就不一下子都给抹平整呢?上小学时就讲地理,说辽阔的大平原北部是美丽的山区,那里物产丰富景色迷人,咱们伟大的祖国有不少这样的地方,当时可真为祖国自豪。长大了明白事了再一看,可真为国家操心了,大凡这山沟子,特别是北方的山沟子,没几块平整地,还缺水,有的地方还缺柴,净他娘的给国家添麻烦了,要是咱们国家都像沿海平原,早就上去了。可这也是没法的事,穷富都是中央领导下的地方,看领导今天讲扶贫,明天又弄希望工程,还不主要是为小屯乡这样的地方操心,人家要是光想当官作乐,那不是有的是好地方去玩,人家也不愁没路费也不愁找不着旅馆……

小黄递给陈宝明一根烟,问:“陈书记想啥呢?”

陈宝明抽着烟,说:“没想啥,怪困。”

郎玉花说:“我这两天也特乏,书记,禁赌会搞完了我可就抓孩子上学了。”

陈宝明说:“那叫希望工程。”

郎玉花说:“其实就是叫孩子都上学。我看现在上面也有点糊涂了,整天号召捐钱,该用红头文件咋就不敢用了?”

小黄说:“就是,这么下去早晚有捐不起的时候,捐烦的时候。”

郎玉花说:“嘿,现在有人有钱也不让学生上,就等着你捐,总这么下去不是个法,如果像抓计划生育那样抓,我敢说一个失学的也没有。”

陈宝明说:“这倒是。我这阵子心里也划混儿①,咱这上面,除了开口子长工资的事干得利索坚决,咋旁的该管的事都硬朗不起来呢?要不就试巴两下子就拉倒。这么下去咱小屯乡就是出俩土匪,咱乡政府都够抵挡的……”

郎玉花说:“就是,咱们那些枪也都收上去了,派出所所长那手枪还净卡壳。”

小黄:“是吗?这可够呛,别再出来绑票的。”

郎玉花说:“你最危险,我们没事,人家不绑我们发不出工资的。听说了吗?有

① 划混儿:不明白之意。

个个体户夜里被劫道，他说在乡里工作，人家给他屁股一脚让他快走。”

陈宝明听了，苦笑一声，这一声笑坏了，吉普车锅开了，司机说没办法得灌凉水，小黄就去河沟里抚水，机器凉下来再接着走。走三十多里路，又开锅又灌水，好在山区河沟子多，水方便。陈宝明说：“这要是在大平原，找水可不这么容易。”司机说：“人那儿也没这破车。”说得陈宝明不吱声了。

郎玉花说：“陈书记，我想给上面写封信。过去咱定的两个孩子的户得交点钱，我认为没错。一是国家照顾你了，你也得为国家做点贡献；二是收了钱也给他们孩子做保健，同时也为一个孩子的办点实事，我看这不是乱摊派。要不，一孩户可都要保不住了。”

陈宝明深知这事弄得下面左右为难，可他不敢支持郎玉花反映这事。前些日子在县里开会讨论时，陈宝明说农民最欢迎的事就是“迎闯王，不纳粮”，开仓发粮更好，咱不能简单迎合。这话当即让一些领导不高兴，那时正是想看看哪县减负担减得彻底，宝明这话大煞风景。有人背后说你宝明太直了，陈宝明也怪后悔，再往后一讨论陈宝明就吃两片安宁，迷迷糊糊光想睡觉，醒了精精神神吃饭喝酒。有一次齐书记问陈宝明咋不发言了，心里有什么事吗？陈宝明没办法，胡说这几天是自己老娘的周年，其实他娘死了都八年了。后来他自己解释说八年就像在昨天，赵桂英说你可真行，昨天死的转天就去大吃大喝，庆祝咋着。把陈宝明气够呛。

看看快到县城了，陈宝明说：“咱们犯了一路自由主义了，说过的就都忘了，往下像那么回事似的。”郎玉花问：“我说的那事还反映不？”陈宝明说：“不反映，看看风声，没大事咱自己干就是了。”小黄说：“中午我请客。”陈宝明说：“恐怕这几天都得你请，谁叫给你办事呢。”小黄说：“没问题，您就说想吃啥吧。”郎玉花说：“烤鸭。”司机说：“肉呗。”陈宝明说：“我爱吃热烧饼就羊杂碎汤，比啥都强，一顿饭三四块钱吧。”小黄说：“咱还得请人家呢。”陈宝明说：“对啦，请客不能吃羊杂汤，到时候再说吧。”

说话间就进了县城，县城这二年建得不赖了，横竖有那么几条街，新楼也戳起十好几座来。据说早向上申报建市了，后来申请贫困县，两下矛盾了，县里权衡再三，最后决定还是要贫困县不要市，要市名声好，要贫困县得实惠。这事跟乡里关系不太大，分级财政大包干实行以来，县里很少给下面拨钱。小屯乡是吃补贴的乡，每年十万，其余都是自己挣。眼下的形势很明显，县里要重点把县城及县城周围的几个乡镇搞得像那么回事，力量都投在这，所以别说建市，就是建省一时半时也惠及不到小屯来。但看着县城变化大，大家心里也是高兴的。何况陈宝明还有搬这来的打算。

正是下班时，街上的人多，陈宝明这司机平时在山沟子里开车躲个猪鸡还行，一见这么多人就有点发麻。过十字路口时，有个警察站在当中红台上指挥，不知他手势打差了，还是人们急着回家吃饭，反正是四个路口连人带车一起进，陈宝明这车躲个自行车忽的一下就把红台给撞翻了，警察也摔下去了。可把陈宝明给吓坏了。还不赖，那警察打了俩滚站起来，二话不说就扣了车和驾驶证。陈宝明几人又给人家掸土又上烟又说好话，全没用，在路边待了半个多钟头，后来见一辆警车开过来，陈宝明说完啦，啥事没办先进局子。不料车上下来的是武局长，武局长一见陈宝明，笑道："我说谁这么大胆敢撞警察，除了你没别人。"陈宝明见到救星一样，说："您快开恩让我们走吧，我们认罚。"武局长转身问问那警察哪摔坏了没有，然后把本子给了老陈，说："穷了巴叽的，不忍心罚你呀。这些日子老四没出来，也给我们省不少油钱，快忙去吧。"一句话可把陈宝明给救了。他让司机打开后盖就要给武局长榛子蘑菇，人家武局长摆摆手上车走了。陈宝明立即把人带进羊汤馆，说："我请客，大家压压惊，往后就顺当了。"司机激动得非得喝酒，没办法只好让他喝，结果一下子就喝多了，陈宝明喝了三碗羊杂汤，肚里才稳当一些。吃完了司机也不能开了，只得在旁边找个小旅馆住下，然后陈宝明和郎玉花、小黄三人步行去办事。

事情挺不好办，财政局、银行都去了，人家对小屯乡都很同情，对碳酸钙厂也挺感兴趣，可人家也明讲，最近紧缩银根，没有钱，你小屯乡是没赶在点上。陈宝明走到大街上仰脸长叹："唉，咱们是一步赶不上，步步赶不上呀。"

想请人家吃饭，人家没给办事也不去，而且县里正抓廉政的问题，人家也不冒那个险。那些榛子蘑菇倒是给出去了，看来人家也没当是个啥东西，有的顺手就扔柜子上头去了。

溜溜跑了两天，没啥成果。转天就要走了，陈宝明说咱别想请人家喝酒了，咱自己请自己吧。就拣了全县最好的馆子要了几个菜喝起来，喝得挺慷慨激昂的，一致感到没有什么神仙皇帝，穷乡要翻身全靠我们自己。小黄说就冲有您这些不拿工资还玩命干的乡镇干部，我就是不挣钱也要把厂办下去，我这就回家找亲戚朋友再去借钱；郎玉花说回去咱们集资；司机说这车反正也不行了，不如卖钱。陈宝明热泪盈眶，放下酒杯说："我去找齐书记。"

齐书记晚上也在办公室，点着灯关上门看文件。因为在白天根本坐不下来看点啥，全靠晚上了，要不用不了十天半月，上面啥新精神、大事该抓点什么就全忘了，就陷到烂事窝子里了。老齐总结过，挺好的县直干部派到乡下，没多长时间就变得粗粗拉拉，干具体事挺棒，往条条道道上说说费劲，原因就是白天没空学习，晚上又忙喝酒打麻将，脑子里可不就少了点什么。所以老齐给自己定下任务晚上必须来办公室看东西。

陈宝明认得齐书记的办公室，上楼来伸出巴掌敲了敲，旁边屋出来秘书，秘书是新来的，问找谁。陈宝明说："就找这屋的。"这秘书挺负责任，身子直直的挡在门口，说："齐书记不在。"陈宝明说："你蒙不了我，屋里亮着灯呢。"他嗓门挺大，齐书记就开了门，笑道："我听出是你，黑灯瞎火的你咋来了？"便把陈宝明让进来。陈宝明坐下抽着烟说："齐书记，我可不是给您报啥喜来，我得给您说说，小屯乡够呛呀，不能再这么下去了。”于是也不管齐书记爱听不爱听，就突突突地全给说了，说完了心里又有点打鼓，偷偷看看书记的脸色，还好，人家还是一进来时的模样，便踏实一些。齐书记安慰了陈宝明几句，顺手从桌上抄过几份报告，笑道：“老陈，我的日子比你的还难过呢，瞧瞧，都是要钱的，我往哪生去！”陈宝明说：“您拔根汗毛比我腰都粗。”齐书记说：“咱是白条猪，没毛。老陈，上下都一样，大家都难，别的法儿没有，使劲干吧。要不我咋让你一肩挑？就是让你带大伙杀出条生路来。”陈宝明说：“是想杀呀，就怕杀不出来。”齐书记鼓励道：“你行，你一准能杀出来。”一句话又说得陈宝明心里热乎乎的。陈宝明也是知趣的人，说到这会儿就站起来告辞，齐书记也不留，转身从橱子里拿出条烟，还是红塔山的，扔给陈宝明，说：“我戒烟了，你拿去抽吧。”陈宝明忙放下：“我，我不要，你留吧。”齐书记说：“你拿着。你轻易也不来，告诉乡里同志，县里会考虑你们那儿的。不过，你们得给我坚持住，别忘了低指标时回家种大萝卜的教训，要往前看。”陈宝明把烟拿起来，说：“书记，你就等好儿吧。”噌噌就出来了，下了楼碰见那秘书，陈宝明举起烟：“回头上小屯去，我领你去打狍子。”

县城的夜晚比起小屯来讲自然是另一个天地了，满目灯光，红红绿绿，满耳声响，难分路数。陈宝明从商店舞厅台球案饭店饭馆饭铺饭摊前走过，心中暗叫一声好一个太平盛世，顿时便也生出无限豪情，又想到有这么体贴属下的齐书记，也真该干出点成绩来报答报答。正走着就在路边碰上一个先前也是在乡里当一把手的熟人，头年退了搬县里来住。一碰见他陈宝明忽然就想起忘了跟齐书记说到县里盖房批房基地的事。他就问在这生活得咋样，那老兄叹口气说没职没权住皇上家后院也还是那样儿。又劝陈宝明千万别打这主意，不如在乡下住着舒服。陈宝明不爱听，客气两句走了，走走自言自语道：“一样儿你还在这住？老子非来不可……”

转天一早本来该回小屯了，陈宝明晚走一个小时去办点事，转弯抹角去了银行。这县街上存钱的地方有七八处，门脸比较大的有两个，当初存钱时陈宝明思想上有负担，怕熟人看见以为自己在下面搂了多少钱似的，就拣偏僻一点的储蓄所还分了三下存下了，这会儿思想有点解放，便想豁豁亮亮地把钱存到一起。在第一个储蓄所把到期的三千元拿到手，陈宝明就觉得身后好像有人盯着，走在街上，又像有人跟着，抽冷子转身瞅，根本也没人，一抬头阳光刺了眼睛，猛地打个喷嚏，浑身一阵轻松，心中叫声惭愧呀，穷乡镇干部真是没见过钱哟，这要是有个十万八万的，还不得把精神紧张得出毛病？叹口气他又往第二个所走，脚下就有了点劲，估计已经到了地方，却怎么也找不着，本来松下来的心情又提起来，再细看，原来储蓄所原址变成一片平地，看那样子是要盖楼。陈宝明的汗就冒出来，原地转了两圈，意识里就想撒尿，好在路边就有树林，进去时间不大就尿出来，然后就打听，还就打听出来新的地点，到那里取出来，又奔第三个点。第三个储蓄所是一所临街的旧平房装了个铝合金的门脸，一张因改建楼房变换办公地址的通知很醒目地贴在门前。这房后已经是一片工地了，轰轰的机器声响成一片，这时阳光已经明晃晃从东边那一群山顶上照过来，因为是秋阳，不似夏天那么燥热，而且又刮着点小秋风，天又很蓝很蓝很深很深，于是陈宝明看这阳光就不由地想起“明媚”这两个字。好像是在上小学写作文时自己常爱这两个字，据说这是一个极好的形容词。现在他就有点感触：这世界还真他娘的不错嘛！又有楼又有存款又有明媚，你是犯的哪门子愁呢！老娘在世时说年轻时穷得没房没地，穷得连愁都没了，一点点也熬过来。陈宝明心想还得佩服贫下中农老父母，人家要愁死了，自己还有什么缘分到人世喝羊杂汤……

他在这储蓄所门前看来是多站了一会儿，从屋里就出来个穿蓝衣服的保安人员。这是个小伙子，看来是新穿上这衣服挺美的，也没经验，就问陈宝明：“找谁呀？在这瞅啥！”陈宝明立即就忘了明媚，说：“我愿意瞅！”这就跟他在乡里很少有人敢这么对他讲话有关了，他受不了让人数落。那保安小伙子嗖地从腰间抓起了电棍，说：“你找死！”一按电棍头叭叭冒火星。陈宝明向旁一闪，喊：“老子取钱！你干鸡巴啥！”这话把街上和屋里的人都招引过来。这其中就有认识陈宝明的，问咋啦，陈宝明只好说我给乡里取钱这小子亮电棍；所里的人直给道歉又把陈宝明让进屋里点烟倒茶，陈宝明余火未消，取出钱就走，心想再也不上你这存钱，叫你们雇这个么保安，敢电小屯一把手！

本想再找个地方把钱存了，郎玉花和司机开车可街找过来，说都出去俩钟头了。陈宝明只好上车回小屯，到家把钱交给赵桂英，说县里银行都盖房子说不上搬哪去，不如放家里保险，赵桂英夸宝明想得周到，给他炒了俩菜吃。

獭兔真的养起来了。李援朝这回也不找台湾人也不找韩国人，他说兔子咱只要喂好了，它肯定不骗人，到时候把手一剪就是钱。陈宝明到鞋厂看了看，獭兔长得挺快的，就是尿挺臊。李援朝说丢了一只母兔子，有人反映可能是老四给偷去吃了。陈宝明说加强防范抓着了就送派出所。

小黄回来了有一只眼眶是青色的，是在班车上和小偷打架打的，总算不错保住了钱。陈宝明很感动，就张罗集资，可乡干部们不太积极。王宏儒说：“老四的烟都抽的我的，我拿不出多少。”老吴说：“我们家倒是能出点，可自打养了两个獭兔，我都变成五把手了，说了我媳妇也怕不给。”还是郎玉花像回事，从兜里掏出一百块钱，说：“一个大老爷们，哼，熊样。”就走了，陈宝明瞅瞅那两位，那两位脸红红的，王宏儒试探着问：“陈书记，您呀……”陈宝明脑子里闪了一下赵桂英，嘴里却说：“废话！”就去找小黄了。他找小黄主要是再真打实凿地落实一下这碳酸钙的生产和销路，然后还有集资入股的风险收益等问题。别看过去乡里也没少上项目，但因为是公家的钱，表面上都挺认真，实际上没一个担心赔的，赔了也不是自己的，挣了个人也得不了多少，现在跟自己联系起来，变成一根绳上的蚂蚱，自然就大相径庭要见真章了，陈宝明也看透大家伙不积极就跟这有关。

碳酸钙厂在乡政府后山坡处，白面子漫天飞，呛鼻子。这东西就是用石灰石锻炼炭化再烘干罗粉，做涂料橡胶塑料啥的都离不开。小黄还真能吃苦，就在那么个环境里忙活。陈宝明一见他满头挂霜的样儿，心中暗想我乡里咋就出不了这么个人，何苦自家的石头非得请外人指挥着烧。小黄把陈宝明请到办公室，里面有个女的二十来岁长得亮银子一般，一介绍是新来的女秘书，陈宝明瞥了一眼然后就瞅小黄问这问那。小黄这会儿有钱了，不那么心急，从抽屉里拿出份合同，说我都起草好了，请你过目，原则是利益共享风险同担。陈宝明一看这两方面都挺吓人，就说："前面好说，后边是不是你多负担点？"小黄说："我可以再多担一点，但前面的比例也得变一点，不然我也无力还债。"那女的就给陈宝明点烟倒茶，身上的香味小风一般，伸过来的手指头细长，戴着戒指镏子还涂着红指甲。陈宝明心想这可真是男人有钱就想学坏，女人一学坏就有钱呀，这小黄也不能小看了。陈宝明脖子都没动一下就说："小黄，你要好好考虑一下我的决定，小屯乡的情况你也不是不知道。"小黄笑道："我知道。"陈宝明问："你知道八路军来之前这儿出啥吗？"小黄摇摇头："出啥？"陈宝明一摸下巴："胡子！"站起来就走，小黄脸色顿时变白，连忙拉住说好商量好商量就按您说的办就按您指示去办。

这事还就有了效果，不少人都想当一回股东。陈宝明跟赵桂英做了工作，入了个大头。双方签字画押，饭馆里喝酒祝贺，自然是吃小黄。小黄带着他的女秘书，脸上很是高兴。女秘书没见过这么多乡干部，满屋是烟把她呛得待不住，叫声小黄我走了就出去了。小黄追出去，老吴就说："这是小黄的妾。"老四端着菜上来说："小老婆。妈的，我连一个都没有，这太不公平。"王宏儒说："谁叫你没钱。"老四说："对，我有钱娶八个。"郎玉花笑道："你干脆当种兔子得啦。"李援朝就想起来，问老四："獭兔肉和家兔子肉有啥不一样？"老四想想说："差不离吧，也是一股草味。"李援朝一拍桌子："是你偷的兔子！"老四连连摇头："没有没有。"王宏儒问："你没养兔子往哪吃的肉？"老吴说："我家那俩兔子死啦。送给他了。"陈宝明看看这些伙计们，个个都挺可爱的，可惜忙忙碌碌还见不着工资。心里有事就喝得多，多了就迷糊了，后来他就唱：嫂子，借你一双小手，给我倒酒……老吴唱：借你一双大脚，陪我跳舞；老四唱：借你一个粗腰，给我生个胖小子。结果，大家都喝多了。

转天陈宝明告诉赵桂英把剩下的钱都入股好多分红，赵桂英挺痛快拿出来。陈宝明把钱拿到办公室交给老吴，说再凑凑，快八月十五了，每人发点，这钱是我借的，将来再还我。老吴心里明白，不忍心发，说要不让我媳妇再玩几天，准能挣几百也凑上。陈宝明说："快拉倒你别添乱，发了抓紧制订小康规划，这穷乡就穷在咱思想不解放，整天跟这些烂事玩命上了。"老吴说："就是，好多正经事没人干，好多人又没正经事干。"陈宝明说："你和你表妹干的事不赖。"老吴眼珠子就发直。陈宝明忙说:“我是说獭兔,你别瞎想。”老吴说:“不行,我还得找王宏儒,还有郎玉花,我媳妇这些天肚子疼起来没完。”陈宝明说:“中啦中啦,再挑事我可不客气了。”

正好齐书记让秘书打来电话,说是财政要拨一笔钱发工资。陈宝明挺高兴,让老吴把信息传给大家。晚上陈宝明回家才吃上饭,李援朝跑来说县里开紧急电话会,陈宝明放下饭碗就去,王宏儒、郎玉花、老吴也赶来。那电话会是专门讲农村工作特别是发展乡镇企业的,特别强调各级领导班子要狠抓,抓不上去就自己主动下来。这话不是齐书记说的,是一位副县长说的,说得挺硬。电话会结束,老吴说:“我又买一对种兔,它咋不怀孕呢?”

郎玉花说:“人家搞计划生育了。”

陈宝明说:“还有啥?”

老吴摇摇头:“没了没了。还是说乡镇企业吧。”

王宏儒说:“得抓紧落实,还得抓项目找资金。”

李援朝说:“先把兔子养大吧。”

陈宝明说:“兔子接着养,项目还得上。上不去,明年都回家养兔子。”

郎玉花笑道:“别那么悲观。”

陈宝明问老吴:“要发工资大家情绪咋样?”

老吴说:“还那样。发也干那些事,不发也得干。”

陈宝明说明天再议吧,大家就散了。这时,小屯乡已在夜色中,天上有一个半圆的月亮,四下有些薄云。陈宝明边走边想还去不去县城盖房子呢……地、钱,还有这小屯……他到个暗影处撒尿,尿得挺痛快,他又想起来自打在县里取钱吓了一跳后那毛病就好了许多,不禁笑起来,自言自语道:“别着急,慢慢就顺当了。”于是就回家睡觉去了。

(选自《中国作家》1994 年第 5 期)

何　申

1951 年出生,天津市人。1976 年毕业于河北大学中文系。1984 年后历任承德地区文化局局长,承德日报社社长,河北省作家协会副主席。1981 年开始发表作品,1994 年加入中国作家协会。著有长篇小说《梨花湾的女人》《多彩的乡村》,中篇小说集《七品县令和办公室主任》《年前年后》《信访办主任》等。中篇小说《年前年后》获《人民文学》优秀作品特别奖、《小说选刊》优秀作品奖和首届“鲁迅文学奖”。作品还获《小说月报》《中篇小说选刊》《北京文学》等优秀作品奖。曾获 1993 年度庄重文文学奖。